国家出版基金项目
NATIONAL PUBLICATION FOUNDATION

◎“十二五”国家重点图书出版规划项目

◎ 湖南省社科基金重大委托项目

近代湖湘文化研究丛书

地域文化理论视域下的湖湘文化研究

郑大华 ◎ 主编

刘少虎 刘觅知 许顺富 ◎ 著

CNS PUBLISHING & MEDIA 中南出版传媒 | 岳麓书社 · 长沙

序

湖湘文化源远流长，博大精深，是中华文化中独具地域特色的重要一脉。但在近代以前，它的影响主要在学术方面，即表现为作为宋明理学内部一个流派的“湖湘学派”的形成，而对湖南的社会、政治、经济和大众生活影响不大，更不用说对中国的社会、政治、经济的影响了，与同时代的其他一些地域文化比较不具有典型性。进入近代后，湖湘文化异军突起，大放光彩，不仅深刻地影响着湖南社会的各个方面，而且对中国近代历史进程起过重要的推动作用。近代湖南是湘军的故乡，是戊戌变法、辛亥革命和大革命的中心地区，产生过一大批对中国近代历史有重大影响的人物。著名历史学家谭其骧在《湖南人由来考》中就曾指出：“清季以来，湖南人才辈出，功业之盛，举世无出其右。”从魏源提出“师夷长技以制夷”的主张，到曾国藩、左宗棠举办洋务运动；从谭嗣同、唐才常献身维新变法，到黄兴、宋教仁引领辛亥革命风骚；从蔡锷首举反袁护国义旗，到毛泽东、蔡和森宣传马克思主义和创立中华人民共和国……在近代中国的每一个重要历史时期，近代湖湘文化及其主体近代湖南人都起到了“开风气之先”或“中流砥柱”的作用。尤其是近代湖湘文化所形成的那种忧国忧民、实事求是、通变求新、兼容并蓄、敢为人先、勇于奋斗、不怕牺牲的精神，激励着一代又一代的近代湖南人为民族独立、社会进步、人民解放而上下求索，为我们留下了十分宝贵的精神遗产。改革开放后湖湘文化研究的开创者、著名历史学家林增平在《近代湖湘文化试探》一文中写道："1840 年鸦片战争前的漫长的古代，在湖南没有出现过几桩足以影响全国局势的大事；属于湖南籍的名人，寥若晨星。而跨入近代（1840 年后），就迥然不同，在诸如太平天国起义、戊戌变法、辛亥革命等重大事变中，湖南所产生的反映，着实引人瞩目；且人才辈出，为人们所称道，延续至现代，更呈现出鼎盛的局势。"（《历史研究》1988 年第 4 期）

自 20 世纪八九十年代以来，随着文化热的兴起，地域文化研究已越来越为学术界所重视。因为地域文化是整个中国文化的组成部分，它和中国文化之间存在着一种部分与整体、个别与一般、特殊与普遍的关系，我们要深入研究中国文化，发掘中国文化宝贵价值，继承中国文化优良传统，就必须对地域文化进行深入全面的研究，地域文化研究得越深入，越扎实，整个中国文化的研究就越能丰富多彩。同时，在中国文化内部之所以会形成不同的地域文化，是由于各地区的人文地理环境和历史传统的不同决定的，各具特色的地域文化已成为地域经济社会全面发展不可或缺的重要推动力。因此，加强地域文化研究，有利于对不同地域之特殊性的认识，从而为党和政府制定符合本地区区情的经济、文化、社会政策、开发和利用本地区的文化、旅游资源提供科学依据。

作为一种地域文化，近代湖湘文化是中国近代文化的重要组成部分，加上它在近代中外古今文化的冲突与交融中又处于承接南北、融会东西的位置，在地域文化研究中的地位非常重要。早在民国时期，钱基博、谭其骧等人就探讨过湖湘文化在近代异军突起、大放光彩的原因。从 20 世纪八九十年代开始，越来越多的学者，特别是湘籍学者先后投入到对近代湖湘文化的研究之中，出版和发表了一大批研究成果。据初步统计，从 1990 年到 2015 年的 25 年间，关于近代湖湘文化研究的论文在 300 篇左右，如林增平的《近代湖湘文化试探》、饶怀民的《近代湖湘文化的源流、结构及其特征》、茅海建的《也谈近代湖湘文化》、周跃云的《近代湖湘文化与湖南地理》、郭汉民的《近代湖湘文化的爱国传统》、王继平的《论湘军与晚清湖湘文化》、麻天祥和吴仰湘的《传统学术的递嬗与近代湖湘文化的崛起》、许顺富的《论湖湘文化对湖南早期现代化的负面影响》《近代湖湘文化与西方文化的冲突和融合》、唐浩明的《湖湘文化及其当代价值》、谭长富和康化夷的《湖湘文化的反思》、易永卿的《湖湘文化对湖南无产阶级人才群体的影响》、户华为的《湖湘文化及其特征与历史定位》、刘云波的《江浙文化与湖湘文化比较论》、朱汉民的《湖湘文化与中国文化》等。相关的论著有彭大成的《湖湘文化与毛泽东》《魏源与西学东渐——中国走向近代化的艰难历程》《中西冲突融合中的近代湖湘文化——从近代走向现代的历史抉择》、朱汉民和陈谷嘉的《湖湘学派源流》、张伟然的《湖南历史文化地理研究》、王兴国和聂荣华主编的《湖湘文化纵横谈》、郑焱的《近代湖湘文化概论》、刘泱泱的《近代湖南社会变迁》、陶用舒的《近代湖南人才群体研究》、湖南师范大学文学院编的《湖湘文化论集》（上、下）、周秋光主编的《湖湘文化宏观研究》、王立新的《开创时期的湖湘学派》、朱汉民主编的五卷本《湖湘文化通史》等。学位论文有曾汉业的《湖湘文化新探》、杨铮铮的《王夫之与湖湘文化的近代转换》、肖高华的《曾国藩文化思想与中国近代化》、刘鹤的《贺长龄经世思想研究》、李陵的《唐鉴与晚清理学"复兴"》等。回顾过去，展望未来，如何在认真总结已有成果的基础上，进一步深化近代湖湘文化研究，这是学者们面临的共同任务。2004年3月9日，我曾应约在《光明日报·理论版》的"史学专栏"发表了一篇《如何深化近代湖湘文化研究》的文章，我在文中写道：

作为一种区域文化，如同近代岭南文化、江浙文化等一样，近代湖湘文化也是近代中国文化的重要组成部分。因此，我们要进一步深化近代湖湘文化的研究，首先就必须把它放在近代中国文化这一大背景中加以考察，以厘清它与近代中国文化的互动关系，亦即近代中国文化的变动、转型与发展是怎样影响和制约近代湖湘文化的变动、转型与发展的，近代湖湘文化的变动、转型与发展又对近代中国文化的变动、转型与发展产生了什么影响。检视已有研究成果，大多是就近代湖湘文化论近代湖湘文化，很少涉及近代湖湘文化与近代中国文化的关系问题。因而，在评价近代湖湘文化的历史地位和作用时，往往不是拔高，就是贬低，很难实事求是。

近代中国文化的变动、转型与发展对近代湖湘文化的影响和制约主要表现在以下几个方面：第一，影响和制约着近代湖湘文化的发展历程。依据文化的性质及其表现形态，这一时期的近代中国文化大致经历了三个发展阶段，即资产阶级新文化的萌发或准备阶段（从 1840 年的鸦片战争到 1895 年的中日甲午战争）、资产阶级新文化的形成和发展阶段（从 1895 年的甲午战争到 1919 年的五四运动）、无产阶级新文化的形成和发展阶段（从 1919 年的五四运动到 1949 年中华人民共和国的成立）。近代湖湘文化也同样经历过这样三个发展阶段。第二，影响和制约着近代湖湘文化的结构变化。近代中国文化的结构变化首先是文化构成的变化，即从 1840 年鸦片战争以前单一的封建主义文化变成包括封建主义文化、帝国主义文化、资产阶级新文化和无产阶级新文化等多种不同性质的文化并存的半殖民地半封建文化，其中封建主义文化与帝国主义文化结成同盟，反对资产阶级新文化（五四运动前）和无产阶级新文化（五四运动后），而资产阶级新文化（五四运动前）和无产阶级新文化（五四运动后）在与封建主义文化和帝国主义文化的斗争中不断发展壮大，并最终成为中国文化发展的方向。近代湖湘文化也同样发生了这种结构变化。第三，影响和制约着近代湖湘文化的形成和内容。近代中国文化是在中西文化的冲突与融合过程中、在新旧文化的斗争与调适过程中形成的，实现民族独立（救亡图存）和社会进步（科学与民主）始终是近代中国文化的追求目标和主要内容。近代湖湘文化的形成和主要内容也不外于此。至于近代湖湘文化的变动、转型与发展对于近代中国文化的影响，可以用“丰富”和“推动”两词加以概括。作为对近代中国政治、思想及其他领域产生过重要影响的区域文化，近代湖湘文化不仅以它不同于其他区域文化的特色使近代中国文化更加丰富多彩，而且对推动近代中国文化的发展做出过巨大的不可磨灭的贡献，在近代中国的每一个重要历史时期，近代湖湘文化及其载体近代湖南人都起到“开风气之先”或“中流砥柱”的作用。

其次，在加强对近代湖湘文化与近代中国文化互动关系研究的基础上，还要加强与诸如岭南文化、江浙文化、三秦文化、齐鲁文化、中原文化、巴蜀文化等区域文化的比较研究，只有通过与其他区域文化的比较，我们才能对近代湖湘文化在近代中国文化中的地位和作用有更清楚的认识，也才能更准确地把握近代湖湘文化的特征。比如，已有的研究成果几乎无一例外地把经世致用和爱国主义作为近代湖湘文化的主要特征，这就值得商榷。因为所谓特征，是唯我独有、别人所无的东西。如果人人都有，又怎能称为特征呢？以经世致用而论，它是中国儒家文化的精华，是历代知识分子一以贯之的优良传统和价值取向。不仅近代湖南的知识分子如此，近代其他地方的知识分子也是如此，比如嘉（庆）道（光）年间，湖南的陶澍、贺长龄、魏源等人主张经世致用，并形成了一个被人们称之为“嘉道经世派”的人才群体，同样浙江的龚自珍、安徽的包世臣和姚莹、福建的林则徐、山西的徐继畬、江西的黄爵滋等人也都主张经世致用。既然经世致用不是近代湖湘文化所独有的东西，它也就不能成为近代湖湘文化的特征。当然湖湘文化因各种历史和学术的原因，有的时候经世致用可能比其他地方表现得要更强烈一些。至于把爱国主义说成是近代湖湘文化的特征，那就更失之毫厘、差之千里了。因为爱国主义是近代中国文化的时代旋律，近代湖南人爱国，其他地方的人也一样爱国。中国近代史上涌现出一大批著名的爱国人士，湖南人只占其中的一部分。如果说爱国主义是近代湖湘文化的特征，那么它也应该是岭南文化、江浙文化或其他区域文化的特征。我认为真正能称之为近代湖湘文化特征的，是从古代湖湘文化继承下来并加以发扬光大的那种敢为天下先、“无所依傍，浩然独往”、勇于奋斗、不怕牺牲的“特别独立之根性”，也就是民间通俗所说的“吃得苦，霸得蛮，扎硬寨，打死仗”的精神。早在20世纪初，革命志士杨毓麟在《新湖南》中就写道：“（湖湘文化）其岸异之处，颇能自振于他省之外。自濂溪周氏师心独往，以一人之意识，经纬成一学说，遂为两宋道学不祧之祖。胜国以来，船山王氏以其坚贞刻苦之身，进退宋儒，自立宗主；当时阳明学说遍天下，而湘学独奋自异焉。自是学子被服其成俗。……道咸之间，举世以谈洋务为耻，而魏默深首治之；湘阴郭嵩焘远袭船山，近接魏氏，其谈海外政艺时措之宜，能发人之所未见，冒不韪而勿惜。至于直接船山之精神者，尤莫如谭嗣同。无所依傍，浩然独往，不知宇宙之圻埒，何论世法！其爱同胞而惎仇虐，时时迸发于脑筋而不能自已，是何也？曰：独立之根性使然也。”1920年1月，陈独秀在《新青年》上发表的一篇题为《欢迎湖南人底精神》的文章也指出：“湖南人底精神是什么？‘若道中华国果亡，除非湖南人尽死。’无论杨度为人如何，却不能以人废言。湖南人这种奋斗精神，却不是杨度说大话，确实可以拿历史证明的。二百几十年的王船山先生，是何等艰苦奋斗的学者！几十年前的曾国藩、罗泽南等一班人，是何等‘扎硬寨’、‘打死战’的书生！黄克强历尽艰难，带一旅湖南兵，在汉阳抵挡清军大队人马；蔡松坡带着病率领子弹不足的两千云南兵，和十万袁军打死战，他们是何等坚忍不拔的军人！……我们欢迎湖南人底精神，是欢迎他们的奋斗精神，欢迎他们奋斗造桥的精神。”近代湖湘文化的这种敢为天下先、“无所依傍，浩然独往”、勇于奋斗、不怕牺牲的“特别独立之根性”，正如杨毓麟所说的那样，“其岸异之处，颇能自振于他省之外”。这才是近代湖湘文化的特征。我们在比较湖湘文化与其他区域文化的异同时，应重点加强与近代岭南文化和江浙文化的比较，因为在中国近代史上，这三个区域都曾涌现出许多有着举足轻重影响的著名人物，都对近代中国文化的发展做出过巨大贡献。

此外，还应加强对近代湖湘文化形成和发展之社会原因的研究。众所周知，在古代的绝大多数时期内，湖湘文化平淡无奇，没有什么影响力。但进入近代后，尤其是太平天国运动发生后，湖湘文化则突然一跃而起，“一鸣惊人”，成为近代中国文化中一枝光彩夺目的奇葩。个中原因，值得认真研究。已有学者在这方面做了一些开拓性工作，如有的学者提出古代湖湘文化的影响，特别是船山思想的影响，是近代湖湘文化形成和发展的重要原因；有的学者通过对元末明初、明末清初两次大移民所带来的湖南乡俗民风变化的分析，认为移民的作用对于近代湖湘文化的形成和发展有着非常重要的意义；有的学者则着眼于湖南的地理位置，认为湖南是中西新旧两种文化氛围犬牙交错的“锋面”，近代湖湘文化就是在这种冲突与交融的文化和政治斗争中形成与发展起来的。上述观点虽然都不失为一家之言，但我认为除这些原因外，近代湖湘文化形成和发展的最主要或根本的原因，恐怕还要到近代湖南的社会存在中去寻找，到时代与传统的冲击所形成的历史机遇中去寻找。因为古代湖湘文化的影响，并非始于近代，更确切地说，并非始于太平天国运动的爆发，为何此前湖湘文化没有“一鸣惊人”？元末明初、明末清初的两次大移民，也非仅仅发生在湖南，不少省份都发生过，比如清初那次，就是“湖广填四川，江西填湖南”，但为何其他省份没有形成类似于导致近代湖湘文化形成和发展的乡俗民风？近代与湖南地理位置相近的还有湖北、河南、江西，它们都地处中南，是近代中西新旧文化冲突与交融较为激烈的地区，为何这些省份的近代文化不像近代湖湘文化那样地位显赫？实际上近代湖湘文化突然一跃而起的转折是曾国藩湘军的兴起。在此之前虽然有陶澍、贺长龄、魏源等人倡导经世实学，但他们成名和发生影响都是在东南地区，与近代湖湘文化的形成和发展有关系，关系不是很大。湘军为何能兴起？它有哪些偶然性与必然性？湘军的兴起引起了近代湖南社会的哪些变动？这些变动与近代湖湘文化的形成和发展究竟存在着一种什么样的关系？我曾多次向一些湘籍学者建议，希望他们能运用社会学与历史学相结合的方法，认真研究一下湘军兴起前（嘉、道年间）后（咸、同、光年间）湖南人口结构、经济结构、阶级结构、政权结构、知识结构、土地占有关系、乡俗民风、士人意识等方面的变化，从中找出近代湖湘文化兴起和发展的原因。但遗憾的是，迄今为止，还没有看到这方面有分量的论著或论文。

要进一步深化湖湘文化研究，还必须加强合作。首先是各学科间的合作。因为近代湖湘文化涉及历史、经济、政治、社会、教育、文学、军事、民风习俗、士人心理等多方面的内容，只有各学科合作，进行跨学科、多学科的研究，才能联合攻关，取得成效。但就目前的状况来看，这一问题尚未引起学者们的重视。其次是各研究单位的合作。湖南不少大学都设有湖湘文化研究机构，但各研究机构之间的联系还很不够。这不利于发挥湖南研究湖湘文化的整体优势，希望有关方面能做一些协调工作。总之，我希望在不久的将来，近代湖湘文化的研究能取得更大更多的成果，能在中国近代区域文化的研究中占有与其所匹配的重要的地位。

以上就是我在《如何深化近代湖湘文化研究》一文中提出的主要观点。本丛书就是依据上述观点，同时加入后来的一些思考和朋友的建议而构架起来的。它主要由五本独立成篇的著作组成：（一）《地域文化理论视域下的湖湘文化研究》；（二）《近代湖湘文化与近代中国历史进程》；（三）《近代湖湘文化与近代湘籍人才群体》；（四）《近代湖湘文化转型中的民俗文化》；（五）《近代湖湘文化精神及其当代价值》。本来计划中还有一本《近代湖湘文化与中国近代其他区域文化的比较》，但由于没有找到合适的作者，而只好割爱，这不能不说是一个遗憾。我希望本丛书如有再版的机会，争取不再留下这一遗憾。

顾名思义，《地域文化理论视域下的湖湘文化研究》主要研究地域文化理论下湖湘文化研究的理论问题，探索湖湘文化研究的理论与方法，阐释围绕地域文化理论视野下湖湘文化研究主要内容、基本特征和历史变迁，以及近代湖湘文化研究所涉及的一些重大理论。它包括以下几个方面的主要内容：（一）地域与地域文化的定义、对象、内容和范围问题。从历史学、文化地理学、文化学等学科角度对地域与地域文化进行研究界定，回答什么是地域和地域文化的问题。具体包括：1. 地域文化作为一种文化类型存在的学术合理性及范围的确定；2. 地域和地域文化的历史的、地理的和文化的划分依据；3. 地方、地域和地域文化三者的关系；4. 地域文化研究的意义。（二）地域文化研究的基本理论与方法问题。对文化地理学、文化史学和文化人类学等不同学科关于地域文化研究理论与方法进行认真系统地梳理，总结和提升其对“地域文化”的认识和思想的成果，寻找这些地域文化研究的主要理论流派对湖湘文化研究的理论与方法的启示。（三）湖湘文化研究的理论视角和方法问题。探讨在地域文化的多维理论视野下湖湘文化研究的理论视角和依据，并在一些重要问题上形成新的理论认识。具体包括：湖湘文化的地域历史建构，湖湘文化“多源一流”与“多元一体”的历史过程与文化机制，湖湘文化的内部与外部文化关系，湖湘文化的结构与功能，湖湘文化的文化形态学特征，湖湘文化的地位和作用以及湖湘文化的历史变迁等。就研究方法而言，除历史学的方法外，还应该采用文化学、社会学、民族学、民俗学、人类学等其他学科的研究方法，走进历史现场，把田野调查与文献考证结合起来，把通史文献与民间文献结合起来。（四）近代湖湘文化研究所涉及的一些重大理论问题，如湖湘文化的近代转型，近代湖湘文化中的精英文化与大众文化，近代湖湘文化创新与发展的动力，近代湖湘文化与近代中国文化、近代外来文化和近代地域文化的关系，近代湖湘文化的历史地位和评价等。

《近代湖湘文化与近代中国历史进程》主要研究近代湖湘文化与近代中国历史进程的互动关系，揭示近代湖湘文化在近代中国历史进程中的作用。具体而言，（一）从宏阔的历史背景出发，以近代中国社会变迁、中外关系等为视角，探讨近代中国历史进程对湖湘文化的影响，揭示湖湘文化在近代的发展、演变与转型。具体探讨的问题有：1. 中国内部社会变动对湖湘文化演变的影响；如鸦片战争前后中国的社会变迁与湖湘经世派的兴起。2. 近代中国重大政治事件对湖湘文化的影响，如太平天国起义与湖湘理学经世派的产生、湘军崛起与湖湘文化的勃兴、戊戌维新和清末新政对湖湘文化的影响、辛亥革命与湖湘文化的转型等。3. 中西关系对湖湘文化的影响，一是西力东侵的影响，如魏源“师夷长技”主张的提出，曾国藩等湘籍督抚倡办洋务事业；二是西学东渐对湖湘文化的影响，如洋务运动时期湖湘文化所受西学的影响、五四前后新文化的传播以及马克思主义传播对湖湘文化转型的影响。（二）从近代湖湘文化的特质及其演变出发，以中国现代化进程为视角，探讨湖湘文化对近代中国历史进程的影响。具体探讨的问题有：1. 湖湘文化与近代中国政治。通过研究湖湘人才群体对咸同之际的政治变迁、洋务运动的影响，湘籍人才群体对戊戌维新、清末新政和辛亥革命的影响，揭示湖湘文化在中国政治现代化进程中的作用。2. 湖湘文化与近代中国的思想文化。通过研究魏源“师夷长技”主张的思想影响，曾国藩、左宗棠等人倡办洋务，谭嗣同等人倡导维新变法，黄兴、宋教仁、陈天华等人鼓吹民主革命等，揭示湖湘文化对近代中国思想文化的发展历程的影响。3. 湖湘文化对近代中国经济的影响。通过研究湘籍督抚发展近代企业，揭示湖湘文化对近代中国资本主义经济发展的影响。4. 近代湖湘文化与近代中国国家发展前途，通过探讨湘籍国民党人和共产党人对中国出路的选择，揭示湖湘文化对国家与民族命运的影响。（三）通过历时性的前后比较、共时性的彼此比较，对湖湘文化在近代中国历史进程中的地位与作用给予适当的客观评价。

《近代湖湘文化与近代湘籍人才群体》旨在考察近代湘籍人才群体的形成和发展过程，厘清近代湘籍人才群体的地理分布、时段分布、类型分布和不同的教育背景，并在此基础上揭示出近代湘籍人才群体的基本特点，说明近代湘籍人才群体形成的内在机制与外部因缘，特别是近代湖湘文化对近代湘籍人才群体形成的深刻影响，以及近代湘籍人才群体对近代湖湘文化的发展演变所起的重要作用。同时通过对近代湖湘文化与近代湘籍人才群体互动过程的考察，深入研究这种互动对近代湖南社会变革（包括政治变革、经济变革、思想文化变革和社会习俗变革）所起的促进作用。此外，近代湘籍人才群体在近代湖湘文化的浸染下形成和发展的规律，以及文化与人才群体互动所提供的历史借鉴，也是本书研究的重要内容。

《近代湖湘文化转型中的民俗文化》研究的主要内容是与大众社会生活密切相关的近代湖湘文化中的民俗文化，旨在通过对近代湖南大众社会生活的考察，来把握近代湖湘文化，揭示湖湘文化传统对大众社会生活的影响，以及在新的历史背景下，社会变迁是如何影响到民俗文化的，并由民俗文化来反观近代湖湘文化转型的具体面相；同时，通过考察近代湖湘民俗文化的具体现象，透视精英文化与民俗文化的互动。具体来说，主要研究以下九个问题，即：（一）近代湖湘民俗文化的渊源以及在近代社会的转型；（二）晚清湖南士民社会心理与民俗行为的变迁；（三）辛亥前后湖南社会结构变化与社会风貌改善；（四）近代湖南民权思潮和新文化运动对湖南社会的影响；（五）湖南近代工商业的转型与商业民俗的变化；（六）湖南宗教与民间信仰的近代变迁；（七）近代戏曲民俗的演变和“文明戏”的传入；（八）“新生活运动”和湖南社会风俗的变化；（九）湖南近代城市公共空间的变化及其对民俗的影响。

地域文化的“地域性”是由它的精神内核决定的。这种精神内核在地域文化形成之初即已鲜明地呈现出来，并且决定了地域文化发展变迁的方向，其结构性因素的扬弃也是以这种精神内核为旨归。《近代湖湘文化精神及其当代价值》一书认为，近代湖湘文化的精神内核，是湖湘文化发源之际屈（原）贾（谊）精神所塑造的忧国忧民的精神特质和其后发展变迁过程中形成的以事功为第一要义的人生价值取向，这种忧国忧民和事功化的人生价值取向潜藏在每一个近代湖湘文化的承载主体身上，在不同的历史时期表现出不同的内涵特征，并决定了近代湖南人以何种方式投身于近代社会变革的历史大潮之中，在他们身上我们更可以看到其表现出来的一种共同的精神气质及文化品性。因此，本书将分五个部分来探讨近代湖湘文化精神及其当代价值，第一部分主要从湖湘文化的历史发源、屈（原）贾（谊）精神与湖湘文化精神的起源、“湖湘学派”与湖湘文化精神的形成、多民族社会和移民与湖湘文化精神等四个方面来分析湖湘文化精神形成的内外机制；第二部分主要从甲午战争之前湖湘文化的发展、湖湘文化与湘军的兴起、转型中的近代湖湘文化精神和影响湖湘文化精神近代转型的诸因素等四个方面阐述湖湘文化精神在近代的艰难转型；第三部分主要从近代湖湘文化精神与近代湘籍人才群体、近代湖湘文化精神与近代湖南社会结构变迁、近代湖湘文化精神与近代湖南经济关系的变动、近代湖湘文化转型与近代湖南社会文化载体和社会风俗的演变等方面来研究近代湖湘文化精神与近代湖南社会的关联；第四部分主要从近代中国视野下的近代中国文化影响和制约近代湖湘文化精神、近代湖湘文化又丰富和推动近代中国文化发展、中西文化冲突和交融下的近代湖湘文化精神及与其他地域文化比较等方面来观照近代湖湘文化精神在近代的历史地位；第五部分主要从民族复兴契机下当代中国文化转型的理论逻辑与实现途径、文化自觉与湖湘文化当代转型的意义思考、民族复兴与湖湘文化现代转型及路径思考等方面来探讨近代湖湘文化精神的当代价值和实现创造性的转换问题。

本丛书的出版，首先要感谢湖南师范大学历史文化学院中国近代史学科负责人李育民教授以及学科的其他同事们。那还是 2011 年，我在学科负责人李育民教授的支持下，打算以“近代湖湘文化研究”为题目申报国家社科基金重大项目（重大课题就是那一年开始的）。为此，我组织了一个强大的学术团队，其成员主要有湖南师范大学历史文化学院中国近代史学科的李育民教授、莫志斌教授、钟声教授、李传斌教授、刘利民教授、张晶萍教授、朱华建教授以及禹江博士、邵华博士，湖南师范大学公共管理学院的彭大成教授，中南大学马克思主义学院的彭平一教授（现已故），湘潭大学历史学院的王继平教授，国防科技大学的薛学共教授，湖南社会科学院的刘云波教授，湖南大学的刘平副教授等。课题组成员多次开会，对课题申报书进行了反复的讨论和修改，并且广泛征求了北京等地的一些专家学者的意见，他们认为我们的团队实力雄厚，申报书论证充分，应该十之八九有成功申报的可能，但出乎意料的是，申报书由学校上报到湖南省社会科学基金办公室后，因“你懂的”，湖南省社会科学基金办公室根本就没有上报到国家社会科学基金办公室。尽管申报没有成功，但李育民教授以及学科的其他同事们和所有课题组成员对我的无私支持令我十分感动！其次要感谢我的朋友——《中国人传统思维批判》一书作者岳楚渔先生。楚渔先生知道我在思考“近代湖湘文化研究”的课题后，作为湖南人，他表示大力支持，并找到当时湖南省的一位主要领导，通过这位领导的转批，湖南省社会科学基金办公室后来给了我一个“湘军与近代湖湘文化研究”的重大委托课题，2012 年结项，获评优。感谢岳麓书社的领导，尤其是责任编辑饶毅主任。2012 年，她听说我原来申报过“近代湖湘文化研究丛书”的重大课题，于是乘“十二五”国家重点出版规划项目增补的机会，建议我申报，顺利获得通过；2015 年下半年在她的大力支持和主持下，本丛书又申报国家出版基金再次获得通过，这样就保证了丛书的顺利写作和出版。饶毅主任不仅为本丛书纳入“十二五”国家重点出版规划和获得国家出版基金的支持做出了重要贡献，而且在本丛书的写作和出版过程中，因我的事情太多，又经常不在长沙，她实际上负起了主编应负的责任，如经常联系作者，询问写作近况，提出修改意见，解决作者遇到的一些困难，催促作者交稿等。她对本丛书的编校也非常认真，一丝不苟。她这种为主编、为作者排忧解难，工作认真负任的精神，值得我认真学习！感谢湖南省参事室和文史馆的领导。2014 年年底，我有幸被聘为湖南省政府参事。省参事室和省文史馆是一个单位。当时主管省文史馆的陈伏球主任交给了我一项任务，即以省文史馆馆员为主要作者班子，主编撰写《湖南时务学堂研究》。2015 年该任务完成后，我向当时主管省文史馆的李跃龙主任提出，将撰写“近代湖湘文化研究”丛书纳入省文史馆的工作，并以原参与《湖南时务学堂研究》撰写的文史馆馆员为基本队伍，得到李主任的支持。如果没有跃龙主任的支持，本丛书是很难于短时期内完成的。因为依据国家出版基金的要求，本丛书最迟须在2017年10月完成。感谢参与丛书写作的陈先枢、刘少虎、杨锡贵、周敏之、许顺富、梁小进、刘觅知、邵华等诸位同仁，他们的积极参与，保证了本丛书的按时出版，因为本丛书虽然构思已久，准备已久，但真正进入全面写作则是在列入国家“十二五”重点出版物规划特别是国家出版基金计划之后，前后也就不到两年时间。尤其要感谢方克立、唐凯麟两位先生。两位先生德高望重，是各自研究领域的大师级人物。方先生是中国社会科学院首批学部委员，研究生院原院长，他研究的虽然是中国哲学史，但作为湖南人，他也十分关心湖湘文化尤其是近代湖湘文化研究，是湘潭大学《湘学研究》主编。唐先生是湖南师范大学资深教授，是湖南学术界的一面旗帜，他的专长是中国伦理学，但对湖湘文化尤其是近代湖湘文化他也有许多精辟见解，他的弟子中不少人是研究湖湘文化的知名学者。二位先生屈尊出任丛书学术顾问，既是对本丛书的极大支持，也是对我们这些近代湖湘文化研究者和爱好者的莫大鼓励和鞭策。尤其是二位先生长期以来对我都十分关心，提携我，帮助我，早在20世纪80年末，我还在北师大跟着龚书铎先生读博士生的时候，方先生就把我拉进了他主持的现代新儒家研究课题组，我毕业走向工作岗位后，方先生仍然给我许多帮助和指导，我有什么困难或需要他支持的事情，只要我提出来他都会给予大力支持。自我2003年被聘为湖南省“芙蓉学者计划”首批特聘教授，同时受聘为湖南师范大学国家重点学科中国近代史学科特聘教授后，就多次得到唐先生的关心、帮助和支持，记得2008年我第一个聘期期满，到省教育厅接受专家组的考核，唐先生是五位专家之一，也是五位专家中唯一一位社会科学专家，其他四位都是自然科学研究领域的院士，唐先生对我五年来的工作给予了充分肯定，并就以后我的工作和发展提出了很好的建议。后来因为工作或研究方面的事情，我又多次请教唐先生，打扰唐先生。二位先生对我的关心和帮助，我将永远铭记在心，知恩图报。感谢（按姓氏笔画为序）王兴国、王继平、朱汉民、李育民、李跃龙、刘泱泱、刘建武、杨念群、郑佳明、郑焱、周秋光、唐浩明、莫志斌、陶用舒、彭大成诸位先生，诸位先生都是研究湖湘文化特别是近代湖湘文化的大家和权威，在学术界有着广泛的影响力，应我的请求，担任丛书学术指导委员会委员，贡献他们的智慧和独到见解，从而提升了本丛书的学术品质。感谢所有关心、帮助和支持本丛书立项、撰写和出版的各界朋友。滴水之恩，必当涌泉相报！当然，丛书不可避免地会存在这样或那样的一些问题，特别是丛书虽然有个统一的主题，每本书我也提出了一个比较详细的写作大纲，但由于每本书都是独立成篇，撰写者有修改、补充的权利，如何写？写什么？也都由撰写者自己决定，所以书与书之间就或多或少地会存在一些资料引用和观点方面的重复，甚至矛盾之处，我尽管做了统稿，但这些现象还是存在。作为丛书主编，我理当负责。在此，真诚地希望广大专家和读者提出批评意见，以便我们在以后再版时加以修改，来信请寄长沙湖南师范大学历史文化学院，邮编：410081，或电子邮箱：zhengdh2002@126. com

在丛书即将出版之际，拉拉杂杂写了上面这些话，权为序。

郑大华

2017 年 10 月 1 日

目　录

绪　论

一、本书主旨与主要内容

地域文化理论是指借用有关文化，包括历史学、考古学、民俗学、社会学、文化人类学、历史文化地理学、文化哲学等学科的概念、范畴、理论、观点和方法研究各种地域文化现象的理论。之所以借用其他学科的理论，是基于两个方面考虑的。一方面就目前地域文化而言，尽管学术界出现了丰富的学术成果，但由于地域文化的学科归属不甚明朗，大多从属于上述诸学科研究范围之内，没有形成自己独立的学科体系和理论框架，所以，在实际的地域文化研究中，借用其他有关学科的理论便势在必行而顺理成章了。在地域文化研究学术界很多学者既是这样认为的，也是这样做的。另一方面上述学科理论确实包含了很多适用地域文化研究的理论或对有关地域（地区）文化研究有启示的理论、观点、方法和概念，如历史发展的规律性、阶段性、整体性、差异性、文明从低级到高级的演进、历史唯物主义的理论等等；文化地理学中的地域概念、地理环境的影响、文化的地理分布、文化中心的转移等理论；考古学中的人类起源、文明的起源、史前时代的三期论（石器时代、青铜时代、铁器时代）、田野考察法、文明分类说等理论；文化人类学中的进化理论、文化生态理论、文化传播理论、文化结构功能理论、文化变迁与文化模式理论、文化本质理论等等，民俗学中大小传统理论、差序格局理论等；文化哲学中的文化价值理论，文化的普遍性与特殊性理论等等，这些都直接或间接地指导、运用于地域文化研究之中。

运用之妙，存乎一心。在地域文化研究中，善于分析、善于运用上述理论，不仅有利于促进地域文化研究的广度、深度，而且有利于认识、理解地域文化本质特征和全貌。正是基于这样的思考，于是就有了本书选题的尝试。本书选题是在现有湖湘文化研究成果的基础之上，从有关认识论、方法论视野对湖湘文化的一些基本问题进行理论性解读，希望尽可能作出理性的解释，以求教于学术界同仁。

本书内容主要涉及三个方面：第一，首先从学科与学术的角度，对地域、文化、地域文化、湖湘文化这四个关键概念、范畴进行了全面而系统的梳理和界定，为认识、理解湖湘文化提供了前提性的基础和条件，这主要体现在本书的第一章第一节的内容。在论述“地域”概念时，本书提出了“地域”概念的四个基本规定性特征和学术界常常采用的两种“地域”划分习惯，从而确定了“地域”的本质属性，即“地域”是以自然地理空间为基础的人文历史空间，或者说，“地域”是指在一定的地域空间范围内自然要素与人文因素作用所形成的综合体。在论述“文化”概念时，本书从学术界关于文化的众多概念中，选定了英国学者雷蒙·威廉斯的文化三定义说和台湾文化人类学家李亦园的“文化”观点，因为这两种观点不仅仅代表了中西文化背景下，文化研究者对“文化”的全面而深刻的理解，更为重要的是他们的观点对地域文化研究具有重要的启示意义。本书对“地域文化”概念的认识，是建基于学术界关于“地域文化”林林总总定义的基础上，提出了“地域文化”有广义与狭义之分，广义地域文化是以地域为基础，以历史为主线，在一定地域内历史形成并被人们所感知和认同的各种文化现象。狭义地域文化是指在某一具体地理环境内生存的人类所具有的价值观念、宗教信仰、审美情趣、思维方式、行为模式、民族个性等等，并且积淀、建构为民族文化的核心与灵魂，即本尼迪克所称之为文化的主旋律——民族精神，这也是该文化之所以是该文化而不是另一文化的本质之所在。进而，又提出了“地域文化”的学科属性，即地域文化是介于历史文化地理学与文化学、文化史之间的交叉边缘学科。关于“湖湘文化”的界定，除了梳理学术界关于“湖湘文化”概念的诸多表述外，本书认为湖湘文化是一个复合体，内容丰富多彩，具有广义和狭义之分。

第二，本书第一章和第二章，主要介绍历史学、历史文化地理学、文化人类学、民俗学有关地域文化研究的一些典型理论和方法，如适用地域文化研究的理论：文化多样性理论，古典进化论的文化进化理论，传播学派的文化传播理论，历史地理学派的文化变迁理论，文化形态史观派的文化形态理论，结构功能主义学派的文化理论，精神分析学派的“潜意识”、“隐型文化”、“集体潜意识”、“社会人格”理论，新进化论学派的文化理论。适用地域文化研究的主要方法：马克思主义文化研究方法、地理环境与文化关系的研究方法、理解与文本的诠释学研究方法、“大传统”与“小传统”的研究方法、田野调查研究方法。尽管这些理论和方法，不是源于地域文化的实际研究，可是因为文化的可通约性原则和普遍性特征，我们认为完全可以运用到地域文化研究之中。事实证明，在此前的大量地域文化研究中，很多学者在自觉或不自觉运用这些理论和方法，很多研究成果得益于这些理论和方法的运用。如朱汉民教授关于湖湘文化的系列研究文章以及他作为总主编的五卷本《湖湘文化通史》、田中阳教授的《湖湘文化精神与二十世纪湖南文学》、张伟然教授的《湖南历史文化地理研究》、张晶萍教授的《近代“湘学观”的形成与嬗变研究》、赵玉燕的《湖南民俗文化》等等，都很好地运用了上述有关理论对地域文化进行的研究。从学理上来说，地域文化研究的理论框架及其体系，不是空穴来风，不是无源之水，它总是在学科综合、学科启发的实践性研究之中获得灵感而创建的。所以，本书对有关理论的介绍与述评，除了在论述湖湘文化有关问题得到借用之外，希望以后的地域文化以及湖湘文化研究，亦当注意这些理论和方法的启迪。

第三，全书的重点是对湖湘文化产生和形成的历史环境、“湖湘”含义的历史演变、湖湘文化的“多源一流”与“多元一体”、湖湘文化研究的“自上而下”与“自下而上”、古代湖湘文化的分布、湖湘文化的类型，湖湘文化的形态、结构、功能、精神特质，湖湘文化的历史分期及其特征、近代湖湘文化的转型、湖湘文化的主体、湖湘文化的变迁与发展动力，近代湖湘文化与近代中国文化、外来文化、其他地域文化等问题，从各种有关理论的视域，进行了重点和相对深入的阐释与分析，尽量将一个较为完整的湖湘文化研究的理论框架呈现在读者面前。如从历史唯物主义和文明演进的理论阐述了湖湘文化产生与形成的历史地理环境、“湖湘”的历史文化意蕴和近代湖湘文化的转型；从整体史观的视域论述了湖湘文化的“源”与“流”和“元”与“体”以及研究之中的“自上而下”与“自下而上”；从历史地理学和文化人类学的视域探讨了古代湖湘文化的分布以及湖湘文化的形态、结构、功能与本质特征，等等。当然，以上所涉及的这些内容，不全部都是本书第一次提出的新话题，很多问题只是作了一定程度的理论思考和理论提升，也有一部分内容参考了学术界以往的研究成果而作了进一步的完善。

二、学术史回顾

本选题牵涉两个最为关键的主题，一个是地域文化理论的探究，另一个是有关地域文化理论视野下的湖湘文化研究，所以，学术史的回顾必须围绕这两个主题而展开。由于近 20 年来，地域文化研究的兴盛和湖湘文化研究的丰硕成果，我们在检讨这一问题的时候，将宏观的地域文化研究理论和微观的湖湘文化研究理论综合起来进行考察，分为历史学理论视域、历史地理学理论视域、文化人类学理论视域、民俗学理论视域四个方面。

首先，从历史学理论视域研究地域文化或者湖湘文化。

从历史发展的进程记载、描述地域（地区）文化，古已有之。《尚书·禹贡》《周礼·职方氏》将全国划为九州，并对不同地域的文化特色作了一定的描述，这是迄今所知最早的地域文化研究著作。《诗经》中《国风》按 15 个诸侯国和地区分别汇编民歌，显示不同情趣的乡土格调，开启了地域文化作品研究整理的先河。自先秦至明清，地域文化的研究整理著作成为我国历史文献的重要内容，尤其以大量的、多种多样的地方史志的形式表现。方志中的总志，宋以前人文内容比较简略，宋代以后，各类方志体例定型并不断发展，其人文内容大大加强，从《太平寰宇记》到《大清一统志》，从省志到县志及更小范围的地方志，其地域文化的色彩逐渐浓厚。

20 世纪前半叶，随着西方地理学、文化学的传入和文化史研究风气的兴起，我国地域文化的研究进入了新的时期。一批地域文化史专著相继问世，如夏光南的《云南文化史》（1923 年）、张立志《山东文化史研究（甲编）》（1939 年）、郑德坤《四川古代文化史》（1946 年）、徐嘉瑞《大理古代文化史》（1949 年）等。

80 年代初，随着改革开放以来的中国学术繁荣，地域史研究和文化热潮的兴起，地域文化的研究也逐渐展开。近 20 年来出版了一大批地域文化研究的成果。从内容和形式上看，大体可分为四类：一是全国性的地域文化丛书，如《中国地域文化丛书》（辽宁教育出版社，1990 年，12 种），《中国地域文化大系》（上海远东出版社，1998 年，6 种），《中华地域文化研究丛书》（学林出版社，1999 年，5 种）等。二是某一地域文化丛书，如《浙江文化史话丛书》（宁波出版社，1999 年，4 种），《楚文化知识丛书》（湖北教育出版社，2000 年，3 种），《荆楚文化研究丛书》（湖北人民出版社，2003 年，8 种），《徽州文化全书》（安徽人民出版社，2003 年，20 卷），《巴蜀文化研究丛书》（巴蜀书社，2003 年，6 种）等。《岭南文库》则是广东省的一套系统研究岭南地区历史、文化、经济、政治、社会、宗教、民俗、人物等领域的大型学术丛书，自 1991 年启动，计划书目 350 种，已出版 70 多种；同时还出版一套普及版的《岭南文化知识书系》，计划书目 300 种，已出 50 多种。由国台办立项，厦门市政府主持，厦门大学和台湾学者联合编纂的《闽南文化研究丛书》（共 14 册）和《闽南文化百科全书》

（共 14 卷）也已启动。三是未列入丛书的地域文化研究专著，包括综合研究、专题研究、比较研究的著作，现已出版数百种。四是跨地区的山水文化研究著作，如长江文化、黄河文化、长白山文化、海洋文化等，有张正明主编《长江文化论集》（湖北教育出版社，1995 年），李学勤、徐吉军主编《长江文化史》（江西教育出版社，1996 年），万绳楠主编《中国长江流域开发史》（黄山书社，1999 年），《黄河文化丛书》（共 10 卷，沿黄省区数家出版社协作项目，2001 年 5 月起陆续出版），李学勤的《黄河文化史》（江西教育出版社，2002 年）等。

特别是近几年，地域文化研究的广度与深度都有所加强，研究成果令人耳目一新。值得一提的是程美宝教授的《地域文化与国家认同：晚清以来广东文化观的形成》一书，主要讨论了“地域文化”叙述框架如何在晚清到民国年间形成的历史过程。近代中国“地域文化”的表达，着重从历史叙述、种族血统、学术传承、方言写作、地方民俗等方面去发挥，这些范畴的内涵，是在特定历史时空中的政治对话过程层积而成的。近代“地域文化”话语的建立，也是近代中国国家观念从“天下”转移到“国家”的过程，读书人在国家意识和地方关怀的二重奏中，不断调校音调，加入自己的声音，用地域文化来表达他们心目中的国家观念，在国家认同与地方认同之间建立起辩证统一的关系。① 还有 2014 年中华书局出版的《中国地域文化通览》，在时间上，上溯远古时期，下迄辛亥革命；在编撰体例上，按我国的行政区划各省区市各为一卷，连同港澳台共 34 卷，每卷分上编、下编，上编纵论历史，叙述文化发展历程，下编横分门类，介绍文化亮点、特色。按当前行政区划来研究梳理中国文化的各个分支的空间布局及各自的特征，考察的重点放在各地文化的历史进程、特点及其形成的原因，论证各地文化

① 程美宝. 地域文化与国家认同：晚清以来广东文化观的形成［M］. 北京：生活·读书·新知三联书店，2006.

在整个中国文化发展中的地位和作用，并着重论述那些对当地和整个中华民族的进步产生过重大影响的标志性成就和重要人物。由中央文史研究馆馆长袁行霈先生撰写的该书总绪论，结合我国相关的地域文化知识，阐述了很多地域文化理论，如地域文化中的多源同归与多元互补、文化中心的形成与转移、地域文化的差异、交流与融合以及研究地域文化的意义等。① 应该说，对这些问题的阐释与明确，对地域文化研究具有指导意义。近几年关于湖湘文化的力作主要是朱汉民教授总主编的五卷本《湖湘文化通史》，整体来说，也是以历史发展线索为中心来构建该书体例的，其历史表达意识很强。该书第一册中的“导论”部分，探讨了湖湘文化研究中的许多理论问题。② 另外，还有很多学者撰文深入探究了地域文化或湖湘文化研究中的诸多理论问题，在本书的相关章节中，笔者均作了较为详细的研究综述，在此不必赘述。

其次，从历史文化地理学角度论述地域文化和湖湘文化。

从历史文化地理学角度探究地域文化，早在近代就开始了，如刘师培的《南北学派不同论》（1905 年）、梁启超《近代学风之地理的分布》（1924 年）、陈寅恪《天师道与滨海关系》（1931—1933 年）、陈序经《南北文化观》（1933 年）、贺昌群《江南文化与两浙文人》（1937 年）、王汝棠《文学与地域考》（1941 年）等。但这些研究没有形成普遍的风气，遑论地域文化研究理论框架与体系了。

有关论著之中，谭其骧先生的《中国文化的时代差异和地区差异》可以称得上是一篇具有指导性意义的佳作。尽管文中没有提出文化分区的具体意见，但从宏观的、理论的高度总结了中国文化的特质，指出中国文化不仅有时代的差异性，而且有地区的差异性，

① 袁行霈，陈进玉，于来山. 中国地域文化通览：湖南卷［M］. 北京：中华书局，2014：1.

② 朱汉民. 湖湘文化通史：第一册［M］. 长沙：岳麓书社，2015：1—149.

他说："姑且不讲全中国，即使未讲秦汉以来的历代中原王朝，专讲汉族地区，二千年来既没有一种纵贯各时代的同一文化，更没有一种广被各地区的同一文化。"① 由此可见，中国文化具有地区性，我们不能不问地区而笼统地谈论中国文化，这就要求我们必须从研究区域历史文化地理做起，才有可能真正构建起中国文化的大厦，才有可能真正解读中国文化。正是在这个意义上，谭先生的这篇文章具有指导如何进行深入研究区域历史地理文化的作用。此后，不少学者正是在此基础上对历史文化区的划分做出了有益探索。王恩涌先生编著的《文化地理学》，在学术界产生了深远影响。它系统地介绍了美国学者发明的一套主题研究学说，将文化地理的研究内容定义为文化区、文化扩散、文化生态、文化整合以及文化景观五大主题。这套理论到目前为止在国内的文化地理学界仍占有无可撼动的统治地位。② 周振鹤、游汝杰的《方言与中国文化》提出了府级政区的理论，即在中国历史上的行政管理体制中，府一级政区尤其是唐宋的州和明清的府，其管辖地域大小适中，且府治即为该区的政治、经济、文化和交通的中心，在很大程度上消解了所辖各县的差异，对区域一体化十分有利，直接影响着区域内部的语言、风俗等文化事项朝着统一性的方向发展，因而府级政区事实上可以作为重要的文化区。③ 卢云的《文化区：中国历史发展的空间透视》对文化区域作了系统的研究，认为文化区域既是客观的存在和研究对象，也是一种空间思维形式和研究方法，是此二重属性的统一；从文化内涵看，文化区域可分为特质文化区域和复合文化区域；从区域形态看，又可分为均质区域和功能区域；文化区域体现着区位的、结构的、物质文化与精神文化的、社会价值体系的诸多特征；自然地理环境、行政区划、经济类型、移民及城市发展是影响中国

① 谭其骧. 中国文化的时代差异和地区差异［J］. 复旦大学学报，1986（2）：6.

② 王恩涌. 文化地理学［M］. 南京：江苏教育出版社，1995.

③ 周振鹤，游汝杰. 方言与中国文化［M］. 上海：上海人民出版社，1986.

历史文化区域生成、演变的重要导因；文化的整体性和地域分异规律是文化区域划分的理论基础，因而在具体操作中要遵循体现该理论基础的一系列区划原则，历史时期文化区域的划分有描述法、叠合法、主导因素法和历史地理法等四种方法。①

目前历史文化地理研究的取向，大体有两种模式。一是全国性的文化地理研究，代表作为卢云的《汉晋文化地理》;② 二是区域性的文化地理研究，代表作有张伟然的《湖南历史文化地理研究》和《湖北历史文化地理研究》③ 等。运用第二种模式已经取得了众多成绩,④ 似乎占据了主流地位。胡阿祥的《以魏晋本土文学为例谈地理分区》又提出了一套新的文化区域划分方案，即在全面考虑文化历史渊源、自身特征的基础上，并结合地理区划的一般原则进行文化区域的设定，这可以称之为文化区域的综合划分法。他还特别强调说："研究元明清以前的问题，套用现行政区尤其是现行一级行政区域（省、自治区、直辖市）为研究单位，大体上是不合适的。"⑤ 这种分区方法，无疑具有一定的示范意义。此外，张伟然的《湖北历史文化地理研究》在研究湖北历史文化地理的过程中，又提出了感觉文化区的概念。所谓感觉文化区，是指存在于居民心目中的一种区域观念，此观念也为区域之外的人所承认和接受，故又称为乡土文化区。这种文化区的提出，不但令人耳目一新，而且颇具启发意义。⑥ 朱汉民教授也从历史文化地理学角度，探究了湖湘文化的近代化转型，他认为，湖湘文化近代化是一个历史过程，

① 卢云. 文化区：中国历史发展的空间透视［M］//历史地理：第9辑. 上海：上海人民出版社，1990.

② 卢云. 汉晋文化地理［M］. 西安：陕西人民教育出版社，1991.

③ 张伟然. 湖南历史文化地理研究［M］. 上海：复旦大学出版社，1995；湖北历史文化地理研究［M］. 武汉：湖北教育出版社，2000.

④ 同③.

⑤ 胡阿祥. 以魏晋本土文学为例谈地理分区［J］. 史学月刊，2004（4）：15.

⑥ 关于历史文化地理学之于地域文化研究理论综述，亦可参阅：张晓虹，郑端. 21世纪的中国文化地理学研究［J］. 音乐研究，2011（3）.

它发生在中国文化近代化这一大的历史背景中，体现出中国文化近代化过程的一般特点。特别是在晚清中国的文化地理格局中，湖湘文化已经从文化边缘区演化为文化核心区，故而湖湘文化的近代转型更是特别体现出中国文化近代转型的历史进程与发展趋势。① 另外，周跃云重点探究了地理环境对湖湘文化形成和发展的影响，近代湖湘文化与湖南人文地理环境的演变，湖湘文化的鲜明地域风格和特色。湖南地理对湖湘文化的影响，认为湖湘文化作为湖南地方文化，既吸收、融汇了楚文化的文化因素，同时又受百越、巴蜀乃至中原文化的影响，并在湖南特定的地理背景下，随着湖南自然地理环境的变迁和人文地理环境的演变而产生、发展和变化。② 张伟然从历史文化地理学的角度，探讨了古代湖南文化的发展过程，认为古代湖南文化的发展经历了三个阶段：晋代以前，持续得到发展；南朝以后，文化出现倒退；中唐以后，文化发展重新启动，水平越来越高。这种情况主要是地理交通因素决定的。③

再次，运用文化人类学的相关理论对地域文化和湖湘文化的研究。

可以说，现代文化人类学的兴起与发展，改变了甚至推动了地域文化研究的开展，地域文化不仅成了学术研究的对象，也成了学术创新的源泉。随着文化人类学对“文化”概念界定和阐释的扩展和不断深入，地域文化概念亦随之扩展而逐渐清晰。古典人类学认为，文化是一种亘古不变的独自延续的实体化的存在，古典人类学家努力探寻并试图建构一种可以超越时空的普适性文化；现代人类学认为并没有一种不变的、纯粹的、不受外界影响的、独自延续的实体化文化，文化总是处于一种互相影响、不断演进的复杂的互动过程之中；后现代人类学以地域文化挑战自西方启蒙以来的“大叙

① 朱汉民. 中国文化地理格局中的湖湘文化近代化［J］. 船山学刊，2014（2）.
② 周跃云. 湖南地理与湖湘文化［J］. 求索，1993（3）.
③ 张伟然. 湖南文化的发展过程［J］. 中国史研究，1996（2）.

事”的理论、“总规律”的大话，认为文化的根本价值正蕴含在它的地域性里，甚至认为世界上没有“大文化”、“总文化”，只有地域文化。文化人类学认为，独特的“文化模式”是地域文化的外部特征。文化人类学的基本立场和态度是文化相对主义。它的兴趣是人与自然、人与人、人与内在心灵三者所决定的文化模式，并提出文化圈、文化丛等相关概念。“文化圈”是包含相似文化特质的地理区域，这个区域的文化有其自身形成与发展的内在逻辑和独特的文化模式。文化模式是一种文化个性，是一种典型的文化性格。文化人类学家通过大量的田野调查发现，地域文化不仅具有独特的形式美，而且还有深厚的社会价值和精神价值，构成一个完整的价值系统，所以，独特的价值系统是地域文化的内在属性。文化人类学关注的是人类存在的本质，它突出强调人类生活的具体性、历史性、此在性，反对一切将人和世界的本质绝对化、抽象化。因此，文化人类学从人类的具体活动入手来追溯人的存在本身，探寻人类存在的文化依据，寻找打开人类一切文化之谜的金钥匙。所以，独特的生活方式是地域文化存在的根本依据。除此之外，文化人类学的结构功能理论、族群性格理论、精神特质理论、集体潜意识理论等等，都能运用于地域文化研究之中。

运用上述文化人类学理论进行研究，主要有以下一些成就，如张凤琦《“地域文化”概念及其研究路径探析》一文，从文化人类学意义上讨论了“地域文化”的基本概念，认为“地域文化”是指在一定空间范围内特定人群的行为模式和思维模式的总和。不同地域内人们的行为模式和思维模式的不同，便导致了地域文化的差异性，其中，体现群体人格的深层次文化是判断地域文化差异性的主要依据之一。[①] 胡义成把精神分析的“隐型文化”理论引入中国地域文化研究，认为中国地域文化的核心部分，是地域人群“集体

---

① 张凤琦.“地域文化”概念及其研究路径探析［J］. 浙江社会科学，2008（4）.

潜意识”的地域“隐型文化”。因此，关注“潜意识”问题研究且成果颇丰的弗洛伊德精神分析学派的相关方法，在中国地域文化研究中便大有用武之地。如荣格的“集体潜意识”理论，为中国地域文化研究提供了心理学依据；克鲁克洪的“隐性文化”理论在被接纳入唯物史观框架后，也是研究中的有力工具。① 邱文山认为，研究地域文化具有遵循文化发展多元化、强化中国文化生命力、有利于文化融合创新等多方面价值。地域文化研究的方法论思考应注意以历史唯物主义与当代文化学理论为指导。② 刘新有等从文化人类学的文化进化理论探讨了地域文化演进机制与发展趋势，认为地域文化演进具有茧式化和不平衡性两个特征。地域文化演进的驱动力可分为内在驱动力和外在驱动力。地域文化演进模式主要有自发演进型和后发传播型。从世界发展的历史长河看，地域文化演进与人类发展相适应，是一个先趋异——后趋同——再趋异的过程。同时，他们还讨论了地域文化的内涵与类型。③ 严飞生在他撰写的《地域文化学的若干问题研究》硕士论文中认为，地域文化既是一种客观存在，也是地域群体的主观文化认同所形成的“共同的想象体”。它是一定历史时期的人们在特定地域范围内所创造的物质财富和精神财富总和，具有地域性、多元性等本质特征。他还认为，文化地方化是地域文化融合的表现之一，它丰富了地域文化的内涵。影响文化融合、分化的因素很多，族群认同是其中值得关注的原因之一。文化隔阂和地理环境是影响地域文化交流与传播的最主要因素。随着社会的发展，它们所起的作用在减弱，文化之间的交

① 胡义成. 把精神分析引入中国地域文化研究——论精神分析学派的“隐型文化”理论在中国地域文化研究中的改造性应用［J］. 南昌航空工业学院学报（社会科学版），2003（2）.

② 邱文山. 地域文化研究的独特价值与方法论探析［J］. 山东理工大学学报（社会科学版），2014（5）.

③ 刘新有，史正涛，唐永红. 地域文化演进机制与发展趋势研究［J］. 广西社会科学，2007（11）.

流、融合的速度也越来越快，文化间的共性在不断增加。①

运用文化人类学相关理论研究湖湘文化的则有朱汉民教授的《狂狷：湖湘士人的精神气质——以王夫之、曾国藩、左宗棠为重点》，此文认为，明清湖湘士人在思想上推崇狂狷型人格，在生活中体现狂狷型气质，在王夫之、曾国藩、左宗棠身上最为明显。作为一种十分鲜明的地域文化现象，狂狷型精神气质的士人大量出现在三湘之地，原因在于湖湘士人的精神气质是心理文化与精神文化、民俗文化与士人文化、楚蛮文化与中原文化等多重文化基因的组合。② 当然，运用文化人类学的相关理论探究地域文化，并非只出现在提到的这些研究当中，其实，在前面的历史学、历史文化地理学视域中也有很多研究成果。杨念群则从文化的“同质选择”与“异质选择”、心理结构、行为模式角度，通过湖湘书院作为“湖湘知识阶层凝聚权力的象征”进行了深入的分析，探寻了湘籍学人在咸、同以后崛起的深层文化原因。③

最后，从民俗学理论的视角探究地域文化和湖湘文化。

依附于人们的日常生活、习惯、情感与信仰而产生的文化叫民俗文化，民俗文化具有强烈的地域性，是地域文化研究的重要内容。所以，运用民俗学的相关理论、方法研究地域文化应是题中之义。有学者认为，阐释文化差异的地域文化研究，已经初步具备学术范式意义的人神互动研究方法，人、地的繁复性在地域文化中往往抽象为神的精粹性，所以民间俗神研究成为人、地研究的最好切入点。神灵、传说、仪式、族群作为研究的关键词，已经在中外学者人神互动的地域文化研究中产生许多成功的案例。④ 湖湘民俗文

① 严飞生. 地域文化学的若干问题研究［D］. 南昌：南昌大学，2006.

② 朱汉民. 狂狷：湖湘士人的精神气质——以王夫之、曾国藩、左宗棠为重点［J］. 求索，2015（4）.

③ 杨念群. 儒学地域化的近代形态——三大知识群体互动的比较研究［M］. 北京：生活·读书·新知三联书店，1997.

④ 林亦修. 地域文化研究的人神互动范式［J］. 社会科学战线，2010（9）.

化研究方面，赵玉燕、吴曙光所著的《湖南民俗文化》是湖湘民俗文化研究中“最完整、最全面的一部力作”。该书以民俗学理论和方法为视角，在占有大量文献资料的基础上，以宏观考察和微观描述相结合的研究方法，对湖南地区各地、各时期、多民族的民俗文化的成因、演变、发展、特点及其现状进行详细的梳理和分析研究。① 还有李跃龙探讨了湖湘民俗演变与中原文化的关系，他认为湖南民俗在传承演变中形成的特点和分区与湖南历史的发展紧密相关，民俗的发展变化过程正好体现了湖南作为历史上中央王朝的边疆地区和蛮俗区域融入到中华文明的变化过程，也就是汉化的过程，两者相互作用、相辅相成。② 另外，瞿润程撰写的硕士学位论文《湖湘文化模式——基于历史与民俗文化的思考》对湖湘民俗一些重要事项进行阐述并结合对湖湘历史的分析，认为湖湘文化能以更为积极的态度和行为去面对外部的危机与挑战，能使更多的富有湖湘文化精神的人脱颖而出，从而形成了近代湖南人才的“井喷”现象，同时也说明了文化对于人们行为的持久影响力。③

综上所述，学术界至目前为止，对地域文化以及包括对湖湘文化在内的研究，在人文社会学科各相关理论和方法的启示下，展开了多视角、多维度、多方位的研究，取得了令人可喜的成果，为后续的研究带来了方便和启发。

可以看出，地域文化研究的理论和方法的探讨，在我国还刚刚起步，尚未形成系统完整的“地域文化学”。但是，它内容丰富，理论性和实践性强，可以说它是文化大学科中极富生气的一个新兴学科。正如有的学者所认为的那样，“这种文化形成一定的体系，

① 赵玉燕，吴曙光. 湖南民俗文化［M］. 长沙：湖南师范大学出版社，2010.
② 李跃龙. 湖南民俗的特征、分区及其对社会进程的影响［J］. 求索，2005（5）.
③ 瞿润程. 湖湘文化模式——基于历史与民俗文化的思考［D］. 哈尔滨：黑龙江省社会科学院，2015.

有相对完整的一个学术理论框架和一定数量的研究人群”①。毫无疑问，地域文化研究需要建立完整的框架、结构、规范和学术体系。地域文化应该把地域作为特定的文化范畴进行综合研究，作为一个学术体系，探索地域文化特有的属性和衍变的过程，揭示其规律，从而还能预测和推动该地域文化的良性发展。因此，地域文化框架下的地理环境、历史文化、社会经济、社会发展、学术传承、民情风俗、宗教信仰等的认识和理解，都应该有科学的理论和规范的方法指导。唯其如此，在迅速发展的现代社会，每个不同地域都在独自焕发着特有的活力，地域文化研究正是为这种各具特点的发展提供文化的支撑力和历史的动力。这样，地域文化理论视野下的湖湘文化研究显得尤为重要而又势在必行。

---

① 徐进昌，等. 浅谈地方学、地域文化研究的现状与展望，http：//www. caogen. com/blog/index. aspx？ID=695（地方学研究）.

第一章

地域文化的理论阐释（上）

地域文化是人类文化宝库中的一笔宝贵财富，其内容之丰富，形式之多样，形态之多元，结构之复杂，意义之深刻，功能之全面，完全可以与其他学科比肩而立。基于人类本身的时空属性和地域文化的多学科维度，很早以来地域文化就受到人们的广泛关注，进入了人类文化的研究视野，特别是20世纪80年代以来，中国学术界逐步出现了对地域文化研究兴趣，以至近十余年，在全国形成了一股研究地域文化的热潮。

任何一种规范研究与任何一门规范学科都离不开“概念”及其阐释，故“概念”是知识研究和学科研究的基础或基本范畴。为了探求地域文化的起源、形成、演变、发展轨迹和内在规律及其诸要素之间的关系，把握地域文化与中华文化的交融互动关系，揭示地域文化的特殊性，我们的确有必要进一步深入研究地域文化的相关概念与基本理论。本章主要在阐释与解读“地域”“文化”“地域文化”“湖湘文化”四个概念和论述文化多样性的基础上，重点介绍和评述能为地域文化研究提供理论视野的历史学、文化人类学、历史地理学、民俗学等学科的相关观点，为后续湖湘文化的讨论作一基本的铺垫。

第一节　地域·文化·地域文化·湖湘文化

目前，地域文化研究已从横向的广度向纵向的深度发展，人们的关注视角已逐步由物质形态文化延伸至非物质形态的精神文化层面，对不同地域的语言文化、宗教文化、民俗风情、人文地理、学术思想等进行了理性的认识和探讨。尤为突出的是在古籍整理和研究、历史人物和历史事件研究、文化艺术研究、民风民俗研究及地域文化综合性研究等方面取得了大量有价值的成果，为地域文化的认知、理解、传承和发展奠定了坚实的基础。但是，我们也遗憾地看到，迄今为止，在文化学的分类中，地域文化仍未成为一门学科而独树一帜与其他文化学分支相提并论，而是大多根据地域文化研究内容的不同（如民风民俗、文化遗存、语言等），被分别归类于诸如民俗文化学、考古学、语言学、文化人类学、历史学、历史地理学等学科之中。

就文化学研究而言，“文化学”的概念大致始于1915年，最早使用“文化学”概念的人应当是出生于拉脱维亚的德国籍物理化学家奥斯特瓦尔德（F. W. Ostwald，1853—1932）。他在当年所做的“科学的体系”的讲演中，清楚地认识到人类的独特之处不是社会而是文化或文明。因此，认为对这一特征的科学研究应该叫作文化学而非社会学。他把文化置于科学金字塔的顶端，他说：“很久以前，我就提议把这一正在讨论的领域称之为文明的科学或文化学（Kulturology）。”①

在学术界，“文化学”这一学科概念并未达成共识，不过在有关的文献中，“文化科学”（cultural science）这一提法还是存在的，并且有学者专门探讨了文化学的研究领域和子学科。例如朱谦之说，可以把文化学分为两大部门：研究知识的文化生活者是文化哲学，研究社会的文化生活者是文化社会学②。而文化史（cultural history）无疑属于文化学之列，其中研究人类文化的起源、发展、功能等的分支往往叫作文化人类学（cultural anthropology），它是人类学的子学科。通常情况下，“人们认为文化哲学（cultural philosophy）是从哲学的视野、运用哲学的方法，以文化为研究对象，探索文化以及人的本性、特征和发展规律的科学。文化社会学（cultural sociology）是研究人类社会中的行为、信仰、习惯和社会组

① 怀特. 文化科学——人和文明的研究［M］. 曹锦清，等译. 杭州：浙江人民出版社，1988：110—114. 389.

② 朱谦之. 文化哲学［M］. 北京：商务印书馆，1990：8.

织的学科，它有时也被称为社会人类学（social anthropology）”[①]。与这种文化哲学、文化社会学、文化史学和文化人类学的学科分类相适应的研究方法则分别是哲学、社会学、历史学和人类学。

那么，地域文化作为文化研究领域的重要方面，是否有条件成为一门独立的学科，其研究方法是采取前述相关方法论，如哲学、历史学、社会学、人类学等的综合运用，还是其他什么方法？另外，地域文化的内涵和研究对象似乎也不甚明了。尽管产生这些问题的原因是多方面的，但究其原委，笔者以为地域文化概念的模糊性认识应是主要原因之一。由于迄今学术界对地域文化的概念众说纷纭，莫衷一是，从而导致研究工作在范围上、层次上以及内容上的不确定；对地域文化的内涵和外延，以及研究对象也缺乏科学的界定。

一、地域

（一）“地域”概念的客观规定性

“地域”这一概念，就其字面意思而言，说的是土地的范围或地区范围，指的是由某种自然地理环境所构成的空间，所以，古书云：“凡造都鄙，制其地域，而封沟之。”[②] 元稹在《沂国公魏博德政碑》中也写道：“兴（田承嗣之侄子田兴——引者注）乃图六州之地域，籍其人与三军之生齿，自军司马已下，至于郡邑吏之废置，尽献于先帝。”[③] 而作为地理学上的一个概念，地域（区域）是指人类生存的某一特定地理环境，具体的地域解释是这样的：“它是地球表层的一个片段。具有一定的面积、形状、范围或界线，其内部的特定性质或功能相对一致而有别于外部毗邻地区。……哈

① 李醒民. 论文化的固有特征和研究进路［J］. 社会科学论坛，2005（7）：17—18.
② 钱玄，钱兴奇，王华宝，等. 周礼：地官：司徒［M］. 长沙：岳麓书社，2001：3.
③ 元稹. 沂国公魏博德政碑［M］//元氏长庆集. 上海：上海古籍出版社，1994：258.

特向（Richard Hartshorne）认为：‘一个区域就是一个具有具体位置的地区，在某种方式上与其他地区有差别，并限于这个差别所延伸的范围之内。’”① 显然，地理学上的地域概念，完全等同于区域概念，类似于人们常说的本乡本土的意思。

不过，自然地理环境自身无法构成“地域”。也就是说，“地域”概念包含自然地理环境这一地理学含义，但单纯的地理学意义无法指称“地域”这一概念。这是因为，“地域”除了指明某种自然地理环境之外，更主要的是指“自然的人化”，即人类对自然地理空间加以塑造的结果，也即“地域”意指一种“人化”的地理空间。这样，“地域”这一概念就逐步进入了人们的文化视野之中，从文化的角度来看，“地域”的含义就大大扩展而不断丰富。故人们在使用“地域”这一概念时，除了具有某种自然地理区域的理解之外，更主要的是意指某种经济的、政治的、文化的乃至心理的空间。

“地域”作为具有人文属性的概念，又隐含了历史性的时间向度。地理环境的自然变迁，可以视之为一种时间性的事件，但不一定是历史性的。《尚书·序》所言“禹别九州，随山浚川，任土作贡”，正是说明人的活动使得空间性的地理概念被赋予了历史意义。有学者指出，“从地域区划的历史来看，它可能经历过从自然地域、种族地域到政治地域、文化地域和经济地域等阶段”②，这就是“地域”的历史形成和演化。这样的认识，揭示了“地域”概念的时间性历史内涵。当然，地域还是一个比较性的概念，因此必定要有某种可资比较的参照物或参照系；地域又是一个立体的概念，自然地理或自然经济地理之类可能是其最外在最表层的东西，再深一层如风俗习惯、礼仪制度等，而处于核心的、深层（内在）的则是心理、价值观念，在进行研究时，必须把它看成是一个有机的整

① 张军涛，刘锋. 区域地理学［M］. 青岛：青岛出版社，2000：2.

② 王祥. 试论地域、地域文化与文学［J］. 社会科学辑刊，2004（4）：123.

体。基于“地域”概念的这些规定性特点，下面分别叙述之。

首先，“地域”概念必须具有相对较为明确而稳定的空间形态规定性。“地域”的空间形态是指“地域”有一定具体而完整的地理空间和相对较为清晰的地理边界的地理范围，这是“地域”概念的一个充要条件，离开了这个条件，就无所谓地域了，只有有了具体的地域范围，才能谈论地域概念。例如，“齐鲁”地域概念，它是中国地域（区域）范围名称，现今实指山东。“齐鲁”之名始于先秦齐、鲁两个封国，到战国末年，随着民族融合和人文同化的基本完成，齐、鲁两国文化也逐渐融合为一体。那么，齐是以淄博为国都，泰山以东的大片土地；鲁是以曲阜为国都，泰山以西的小块土地。公元前 256 年楚国灭鲁国，公元前 221 年秦国灭齐国。因为文化的一体，“齐鲁”形成一个统一的文化圈，由统一的文化圈形成了“齐鲁”的地域概念。这一地域与后来的山东省区范围大体相当，故成为山东的代称。又如“湖湘”地域概念，尽管在历史发展过程中，地理范围不断发生变化，但其具体的地域空间是洞庭湖以南的湘江流域的主要范围。因此，谈论“地域”，其相对明确而稳定的空间形态是一个基本的前提。

其二，“地域”概念必须具有其本质属性的文化形态规定性。“地域”仅仅具有相对稳定的空间形态是远远不够的，因为一定的“地域”之内必定有一定的人类居住，只要有人类居住、生活、繁衍的地域，也必定会有人类各种各样的社会活动，换言之，“地域”是人化的地域，所以，“地域”除了自然的、空间的意义之外，还具有政治的、经济的、军事的和文化的意义。这是“地域”概念的本质属性，也是地域和地域文化理解中最为重要的内容。而地域之文化形态，实际上是地域文化的历史性及其传统。任何一种形态的形构都是一定历史积淀的结果。有历史必有其传统，反之亦然。假如没有历史，传统就成了无源之水，无本之木；假如没有传统，历史的发展也就无法想象。从这个角度来说，“地域”又是一个历史的概念。“地域”概念的历史性是极其丰富的，可以从地域的历史沿革、地域的历史事象、地域的历史风物、地域的历史遗存、地域的历史人物等方面和层次去认识和理解。如地域的历史沿革“一般经历过从自然地域、种族地域到政治地域、文化地域和经济地域等阶段。自然因素、种族因素在早期的地域划分中，表现得尤为明显且为主导地位”。[①] 因自然因素而划分的地域，如前述之“湘楚”地域、“齐鲁”地域历史流变；因种族因素而划分的地域，如神话传说中的黄帝、炎帝与蚩尤之战，黄帝与炎帝之战，都是种族部落的地域之争；古书中经常提及的“东夷”“西羌”“南蛮”“北狄”，也是将种族与地域结合起来。其后则是以政治、军事为主，所谓“惟王建国，辨方正位，体国经野，设官分职，以为民极”[②]，已经表明区域的政治性划分观念的完成。进入现代社会以后，经济、文化的因素越来越重要，许多区域主要因其经济上的原因而紧密地结合在一起。但这只是一个大致的描述，并不是十分严格的科学划分，因为有时时代会错位，有时各种类之间容或有交叉，各局部间发展也并不平衡。

其三，“地域”是一个立体式的综合性概念。这种立体式综合性，在形态上可以表现为物质的、制度的、行为的和精神的等不同层次；在结构上可以表现为政治的、经济的、文化的、军事的、宗教的等不同面相。无论是地域的形态层次，还是地域的结构面相，都是相互依存，相互联系而成为一个有机整体的。地域概念的这种立体式综合性特征就显而易见了。就地域的物质性特征而言，自然地理或自然经济地理之类可能是其最外在最表层的要素；其制度性、行为性特征是风俗习惯、性情秉性、礼仪制度等，相较于物质性因素就深入了一层；而处于地域概念核心的、深层（内在）的则是心理、价值观念等，具有精神的特点。它们都从不同方面对文化

① 王祥. 试论地域、地域文化与文学［J］. 社会科学辑刊，2004（4）：124.

② 钱玄，钱兴奇，王华宝，等. 周礼：地官：司徒［M］. 长沙：岳麓书社，2001：1.

产生影响，比如自然地理方面：地势平坦（如草原、平原），可令人心胸开阔；山势险峻，可能令人富于求新求奇的浪漫气质；风景秀丽，可能令人柔媚多情；面江临海，可能令人富于冒险精神，等等。经济地理方面：比如农耕文化的安土重迁、游牧文化的富于豪放性、海洋文化的富于冒险精神等。在诸种因素中，深层的心理、价值观念才是最为核心的东西，但它又是在前者的基础上形成的。据此，地域的这种形态性和结构性因素，实际上在各个层面并非如此界线分明互不相关，而是相辅相成，互为关联，互相影响并制约，共同起作用，形成一个有机的整体。

（二）两种常见的“地域”划分视域

从“地域”划分的实际情形来看，可以从空间的、自然的、经济的、政治的、社会的、文化的等不同视域划分，一般而言，历史上和学术界使用得最多的还是行政（政治的、社会的）的划分和文化的划分。今人对地域文化的研究也大多采取这两种方式，或以行政区域，如历史以来的以封国、邦国、郡县，直至现在以省市为单位命名的地域文化；或以文化区域，如晋、徽、闽、楚、吴越、巴蜀、齐鲁、湖湘、东北之类的地域文化。所以，不妨从这两种地域划分谈起。

第一种是由行政区划来决定地域范围。行政区划，又称政区，是一个国家为了进行分级管理而实行的区域划分。由于每个国家历史发展和民族等各方面的原因，其行政区划的划分各有差异，但不管行政区划有何不同，其代表一定范围之内的地域都是相同的。行政区划随着国家的产生而产生。按地域划分行政区而不依氏族划分部落，这是国家区别于氏族组织的一个基本特点。不论何种类型的国家，行政区域的划分总要符合统治阶级的根本利益，同时顾及政治、经济、文化、民族、地理、人口、国防、历史传统等多方面的因素。随着现代社会生产力的发展，经济因素起着重要的作用。

在我国漫长的古代历史发展长河中，每个朝代的地方行政区域的划分制度一直处在不断地变化之中。我国最早实行的是“九州”制和“十二州”制。[①]《汉书·地理志》说，在原始社会的黄帝时代已经开始“画野分州”，每一万平方里为一州；尧时分天下为十二州，大禹治水后又分天下为九州。在《尚书·禹贡》中详细记载着九州的名称，它们是冀、衮、青、徐、扬、荆、豫、梁、雍。其他古籍所记载的九州名称与《禹贡》稍有出入。十二州的说法，最早见于《尚书·尧典》，有列出州名。因此，“九州”一说要比“十二州”的影响大，后来九州也就成了中国的别称。

与九州、十二州同时并行的还有“畿服”之制。“畿”是指王朝都城周围的地方。畿外诸侯国是王朝管辖区域内的行政组织，其主要职责是拱卫王室，防止外敌入侵。畿内畿外诸侯都要臣服于周王，史称“畿服”。西周将其制度化，成为了统治者将都城以外的地区按其与王朝的关系及地理远近划分区域的制度。具体而言，这是以一个国家的都城为中心，每向外方圆五百里逐次划分成甸、侯、绥、要、荒五服，也有划分成九服的。但以上十二州、九州和畿服制，只是后代学者在追忆历史时表达的一种理想主义的说法，并非是真正实行了的地方行政区域的划分制度。因为这些均不是尧舜禹时代真实的行政区域划分，也不是春秋战国时期的政区划分，它只是先秦时期人们对自然地理的一种区域性认识[②]。这一点，只要读一读《尚书·夏书·禹贡》便不难了解。1200 字左右的《禹贡》虽然较详细地叙及了各州的特殊贡品及运送物品之贡道，但更多的是记述自然地理。所谓“禹别九州”，其实就是以山、水为标

① “九州”所指，《尚书·夏书·禹贡》和《尔雅·释地》《周礼·夏官·职方氏》以及《吕氏春秋·有始览》中所列略有不同，此外又有“十二州”之说（伪《古文尚书·舜典》“肇十有二州”）。

② 李长傅先生曾说：“总之，十二州、九州，都是春秋战国时代一种以自然地理特征为原则而划分的、假想的行政区。”（李长傅. 禹贡释地［M］. 陈代光，整理. 中州书画社，1983：7.）值得提及的是，以山水为标志的地域划分，不仅是自然地域时代的重要划分方式，也是后世政治区域划分和文化区域划分的重要手段。

志，将天下分为九个区域，并对各个不同区域的大小、土壤、物产一一加以叙述，不妨称之为“自然地域”或“自然经济地域”。

应该说，最早的政区划分真正始于西周时期的分封制。分封制是周天子将一定地域内的土地和人口，分封给自己的后裔和商的遗民以及立功的将士，让他们在地方做“诸侯”，并进行分区管理，以此辅佐周王，被封的“诸侯”在“封国”内继续分封，通过这种逐级分封，下级对上级承担缴纳贡物，军事保卫，服从命令等义务。例如春秋时期被封的诸侯国有齐国、鲁国、晋国、秦国、楚国、吴国、越国、卫国、宋国等，又如战国时期著名的秦、韩、赵、魏、楚、燕、齐“战国七雄”，都是通过分封制这一类似于政区划分的形式而出现的地域范围。这些地域范围的名称直到今天仍然是认识该地域的重要依据并一直沿用。后来秦汉时期的郡县制、唐宋时期的州府制、元明清时期的行省制，都是通过行政区域的划分来确定一定的地域范围，如秦朝设立的陇西郡、汉中郡、蜀郡、巴郡、洞庭郡、桂林郡、南阳郡等基本分别代表了甘肃、陕西、四川、重庆、湖南、广西、河南的地域范围。又如清朝政府把全国划分为 18 个行省：直隶、山东、山西、河南、陕西、湖南、湖北、安徽、江苏、浙江、江西、福建、广东、广西、甘肃、四川、云南、贵州；5 个将军辖区：盛京、吉林、黑龙江、伊犁、乌里雅苏台；两个办事大臣辖区：西藏、青海。这些行政区划也大致代表了所管辖的地域范围。

第二种是由一定的文化形态来决定地域范围。从广义的角度而言，地域也是一种文化现象，因为不仅地域为人类提供了基本的生存需求，使得人类在一定的地域范围之内不断栖息延续下去，而且人类在它生活的地域范围之内利用自己的智慧和毅力不断创造性地改变着地域，使得纯粹自然的地域不断“人化”和具有人文意涵，所谓人类诗意地栖居，大概也是讲的这个道理。正因为如此，我们说“地域”的本质属性不是它的自然性，而是它的文化属性。所以，以一定的文化属性或者文化形态来区分地域也就成了人们认识地域最常见的方法与途径。例如在学术界常常讲到的海洋文化、内陆文化、草原文化、农耕文化等等，实际上不只是提及这些文化的类型和样式，同时也意味着某一特定的地域范围，如海洋文化就特指欧洲地中海周边的一些国家和地区，草原文化也意味着是蒙古和我国的内蒙古。这种因文化因素来决定地域范围的视角，在现代社会越来越受到人们的重视。

然而，上述两种划分地域的视角或者方法，并不是彼此孤立而独自存在的。其实，在某种历史背景下，行政区域有时可以转变成文化区域，而文化区域也可能会变成行政区域。这一点，从《汉书·地理志》中也可以得到印证。《汉书·地理志》先录《尚书·夏书·禹贡》和《周礼·夏官·职方氏》中的文字（这是叙述地理之缘起），然后叙述汉兴后天下郡国①，最后以秦、韩、燕、齐、鲁、卫、吴、粤、越九地分记各地风俗（此为汉代之文化区域）。这种叙述方式很值得关注，它说明两个相反相承的问题，一是行政区域与文化区域并不等同，所以《志》中分别以郡国来叙述汉代行政区域，而以秦、韩、燕等九地来记述风俗；二是行政区域也可以转化为文化区域，《志》中所列的秦、韩、燕等九地本为先秦时诸侯之封地，是政治区域，但到了汉代，显然已演变成了文化性的区域。

事实上，由于长时间处在相对密切的生存环境下，许多政治区域逐渐形成了相对稳定的文化形态，因而使行政区域兼有鲜明的文化区域色彩。从历史上来看，我国自宋代后，这种情况尤为明显，由宋代广泛出现的舆地类著作中目录内容可以得到最为有力的证明。如《太平寰宇记》不只是记述了宋朝的疆域版图，在州府下除列有沿革、领县、四至八到、户数等项外，还在原来地理志体例的

① 《汉书·地理志》（上）叙 51 个郡国，《地理志》（下）叙 52 个郡国，共计 103 个郡国，此为汉代之政治区域。

基础上增加了“风俗”“姓氏”“人物”等文化意味较强的门类，这种以人文结合地理的方式被后世地志奉为典范，后世认为“盖地理之书，记载至是书而始详，体例亦至是而大变”①。还有成书于南宋中期的《舆地纪胜》则更为详尽。该书以南宋统治区为限，起行在所临安府，讫剑门军，共计府、州、军、监一百六十六。每一府、州，除了记述其沿革外，还有风俗形胜、景物、古迹、官吏、人物、仙释、碑记、诗、四六等十二门②；《方舆胜览》与《舆地纪胜》颇为相似，所列十八门中，文化意味较浓的就有“风俗”“形胜”“古迹”“名宦”“人物”“题咏”③，本该作为重点的地理建置反而退居其次，成了地域文化的配角。另一部宋人所撰的地理总志《舆地广记》，虽然不似前三书列有专门条目，但在具体叙述中文化意味仍然很浓，如叙洪州之分宁县：“望，分宁县，本艾县地，《左传》吴公子庆忌骤谏吴王，弗听，出居于艾，是也。二汉属豫章郡，晋、宋、齐、梁、陈因之，隋省入建昌。唐贞元十五年，析武宁置分宁县，属洪州。有旌阳山，昔旌阳令许逊尝游此，有修水。”④ 文中引《左传》吴公子庆忌谏吴王事及叙旌阳令许逊事，均可见出其中之文化意味。这是总志的情况，至于方志，更是以记述文化事件和人物为能事。此种风习亦为元、明、清之后的地理学家所承袭，行政区域而兼文化区域之特色于此可见一斑。

由此可见，并非所有行政区域都有相对稳定的文化形态，由于受政治、军事、经济甚至文化的影响，历代行政区域不断变更，州、郡、府、县或置或废，或并或分，无有定准，这就不能不影响区域文化的形成和稳定，因此在使用政治性区域与文化性区域的划分时，就不能不谨而慎之。

---

① 纪昀，戴震，姚鼐，等. 钦定四库全书总目（整理本）［M］. 北京：中华书局，1997：925.

② 王象之. 舆地纪胜［M］. 南京：江苏广陵古籍刻印社，1991.

③ 祝穆. 方舆胜览［M］. 北京：中华书局，2003.

④ 欧阳忞. 舆地广记：卷二十五［M］. 钦定四库全书本.

（三）“地域”概念的本质性特征

由此可见，认知“地域”概念要考虑的因素实在很多，因为“地域”所承载的物质的和非物质的、自然的与人文的、具体的与抽象的、历时性的与共时性的、传统的与现代的等亦实在太多。其本质性定义难以概括所有，所以，我们只能说：“地域”是以自然地理空间为基础的人文历史空间，或者说，“地域”是指在一定的地域空间范围内自然要素与人文因素作用所形成的综合体。自然要素和人文因素构成了“地域”概念的基本规定。在这两种基本内涵中，人文要素的意义是“地域”概念的更深层次的规定。概而言之，“地域”一般具有区域性、人文性和系统性三个特征。

区域性是人们界定一个地方的主要依据。每一个地理事物，每一件地理事件，都发生在一个具体的时空范围内，见证于具体的人群。因此，区域性就成为地域特征的一个标志性特点。例如，“中国”作为一个地域概念，最早是指西周京畿地区，后来演变为黄河流域、黄河中下游的中原地区，自秦汉以来，指的是中原王朝的直辖地区。而现在，“中国”地域概念则是指位于亚洲东部、太平洋西岸的领土和领海，其领土范围包括北起漠河附近的黑龙江江心，南到南沙群岛的曾母暗沙，西起帕米尔高原，东至黑龙江、乌苏里江汇合处的面积达 960 万平方千米的陆地；其领海范围包括由渤海和黄海、东海、南海三大边海组成的面积约 470 万平方千米的内海和边海水域。

人文性成为人们研究一个地方的重要吸引力。可以这样说，只要人的意识所到之处，并与现实物质存在发生关联，它就在某种程度上预言了某种或者多种可能的人文性。地域文化特色主要就是在基于自然条件的基础上去深刻把握人文要素的突出内涵。因此，地域的另一个突出特点是鲜明的人文性。否则，人类所从事的一切地域活动就没有任何意义。正像天生的各种非意识物体生在世上不知为何一样。所以，从这个意义上来看，地域的人文性就是人类所体现的比较科学的意识行为，它包括了物质的和非物质的行为。

系统性是指地域所反映的事物或者关系按不同功能组成的错综复杂而有序的综合体。单一的地理因素或者事件等无法形成地域空间。比如，人们一谈到某一个国家或者某一个地方，既要谈及它的地理位置、自然要素、人口、土地面积等要素，又要谈及它的兴起、发展历史、政治体制、经济要素，乃至文化传承、宗教信仰、民情风俗。单就某一项因素的言说和认知，根本无法认清该地域的全貌。只有基于系统性的认知，才能将一个完整的地域概貌呈现出来。因此，人们在研究一个地域空间时，往往需要用综合的眼光来看待分析，才会全面、科学、生动地把握其各种要素及其相互关系。

当然，地域还会有其他特征，如历史性、差异性等。认识这些特点，有助于人们更好地认识一个地域空间，有助于更好地从事各种地域活动。

正是因为在地域空间范围之内有了上述这样一些特点，再加上生活于其间的人类活动及其关系，便产生而形成了精彩纷呈的地域文化。在阐述地域文化之前，很有必要对“文化”进行一番解读。

二、文化

（一）学术界“文化”定义透视

地域文化属于文化研究的范畴，地域文化的概念与文化概念密不可分。考察地域文化概念并分析其内涵，有必要借助文化概念研究的主要成果。然而，认识、理解文化概念并不是一件容易的事情。因为，当下凡是每一位接触到文化或进行文化问题研究的人，都会在一开始遇到有关文化定义问题的困扰。自从“文化”一词出现到现在，由于文化事项的纷繁复杂、多姿多彩，学者们从不同的学科角度和研究取向，给予文化不同的解读与界定，现在有关文化的界定达到200多种，甚至有学者将之称为文化定义现象。所以，尽管地域文化有其自身的特殊性，“文化”概念的考察和分析亦属题中应有之义。

从总体上看，文化的含义主要基于两种基本运用，第一，作为一般词语，第二，作为分析性范畴。其中，作为一般词语主要是指某些兴趣、活动和成就。如 1989 年版的《牛津现代高级英汉双解辞典》对文化的定义是：“由于训练和经验，人的身心精神的发展”，“人类社会在人文学科和自然学科以及思想智力发展方面的证据”；1986 年版的《袖珍牛津英语辞典》的解释是：“对文学艺术，音乐的高度发达的理解”；1995 年版的《现代汉语词典》认为文化是指“（1）人类在社会历史发展中所创造的物质财富和精神财富的总和，特指精神财富，如文学，艺术，教育，科学等。……（2）指运用文字的能力及一般知识”。可见，文化作为一般词语主要是指人类的某些兴趣、活动和成就。

而作为分析性范畴，文化概念主要体现在每门规范的、严谨的学科体系之中，如哲学、文学、历史学、人类学、政治学、宗教学，等等。第一个在文化定义上具有重大影响的人是英国人类学家泰勒（E. B. Tylor，1832—1917）。他对文化所下的定义在学术界长期被公认为是经典性的，他在 1871 年《原始文化：神话、哲学、宗教、语言、艺术和习俗发展之研究》一书说：“文化或文明，就其广泛的民族学意义来讲，是一复合整体，包括知识、信仰、艺术、道德、法律、习俗以及作为一个社会成员的人所习得的其他一切能力和习惯。”[①] 在这里，泰勒除了把文化等同于文明，缩小了文化的范围以外，他的文化观，显然是属于广义的文化，即文化是社会发展过程中人类创造物的总称，包括物质技术、社会规范和观念精神。

目前，学术界主要根据文化的分析性范畴而展开讨论，形成了

① 泰勒. 原始文化：神话、哲学、宗教、语言、艺术和习俗发展之研究［M］. 连树声，译. 谢继胜，尹虎斌，姜德顺，校. 上海：上海文艺出版社，1992：1.

不同文化定义研究方法和理论视角。从文化定义方法的研究来看，主要有以下一些方法和途径。

美国人类学家克拉伯（A. L. Kroeber，1876—1960）和克拉克洪（C. Kluckhohn，1905—1960）把文化定义分为六类：描述性定义、历史性定义、规范性定义、心理学定义、结构性定义、发生学定义。① 冯天瑜等提出的文化生态学定义。② 台湾著名文化人类学家李亦园提出的文化的内在法则——“文化的文法”（cultural grammer）。③ 胡潇认为界定文化定义的方法主要有：现象描述、社会反推、价值认定、结构分析、行为取义、历史探源、主体立意、意识解读。④ 方汉文认为界定文化定义的方式主要有三种：训诂学方法、学科定义法、比较文化学定义法。⑤ 彭宏杰认为，从“文化的涵盖范围”来界定文化是我国文化观上的传统和主流，从这一角度出发又有四种情况：一分为二，有广义文化和狭义文化两种含义；一分为三，有全文化、大文化、狭义文化或大文化、中文化、小文化三分法；一分为四，有最广义文化、广义文化、一般文化和狭义文化四种含义；一分为五，有最狭义文化、狭义文化、宽义文化、广义文化和最广义文化。⑥

从文化定义的主要观点来看，学术界将其分为：

（1）涵盖范围说，就是从文化的涵盖范围来界定文化，这是我国学界界定文化的主流。这里面又有两种观点：一种是从广义和狭义来界定，但是在描述广义和狭义文化定义的时候又有所不同。有的人认为，文化广义是指人类实践过程中所获得的物质、精神的生

① 菲利普·史密斯. 文化理论——导论［M］. 张鲲，译. 北京：商务印书馆，2008：7—13.

② 冯天瑜，何晓明，周积明. 中华文化史［M］. 上海：上海人民出版社，1990：8.

③ 李亦园. 人类的视野［M］. 上海：上海文艺出版社，1996：102—103.

④ 胡潇. 文化的形上之思［M］. 长沙：湖南美术出版社，2002：28—40.

⑤ 方汉文. 比较文化学［M］. 桂林：广西大学出版社，2003：30—37.

⑥ 彭宏杰. 新建文化与党的建设研究［M］. 长沙：湖南人民出版社，2008：16—18.

产能力和创造的物质、精神财富的总和。狭义指精神生产能力和精神产品，包括一切社会意识形态：自然科学、技术科学、社会意识形态。有时又专指教育、科学、文学、艺术、卫生、体育等方面的知识与设施。① 有的人认为，广义的文化概念是指人的有目的活动的结果，即人们在物质活动和精神活动中所创造的一切，既包括物质文化，也包括精神文化以及社会的风土人情、习俗、风尚等一切“人化”的事物；狭义的文化概念是指意识形态或观念形态，仅包括与精神生产有关的观念形态。② 另外一种观点是从广义和狭义界定以后，又把文化或者是广义文化按层次进行划分，或者直接从文化的层次上来界定文化的定义，例如许嘉璐认为，广义的文化是指人类创造的物质和精神的所有成果；狭义的文化指的是人类所创造的精神领域的一切成果；最狭义的文化则专指艺术、出版等事业。按照内容分，可以把文化分为三层：表层是蕴含在人类物质（衣食住行）中的文化；中层是借助物质所体现的文化；底层文化是伦理观念、审美意识和哲学思想等。③ 冯天瑜认为，文化就是“人类化”“自然的人化”，包括物态文化、制度文化、行为文化、心态文化（社会意识和社会心理）。④ 张岱年认为，文化的含义有广义和狭义之分。狭义的文化指文学艺术，广义的文化包括哲学、宗教、科学、技术、文学、艺术、社会心理、风俗习惯等等。广义的文化又包含三个层次，最高层次是哲学、宗教，这是社会的最高指导思想。第二个层次是文学、艺术、科学、技术等等。第三个层次是社会心理，其中包括风俗习惯和一般人的思想意识。⑤ 李亦园先生认为文化可以分为可观察文化和不可观察文化，而可观察文化是

① 夏征农. 辞海［M］. 上海：上海辞书出版社，2002：1764.

② 李秀林，王宇，李淮春. 辩证唯物主义和历史唯物主义原理［M］. 北京：中国人民大学出版社，2004：114—123.

③ 许嘉璐. 中华文化的过去、现在和未来［J］. 文史哲，2004（2）：5—11.

④ 冯天瑜，何晓明，周积明. 中华文化史［M］. 上海：上海人民出版社，1990：8.

⑤ 张岱年. 文化与哲学［M］. 北京：中国人民大学出版社，2009：64—87.

文化的内涵，包括物质文化、社群文化、表达文化。①

（2）意识形态说，持这种观点的学者认为，文化属于意识形态范畴，从社会存在与社会意识的辩证关系来看，文化是对社会存在的反映，但这种反映不能仅仅理解为一面对反映内容稍纵即逝的映照光面镜，而是一部成像成型的照相机或摄像机。②

（3）起源和功能说，持这种观点的学者认为在哲学上给文化下定义主要从文化的起源和功能上界定文化。从起源的角度说，文化是“人化”，它相对于“自然”，是人的主体性或本质力量的对象化；从功能的角度说文化，文化最主要的功能是“化人”，塑造人、熏陶人、教化人。人是文化的创造者，也是文化的创造物，通过文化的传承和创造，促进人的社会化、文明化、个性化，从而塑造健全的人和完善的人。③

（4）内涵外延说。黄枬森在理解文化的概念时，从文化的内涵和外延两个方面来理解，他认为文化的内涵是人类的精神活动及其产品，是经济和政治的反映，归根到底是人类物质活动的反映。他把文化的外延描述为十二类文化现象。④

（5）其他学者从其他不同的角度界定文化。如梁启超认为“文化者，人类心能所开释出来之有价值的共业也”，“文化是包含人类物质精神两面的业种业果而言”。⑤ 梁漱溟认为“文化，就是吾人生所依靠之一切”⑥。陈独秀认为，“文化是对军事、政治（是指实际政治而言，至于政治哲学仍然应该归到文化）、产业而言”，

① 李亦园．人类的视野［M］．上海：上海文艺出版社，1996：101—105.

② 吕兴光．文化、先进文化与代表先进文化的前进方向［M］//新世纪党政干部理论学习文集：第四卷：上册．北京：红旗出版社，2004：62.

③ 袁贵仁．关于价值与文化问题［J］．河北学刊，2005，25（1）：5—10.

④ 黄枬森．黄枬森自选集［M］．北京：学习出版社，2005：491—544.

⑤ 梁启超．什么是文化［M］//饮冰室合集：文集之三十九．北京：中华书局，1989：97—104.

⑥ 梁漱溟．梁漱溟自选集［M］．北京：首都师范大学出版社，2008：189.

“文化底内容，是包含着科学、宗教、道德、美术、文学、音乐这几种”。[①] 贺麟从“心物合一”观出发，认为“所谓文化就是经过人类精神陶铸过的自然”。[②] 冯友兰提出，文化是一种“总合体”，“中国文化就是中国之历史、艺术、哲学……之总合体；除此之外，并没有别的东西，可以单叫做中国文化”。[③] 美籍华人学者余英时指出，“文化即成套的行为系统，而其核心则由一套传统观念，尤其是价值系统所构成”[④]。当代学者司马云杰则认为“文化乃是人类创造的不同形态的特质所构成的复合体”[⑤]。

上述各种文化定义的方法以及不同观点，互有长短，反映了近现代学术界对文化认识的历史过程。

（二）“文化”定义的再思考

综上所述，学术界对文化的定义主要是以下七个方面的观点：（1）把文化看作一个包含多层次、多方面内容的综合体，用它来概括人类创造和积累起来的全部物质与精神财富以及人们的生活方式；（2）把文化理解为人类精神现象或观念形态的总和；（3）强调文化作为人的社会行为与习俗的意义；（4）把文化主要视作人类的艺术活动及富有仪式性的民俗活动的概括；（5）一部分学者尤其是历史哲学家十分重视文化的历史传承性质，他们倾向于把文化理解为一个社会的传统行为形式或全部社会遗产；（6）从功能和价值层面来认识文化的意义是文化概念探讨的又一思路；（7）强调文化对人的思想行为的潜在指导和规范作用是另一类文化阐释的核心。

那么，究竟如何去认识、理解文化呢？台湾学者殷海光先生的

① 陈独秀. 新文化运动是什么？［M］//陈独秀散文. 上海：上海科学技术文献出版社，2013：63.

② 贺麟. 文化的体与用［M］//文化与人生. 北京：商务印书馆，1947：32.

③ 冯友兰. 三松堂学术文集［M］. 北京：北京大学出版社，1984：43.

④ 余英时. 中国思想传统的现代诠释［M］. 南京：江苏人民出版社，1992：1.

⑤ 司马云杰. 文化社会学［M］. 太原：山西教育出版社，2007：7—9.

思考给了我们很好的提示。他在《中国文化的展望》一书中，列举分析了47个关于文化的定义之后，指出：第一，在文化全部实有之中，我们不可有意或无意把我们认为“好的”或“要得的”看作是文化，而把我们认为“不好的”或“要不得的”看作不是文化，而只是“历史中的偶然”。第二，文化包括层进中的各层。所谓“物质”和“精神”这样简单而又粗疏的二分法不足以相应地特指文化的内容。如果文化是人适应环境与创造活动及其成果的总称，那么没有文化不是含有“精神”成分的。依此，所谓“精神文明”和“物质文明”的截然划分，根本是不可能的事。而俗见所谓“东方的文明是精神文明”，“西方的文明是物质文明”的说法，简直不知所指为何！第三，文化之所指不限于所谓的“文明人”的，所谓“野蛮人”同样有文化。第四，文化并非一成不变的化石，而是在变动之中。第五，价值观念是文化构成的必要条件。我们简直不能设想没有价值含在其中的任何文化。价值是支配行为的要素。第六，文化与文化价值都是相对的，虽然也有普同的部分。[①]

循此思路，我们反思过去的文化定义，一个共同的特点就是，不管从哪个角度对“文化”进行定义，学者们还是有共同认可的地方，那就是“文化”是由人类创造的。把文化确定为是由人创造的，强调了文化的主体性，大大缩小了文化的外延，把文化的外延范围限定在了“人化自然”的范围内了。按照马克思主义的观点，由于实践的作用，世界分为主观世界和客观世界，自在世界和人类世界。自在世界又称为天然自然，它包含两方面的含义：首先是自在世界是人类世界产生之前的自然界，其次是自在世界又是人类尚未深入的自然界。人类世界又称为属人世界，他是在人类实践基础上形成的人化自然和人类社会的统一体。人化自然是被人的活动所改造过的自然，它体现了人的需要、目的、意志以至审美能力。把

① 殷海光. 中国文化的展望［M］. 上海. 上海三联书店，2002：39—41.

文化确定为文化是由人类创造的，可以使我们能清楚地判断出自在自然的东西，没有打上人类烙印的东西不能归结为文化。

当然，纯粹把文化理解为是人创造的，或者说是“自然的人化”，只是强调了文化的主体性意义，并没有揭示出文化的真正内涵。日本著名社会学家富永健一，在论述泰勒的文化定义时说：“这些定义过于宽泛，不仅没有抓住问题的要点，而且也未能确切地反映出文化能够通过学习而在世代间传递、在不同社会间传播这一特征。”因此，富永健一在定义文化时，将马克斯·韦伯的行动理论和卡西尔等人的符号理论相结合，他对文化所做的界定是：

> 文化是人类思维的产物，可以用符号将它客观化，用符号来表现它，作为独立于创造它的行动者及行动本身的客观存在，它可以传递给其他行动者，可以学习，可以传播。这样定义文化的意图在于将文化看作一个符号的世界。符号中最主要的部分是语言，我们可以举出很多通过语言来表现的符号上述定义的文化事例。例如，作为认知性（cognitive）文化体系的科学、哲学、思想、意识形态、宗教和神话；作为表意性（expressive）文化体系的诗、小说、剧本等语言艺术；作为评价性文化体系的法、规范等等。除了语言之外，符号中还可以包括声音、造型和动作，通过它们表现出来的文化有音乐、美术、戏剧、舞蹈等等——它们都属于表意性文化体系。[①]

富永健一的这个定义肯定也不是十全十美的，但是将文化上升到符号的意义，已经剥离了文化的形形色色具体物象，特别是强调符号中的语言意义，实际上是对文化进行的哲学思考，这无疑有益于加深对文化的认识和理解。

文化除了与人的因素有关外，还离不开与时间的关联，所以文

① 富永健一. 社会学原理［M］. 严立贤，等译. 北京：社会科学文献出版社，1992：17—18.

化又是一个历史的概念。文化既是一个历史积淀的范畴，又是一个不断发展的范畴。所谓概念是指客观事物的本质特征在人们头脑中的反映。人们在感性认识的基础上，从事物的许多属性中，抽出本质的区别性特征，加以抽象和概括就形成了概念。概念有两个基本特征分别是内涵和外延。所谓内涵是指反映概念所指对象的本质属性的总和，外延是指一个对象所确指的全部对象。在不同的社会、不同的地域，在同一社会中不同的时代、不同的环境中人类对文化概念的理解不尽相同，文化被赋予了不同的含义，特别是外延所指的对象更是不同。比如说：在我国“文化”一词最早见于《周易》之“观乎天文，以察时变；观乎人文，以化成天下”。唐代著名经学家孔颖达在《周易正义》对此释曰：“观乎人文以化成天下，言圣人观察人文，则诗书礼乐之谓，当法此教而化成天下也。”这已有从观念形态谈文化的意味。就词源而言，古代汉语最先将“文化”合二为一使用的则是最早出现于西汉刘向《说苑·指武》中。书中写道：“圣人之治天下，先文德而后武力。凡武之兴，为不服也；文化不改，然后加诛。”这里，把“文化”与“武威”对举，文化的基本含义则为“文治教化”，包括诗书礼乐制度。梁漱溟认为：

> 文化就是吾人生活所依靠之一切。如吾人生活，必依靠于农工生产。农工如何生产，凡其所有器具技术及其相关之社会制度等，便都是文化之一大重要部分。又如吾人生活，必依靠于社会之治安，必依靠于社会之有条理有秩序而后可。那么，所有产生此治安此条理秩序，且维持它的，如国家政治、法律制度、宗教信仰、道德习惯、法庭警察军队等，亦莫不为文化重要部分。又如吾人生来一无所能，一切都靠后天学习而后能之，于是一切教育设施，遂不可少。而文化之传播与不断进步，亦即在此。那当然，若文字、图书、学术、学校及其相类相关之事，更是文化了。俗常以文字、文学、思想、学术、教育、出版等

为文化，乃是狭义的。我今说文化就是吾人生活所依靠之一切，意在指示人们，文化是极其实在的东西，文化之本义，应在经济、政治，乃至一切无所不包。[1]

毛泽东在《新民主主义论》中认为“一定的文化是一定社会的政治和经济在观念形态上的反映”，这里的文化侧重于意识形态方面的内容。而随着人类社会的进步和文化内容的日益丰富，文化概念外延所指的对象则越来越多，其中最大的文化概念则是把打上人类烙印的成果都归结于文化。以至于有时候，我们不得不说文化就是“凡是超越本能的、人类有意识地作用于自然界和社会的一切活动及其结果，都属于文化；或者说，‘自然的人化’即是文化”[2]。

同时，文化总是千差万别的，具有差异性与特殊性，这主要是文化与地理环境的关联。在认识文化时，我们必须考虑地理环境或地域环境的因素。这个问题将在下文中的“地域文化”中加以深入论述。

在此，笔者较为认同文化定义中的两种思路或两种观点，一种思路是雷蒙·威廉斯（R. H. Williams，1921—1988）对此前的文化定义观点进行了一个归纳，他认为：

文化一般有三种定义。首先是“理想的”文化定义，根据这个定义，就某些绝对或普遍价值而言，文化是人类完善的一种状态或过程。如果这个定义能被接受，文化分析在本质上就是对生活或作品中被认为构成一种永恒秩序、或与普遍的人类状况有永久关联的价值的发现和描写。其次是“文献式”文化定义，根据这个定义，文化是知性和想象作品的整体，这些作品以不同的方式详细地记录了人类的思想和经验。从这种定义出发，文化分析是批评活动，借助这种批评活动，思想和体验的性质、语言的

① 梁漱溟. 中华文化要义［M］. 上海：学林出版社，1987：2.

② 张岱年，方克立. 中国文化概论（修订本）［M］. 北京：北京师范大学出版社，2004：3.

> 细节，以及它们活动的形式和惯例，都得以描写和评价。这种批评涉及范围很广，从非常类似于“理想的”分析过程，经过着重强调被研究的特定作品的过程（以阐明和评价这部作品为主要目的），同时对传统发生兴趣，并发现“世界上构思和写得最好的作品”，直到一种历史批评，在分析特定的作品之后，历史批评试图将它们与它们从中出现的特定传统和社会联系起来。最后，是文化的“社会”定义，根据这个定义，文化是对一种特殊生活方式的描述，这种描述不仅表现艺术和学问中的某些价值和意义，而且也表现制度和日常行为中的某些意义和价值。从这样一种定义出发，文化分析就是阐明一种特殊生活方式、一种特殊文化隐含或外显的意义和价值。①

雷蒙·威廉斯认为，文化的三种定义中的每一种定义都是有价值的，并且每一种都有重要的指涉，任何充分的文化理论必须包括这些定义所指向的三个事实领域，相反，排除彼此指涉的任何一种特殊的文化定义，都是不完备的。在雷蒙·威廉斯看来，我们认识文化必须从这三个方面去思考，其实，就是思考文化的文本、经验、意义，有点类似于西方诠释学的观点，既有文化讨论的方法论意义，又有文化哲学维度的追问，比较全面地估计到了文化的方方面面。显然，雷蒙·威廉斯对于文化定义的综合分析，在帮助人们较为全面而清醒地看待文化定义现象方面，有着积极和有效的作用。

另一种观点是台湾文化人类学家李亦园对文化内涵的分析，他说：

> 大致而言，人类学家习惯于将文化分为两部分来看待：一个是可观察的部分，另一为不可观察的部分。就可观察的文化而言，人类学家又将它分为三个部分：物质文化（或称技术文化）、社群文化（或称伦理文化）与精神

① 转引自罗钢，刘象愚. 文化研究读本［M］. 北京：中国社会科学出版社，2000：125—126.

文化（或称表达文化）。在这三个分类中，物质文化，指的是一个民族适用自然环境的生计方式，可表现在该民族衣、食、住、行各方面，因而也是最为具体而可见的一部分。……可观察的文化是人类学家研究的重点，但是其目标却不仅于此，人类学家研究文化所真正追求的仍是第二个层次：不可观察的文化。在这个意义上，文化，不再是一些看得到摸得到的具体东西，而只是一个抽象的存在，一套意义与符号的系统。这一层次的文化才是人类学家所真正追求的。从可观察的一面来看，文化是一套具体的东西，并可分属不同领域，彼此并不相统属，交互相关。但在不可观察的层次中，文化是一套共有的意义象征系统，它存在于人们的脑中，指引着人们的行为，同时勾连着各互异的文化领域，形成一套和谐的整体。因此，对于文化现象之了解，不应只是对其中可观察现象之解释，同时，更重要的，是对其后一套潜在之意义系统的掌握；而亦只有从这个立场来了解可观察文化的三个领域，才足以真正掌握其存在的意义。①

鉴于本书地域文化研究的实际情况，笔者认为从上述两家关于文化定义的观点去思考地域文化的有关问题，应该是最为理想的视角。

可见，文化是一个完整而系统的有机整体，是主体与客体在人类社会实践中的对立统一物。这是认识、理解文化的一把钥匙。因此，对于“文化”，除了理解其基本含义外，还应该剖析其大致结构及其基本特征。一般而言，文化的结构分为物质文化、制度文化、行为文化和精神文化。②

① 李亦园．人类的视野［M］．上海：上海文艺出版社，1996：106—107．

② 关于文化结构的分类有“文化二分法”“文化三分法”“文化四分法”“文化五分法”等，本书采用“文化四分法”。参见马克锋．文化思潮与近代中国［M］．北京：光明日报出版社，2004：10—12．

物质文化又称物态文化，是人类所从事的物质生产创造活动及其劳动产品的总和，它包括生产工具—工艺技术文化、生态文化等。历史唯物论认为，人类文化的存在是历史地发展着的，文化的发展可以从整体上划分为两个阶段：第一阶段是建立在“自然产生的生产工具”的基础上；第二阶段则是建立在“由文明创造的生产工具”的基础上。① 物质文化以满足人类生存发展所必需的日常生活等一类条件为目标，直接反映了人与自然的关系，是人类认识、利用和改造自然的必然结果和程度，也是人类社会生产力水平的重要反映，是一种可以感知的、具有物态实体的文化事物，是人类从事一切其他文化创造的基础。

制度文化是文化结构的一个重要层面，它是物质文化与精神文化的中介，是人类为适应自身生存、社会发展需要而主动创造的有组织的规范体系，包括社会经济制度、政治法律制度、婚姻制度、家族制度、教育制度，等等。制度文化作为有组织的社会规范系统，既是物质文化的反映形式，又是精神文化的物化形态。制度文化服务与制约着人类的群体活动，它在文化体系中具有相对稳定的特性。

行为文化是人们在日常生活以及纷繁的社会交往中，约定俗成并被群体所共同遵守的行为模式，它以民风、民俗形态出现，见之于日常起居生活之中，具有鲜明的民族、地域特色，也具有固定化、程式化的特点。所以，行为文化是人类处理个体与他人、个体与群体之间关系的文化产物，其作用是实行着一种特殊的社会机制，即人类在其相互交往中实现着人的社会化。

精神文化又称为心态文化，是人类在长期的社会实践活动和意识形态活动中升华出来的价值观念、知识体系、审美情趣和思维方式等的总和，包括人们的社会心理和社会意识诸形式。社会心理是人们的日常精神状态和思想面貌，是尚未经过理论加工和艺术升华

① 马克思，恩格斯. 马克思恩格斯全集：23［M］. 北京：人民出版社，1979：206.

的流行的大众心态，包括人们的情绪、愿望和要求等。社会意识形态是经过系统加工的社会意识，往往是由一些文化精英对社会心理进行理论归纳、逻辑整理、艺术化，并以文本的形态固定下来，流行传播而指导社会实践。

由此看来，文化的四个结构或四个层次有机地构成了文化整体，物质文化包含了制度文化、行为文化和精神文化的内涵，也可以说物质文化是制度文化、行为文化和精神文化的物化形态，物质文化是基础；制度文化为物质文化所决定，它又对物质文化、行为文化和精神文化的发展以巨大影响；行为文化受制于物质文化和制度文化，反过来，行为文化对物质文化、制度文化和精神文化起着潜移默化的作用；精神文化是文化的核心部分，具有相对独立性，但是也深深地影响着文化的其他三种结构。可以说，文化的四结构相互依存，相互制约，彼此渗透，构成了文化的有机结构整体。

那么，文化既是整体的，又是历史的、具体的，也就是说，文化的产生、发展、积累、传播，都是在一定时空和群体范围之内发生的。这就决定了文化自从其产生开始，具有一些与生俱来的鲜明特征，这些特征主要表现为文化的多样性、民族性、地域性、时代性。

三、地域文化

尽管地域文化与通常所讨论的文化不同，它是带有空间范围限定词的文化，但是，笔者认为，上述文化概念的阐释，无疑对我们理解地域文化的概念和内涵打开了思路，尤其是雷蒙·威廉斯和李亦园对文化的思考，为我们定义地域文化提供了重要的方法和路径。

由于在漫长的历史发展过程中，随着年代的日渐久远和人口的不断迁移，景物易貌，人类社会的生活空间范围——疆域也就变得日渐模糊不清。因此，在涉及这个生活范围内的很多社会文化现象的研究亦随之产生歧义。这种文化现象，一般称为地域文化或“区域文化”。地域文化研究是一门研究人类文化空间组合的地理人文学科，与文化地理学大同小异。地域文化应当是以地域为基础，以历史为主线，以物象为载体，以现实为表象，在社会进程中发挥作用的人文精神。地域文化与地理有联系但不是地理；与历史有联系但不是历史；与景物有联系但不是景物。对地域文化，从空间上看，在大范围讲有其独立性；在小范围讲有其主导性。从时间上看，在历史发展上有其持续性；在当下意义上有其现实性。我们对地域文化的研究，就是通过对文化的有形之物的探索研究过程，达到揭示文化变化发展法则的目的，从而以此来更好地指导我们的现实活动。应该说，在认识和研究地域文化的过程之中，出现不同观点是正常的。为了对地域文化有一个全面而深刻的把握、理解，下面就学术界对此讨论的有关观点作一简要介绍。

（一）学术界关于“地域文化”的讨论

文化的地域性或地域文化的形成，从文化人类学的观点来看，是由构成文化区的最小单位“文化特色”到文化丛再到文化区域或文化圈而产生的。即在一定时间和空间，与某一种生产行为和生活习俗相联系而产生的文化现象，就成为该地区的文化特色；众多相互关联的文化特色集合为文化丛，文化丛从发源地向外扩散；人们对文化特色的选择与结合显示出不同地区的特征，从而形成特定的文化类型和文化区域或文化圈[①]，这个文化区域或文化圈，就是我们所说的地域文化。围绕“地域文化”这一概念，学术界主要有以下一些观点[②]。

其一，区域文化观。这种观点是基于“地域”概念通常是古代沿袭或俗成的历史区域这一感性认识，强调其在产生之初当然是精确的，但由于漫长的历史变迁而逐渐泯灭了它们的地理学意义，变

① 陈建远. 社会科学方法辞典［M］. 沈阳：辽宁人民出版社，1990：409—415.

② 雍际春把当前学术界关于地域文化的概念的讨论归纳为七个方面，笔者在此概括为六种主要观点。雍际春. 地域文化研究及其时代价值［J］. 宁夏大学学报（人文社会科学版），2008（5）. 52—53.

得疆域模糊，只剩下大致的所在地区了。如“齐鲁”概指山东，“关东”泛称东北等。故此观点认为“地域文化”是一门研究人类文化空间组合的地理人文学科，在某种意义上相同于文化地理学。但在某些方面，地域文化又与文化地理学有着明显的区别。即文化地理学以地理学为中心展开文化探讨，而地域文化则以历史地理为中心进行文化探讨。①

其二，文化区域观。这种观点从文化起源的角度思考，认为世界上无论何种文化，因其创造者无不生活于具体的地区，这些文化也就带有地域性特点。地域性的含义除了表明它有一块供文化滋生、与众不同的地盘之外，它还表明这块地盘早归某些固定的民族聚居，在那里培植有专门的文化。因常见这样的地域与相应的民族和文化多有共其始终之势，人们也就不能用纯自然的眼光来看待这一已经人文化的地区。因此，地域文化的空间判别，旨在确定某种文化特征或具有某种特殊文化的人在地球表面所占据的空间，即确定文化区。②

其三，文化空间组合观，由于地域文化的发展基础是人类赖以生存的地理环境，故把地域文化定义为一定地域内文化现象及其空间组合特征。这种观点同时还强调，不同人群所处的独特地域环境所形成的文化隔离，也有效地保持了不同地域文化的独特发展趋向。这种文化发展的空间限制性所形成的文化的地域，成为一种文化强制力量，制约着不同地域的文化性质、类型、水平、方向和速度。③

其四，文化整体观。有人从“地域”概念的空间形态和历史、传统的文化形态特征出发，认为地域文化是一个多维概念和有机的

---

① 此种观点由“中国地域文化丛书”（辽宁教育出版社 1995 年版）的编者提出；邱文山、张玉书、张杰等著《齐文化与先秦地域文化》（齐鲁书社 2003 年版）对地域和地域文化的解释也持这种观点。

② 侯甬坚. 区域历史地理的空间发展过程［M］. 西安：陕西人民教育出版社，1995：238；李伯齐. 地域文化与文学小议［J］. 聊城大学学报，2002（6）.

③ 程民生. 宋代地域文化［M］. 开封：河南大学出版社，1997：1.

整体，既有物质的、制度的、行为的地域文化，更有其深层次的精神文化。①

其五，特色文化观。有人认为地域文化就是特色文化，也就是以自然环境和地形地貌为标志所形成的特色文化，这种地域文化十分明显地制约和影响着人们的生活方式和思维习惯。②

其六，时空概念观。有人认为地域文化是一个文化时空概念，一般是指具有相似文化特征的某个区域及其文化生成的历史空间的组合。因此，对地域文化的认识和理解必须从文化的普遍性、群体性、继承性和渗透性四个基本特征去探究。③

以上“地域文化”概念的代表性观点，从不同角度和侧面，对“地域”和地域文化概念提出了极富价值的界定和解释。各种观点虽有小异，但在主要方面较为接近和一致。大致可以分为两种情况：一是将地域文化视为一门学科，在笔者看来可称为“地域文化学”。如俞晓群认为“地域文化，或称区域文化，是一门研究人类文化空间组合的地理人文学科，在某种意义上等同于文化地理学。它们都是以广义的文化领域为研究对象，探讨附加在自然景观之上的人类活动形态、文化区域的地理特征、环境与文化的关系、文化传播的路线以及人类行为系统，包括民俗传统、经济体系、宗教信仰、文学艺术、社会组织等”。④ 还有李勤德认为“区域文化是在某特定地域出现的文化，在某种意义上，它几乎和文化地理学”是非常相似的，不同的是“地理”和“区域”的差别，是地区精确与模糊的差别，也就是地理学和文化学的派生学科的差别。“区域文化是某一区域的文化过程，有其萌生、成型和发展的历史，反映

① 王祥. 试论地域、地域文化与文学［J］. 社会科学辑刊，2004（4）：123—128.
② 李敬敏. 全球一体化中的地域文化与地域文学［J］. 西南民族学院学报，2002（5）.
③ 蒋宝德，李鑫生. 中国地域文化［M］. 济南：山东美术出版社，1997：2.
④ 俞晓群. 中国地域文化丛书：编者札记［M］. 沈阳：辽宁教育出版社，1998：1.

其历史的过程，揭示其独特的形貌是区域文化史的研究的任务。”①二是认为地域文化是中华大地特定地域内的文化现象，大多数学者持这一观点，但具体的定义却有些差别。如将地域文化划分为广义和狭义，认为狭义的地域文化专指先秦时期中华大地不同区域范围内物质财富和精神财富的总和；而广义的地域文化特指中华大地不同区域物质财富和精神财富的总和，时间上是指从古至今一切文化遗产，或认为地域文化是在一定的地域范围内长期形成的历史遗存、文化形态、社会习俗、生产生活方式等，或认为地域文化专指中华大地特定区域源远流长、独具特色、传承至今仍发挥作用的文化传统等等。

综合各种观点，有下列问题值得思考：一是“地域”又可以称为区域，它不是一个单纯的地理概念，而与历史、民族等人文因素密切相关，作为一个空间区域，其范围比较模糊；二是地域文化也就是区域文化或文化区；三是地域及其地域文化既是一个历史概念，又是一个比较性的概念和立体性的概念；四是地域文化与文化地理学既相联系又有区别，地域文化以历史地理为中心进行文化探讨。这些观点和看法，对于我们进一步深入把握和认识“地域”以及地域文化概念将大有助益。② 但是，我们也应看到，上述观点也存在一些概念的不确定性和界定的局限性，故有必要对“地域”或地域文化概念加以深入探讨。

（二）“地域文化”的进一步思考

如上所述，地域文化研究中广泛存在的不同的理论观点和意见，既有研究角度的不同，也有观察理解上的差异，但从根本上来说，主要原因还是对地域文化的内涵认识不足，对地域文化的本质特征把握不准，特别是没有把地域文化与非地域文化区别开来。

① 李勤德．中国区域文化：序［M］．太原：山西高校联合出版社，1995：10.

② 雍际春．地域文化研究及其时代价值［J］．宁夏大学学报（人文社会科学版），2008（3），53.

目前，学术界关于地域文化的划分一般有三个标准：一是以地理方位为标准，如东方文化、西方文化、江南文化、湖湘文化、岭南文化、西域文化、关东文化等；二是以地理环境特点为标准，如长江三角洲文化、黄河文化、运河文化、海岛文化、大陆文化、高原文化、草原文化、绿洲文化等；三是以行政区划或古国疆域为标准，如齐文化、鲁文化、秦文化、晋文化、楚文化、巴蜀文化、云贵文化等。①

同时，我们还要充分认识到，作为完整意义上的地域文化应该具备以下四个特征：第一，鲜明的地域性。它在相对稳定的地域环境下形成，受地理环境制约。在历史的发展中，一定的地域难免会出现整合或分化，以及地缘性的进退，但是，反映一定文化特征的地域范围基本稳定或延续。它不一定是以今天的行政区域划分，而是以历史上人们生产、生活的众多地域共同性形成的人文状态为依据。第二，文化外观与内涵上的特殊性。它的形成和发展是众多要素综合作用的结果，但起决定作用的是一定地域的自然环境因素和社会人文因素，因而与其他地域文化有明显区别。第三，比较完整的体系。它的构成是全面系统的，涵盖该地域的各个层面，而不是个别特殊的文化现象。第四，文化特征基本稳定。经过长期的孕育、发展、完善，其文化特征一经形成，就具有较强的稳定性和传承性。积淀于地域文化深层的文化个性和遗传基因，持久地发挥作用，影响和规范该地域人们的价值观念、性格特征、风俗习惯等，在与其他文化的交融中，较长时间保留着这些基本特征。

就一般意义而言，“地域”也就是区域，即按一定标准而确定的地理空间区域。它是人类生存和文化创造的物质基础与活动舞台。就此而言，地域文化同文化区域有着相同的意义。文化区域简称文化区，所谓文化区是指某种文化特征或具有某种文化的人在空

① 路柳. 关于地域文化研究的几个问题［J］. 山东社会科学，2004（12）：13—15.

间上的分布。文化区一般有三种类型，即形式文化区、功能文化区和乡土文化区。具有一种或多种相互有联系的文化特征所分布的地理范围，就是形式文化区。这是一种以文化特征的自然分布状态而确定的文化区。功能文化区是以该文化特征受政治上、经济上或社会上的某种功能而影响其空间分布而划分的分布区。乡土文化区又称感觉文化区，这是一种在居民头脑中存在的区域意识，而且这种区域意识的名称和作用亦被他人所接受。① 在已有的历史文化地理研究中，人们大多采用多种文化特征的形式文化区进行文化区的研究，而乡土文化区即感觉文化区也已被引入文化区的研究。②

既然地域文化也是一种文化的区域分布，那么它与历史上的自然区域、行政区划就必然具有密切的关系。周振鹤先生指出：行政区划是国家行政管理的产物，由法律形式予以确认，有最明确的边界与确定的形状；自然区域是地理学家对自然环境进行的科学性的区划；文化区域则是相对较不确定的概念，一般由综合性文化因素的综合来确定，具有感知的性质。划分三种区域的主导因素各不相同，形成文化区域是社会的力量，划定行政区划是国家的行政权力，而自然地理区域的划分则受自然规律所支配。因此，文化区域与行政区划以及自然地理区域的关系，事实上体现了社会、国家与环境之间的关系。③ 一般而言，自然条件从宏观上制约了文化区的分异，大的山川界线往往形成文化区的边界；行政区则对文化区进行整合，使区内文化现象趋于一致，以形成均质的文化区；而经济方式、交通条件、移民等因素，对文化区的形成都有程度不同的

① 王恩涌. 文化地理学［M］. 南京：江苏教育出版社，1995：41—44.

② 张伟然的《湖北历史文化地理研究》（湖北教育出版社 2000 年版），首次采用感觉文化区方法进行文化区的划分。

③ 周振鹤. 中国历史上自然区域、行政区划与文化区域相互关系管窥［M］//历史地理：第十九辑. 上海：上海人民出版社，2003：1.

影响。[1]

由此可见，要准确理解地域文化这一概念，就必须牢牢把握它的历史性、地域性和文化特色。这是因为作为地域文化的空间范围不单是一个文化的空间分类概念，而且也是一个历史概念。一定地域的文化特质是历史发展和持续演变的结果，是由当地一代一代民众不断传递、承袭、发展、积累和既创新又积淀的产物。所以，准确把握地域文化的历史性特点，是从事地域文化研究的起点。人类的一切活动，包括文化创造，又总是在一定的空间范围进行的，由于各地自然条件、地理环境乃至人文因素的差异，不同地域的人们在从事采集、耕种、渔猎、游牧、生产、创造等活动中，自然而然地在居民心理、性格习惯、思维模式、行为方式和语言风俗诸方面逐渐产生差异，从而形成一个个具有区域特色的地域文化，这种差异正是文化地域性的显现。既然一定的地域及其文化的形成，既是一个历史过程并且约定俗成，又带有深深的地域性烙印，那么地域内的各种文化现象既是均质的或相近的，也是互有关联、相互影响的，而与其他地域文化之间则是异质而不同的，这就必然使地域文化各具特色和风貌。

产生、发展于“地域”之上的“地域文化”有着两方面的含义，一方面是指文化的客观实体存在。即地域之上各类文化事项的总和。它包含两种内容：一是地域范围内的人们在长期的历史过程中创造出来的物质财富和精神财富总和，它既包括历史时期创造出来流传至今的文化元素，也包括已消失了的或流失了的文化元素。二是融入该地域文化中的被改造过的外来文化元素。这是由文化交流与传播所致，饶宗颐曾指出“地方文化以地域建制命名固然许

① 张晓虹. 文化区域的分异与整合：陕西历史文化地理研究［M］. 上海：上海书店出版社，2004：375.

可，但其内涵不是以此为界，而是互相渗透、互相丰富、共同接受的”[①]。并非所有外来文化元素都能成为地域文化的内涵的组成部分，那些没有改造过的不具有地域特色的外来文化元素应被排除在外。另一方面是指概括性的抽象的“地域文化”，描述的是一种“想象的共同体”。所谓文化的“想象的共同体”是指人们将一地域内多元的文化体系视作统一的有机的文化体系并建构出或真实地或扭曲地反映该文化体系的文化“意象”；同时，在不同的文化权力影响下，个人或群体面对地域时会形成对该文化“意象”的共同认同。[②] 如学术研究中常被提到的齐鲁文化、秦陇文化、关东文化等，这类地域文化是历代尤其是现代知识分子，出于现实的种种需要，对历史、文化进行叙述、诠释与创造的结果，它们所反映的只是主体主导文化的形象而非地域文化整体的真实表现。事实上，任何一种大范围的地域文化都不可能是一个源头，都具有一定的多源融合的特点，而且地域内的各类文化事项并不必然会融合成统一的文化体系。如常被人们提起的燕赵文化之“慷慨悲歌”就不是贯穿古今且为燕赵大地全民皆有的文化精神。地域文化在某种程度上也是不同的社会条件下的知识分子构建出来的“想象的共同体”，非常典型的例子就是“客家”“客家文化”以及由客家精英分子人为的建构却被客家人共同认同的“中原移民”文化意象。当然，这并不是要否认大多数知识分子对“地域文化”的叙述，主要还是以文化因素的客观存在、发展和分布为依据的。

综上所述，地域文化有广义与狭义之分，广义地域文化是以地域为基础，以历史为主线，在一定地域内历史形成并被人们所感知和认同的各种文化现象。狭义地域文化是指在某一具体地理环境内

① 陈历明. 饶宗颐先生谈潮学研究［M］//陈泽，吴奎信. 潮汕文化百期选. 汕头：潮汕历史文化研究中心，汕头特区晚报社，1997：11.

② 本尼迪克特·安德森. 想象的共同体：民族主义的起源与散布［M］. 吴叡人，译. 上海：上海人民出版社，2011.

生存的人类所具有的价值观念、宗教信仰、审美情趣、思维方式、行为模式、民族个性等等，并且积淀、建构为民族文化的核心与灵魂，即本尼迪克特所称之为文化的主旋律——民族精神，也是该文化之所以是该文化而不是另一文化的本质之所在。因此，地域文化在文化空间坐标上，在大范围讲有其独特性，在小范围讲有其主导性；表现在文化内涵上，地域文化既是地域性的又是超地域性的；体现在文化属性上，地域文化既是客观的实体存在，也是地域群体的主观文化认同所形成的“想象的共同体”。

（三）地域文化的学科性质与内容构成

任何事物的性质都是由其主体或研究对象及其内容所决定的。地域文化研究既以地域为主体，又以文化为对象，因而，论其学科性质，它主要归属于历史地理学的历史文化地理学科。历史文化地理以探讨人类文化的各种现象和事物的空间组合与地域分异的特征、变迁规律，揭示人类文化与地理环境间的关系及相互作用为对象。[①] 就研究对象而言，地域文化与历史文化地理基本一致，地域文化也就是历史文化地理学科中的区域历史文化地理。但是，地域文化又具有自己在学科属性上的独立性和特殊性，在地域文化研究中，文化的内在结构、相互关系及其形态特征也同样非常重要，因而，它又与历史文化的地理研究稍有区别，地域文化更准确地说是介于历史文化地理学与文化学、文化史之间的交叉边缘学科。

文化的发展既有时代的变迁，又有地域的差异。一般而言，研究文化的发生、发展、消亡的历史以及研究文化的传承与变异的原因和规律属于文化史的范畴；而探索文化的分布与扩散的格局则是文化地理的任务。文化学认为：文化是一个复杂的总体，对文化的各种现象以及各要素的产生、发展、变化和作用影响进行研究、解释和评判，则是文化学的中心职责。这些学科与地域文化既相联系

① 雍际春. 论历史文化地理学的研究对象、科学内容及其任务［J］. 中国历史地理论丛，1994（9）：211—228.

又相区别，这些学科的发展和研究的深化，都将为地域文化研究奠定基础和创造更为良好的条件，但它们终究不能取代地域文化。[①] 所以，可以这样来说，地域文化是一个三维概念，它以时代性或历史性为经，以地域性为纬，又以文化为核心而紧密联为一体。

地域文化的研究对象和内容，主要包括地域内文化的生成、演化和发展的进程及其规律，文化的内在结构、形态特征及其相互关系，地域内文化的分布状态与空间组合特征，地域之间文化的交融、渗透与整合，文化与地域之间的互动关系以及生态剖面，地域文化对中国传统文化发展的意义和作用等。地域文化应该具体包括劳动方式、生活方式、方言、风俗、宗教、心理、价值观等。

无论何地，文化的创造无疑是这一地域的居民在适应自然、改造自然、发展生产的过程中文明进化的必然产物。文化一经产生，其诸要素便与当地自然、社会、人文诸条件相互联系、互相影响、共同作用，既保证文化的发展充满活力，又推进文化的变化、发展和创新，了解、探析地域文化生成、演进的过程及其发展演变规律，考察地域文化诸现象与要素之间的内在结构、相互关系和形态特征，揭示其文化特质和个性特色，是我们准确把握和系统研究地域文化的基础与前提。

就一定地域而言，各种文化要素仍然会有差异和分布的非均衡性，因此，对其空间分布格局和组合关系的研究和揭示，将构成文化地域特征的重要内容和主要途径。地域文化的发展并非孤立和封闭的，地域之间文化的传播、交流、融通和整合，是一个不以人的意志为转移的客观存在。在文化发展过程中，文化不仅与自然环境、社会环境发生联系和作用以推进自身的演变，而且文化自身在内部也始终处于相互联系和相互作用之中，文化的这种传播和渗透，必然促进文化的整合与统一。

① 蒋宝德，李鑫生. 中国地域文化［M］. 济南：山东美术出版社，1997：2.

一定区域文化的内在结构、形态特征、地域特色都与产生和分布这一文化的地理环境密切关联，地理环境不仅为形成一定文化提供空间舞台，而且还赋予其视觉特征和形式体现，而文化又赋予地理环境以人文特性和知识内涵。因此，文化与地理环境实际上是一个信息与能量相互作用的互动体系。从某一时段或某一文化现象、某一文化层面切入，对其互动关系进行探讨，则可通过文化生态的剖面关系，复原文化景观或揭示其内在结构，这是我们研究和掌握地域文化及其特征的重要组成部分。例如中华文化一体多源，各地域文化是中华文化大系统中的子系统或一部分，探讨中华地域文化，有助于对中华传统文化某些方面认识的深化，有助于揭示中华文化的内在特征和民族特性，从而也有利于继承优秀传统文化，弘扬民族精神，整体推动对中华传统文化研究的深化。

四、湖湘文化

（一）关于“湖湘文化”概念的界定

由于学术界对“文化”界定的歧义，又加上湖湘文化的独特性、多源性和历史变迁性，对其定义与内涵准确地做出界定自然存在一定困难，但通过学界以往长期的探究与考释，学术界基本达成这样一种共识：“湖湘文化不是一个学派，而是在现今湖南地域范围内形成和发展起来的、颇具特色的地域文化。”① 不过，在具体如何确定湖湘文化时，学术界存在着以下这样一些主要观点和意见：

一是以曾长秋、王兴国为代表的湖湘文化观，主要强调精神文化的内容。曾长秋认为湖湘文化是中国传统文化的支脉，是湖南各族人民具有特色的民风、民俗、社会心理、社会意识和科技文化等

① 向常水，靳环宇．“湖湘文化研究与发展”学术研讨会综述［J］．湖湘论坛，1999（6）：68.

的总和。[1] 王兴国从文化的层次上加以划分，所谓“狭义”的湖湘文化是指“雅文化”，即经过知识分子再加工的精英文化；所谓“广义”的湖湘文化则包含湖湘的雅文化和俗文化，即广泛存在于湖南各族人民中的具有特色的民风、民俗、社会心理、社会意识、科学文化等的总和。[2] 罗福惠认为，湖湘文化是一种区域文化，是湖湘人的思想和言行所体现的相应的规范体系、价值观念和政治意识。[3] 巫瑞书教授认为，湖湘文化是在湖湘大地上形成的一种历史区域文化，包括哲学、史学、政治学、军事学、文学、艺术、语言学、民族学、民俗学、教育学、饮食、服饰等。[4]

二是以周秋光、江凌为代表的湖湘文化观，主要强调物质、制度、精神三个层面的内容。周秋光认为按科学和广义的划分法，湖湘文化应是包括物质的、制度的和精神的三个层次。[5] 江凌认为，湖湘文化是指始于南宋时期，止于民国末期，在今湖南省域内形成的历史区域文化。它包括广义和狭义两种理解：广义的湖湘文化是一个多层面的复合体，涵盖物质层面、制度层面和精神层面，系湖湘人们在社会实践过程中所创造的物质财富和精神财富的总合体，包括物质生产和生活方式（作物、饮食、服饰、建筑等）、政治、礼仪、法律、制度、价值观念、社会心理、社会风俗等；狭义的湖湘文化，偏重于精神层面，特指以“学术文化”为核心的湖南地域学术思想文化及其文化精神、文化性格、文化风俗等，即由湖湘大地居民所创造的精神财富的总合，包括哲学、宗教、史学、文学、

---

① 曾长秋. 承往古衰朽之续开近代风气之先——论曾国藩对湖湘文化的传承［J］. 船山学刊，2005（4）：26—28.

② 王兴国，聂荣华. 湖湘文化纵横谈［M］. 长沙：湖南大学出版社，1996：3—4.

③ 罗福惠. 近代湖湘文化鸟瞰［M］//岳麓书院一千零一十周年纪念文集：第一辑. 长沙：湖南人民出版社，1986：77.

④ 巫瑞书. 湖湘文化与楚文化关系管窥［J］. 湖南师范大学社会科学学报，1990（1）：28—32.

⑤ 周秋光. 湖湘文化宏观研究［M］. 长沙：湖南师范大学出版社，2001.

军事、科学、技术、艺术、语言、民族、民俗、心理、教育等观念形态的一切社会意识形态。①

三是以万里、丁平一为代表的湖湘文化观，主要强调湖湘文化的复合性和综合性。万里认为："湖湘文化是一个复合体，它是历代（包括现实）湖湘民众在湖湘大地上所创造的实物、知识、信仰、艺术、道德、法律、风俗，以及其余从社会上学得的能力与习惯的总合。"② 方克立先生也持相同的观点并认为："湖湘文化"是一个涵盖面非常广的概念，它不仅包括哲学、伦理、政治、法律、文学、艺术、宗教等精神文化的内容，而且包括民风、民俗、民族心理等所谓"俗文化"，甚至将饮食文化、服饰文化、建筑文化、历史遗存、江山胜境、湖南地区的土特产等物质文化的内容都包括在内。③ 丁平一认为："湖湘文化"是一个动态发展的、历史的概念。她上接以屈原为代表的楚文化传统，中经宋代湖湘学派创始人胡安国、胡宏父子奠基，又由胡宏高足张栻广为传播，继由明末清初大思想家王船山承接发展，到近代，产生了一代又一代有名人物……湖湘文化并不等于湖湘学派，她是包含了湖湘学派在内的、有悠久历史的一种区域性文化，她是中华民族文化中一颗璀璨的明珠。④

四是以朱汉民、邓洪波、田中阳为代表的湖湘文化观，主要突显两宋以后的理学文化特征。朱汉民认为："湖湘文化是一种区域性的历史文化形态，它有着自己稳定的文化特质，也有自己的时空范围。从空间上说，它是指湖南省区域范围内的地域文化；从时间

① 江凌. 试论近代湖湘文化的基本特质及其文化精神［J］. 湖南社会科学，2011（6）：36—41.

② 万里. 略论湖湘文化的定义、内涵精神特质及其现代转换［C］//湖湘文化研究会. 湖南省湖湘文化研究会2007年年会论文集. 2007：5.

③ 方克立. 湘学研究的对象、范围和意义［M］//方克立文集. 上海：上海辞书出版社，2005：576.

④ 丁平一. 湖湘文化传统与湖南维新运动［M］. 长沙：湖南人民出版社，1998：1—2.

上说，它是两宋以后建构起来并延续到近代的一种区域文化形态。”① 他还认为，由于现在的湖南行政区一带的历史文化先后经历了部族文化、方国文化与地域文化三个阶段，“并产生了苗蛮文化（部族文化）、楚文化（方国文化）、湖湘文化（地域文化）三种文化形态。可见我们所讲的湖湘文化，是在建立统一帝国及确立湖南行政区划以后才出现的一种地域文化”②，“我们说湖湘文化形成于两宋时期，不仅仅是因为唐宋时期才有‘湖南’、‘湖湘’的行政单位和域名，更重要的是，由于两宋时期中国文化重心南移，儒学地域化的发展，使得南下的中原文化与湖湘之地的本土文化结合，产生了这个既有地方文化传统、又在当时独具特色的湖湘文化”③。邓洪波从湖湘文化的形成、本质与特征等方面出发，认为：“湖湘文化主要指宋代以来，形成于洞庭湖以南地区，即今湖南省区范围之内的区域性文化。它虽然毫无例外地包括雅与俗两个层次、精神与物质两个部分，但其内涵与本质仍然是一种理学型的文化，有着推崇理学、强调经世致用、主张躬行实践、爱国主义、敢为天下先的奋斗与创新精神、兼收并蓄博采众长的开放精神等特点。”④ 田中阳认为：“湖湘文化”不是广义的湖湘文化，既不包括先秦时期的楚文化，也不包括民情风俗层次的湖湘文化，它特指近世湖湘文化，即滥觞于南宋时期，由明清之际的大思想家王夫之集其大成，影响湖南乃至中国数百年历史进程的区域性文化思想流派。⑤

（二）“湖湘文化”再认识

毫无疑问，湖湘文化是中华文化的重要组成部分之一，是中华

① 蔡栋．湖湘文化访谈［M］．长沙：湖南人民出版社，2006：1—2.
② 同①51.
③ 同①52.
④ 邓洪波．宋代湖南书院与湖湘文化的形成［J］．船山学刊，2005（2）：29.
⑤ 田中阳．湖湘文化精神与二十世纪湖南文学［M］．长沙：岳麓书社，2000：9.

文明长河中主要支流之一，与其他不同特质的地域文化一样，经历了漫长历史的积淀和洗礼而形成的。它既具有强烈的历史性、传承性；又具有鲜活的现实性、变异性。人能创造文化，反过来，文化又能塑造人、影响人，同理，湖湘文化无时无刻不在影响着今天的湖湘人，为进一步开创新的湖湘文化或者实现湖湘文化的现代化转型提供历史的根据和现实的基础。在当今从传统社会向现代社会过渡时期，每个人都存在着一个对自己传统的历史文化的理性选择和反思问题。在这样一个重新审视自己文化的节点上，思想上、观念上的百家争鸣也就自然成了学术界的自觉。上述湖湘文化概念的不同观点正是反映了湖湘学人既仰望星空，又脚踏实地；既对未来的展望，又对过去的眷恋；既是欢乐的憧憬，又是忧郁的思索。那么，究竟怎样才能较为合理地认识湖湘文化以至于达成一个基本的共识呢？

首先，湖湘文化是一种地域乡土文化。笔者认为，一种文化系统的独立存在是否能够成立，一般来说，取决于三个最为关键的因素。一是必须经过较为漫长的历史积淀和历史传承，形成了丰富的文化内容和较为完整的文化体系；二是必须获得某个社会群体的文化认同，从而引起社会的关注并将之视为一种具有独特性质的文化形态；三是必须具备文化要素或者文化层次中最为核心本质性要件——精神文化（心态文化）的内涵。也就是说，一种文化之所以成立，一定得有它自己的宇宙观、价值观、审美观等哲学思想和人生态度。由是观之，湖湘文化已完全具备以上三个文化因素的条件与资格。这三个因素的具体内容，充分显示了湖湘文化的地域性、乡土性、独特性，所以，湖湘文化是一种地域乡土文化结论也就昭然若揭、有目共睹了。至于湖湘文化三个最为关键因素的具体内容之论述，无须在此深入展开，笔者在后续的有关章节中均会论述。

其次，湖湘文化是一个内容丰富而多层面的复合体文化。众所周知，按照文化的广义而言，文化是“自然的人化”，但凡与人发生直接或者间接联系有形与无形的事物，都纳入了文化范围之中，可以说，文化在人类社会中是一个无所不包，无处不在的东西，所以，人类社会物态的、制度的、行为的和心态的，都属于文化。另外，文化又经过了漫长时间的历史积累。可想而知，文化的内容是极其丰富，其结构系统也是极其复杂的。同样，湖湘文化也是极为丰富多彩与多层面的，是一个复合体文化。它“既包含了意识形态层面的观念文化、精神文化，也包含了物化形态的物质文化和行为文化；既包含了上层社会的主流文化、庙堂文化和精英文化，也包含了世俗的大众文化、草根文化和江湖文化；既包含了最早生息于湖湘大地的原住民及后来陆续迁徙进来的‘三苗’‘九黎’‘荆楚’等多民族文化或地域文化，也包含了秦汉以降作为主流文化传入的汉民族文化及中原文化。其中既具有强烈稳固的原生态特质，又有着因应社会时代变迁之流动性、发展性、变异性等衍生特质。正是在这些多元文化元素的持续互动合力作用下，湖湘文化才日益丰富并逐渐定型，形成了特色独具的地域文化。如果没有众多的支源，何来湖湘文化的汪洋恣肆、多姿多彩！如果没有特色，这一历史地域文化就不成其为‘湖湘文化’。只有在宏阔的社会历史文化视野、独具的学术视角和对辩证唯物主义及历史唯物主义方法论的自觉运用的基础之上，才能建构获得人们普遍认同的湖湘文化发生、发展与成立史，才能据此把握住湖湘文化的精神特质，才能进而体味湖湘文化的独特魅力”。①

再次，湖湘文化具有广义湖湘文化和狭义湖湘文化之分。这是基于上述湖湘文化的地域性和丰富性来区分界定的。作为地域性的湖湘文化，我们无论在整理、发掘、探究，还是在认知、理解、言说的过程中，必须对湖湘文化作一定的时空、类型、结构、层次的区分。作为极为丰富性的湖湘文化，我们为了方便起见，也要梳理

① 万里. 略论湖湘文化的定义、内涵精神特质及其现代转换［C］//湖湘文化研究会. 湖南省湖湘文化研究会2007年年会论文集. 2007：6.

清楚其前因后果、来龙去脉。所以，对湖湘文化作广义与狭义之分，是文化理性认知的应有之义。依据前述“文化”概念的理解和第三章第一节中“湖湘”含义的探讨，对“湖湘文化”的认识，首先要树立湖湘文化是产生于湖湘这一地域（地理）范围内的文化观点，也就是自古及今，生活在湖湘这一地域热土上无数湖湘民众所创造和积累之各种文化的总和。基于此，我们可以将湖湘文化分为广义与狭义两种界定。广义的湖湘文化指的是湖湘文化是一个复合体，它是历代（包括当今）湖湘民众在湖湘大地上所创造的物质的、制度的、行为的、精神的社会性财富及其关系的总和。狭义的湖湘文化指的是自古以来湖湘人在湖湘地域所共同创造、发展和积累的包括知识、信仰、艺术、道德、法律、风俗、习惯等的文化精神，反映的是湖湘人的价值取向、行为模式、思维方式和审美情趣。事实上，作为一种特定的地域文化，“无论是对其进行界定或进行研究，这两个方面实际上是不可能截然分开的。因此，仅仅将湖湘文化理解为精神的或者物质的，都是简单而片面的，都无法把握住源远流长、蕴涵丰富的湖湘文化的整体面貌和精神特质”①。

第二节　历史进程中的文化多样性

文化多样性话题由来已久，其理论思考始于人类学的研究，作为全面研究人及其文化的学科，人类学一直倡导对人类种族和文化的差异进行比较研究。马林诺夫斯基曾经说过，人类学是一门“研究人性的相似及差异双方面，及志在阐明人类在何处及如何可以互相合作，互相迁就，互相和合；及在何处及如何必须互相分离、互

① 万里. 略论湖湘文化的定义、内涵精神特质及其现代转换［C］//湖湘文化研究会. 湖南省湖湘文化研究会2007年年会论文集. 2007：6.

相尊重、互相放任的科学”。[1] 随着学科的发展，人类学家将更多的注意力转向对不同集团生活方式的差异性，尤其是文化差异性的研究，对不同族群文化和生活方式的合理性及其价值做出解释，从而形成文化表述的不同流派。人类学以独特的学科视角，对文化多样性及其价值的理解与尊重贡献了理论。一石激起千层浪，当代文化多样性问题在经济全球化、强权政治、文化霸权等不断蔓延的背景下引起了国际社会和各学科学术界的广泛关注与思考。这样，对文化多样性的研究已经超越人类学的视野，成了一个具有普适性价值的战略性话题。

一、何为文化多样性

文化多样性（cultural diversity）实际上是人类不同价值观而引起的不同生活方式。历史已经反复证明，人类社会就是因为这样一种多样性得以赓续而不断创新和发展。我们知道，任何一种文化，只有相较于其他文化而显示出不一样时，才能得以识别和认识，也才能有现实的存在。因为，由于自然环境和历史条件的差异，文化的起源和演化不可能是同一的；又由于人类需要结构的差异性和欲望理想的丰富性，也只能由文化的多样性来表达和满足。我国学者韩民清指出，“文化多样性是与人和人类社会的存在形态密切联系在一起的”。他认为，根据马克思主义哲学对人的理解，人=动物+文化，文化是人之为人的根本特质和独特部分，“人类是动物与文化的统一体，文化是人类不容忽视的组成部分”[2]。而人的存在方式具有多样性，这就决定了人类文化发展多样性的客观必然性。这实际上是人类价值多元性导致的文化多样性。诚如钱永祥概括自由思想家伯林（Isaiah Berlin，1909—1997）论证文化多样性所说：

① 马林诺夫斯基. 文化论［M］. 费孝通，译. 北京：华夏出版社，2002：179.
② 韩民清. 文化论［M］. 南宁：广西人民出版社，1989：15.

价值多元论的基本想法不难把握：人类所追求的价值、目标是终极性的价值与目标，不仅众多，不仅相互冲突而难以共存，并且由于缺乏一个共通的衡量尺度，根本无法在其间比较高下，以便排定先后顺序。这个局面之下，追求价值与理想，必须靠选择；而对价值作选择与认定，不仅无法有理性的标准提供完整的理由，并且选择某项价值，往往必须表示放弃其他价值。因此，人生不仅没有完美圆满可言，并且每次抉择，都代表进入价值的冲突与舍弃。①

再加上人类社会历史发展的长期积淀和传承，以及地域环境等方面因素的相互作用，文化的多样形态就更加复杂和分化。我们有无数的视角和理由论证文化的多样性，以至于经济学家斯蒂芬·玛格林断言："文化多样性可能是人类这一物种继续生存下去的关键。"②

所以，文化多样性是指人类各群体和社会因价值观不同而引起的生活方式不同所呈现出来的文化形式，这些形式在各自群体和社会内部一直延续和不断传承。

有的学者还把文化多样性的存在形式分为三种。一为亚文化多样性（subculturaldiversity）。一个社会的成员享有广泛的共同文化，但是其中一些人在生活的某些方面坚持不同的信念和习惯，或者形成了自己独特的生活方式。他们都在总体上认同主流社会的价值体系，只是试图在这套价值体系之下追求自己独特的生活方式。他们不追求一种独特的文化，但是试图使现有文化多样化。二为观念多样性（perspectivaldiversity）。一些社会成员激烈地批评主流文化的一些原则和观念，试图沿着适宜的路线重建文化体系。如女权主义

① 钱永祥．"我总是活在表层上"：说思想家伯林［M］//纵欲与虚无之上．上海：上海三联书店，2002：114.

② 联合国教科文组织．世界文化报告（2000）：文化的多样性、冲突与多元共存［M］．关世杰，等译．北京：北京大学出版社，2002：159.

者攻击社会男性化倾向；宗教人士攻击社会世俗化倾向，环保主义者攻击社会的人类中心主义和技术中心主义倾向。这些群体不是亚文化的代表，因为他们通常对现有文化的核心价值提出挑战。他们也不是有着完全不同的价值观念和世界观的不同文化共同体，但他们提出了如何对现有主体文化进行重构的观念。三为群体多样性（communaldiversity）。绝大多数现代国家包含几个拥有自我认同和组织机构的群体，他们拥有不同的生活方式、价值体系、传统文化与习俗。①

文化多样性是人类社会的基本特征，也是人类文明进步的重要动力，既要认同本民族文化，又要尊重其他民族文化。尊重文化多样性是发展本民族文化的内在要求。民族文化起着维系社会生活、维持社会稳定的重要作用，是维系民族生存和发展的精神根基和精神纽带。尊重文化多样性，首先要尊重自己民族的文化，培育好、发展好本民族文化。尊重文化多样性是实现世界文化繁荣的必然要求，尊重和保存不同民族文化，是人类生存和发展的基础。法国学者克洛德·列维·斯特劳斯（C. Levi-Strauss）指出："全球文明从来不应该是文化在全球层面上的联合，每一种文化都应该保持其创造力。……为了认识和理解我们自己的文化，我们必须从其他文化的观点来观察它，使我们的习俗和信念与其他时代和其他地方的习俗和信念形成比较。""当技术的日新月异使人类生存的这个星球变得越来越小时，文化多元发展对世界和谐与稳定的作用也就日益突出和重要。"② 美国学者罗杰·M. 基辛（R. M. Keesing）也认为，"文化的歧异多端是一项极其重要的人类资源。一旦去除了文化的差异，出现了一个一致的世界文化——虽然若干政治整合的问题得

① BhikhuParekh. Rethinking multiculturalism culturaldiversityand politicaltheory, Harvard UniversityPress, 2002: 3.

② UNESCO. Cultural Diversify: CommonHeritage, PluralIdentities [M].（联合国教科文组织. 文化多元化：共同遗产与多元认同）, Paris, 2000: 16.

以解决——就可能会剥夺人类一切智慧和理想的源泉，以及充满分歧和选择的各种可能性。演化性适应的重要秘诀之一就是多样性……去除了人类的多样性，可能到最后会付出持续的意想不到的代价。维持世界秩序并保存文化多元化的问题，这就是一个我们面临但仍想象不出解决办法的问题”①。这无疑是对人类文化多样化现象的一种理性明智的态度。

二、中华文化的多样性

“文化是一个民族和国家赖以生存发展的重要根基，也是区别于其他民族和国家的重要标志。人们在创造文化时，归根结底是在创造自身。任何一种文化创造都是人的自我创造。每一个民族和国家都在创造自己的文化。”② 中华文化是一个以儒释道为核心的整体文化形态，但是由于漫长历史的积淀和发展与地域的参差不齐等原因，使得其表现形式仪态万方，多姿多彩。《晏子春秋·问上》说“百里而异习，千里而殊俗”，不仅仅是对中华文化多样性的精当描述，同时也说明了中华文化所涵盖的地域文化特征。中华文化的多样性除了地域文化多样性外，还可以从存在形式的多样性（文化产品形式、活动方式、文化观念）、民族文化多样性、文化类型多样性等方面进行理解。下面主要讨论中华文化多样性的地域文化。

（一）中华文化的地域文化差异

中华大地，幅员辽阔，地形地貌独特而复杂，很多地域形成了相对独立而完整的生存空间，加之自给自足的农耕经济生产形态，长期以来就形成了各具特色的生活方式而逐渐发展为各具特色的文

① 罗杰·M·基辛：当代文化人类学概要［M］. 北晨，译. 杭州：浙江人民出版社，1986：283.

② 上海邓小平理论课题组. 先进文化：人类社会发展的引导力量［N］. 人民日报，2002-8-1.

化样式。这种因地理环境不同而引起的文化差异，经典著作家曾作过深刻阐述。马克思在谈到什么地方“最适合于资本主义生产方式的生长”时说：“资本的祖国不是草木繁盛的热带，而是温带；不是土壤的绝对肥力，而是它的差异性和它的自然产品的多样性，形成社会分工的自然基础，并且通过人所处的自然环境的变化，促使他们自己的需要、能力、劳动资料和劳动方式趋于多样化。”① 恩格斯曾经也表达过同样的思想，他说：“不存在土地私有制，的确是了解东方的一把钥匙。这是东方全部政治史和宗教史的基础。但是，东方各民族为什么没有达到封建的土地所有制呢？我认为：这主要是由于气候和土壤的性质，特别是由于大沙漠地带，这个地带从撒哈拉经过阿拉伯、波斯、印度和鞑靼直到亚洲高原的最高地区。”② 可见，地理地域差异对文化差异影响之甚。这种情形历来受到人们的重视，特别是近现代以来，许多历史学者越来越关注历史与地理的相互融合，以地域的视野纵观中国历史变革与文化进步。如《禹贡·发刊词》所说：

> 历史是最艰难的学问，各种科学的知识它全部需要。因为历史是记载人类社会过去的活动的，而人类社会的活动无一不在大地之上，所以尤其密切的是地理。历史好比演剧，地理就是舞台；如果找不到舞台，哪里看得到戏剧！所以不明白地理的人是无由了解历史的，他只会记得许多可佐谈助的故事而已。自然地理有变迁，政治区划也有变迁。如果不明白这些变迁，就到处都成了“张冠李戴”的笑柄。③

可见，历史地理因素对于历史研究的重要作用。因历史研究而注重

① 马克思. 资本论：第 1 卷［M］. 北京：人民出版社，1975：561.

② 中共中央编译局. 马克思恩格斯全集：第 28 卷［M］. 北京：人民出版社，1963：259.

③ 顾颉刚，谭其骧. 发刊词［J］. 禹贡，1934，1（1）.

地理变迁，就自然形成了一门历史地理学学科，它主要研究的重点是历史地理的复原、变迁、分布和差异，而大多数历史学者所关注的地域视野主要是历史地理的差异，即针对特定时期不同地域所产生的不同文化差别与风土人情。

地域差别包括自然地理环境的差异与人文地理景观的差异。不同的地理环境能造就不同的地域人文景观，所谓“百里不同风，千里不同俗”“一方风水养一方人”“橘生淮南则为橘，橘生淮北则为枳”讲的都是这种由于地域的差异而导致的人文地理景观的差异的道理。而在中国人文地理的研究层面上，以汉族聚集地为考察对象，典型的就有南北文化的差异。以秦岭淮河为界，形成南北风土人情的差异。如在使用交通工具上形成南船北车的差异，在饮食上形成南米北面的差异，更在风土人情上形成南方人细腻温柔如水，北方人粗犷豪放如风等等。这种因地域差异而导致文化差异的情形，成为了不争的历史事实。例如《诗经》和《离骚》代表着北、南文学的源头，《诗经》中的十五国风是精华，描写了黄河中下游和汉水流域劳动人们的生活、劳作、婚恋等情况，记录了周代中原人民的风俗习惯和喜怒哀乐，成为北方文明的标志。《离骚》中的上天入地、奇绝的楚地山水、离奇的神话传说所表现出来的浪漫主义精神，风格华赡，想象丰富，这些都使得《离骚》具有了浓郁的楚地地域特色。所以，王国维在谈到这种地域文化差异时指出：春秋之前，我国的政治道德思想，可以分为帝王派和非帝王派，前者是入世的国家派，后者是遁世的个人派；前者大成于孔墨，后者大成于老子；前者是北方派，后者为南方派。北方派的理想，在改造旧社会，南方派的理想在于创造新社会；北方派专有诗歌，南方派仅有散文文学；北人多坚韧之志，强毅之气，南人长于思辨而短于实行，但南人想象力之伟大丰富，又胜于北人远甚。[①] 近代国学大

① 参见姚淦铭，王燕. 王国维文集：第一卷［M］. 北京：中国文史出版社，1997：30—33.

师刘师培也论述了南北文化的差异，1905 年，他写了一篇《南北学派不同论》的文章，连续在《国粹学报》刊载，其内容主要是：南北诸子学不同论、南北经学不同论、南北理学不同论、南北考证学不同论、南北文学不同论。文章除了区分了南北文化的具体差异以外，并分析了产生这种差异的原因，其中一个重要因素就是南北地理的差异性。他在论及南北文学不同时说："大抵北方之地土厚水深，民生其间，多尚实际。南方之地水势浩洋，民生其际，多尚虚无。民崇实际，故所著之文不外记事、析理二端。民尚虚无，故所作之文或为言志抒情之体。"① 这些情况都是由于历史的发展，地域不同而形成的不同的文化差异所表现出来的不同的历史文化特点。这些不同的文化特点反过来又深深地影响了地域的发展，故地域文化研究成为了人们关注的兴奋点，如中原文化、三秦文化、燕赵文化、中州文化、齐鲁文化、三晋文化、湖湘文化、荆楚文化、巴蜀文化、徽文化、赣文化、闽南文化、岭南文化、江浙文化，等等，当然，地域文化差别的原因，地理环境不是唯一的，它产生的渊源也是跟历史的不断变迁有着密切的关系。

（二）中华文化的历史文化差异

中华文化上下五千年，在这样一个漫长的历史发展过程中，由于自然和人为的原因，分为不同的历史发展时期，如先秦时期、秦汉时期、魏晋时期、隋唐时期、两宋时期、元明清时期、晚清时期、民国时期等。不同的历史时期，由于人们生产工具和生产经验的差异而导致产生不同的历史文化。秦汉时期，我国以北方的关中与山东作为两大农业中心，也是政治经济的中心。而南方由于地广人稀，几乎属于空白阶段，因此炎黄文化成为整个中华民族的主要文化，汉中地区为代表的中原地区是当时全国的文化中心。汉武帝独尊儒术，到百年后的成帝，刘向将全国境内划分为若干区域，当

① 刘师培. 清儒得失论：刘师培论学杂稿［M］. 北京：中国人民大学出版社，2004：253.

时全国齐地“士多好经术”，鲁地“其好学犹愈于他俗”，三辅世家“好礼文”，但各地还没有提到儒家文化的影响，相反不同地区还出现不符合儒家礼教的习俗。如三辅“富人则商贾为利，豪杰则游侠通奸”；河内“俗刚强，多豪杰侵夺，薄恩礼，好生分”；楚之江南“信巫鬼，重淫祀”；吴人以文辞显，“其失巧而少信”等等，[①] 表现出不同地域的不同文化特点。

随着魏晋南北朝社会大变迁，北方移民纷纷南迁，使南方经济得到快速的发展，到了隋唐时期，南北经济发展已呈均衡态势。但这个时期，仍以北方为中心，盛唐可以说是南北共荣的文化发展阶段。《隋书·地理志》将隋炀帝时期全国一百九十个郡按《禹贡》九州编次，于各州末略叙其风俗。《地理志》表述在九州之中，兖、徐、青三州十五郡为教化最好的地区。其次为豫、冀两州，这五州指的便是黄河下游两岸即所谓的关东地区。而关西地区基本为儒家声教所不及，长安附近关中平原三郡，风气极坏，“人物混淆，华戎杂错，去农从商，争朝夕之利……”。三辅以北、以西的古“六郡”之地，则比较淳朴，自此以北缘边九郡及河西诸郡则“地接边荒，多尚武节”。秦岭以南长江上游地区，唯蜀地“颇慕文学，时有斐然，”汉中与巴地则“质朴无文，不甚趋利”，汉中以西、蜀郡以北诸郡则因“连杂氐羌，人尤劲悍”。

盛唐时期，文化差异也略有不同。天宝年间的《通典·州郡典》中记载了其间三百多府郡的风俗。举例来说，塞上文化主要是指以驻守边疆的士兵为中心的文化特点，表现为唐代北方少数民族的风土人情及自然地理景观。以儒家文化为例，兴盛地区在北方“山东”、兖州、南方“吴中”，略如隋时旧样；唯以蜀土比齐鲁，与隋代相比略有发展。

由于安史之乱，北方居民再次大南移，使南方经济发展速度再

---

① 班固. 汉书：地理志［M］. 北京：中华书局，1990.

次加大，南方人才迅速增加，五代末的时候，长江流域的经济力量已远超北方，成为重要的经济重心。北宋时期，北方再次成为政治中心，经济发展有见长之处。但靖康之难以后，文化重心再次南移，甚至远至福建及岭南地区。北方由于长年战乱，已无力扭转其经济中心南移之势。《宋史·地理志》中将崇宁时二十四路合并为十二区，略述为中原地区“多专经术”，南方地区则“好为文辞，登科弟者尤多”，在此有两点值得注意：一是两宋是理学最昌盛的时代，但除福建一路讲诵，其他地区竟概未涉及，由此可见，即使在宋代，理学也未必已被读书人所普遍接受；二是文化最为发达的两浙、江南、福建地区，有普遍信鬼、尚祀、重浮屠之处，宋代民间佛道权威显然比周孔之教要高得多。

元明清时期虽然政治重心在北方，但经济重心已固守南方，同时南方人才济济，明制内阁大学士皆翰林出身，其中南直、浙江、江西三省共得 75 人，占全国总数的 45%，从人才分布总形势来看，东南最盛，中原次之，西北与西南最为落后，西北陕西，现代的陕甘青宁四省区只出 2 人，西南的广西和云南也只出 2 人。清代江苏状元几乎占全国一半，重要学者皆来自于南方。时至今日，我们仍可从南北方经济发展特点一窥当年的历史文化变迁的脚步。

（三）中华文化的语言文化差异

从文化上看，语言的差异是地域差异最显著、重要的表现形式之一。“现代语言学之父”、瑞士语言学家索绪尔认为：“地理上的分隔始终是语言差异的最一般因素。”[①] 地域差异造成的语言差异就是千差万别的方言的存在，比如词汇、语法、语音的差异。作为一种沟通的工具，语言随着人口的迁移而发生着重大的变化。我国历史上，对语言文化差异引起关注并进行研究的是西汉时期文学家、哲学家、语言学家杨雄，他所写的《方言》一书是我国第一部

① 费尔南多·德·索绪尔. 普通语言学教程［M］. 高名凯，译. 北京：商务印书馆，1980：270.

对方言词汇进行比较研究的专著。全书共13卷，主要内容是卷一、二、三为语词部分，其中有动词、形容词，也有名词；卷四释衣服；卷五释器皿、家具、农具等；卷六、七又是语词；卷八释动物名；卷九释车、船、兵器等；卷十也是语词；卷十一释昆虫；卷十二、十三大体与《尔雅》的“释言”相似。所收的词条计有675条，每一条下，作者往往先提出一个或几个同义词作为条目，然后或用一个词来解释它们，或分别说明各个词的使用地域，所以实际词目远远超过了条数。《方言》一书所涉及的方言区域，东起齐鲁，西至秦、陇、凉州，北起燕赵，南至沅湘九嶷，东北至北燕、朝鲜，西北至秦晋北鄙，东南至吴、越、东瓯，西南至梁、益、蜀、汉，中原地区则几近包罗无余。由此可以考见汉代方言分布的大致区域，绘制出大致的方言地图。《方言》呈现出的最大特点是，较大的方言区都在中原四周，如秦晋区、河北赵魏区、北燕朝鲜区、齐区、吴越区、楚区，而中原地区的情况却十分混乱，根据不同的方言词汇可以划出许多不同的区域，如陈楚宋魏区、陈楚宋卫区、宋魏区、陈楚区、周韩郑区、周韩郑卫区等等。由此可见，地域差异对古代中国语言文化产生的影响，所以，后代学者为《方言》作注疏的著作出现了多种，其中影响较大的有晋代郭璞的《方言注》、清代戴震的《方言疏证》和钱绎的《方言笺疏》等。语言文字的研究，离不开名物训诂，古代中国的训诂学之所以非常发达，是与语言文字的差异性联系在一起的。中国古代的训诂学发轫于西汉的《尔雅》与东汉许慎的《说文解字》。在两者收词析字中，保存了大量的文化信息。《尔雅·释亲》所记载的亲属关系及其称谓，是了解古代婚姻制度与宗法制度的重要资料。而《说文解字》则“六艺群书之诂，皆训其意，而天地鬼神，山川草木，鸟兽昆虫，杂物奇怪，王制礼仪，世间人事，莫不毕载”。① 从字音、字义、

① 许慎. 说文解字［M］. 北京：中华书局，1963：320.

字形三方面解读言语文字，充分反映了中华古代文化的差异性。近现代以来，对中国语言文字与民族文化结合起来进行研究的，却是西方的学者们，例如法国汉学者葛兰言（M. Granet，1884—1940）、马伯乐（H. Maspero，1883—1945）、美国汉学家劳费尔（B. Laufer，1874—1934），他们在本世纪初探讨东方名物制度的沿革及中国与中亚西亚古代文明的互相影响关系，留下了多种有关著述。在20世纪30年代，中国的一些民族语言学家也开始对语言和文化的关系问题进行实地考察研究，罗香林、刘锡藩、徐松石三人相继发表了重要著作。据此可知，语言文化差异是中华文化发展之中的一个典型现象。

我国语言的地理差异表现最为突出的例子，就是南北差异性，即南繁北齐，南方语言繁杂，北方语言比较单一。我国北方广大地区都属北方方言区，从哈尔滨到昆明直线距离3000多千米，两地语言虽有区别，但交流并没有太大障碍。而南方即使在同一方言区内，如闽方言区内，还分福州话、厦门话、莆田话、闽西话等，彼此差异极大，甚至难以听懂。这些语言的形成与地理环境是有一定关系的。究其原因，一是我国北方多地势平坦的高原和平原，交通联系方便，老百姓交往、交流的机会多，彼此融合，因而语言差异不大。二是南方多丘陵山地，地形崎岖，交通闭塞，不利于人们交往，久而久之，便形成各具地方特色的“土话”。[①]

总而言之，从先秦两汉以来历代中原王朝来看，几千年的历史变迁之中，不存在一种一以贯之的文化可以贯穿所有时期而一成不变，即使是具有普世性价值的儒家文化也经历了先秦原始儒家文化、两汉经学、魏晋玄学、宋明理学、乾嘉汉学等不同面向的发展时期。另外，各时代不同的风土人情差异，使我国历史文化呈现出百花齐放，百家争鸣的景象。在此，强调、认知中华文化的地域性

① 胡阿祥. 中国历史研究的地域视野［J］. 学海，2009（1）.

差异并不是否定中华文化的同一性。文化的差异性与共同性是辩证存在、相辅相成的。作为一个历史悠久的有着共同意识的文化大国，文化在相通之处，更因地域的不同而存在着不同的差异，可以看出我国文化求同存异，兼容并进的特点，从而更加有利于构建和发展中华文化之未来。

三、文化多样性的特征

（一）文化多样性对社会发展的实用性

"文化是社会生活的产物，是民族精神的结晶，每个民族、每个社群都有自己的特有文化形态和文化个性，这种特有的文化既是群体亲和力和民族国家凝聚力的重要源泉，也是生命和生活的意义之源，也是文化得以繁荣发展的必要条件。"① 考察世界各地、各民族文化的发展历程，就会发现：一个地区、一个国家、一个民族，文化越单一，保守性和排他性也越强，社会和文化发展也就越慢；反之，开放的、多元的文化交流与文化借鉴，必然会促进社会经济和文化的较快发展；凡是文化繁荣发达的地区大多是文化多元共存和文化交流发达的地区。

当今社会的很多文化都带有综合的特点，只有不断与外界保持吸收、交流的状态，文化才能持久更新，而不致走向自我封闭。文化的活力来源于广纳四海，博取众家之长。"古希腊文明、古印度文明，以及中国的唐宋盛世，无不带有浓厚的世界主义精神。今天的西方文化当然也不例外，它的哲学传统继承自希腊，宗教来自中东，科学基础源自中国和伊斯兰世界，主要的人口和语言则来自欧洲，割裂文明与外界的关系，一味坚守所谓的伟大传统，最终只能伤害文明自身。"② 文化不是孤立的，也不是静止的，各种不同的

① 单世联. 论全球化时代的文化多样性［J］. 天津社会科学，2005（2）.

② 王志毅. 创造性破坏：译者序［M］//泰勒·考恩. 创造性破坏. 上海：上海人民出版社，2007：6.

文化总是处于相互影响和发展演变之中。没有任何文化能够形成一个封闭存在的整体，所有的文化都受到其他文化的影响，反过来也影响着其他文化。文化整体由于吸纳了各种不同文化的价值观，从而能产生“1+1>2”的协同效应。

文化总是在差异中进步，在文化的平等对话与交流中繁荣。如果没有文化多样性，就会产生垄断。而垄断只能是少部分人进行资源的占有、享受，使另一些人处于弱势地位。“事实上，正是多文化社会所产生的多样性，以及多样性赖以生存的创造性，使这些社会更具有创新能力，更有活力，生存繁衍得更加久远。”① 如果没有多样性的存在，各民族的生活的独特性也就突显不出来。可见，社会的不断进步与繁荣离不开文化多样性的存在及其相互影响和相互作用。

（二）文化多样性强调保持自身的特殊性

事物的特殊性是该事物存在和发展的先决性条件，没有特殊性就没有多样性，世界必然会缺失五彩缤纷。所以，坚持文化多样性必须强调保持文化自身的特殊性。当下文化多元的现象被国际社会一再强调，但文化多元除了要保持文化多样性外，还蕴含着保持文化自身的独特性。如果没有自身文化的独特性，那么文化多样化这个概念也就无从提及。但事实上我们却还是能在全球化这个语境中看到大众流行文化的风靡带来的潜在危险。我们面对现代文明，几乎不约而同地把现代文明的标志与西方文明简单等同起来。手机、电脑、高速公路、高铁、快递，以及相关的电子元素形成全新的文化生态，成为我们生活中的重要组成部分。这些东西使我们的生活呈现出同一化，不管去到什么地方都能买到同一品牌的衣服和食物，这个城市和另一个城市好像没有太大的差别，虽然给我们带来了生活适应上的便利性，却不能不说内心有一种蘧然落失的惆怅，即一种新鲜感和好奇心被磨灭的失望。所以人们开始把注意力转向

① 联合国教科文组织. 文化多样性与人类全面发展——世界文化与发展委员会报告［R］. 张玉国，译. 广州：广东人民出版社，2006：5.

自己的文化，坚持本土文化价值观，把文化作为确定自我身份的一种手段和力量之源。

随着地域文化研究的兴起与深入，不仅更有利于人们注重学习、了解本土文化知识，而且有助于自身文化独特性的保持。每一个社会都要尊重它的传统，每一个民族必须了解自己的价值系统、信仰和其他文化元素，这些文化元素对于各民族成员认识自己、彼此相互交流至关重要。总之，全球化背景下文化多样性保护问题的提出，旨在通过建立不同文化之间的平等对话与交流机制，保护各国各民族独具特色的文化，避免文化霸权影响下的文化同质化现象。在这方面来说，加强地域文化研究显得尤为重要。

（三）文化多样性中的同一性

事物的发展总是特殊性与普遍性的统一，同样，文化的存在与发展，既有纷繁复杂的多样性存在，也有普遍相同的同一性的存在。美国学者泰勒·考恩在考察艺术文化的基础之上，敏感地觉察了文化同一性的作用，他说："讽刺的是，艺术家如果学习了太多的外来方法，反而会失去在特定类型上的创造力。当代音乐家贝克是摇滚、乡村和布鲁斯音乐的折中派，他用简洁的方式道出了这一点：'你无法再写一首纯粹的乡村音乐。你无法再写一首纯粹的阿帕拉契民谣。因为我们生活在这样一个世界，所有人都听过速度金属、鼓打贝司、早期嘻哈。就算你没有受它们的影响，就算你没有使用完这些元素，但它们依然在你的脑子里。'"① 这也从一个侧面说明，虽然文化多样性是个不争的事实，但文化在长期的发展过程中也会有某些同一性。无论如何我们不能忽视文化多样性中同一性的存在。正是由于有了文化多样性中的同一性，人类就有了彼此的沟通，相互的联系，甚而关注与解决一些关涉人类命运的共同问题，世界也因此会有序而和谐。

---

① 泰勒·考恩. 创造性破坏——全球化与文化多样性［M］. 王志毅，译. 上海：上海人民出版社，2007：63.

四、文化多样性的保护问题

文化多样性既是一个历史的存在，又是现实的发展趋势，况且，这种文化多样性是人类文明得以保存和赓续的重要前提，也是人类文化保持自身活力的重要条件。对此加以保护是现代人类义不容辞的责任和义务。可喜的是通过国际社会的共同努力、一些专家学者的强烈呼吁，文化多样性保护已经达成了相当广泛的国际共识。例如，联合国教科文组织于 1972 年制定了《保护世界文化和自然遗产公约》，把文化遗产和自然遗产纳入保护的范围；1989 年又提出了《保护传统文化和民俗的建议》，建议各国把民族传统和民俗文化也纳入保护的范围。2001 年提出了《世界文化多样性宣言》，2003 年在联合国教科文组织第 32 届会议上通过了《保护非物质文化遗产国际公约》。联合国教科文组织《2000 年世界文化报告》资料显示，世界上 57 个国家将无形文化和民俗文化遗产保护作为国家文化政策的一部分，52 个国家的立法中包含了无形文化和民俗文化遗产的“知识产权”方面的条款。基于此，世界各国的有识之士的文化多样性保护意识日益增强。“文化是与经济、环境和社会并列的可持续发展的第四大支柱”，这是一直致力于倡导文化多样性的法国总统希拉克的见解。日本学者池田大作认为，文化是以调和性、主体性和创造性为骨干的，是人的生命力的强韧产物。他还认为，文化的开花结果，将是抵抗武力与权力、开辟人类解放道路的唯一途径。[①] 他们在此将文化的意义提高到了国家、民族乃至整个人类生存与发展的重大战略之上。文化不仅仅是关乎某一个国家、某一个民族的进步，实际上已经关系到了整个人类社会的文明发展。就人类文化的整体而言，如果离开了所有不同文化之间的互补整合，就有可能将一种文化的缺陷放大为整个人类文化在总体上所普遍具有的共同缺陷，从而危及人类文化的持续存在。人

① 何劲松. 池田大作集［M］. 上海：上海远东出版社，2003：24.

类文明的繁荣与进步，需要文化创新，“真正的创造性并不导致一致性。……不同文化的人所信奉的许多不同的观点和观念只要互不对抗，就能使当代世界增添丰富性和活力”。① 法国学者克洛德·莱维·斯特劳斯（C. L. Strauss，1908—2009）指出：

为了认识和理解我们自己的文化，我们必须从其他文化的观点来观察它，使我们的习俗和信念与其他时代和其他地方的习俗和信念形成比较。随着全球化的加剧以及外部多样性的衰退，保护和维持由不同群体和亚群体构成的每个社会的内部多样性就变得迫在眉睫，因为所有这些群体和亚群体都在发展它们认为是非常重要的差异。因此，通过维护不同社会群体的文化特征来在一定程度上保持和促进文化多样性至少应该是可能的，就像植物种类的基因库被创造出来以防止生物多样性的枯竭和地球环境受到伤害一样。如果我们要维护我们社会的活力，我们必须至少要保持不能取代的习俗、惯例和技能的活的记忆，它们不应该被允许完全消失。……全球文明从来不应该是文化在全球层面上的联合，每一种文化都应该保持其创造力。②

一言以蔽之，文化多样性必须加以保护已经成为了人类社会的一致呼声和共同愿景。那么，接下来主要问题是如何保护文化多样性的存在，以更好地为人类带来福祉。

学术界关于如何保护文化多样性的问题，观点不甚一致。在国外，英国学者格雷厄姆·默多克（G. Murdock）的观点比较有代表性，他提出构建“世界公民性”的设想，让每一文化区域的人们都成为世界公民，在自由、开放、多元、对话的环境中建立世界文化的公共论坛。这一观点无疑比较符合当今世界文化发展的潮流。

---

① 欧文·拉兹洛：决定命运的选择［M］. 李吟波，等译. 北京：生活·读书·新知三联书店，1997：121.

② 联合国教科文组织. 文化多元化：共同遗产与多元认同［M］. 巴黎，2000：16.

早在20世纪30年代，随着欧风美雨对中华文化的不断渗透，国内学术界的一些前辈以深邃而睿智的眼光，看到了中华文化面临的巨大挑战，也提出了类似于文化多样性保护的思想。张东荪指出："我年来默察中国的情形，实在有些令人悲观，觉得对于西方文化不但不能消化，直并承受的能力亦渐渐衰退了。其原因不在西方文化不适于中国，乃只在中国人已缺少了吸取他族文化的'主体'的资格。"[①] 在这里，张东荪所要表达的是在民族文化自信的基础上，吸收外来文化而创新本民族文化。有的学者认为保护民族文化并不是简单的维护传统和学习西方，如1936年雷海宗撰文分析了近代中国文化的窘境，他指出：

> 鸦片战争以下，完全是一个新的局面。新外族是一个高等文化民族，不只不肯汉化，并且要同化中国。这是中国有史以来所未曾遭遇过的紧急关头，惟一略为相似的前例就是汉末魏的大破裂时代。……但汉末以下侵入中国的武力与文化是分开的，武力属于五胡，文化属于印度，最近一百年侵入中国的武力与文化属于同一的西洋民族，并且武力与组织远胜于五胡，文化也远较佛教为积极。两种强力并于一身而向中国进攻，中国是否能够支持，很成问题。并且五胡与佛教入侵时，中国民族的自信力并未丧失，所以仍能得到最后的胜利：五胡为汉族所同化，佛教为旧文化所吸收。今日民族的自信力已经丧失殆尽，对传统中国的一切都根本发生怀疑。这在理论上可算为民族自觉的表现，可说是好现象。但实际的影响有非常恶劣的一面：多数的人心因受过度打击都变为麻木不仁，甚至完全死去，神经比较敏捷的人又大多盲目地崇拜外人，捉风捕影，力求时髦，外来的任何主义或理论都有它的学舌的鹦鹉。……中国是否也要遭遇古代埃及与

① 张耀南．知识与文化——张东荪文化论著辑要［M］．北京：中国广播电视出版社，1995：410.

巴比伦的命运？我们四千年来的一切是否渐渐都要被人忘记？我们的文字是否也要等一二千年后的异族天才来解读？①

显然，雷氏的思想表明近代中国文化在西方文化的强势侵蚀下，简单地维护传统与学习西方都不能开启中国文化的新运，都不能在全球化压力下保持中国文化的独特性。

当代全球化的迅猛发展，学人们围绕中华文化赓续和创新，文化多样性保护的呼声亦随之高涨，不绝于耳。单世联认为：

近代以来中国文化的命运明白无误地显示出：再创中国文化的辉煌，张扬中国文化在全球文化之林的独特风采，需要我们从传统中创造现代，在欧风美雨的沐浴中创造华夏新风。这是一个需要经过漫长实践才能完成的使命。在全球化的压力面前，必须认识到多样性是活的不是死的，是需要成就来证明和显示的生动实践而不是自我标榜式地仿古；多样性是文化发展的内在必然性，是现实的文化成果而不是外力的刻意保护，因而中国民族文化的生存发扬，不能依靠模仿古文化产品来体现，也不能依靠政府保护来实现。②

在这样一种思路的指导下，他进一步提出了文化多样性保护的基本思路及其原则：一是超越民族国家视界，全面理解多样性；二是解构极化思维模式，正确理解多样性；三是诠释文化传统的意义，理性论证多样性。③ 应该说，这样一种思路或原则，对我们今天文化多样性保护无疑具有启发性的意义。

还有阮炜在《文明的表现》一书中也阐述了类似的思想。他认为文化是人类为了改造自己的生存环境而进行的精神生产活动，全球化背景下不同文化应该多元并存、东西互补和共同发展。各种文化之间要通过交流和对话来达到“和”的目的，这样各种文化才能

---

① 雷海宗. 伯伦史学集［M］. 天津：南开大学出版社，2002：122—123.

② 单世联. 全球化时代的文化多样性［J］. 天津社会科学，2005（2）.

③ 同②.

共生共荣。[①] 可见，这一思想已经相对明确地把文化多样性与和谐社会的建设联系起来了。杨倩认为应该在各自不同的民族文化的特殊性中提炼世界文化的共性，把世界文化的共性融入到民族文化的特殊性之中。主张文化个性与共性和特殊性与一般性的统一，从而推动着文化的不断前进。[②] 何星亮则提出通过创新来进行文化多样性的保护。[③]

应该说，以上关于文化多样性保护原因及其保护途径的论述都是合理可行的，不仅使我们加深了对文化多样性的认识，而且为文化多样性的保护提供了不可多得的参照文本。在此，我们不妨借用费孝通先生关于文化自觉的理论，对文化的多样性、差异性保护寻找一个较为理性而又理想的方法，以此作为文化多样性论述的结尾。

费孝通先生面对一日千里的全球化浪潮和甚嚣尘上的西方的文化冲突论，通过融合儒家思想与现代观念，从文化的社会性和历史性的角度，试图回答“不同文明之间该如何相处”这一“全人类都要共同解决的问题”。他晚年特别提出了“各美其美，美人之美，美美与共，天下大同”十六字箴言，由此生发了对于“中国文化自觉”与“何以自觉”的思考，并逐步形成了其“文化自觉”的理论。所谓“文化自觉”是指生活在一定文化中的人对自己文化的“自知自明”，明白它的来历，形成过程，在生活各方面所起的作用。他认为只有在认识和理解所接触到的多种文化的基础上，才能在这个多元文化的世界里确立自己的位置，和其他文化一起，取长补短，共同建立一个有共同认可的基本秩序和一套各种文化都能和平共处的守则。

费孝通文化自觉的“十六字箴言”具体来说：“‘各美其美’就是不同文化中的不同人群对自己传统的欣赏。这是处于分散、孤

① 阮炜. 文明的表现［M］. 北京：北京大学出版社，2001.

② 杨倩，赵平俊. 当前我国文化建设中的几对重要关系［J］. 山西农业大学学报（社会科学版），2004（3）：381.

③ 何星亮. 文化多样性与全球化［J］. 湖北民族学院学报，2004（3）：1—4.

立状态的人群所必然具有的心理状态；‘美人之美’就是要求我们了解别人文化的优势和美感。这是不同人群接触中要求合作共存时必须具备的对不同文化的相互态度；‘美美与共’就是在‘天下大同’的世界里，不同人群在人文价值上取得共识以促使不同的人文类型和平共处。”①

他还说：“只有当不同族群、民族、国家以及各种不同文明，达到了某些新的共识，世界才可能出现一个相对安定祥和的局面，这是全球化进程中不可回避的一个挑战。”费孝通还特别指出，文化自觉不带任何“文化回归”的意思，既不是要“复旧”，同时也不主张“全盘西化”或“全盘他化”。“自知之明”的目的是为了加强对文化转型的自主能力，取得决定适应新环境、新时代文化选择的自主地位。同时，他还强调，文化自觉是一个艰巨的过程，只有在认识自己的文化、理解所接触到的多种文化的基础上，才有条件在这个正在形成中的多元文化的世界里确立自己的位置，然后经过自主的适应，和其他文化一起，取长补短，共同建立一个共同认可的基本秩序和一套各种文化都能和平共处、各抒所长、联手发展的共处守则。在这里，费孝通讲到了文化自觉的路径和所要达到的目标。

费孝通文化自觉的“十六字箴言”及其理论，显然是至今为止学术界文化多样性保护最为经典之论，因而受到国内外学术界的极大赞赏。

第三节　地域文化研究的主要理论

大凡一种研究、一门学科都需要理论的指导或支撑，有了理

① 费孝通．费孝通论文化自觉［M］．呼和浩特：内蒙古人民出版社，2009：36.

论，才会有研究、学科的系统化、体系化。同理，地域文化研究也需要理论。可是，由于地域文化研究学科的交叉性和边缘性，一直以来其理论建构未曾受到人们的重视而处于不成熟或不完善的状况，甚至对有的地域文化研究问题基本处于理论阙如。可喜的是，近几年出版的几本（套）有关地域文化研究的论著，在其理论构建方面，作了尝试性的努力，为地域文化研究提供了较好的理论视域，如《中国地域文化通览》中袁行霈先生的《总绪论》，探讨了地域文化研究的许多理论问题。[①] 又如朱汉民先生主编的《湖湘文化通史》（五册）第一册的《导论》中，作者专门撰写了八章来探讨地域文化，特别是湖湘文化研究的理论问题，不仅大大加强了湖湘文化研究的说服力，而且提供了湖湘文化研究的宏观思考。[②] 还有卢云的《文化区：中国历史发展的空间透视》，胡义成的《把精神分析引入中国地域文化研究》，彭定安的《关于文化区域研究》，蒋宝德、李鑫生主编的《中国地域文化》，中华孔子学会编辑委员会编的《中华地域文化集成》。综合性专著有石映照、白郎合著的《中国地脉》，陈金川的《地缘中国——区域文化精神与国民地域性格》，晏昌贵编著《中国古代地域文明纵横谈》，周振鹤著《中国历史文化区域研究》，李勤德《中国区域文化》，等等，都从不同侧面与角度，对地域文化进行理论探讨。[③] 值得特别提出的是严飞生的《地域文化学的若干问题研究》的硕士学位论文，可以说是从纯理论的高度对地域文化各有关重点问题进行了研究。作者主要探讨了地域文化的内涵、结构及特征；地域文化的划分，提出了划分地域文化既要准确把握地域文化的内涵和本质特征，也要遵循文

① 于来山. 中国地域文化通览：湖南卷［M］. 北京：中华书局，2014.

② 朱汉民. 湖湘文化通史：第一册［M］. 长沙：岳麓书社，2015.

③ 参见张文华. 二十余年来区域历史地理理论研究概述［J］. 中国史研究动态，2013（2）：47—57；李军林，杨文军. 近十年湖湘文化研究述评［J］. 船山学刊，2010（2）：35—39；刘玲，米华. 湖湘文化研究综述［J］. 湖南科技大学学报（社会科学版），2009（4）：112—117.

化划分的完整性、适中性、差异性、层次性等原则；地域文化的融合与分化，并认为文化交流与传播推动了文化的融合与分化，文化地方化是地域文化融合的表现之一，它丰富了地域文化的内涵。①由此可见，地域文化理论研究，尽管有了不少成果出现，也日益受到人们的重视，但这种情况与地域文化具体问题的实证研究相比很不对称。在此，笔者在结合上述研究成果的基础之上，借助文化学、历史学、地理学、文化人类学、民俗学乃至哲学的有关理论，从地域文化理论的角度，分别予以叙述。

一、古典进化论的文化进化理论

“进化”（evolution）一词出现于 19 世纪后半叶，原本是一个生物学意义上的词，指的是胚胎发育的过程，并且在当时的一般用语中具有“进步”的含意。达尔文（C. R. Darwin，1809—1882）在 1859 年出版的《物种起源》第一版中，也并未使用“evolution”这个字。而后来包括达尔文在内，之所以改用 evolution 来描述生物演化现象，是经由英国哲学家赫伯特·斯宾塞在许多著作里进行的名词统一。可见，“进化”这一概念是那个时代的精神产物。作为时代精神表现之一的生物进化论，亦即达尔文主义认为，没有什么固定不移的物种，只有一个连续的不间断的生命之流。这样，达尔文主义消除了有机生命不同种类之间武断的界线，将物种之进化视为一种永恒不变的客观规律。同时，美国人类学家摩尔根（L. H. Morgan，1818—1881）、英国文化学家泰勒（E. B. Tylor，1832—1917）将进化理论引入人类文化的视野之中，如此，生物进化论也成为了社会文化进化论。他们认为，进化原理也左右着人类文化和社会历程，文化是人类特有的适用环境的方式，文化是一种“族体心理”，而这种族体心理及其所依附的社会都是由低级向高级分阶

① 严飞生. 地域文化学的若干问题研究［D］. 南昌：南昌大学，2006.

段进化发展的。摩尔根运用比较方法，从发明和发现导致的智力发达、政府观念的发展、家庭观念的发展、财产观念的发展四个领域考察人类社会的进程，从发展阶梯的底层开始迈步，通过经验知识的缓慢积累，从蒙昧社会上升到文明社会。“蒙昧”—“野蛮”—“文明”是人类文化和社会发展的普遍阶梯。泰勒也指出，野蛮和文明作为一种类型的低级和高级阶段，是相互联系、前后递进的，不仅应当根据艺术和精神文明成就去研究文化，还应当根据各个发展阶段的技术和道德的完善程度去考察文化。泰勒关于文化的思考，是建立在“人同此心，心同此理”这一常识上的，他认为，不论何时何地，人们的心智从根本上来说是相类似的，人类的历史是一个统一的整体，因而可以用一种整体化的理论加以解释。根据这些原理，泰勒于 1871 年在其《原始文化：神话、哲学、宗教、语言、艺术和习俗发展之研究》一书中给文化确定了一个较为经典的定义，即“文化，或文明，就其广泛的民族学意义来说，是包括全部的知识、信仰、艺术、道德、法律、风俗以及作为社会成员的人所掌握和接受的任何其他的才能和习惯的复合体”①。

从上可知，古典进化论者尽管没有直接论述到地域文化，可其理论思想中蕴涵了某些地域文化的认知含义及其启示。首先在于其进化思想亦包括了地域文化的进化，且这种进化是从低级到高级的演变，从“蒙昧”—“野蛮”—“文明”呈梯级发展的趋势。其次文化是人类特有的适用环境的方式，说明了文化与包括地域在内的各种环境现象是紧密联系在一起的，并且人类生存的环境，包括地域环境决定着文化的形成。再次文化的整体性观点认为，无论什么情况，我们都要将文化视为一个整体，地域文化也不例外。还有泰勒的文化定义有利于我们在认识地域文化的时候，把握其核心内容，即文化的精神方面。所有这些，为我们研究文化提供了一个宏

① 泰勒. 原始文化：神话、哲学、宗教、语言、艺术和习俗发展之研究［M］. 连树声，译. 谢继胜，尹虎斌，姜德顺，校. 上海：上海文艺出版社，1992：1.

观的理论维度。

二、传播学派的文化传播理论

19 世纪末到 20 世纪中期，随着泰勒《原始文化：神话、哲学、宗教、语言、艺术和习俗发展之研究》一书的广为传播和文化研究与地理研究的结合，文化在空间上不断位移的现象日渐为人们所认识，从而产生了盛极一时的文化传播学派，更多人类学家以传播的理论来解释文化。以拉策尔（F. Rutel，1844—1904）为其理论奠基人，先后产生了德奥“文化圈”派和英美“泛埃及主义”。其主要观点认为传播是文化发展的主要因素，所有文化开始于一个或多个特殊区域，然后向全世界传播；文化变迁过程就是传播过程。认为文化借用多于发明；不同文化间的相同性是许多文化圈相交的结果，因此，文化彼此相同的方面越多，发生历史关联的机会愈多；文化传播学派非常强调实证研究方法。

德国文化传播学派先驱拉策尔根据巴斯蒂安（P. W. A. Bastian，1826—1905）的地理环境概念，发展成地理环境学说，也称人类地理学派。他认为，自然对个人以及通过个人对整个民族特质和精神的影响是起决定作用的；文化要素是随民族迁徙而扩散的；文化要素的相似性证明文化间存在历史上的同根关系和某种联系。而后，德国人类学家弗罗贝纽斯（Leo. Frobenius，1873—1938）第一次提出了“文化圈”概念，并考察各文化间相同元素的数量，以确定是否来自同源，认为人不是文化的创造者，而是文化的体现者。他第一次广泛和系统地提出了绘制文化地图的方法。他将传播理论引向一个极端。弗·格学布奈尔（F. Graebner，1877—1934）进一步阐说“文化圈”“文化层”的概念。用实证法和系统法进行文化圈理论研究，在他看来，世界文化的历史就是若干文化圈及其组合在世界范围内迁徙的历史。文化在整个人类历史上是毫无变化的，人类的发明创造能力是极其有限的。威廉·施米特（W. Schmidt，1868—1954）创导以文化史学方法，研究原始文化及其宗教。他按照“文化圈”顺序来划分人类发展阶段，即原始的，初期的，二期的。他认为原始一神教广泛存在于原始民族中，人类的进步依靠对“至上神”的信仰。“泛埃及主义”英国传播学派以史密斯（G. E. Smith，1871—1937）和佩里（W. J. Perry，? —1949）师生为代表。他们认为，文明的中心只有一个，即尼罗河流域，所有高级文化的各个因素，都是从古埃及传播出去的。

显然，文化传播学派的发展走向了极端，他们否定各民族人民的文化创造性，将民族文化的进步、发展与各族人民的创造性劳动割裂开来，把文化现象看成是独立自在的东西，认为每一种文化现象（物质文化、社会制度和宗教观念等）都是在某个地方一次产生的。一旦产生出来，便开始向外“传播”。各个文化现象传播到某个民族中间以后，便在那里机械地结合起来，形成一定的“文化圈”。他们认为，各族人民并不是自己创造了自己的文化，而只是从世界上到处传播着的各种文化现象中“借用”了某些现成的东西。这种文化“传播”和“借用”的过程，便是“文化历史”的基本内容。然而，早期传播学派把文化看成一个动态的、不断迁移的历程，同时注意文化与环境的关系问题，特别是“文化圈”“文化层”等概念的提出，这些无疑有利于文化、地域文化研究深入一步。

三、历史地理学派的文化变迁理论

由于受田野调查的扩大和社会科学各学科的进展的影响，文化人类学向纵深拓展，19 世纪末叶以来，历史地理学派应运而生，其代表人物是美国人类学家博厄斯（F. Boas，1858—1942）和他的学生本尼迪克特（R. Bendict，1887—1948）。这一学派的主要观点是不同意古典进化论的单线进化和“文化圈”派的文化传播论，认为各民族并非遵循同一路线进化，处于不同地理环境的各个文化都有独特的历史过程，同时又受到外部文化传播的影响。

博厄斯一生最重要的思想观点就是历史特殊论和文化相对论——平等、自由理念在人类学领域内的理论形态。概而言之，主要包括以下几个方面的关键内容。

第一，“历史特殊论”是其全部理论的核心。博厄斯文化观的最大特点就是将某一文化的历史研究放在首位，而不是研究全人类普遍文化的历史。历史特殊论强调不同民族文化之间的差异，他坚决反对将世界文化的多样性纳入到进化论简单的“单一进化模式中”，他认为：“文明世界的各种经济大多相似，以致于如果不依附于建立在个体化和历史之上的文化，我们就有可能陷入一种文化需求和水平一致性的境地。这会使我们丧失从不同文化形式的互动中得到的有价值的促进因素。”① 所以，他指出文化进化论和文化传播理论是在假定单一原因的决定性影响的基础上建立起来的，这些理论中最重要的是地理决定论和经济决定论。两种理论夸大了在人类生活中起重大作用的两个因素作用。殊不知，它们只是诸多决定因素之一。

第二，他认为每一种生活方式，都是过去许多历史因素作用下的产物；每个民族都有他们自己特殊的历史，因此每一种生活方式都是独特的。任何文化特质或元素，都必须首先依据它在某一独特的文化结构中所处的地位，以及它与所属文化的价值系统等的关系加以解释和判断。

第三，他还一再强调，不存在人类文化发展的普遍法则，因为每一个文化都有其存在的价值，每一个民族都有其值得尊重的价值观，不同的文化背景有着不同的价值和功能。这种观点实际上暗示寻求人类社会文化系统发展变化的普遍规律的努力，可能是徒劳无益的。

① 博厄斯. 人类学与现代生活［M］. 刘莎，谭晓勤，张卓志，译. 王建民，校. 北京：华夏出版社，1999：128.

第四，博厄斯文化相对论的观点十分有特色。其历史特殊论观点实际上就已在提醒我们在研究另一种文化时，必须努力摆脱我们自己的文化道德标准，排除根源于我们自身文化的种种前提和预设，保持一种相对的观点（relativistic perspective）。既然认为每一个民族都拥有自己的文化，并且都是各个社会和民族独特的产物，因而文化相对论（culture relativism）就成为这种观点发展的必然结果。因此，“对普遍化社会形态的科学研究要求调查者从建立于自身文化之上的种种价值标准中解脱出来。只有在每种文化自身的基础上深入每种文化，深入每个民族的思想，并把在人类各个部分发现的文化价值列入我们总的客观研究的范围，客观的、严格科学的研究才有可能”①。博厄斯认为人类对生活方式和文化的选择并非基于理性的考虑，而是基于情绪（emotion）。情绪的生成与对传统的遵循密切相关。对情绪的放任是形成自我中心的关键，对传统的依赖则是产生民族隔阂的重要原因。文化相对论也可以说是建立在对情绪的分析之上。

本尼迪克特的理论乃基于强烈的文化相对论观点，她认为所有的文化都会自然发展出一个类型，这个类型如同个人的人格般，虽然会随时间而变迁，但经过一段时间后便逐渐稳定下来，进而形成固定的模式。各文化的模式千奇百怪，差异甚大，它们也各有各的长处，分别发展出独树一帜的优势。因此，我们不该否定任何文化的价值，而独尊自身文化的优势。

这个理论最大的特色是在对各种文化的详实描述。本尼迪克特擅长整理各部落的传说与诗歌，以及对仪式的细腻描述，然后汇集成丰富的文化描写，从而建构起数个典型的文化模式。这点尤以《文化模式》表达最为清楚。虽然形貌论并未解释这些典型如何产生，且描述重于数据与分析，却确切描绘出多元文化存在的必

① 博厄斯. 人类学与现代生活［M］. 刘莎，谭晓勤，张卓志，译. 王建民，校. 北京：华夏出版社，1999：131.

要性。

四、文化形态史观派的文化形态理论

20世纪上半叶，西方学术界兴起了文化形态史或文化形态学的研究，其独特之处在于，不再以国家、民族、血缘等传统角度进行研究，而是将文化（或文明）作为研究单位，视其为活的有机体，运用直观的、透视的方法，对文化（或文明）的发生、发展运用形态学的方法进行比较，通过解析其内在的规律性，从而对人类文化（或文明）发展的轨迹予以把握。在西方，文化形态史观的主要代表是德国历史哲学家奥斯瓦尔德·斯宾格勒和英国历史学家阿诺德·汤因比。

奥斯瓦尔德·斯宾格勒（Oswald Spengler，1880—1936）在他的代表著作《西方的没落》一书中，创造性地运用文化形态学的方法，将文化视同活的有机体，通过“观相”法对文化的未来轨迹予以把握，并且直言不讳地向全世界宣告：文明是文化的僵死状态，世界上除了西方文明以外的其他文明都已死去，而西方文明最终也将没落。他的“文化形态史观”的基本含义可以概括为三个方面：首先是“文化生命”说，他断言历史或文化是一个具有生命的、活泼的流行境界。他把自然和历史看作是具有高级文化的人类用以综合和解释他的直接感官印象的两种形式；是人的醒觉意识中轮流出现的两种截然不同的世界图景。“醒觉意识”主要是指感觉，尤其是指视觉，人对自然、历史的“整理”，无非是以“眼”为主的对外部世界的不同感觉。特别是“历史”，始终是以“观察者”为中心，历史发展的方向为“观察者”所规定，历史的目的，也不过是为历史思想家提供实现时代所要求的“历史图景”的理论根据而已。其次是“文化灵魂”说，“文化灵魂”说意指世界上各种文化形态或类型具有不同的“灵魂”（soul）或“观念”（idea），也称“基本象征符号”（Prime Symbol）。斯宾格勒称世界上曾存在、尚存在九大文化类型，它们都有不同的“文化灵魂”。古典文化的灵魂称为“阿波罗精神”（Apolloian Spirit），西方文化的灵魂是“浮士德精神”（Faustian Spirit）。此外，阿拉伯、埃及、中国、印度、巴比伦、墨西哥、俄罗斯各文化类型都有自己特殊的灵魂。各种不同类型的文化都是不同文化灵魂的表现。再次是“文化盛衰”说。斯宾格勒提出文化兴衰三阶段论。人类文化，不管是何种类型，都要经过这样三个阶段：前文化（pre-culture）阶段、文化（culture）阶段和文明（civilization）阶段。三个阶段形成一个循环往复的过程，每一个循环周期长达 1400 年。

汤因比（Arnold Toynbee，1889—1975）的代表著作是《历史研究》。与以往史学研究不同的是：汤因比既没有叙述历史上出现的重大事件，也没有把民族国家作为历史研究的基本单位，而是把文明作为历史运行的基本单位。他认为：“历史研究的可以自行说明问题的单位既不是一个民族国家，也不是另一极端上的全体人类，而是我们称之为社会的某一群人类。”① 从汤因比对文明的使用来看，文明是指在特定的时空中由某一群人组成的社会，它由政治、经济、文化构成，其中文化是文明的核心。综观人类社会发展的历程，汤因比将人类社会 6000 年文明史分为 21 个文明单位。文明社会的 21 个单位是同时代的，而且各个文明是等价的。文明之间可以进行比较，并且只有通过对历史上所有文明类型的比较研究，才能从整体上把握人类发展的总趋势。这也正是汤因比努力探索的方向。根据文化形态的同时代、等价的可比性原则，汤因比反对历史进程的直线论，也反对欧洲中心论。“挑战—应战”说是汤因比文化形态学理论的一个重要内容。汤因比对文明的内在机制进行了深入的分析，以说明文明进步的内在动因。他认为，每一个文明都可分为起源、生长、衰落、解体四个阶段。

---

① 汤因比．历史研究（上）[M]．曹未风，译．上海：上海人民出版社，1997：14.

文化形态史观作为一种独特的学说，其出现有着特定的历史背景，“在西方资本主义不断出现危机的社会背景下，形形色色的文化归因论出现了，文化形态学即是其中之一”①。正因为文化形态学是在危机中孕育而生的一种学说，所以在其创生之初就无可避免地烙上了文化宿命论的深深印记。

马克思的三大社会形态理论为文明时代文化形态学的建构提供了理论依据。他在《政治经济学批判》中指出：“人的依赖关系（起初完全是自然发生的）是最初的社会形态，在这种形态下，人的生产能力只是在狭窄的范围内和孤立的地点上发展着。以物的依赖性为基础的人的独立性，是第二大形态，在这种形态下，才形成普遍的社会物质变换，全面的关系，多方面的需求以及全面的能力的体系，建立在个人全面发展和他们共同的社会生产能力成为他们的社会财富这一基础上的自由个性，是第三个阶段。第二个阶段为第三个阶段创造条件。因此，家长制的，古代的（以及封建的）状态随着商业、奢侈、货币、交换价值的发展而没落下去，现代社会则随着这些东西一道发展起来。”②

马克思的三大社会形态理论，实际上也就是文明时代的三大文化形态理论。第一大社会形态就是以自然经济为基础的农业社会，与这一社会相适应的文化是农业文化；第二大社会形态就是以商品经济为基础的工业社会，与这一社会相适应的文化是工业文化；第三大社会形态就是以“个人全面发展和他们共同的社会生产能力成为他们的社会财富”为基础的后工业社会，与这一社会相适应的文化是后工业文化。

我国学者朱谦之参照了斯宾格勒文化形态学的观点和方法，通过这种纵横交错的研究方法，对整个文化的发展加以阐释。首先是

① 张广智．西方史学史［M］．上海：复旦大学出版社，2010：291.

② 马克思，恩格斯．马克思恩格斯全集：46 Ⅰ ［M］．北京：人民出版社，1979：104.

他的“文化四形态”，他将文化分为宗教、哲学、科学、艺术四种形态，其中除了艺术作为世界文化的综合协调之外，其余三种文化形态分别对应印度（宗教）、中国（哲学）、西方（科学）。此三种文化形态在各自纵向文化发展过程中，经过“己文化”与“他文化”的独立、传播、渐趋融合，最后殊途同归地趋向艺术文化时期，而此时的艺术文化则包容了前三种文化形态，由此达到文化的“和而不同”。由此，朱谦之提出了中国文化的“三周期”说：黄河流域文化期（宗教时期）、长江流域文化期（哲学时期）、珠江流域文化期（科学时期）。朱谦之将中国文化按照文化形态学的划分方法，分为了生长期（纪元前 246 年之前）、混交期（纪元前 246 年至纪元后 906 年）、发展期（宋至现代）。其次，朱谦之认为中国文化不但现在没有“僵死”，而且将来也不会灭绝，中国文化具有绵延的文化时间和广阔的文化空间；“古而不亡，老而不死”的中国文化终将复兴，并且，在经历科学文明的洗礼后更会迸发出非凡的创造性，再次绽放出灿烂辉煌的生命力。[1] 朱谦之文化形态学指向的是中国文化形态的自我更新，他以为中国文化通过自觉、主动地融摄西方文明，可向一更高形态发展。

五、结构功能主义学派的文化理论

结构功能分析是 20 世纪初英国人类学家马林诺夫斯基和拉德克利夫-布朗为探求人类社会如何不同而建立的一种解剖社会群体而行之有效的调查研究方法。功能学派学说的确立，不仅在文化人类学领域产生了重要影响，而且对以后美国社会学的发展也产生过推动作用。

（一）拉德克利夫-布朗的结构功能主义理论

拉德克利夫-布朗（A. R. Radcliffe-Brown，1881—1955）早期

① 朱谦之. 朱谦之文集：第七卷［M］. 福州：福建教育出版社，2002：368.

特别强调对文化功能的研究，他说："原始社会的每个风俗与信仰在该社区的社会生活中扮演着某些决定性的角色，恰如一生物的每个器官在该有机体的一般生命中扮演着某些角色一样。"① 他认为民族的信仰仪式功能就是促进该社会的团结与凝聚力。他还指出，一切文化现象都具有特定的功能，无论是整个社会还是社会中的某个社区，都是一个功能的统一体。构成统一体的各部分相互配合、协调一致，研究时只有找到各部分的功能，才可以了解它的意义。

拉德克利夫-布朗结构功能主义思想主要包括：（1）社会结构是指一个文化统一体中，人与人之间的关系，包括人与人组合的各种群体及个人在这群体中的位置。群体有阶层和类别两种形式，前者如贵族与平民、工人与农民；后者如男人、女人、家庭、家族等。（2）人与人之间的社会关系是由"制度"支配的，而制度是指某些原则、社会公认的规范体系或关于社会生活的行为模式。（3）人与人之间的关系是变动不居的，因此社会结构也是一个动态的社会现象，但是社会结构的形式是相对稳定的。基于以上的看法，拉德克利夫-布朗将社会结构定义为："在由制度即社会上已确立的行为规范或模式规定或支配的关系中，人的不断配置组合。"②

另外，拉德克利夫-布朗宣称自己赞成社会进化论的理论，并且提出了自己独到的见解，在他看来，进化理论可概括为三个方面：（1）有机体进化和社会进化都是受制于自然规律的自然过程。（2）进化过程是一种趋异的发展，同样，各种现存的或我们从历史上得知的社会生活形式，也是趋异发展过程的结果。（3）无论是有机体进化还是社会进化，其中都存在一普遍趋势，这就是斯宾塞所讲的"组织的进步"。最后，他强调指出，进化并不意味着进步，

---

① 哈奇．人与文化的理论［M］．黄应贵，郑美能，译．齐齐哈尔：黑龙江教育出版社，1988：214.

② 拉德克利夫-布朗．社会人类方法［M］．夏建中，译．济南：山东人民出版社，1988：148.

因为，进化仅仅是结构和功能的发展和社会关系的复杂化，而进步是指知识的积累和通过发明与发现而产生的技术改进以及道德的发展。这样，社会也许是向一种内外均衡的结构状态迈进，也许是向更复杂的社会结构发展。但这种结构本身是更好些还是更坏些，应当根据另外一些标准来判定。

（二）马林诺夫斯基文化的功能主义理论

马林诺夫斯基（B. K. Malinowski，1884—1942）的《科学的文化理论》一书是其功能主义理论比较全面和系统的总结。他的主要观点是用整体的观点来考察社会、处理文化现象以及以文化的功能来解释文化事实。正如他最清楚地表达："文化功能主义的看法定下了这样的原则：在每种文明中，一切习惯、物质对象、思维和信仰，都起着某种关键作用，有着某些任务要完成，代表着构成运转着的整体的不可分割的部分。"① 他主张把诸如经济、法律、教育、科学、巫术、宗教等人类的文化方面，同人类的生活需要联系起来进行功能分析，这样，就等于给研究提供了"导游图"，使他们有可能对这种文化现象做出圆满的解答。马氏指出："功能总是意味着满足需要，从最简单的吃喝行为到神圣的仪式活动，都是如此。"② 人生的基本需要有新陈代谢、新生、舒适、安全、行动、生长和健康七种；每个社会因适应这些需要才产生食物供应、亲属、衣服、居室、防卫、活动训练、卫生七种文化反应。这些文化反应又产生四种需要：一是经济组织，即指工具、器物以及其他物质的制作、使用和维护；二是社会控制，即指导人类行为的准则如风俗、法律、道德等；三是教育制度，有利于继承上一代的文化制度，有关的经验和知识；四是政治组织，指每一个社会中的权威中心及其执行的方法。

---

① 卡尔迪纳·普里勃. 他们研究了人［M］. 孙恺祥，译. 北京：生活·读书·新知三联书店，1991：249—250.

② 转引自王祖望. 马林诺夫斯基的生平和学说［J］. 国外社会科学，1980（6）：59.

马林诺夫斯基还认为，文化特质中最为关键的两个方面是人的基本需要和人对文化的反应。人类社会为了满足食物需要便引起食物搜集合作和生产，因此社会就会产生政治组织和社会控制来保证这种需要；又如婚姻和家庭制度的产生是为了满足人类生育的需要，而教育制度则是为满足成长的需要，如此等等。所以说，马氏对文化的看法是：所有的文化因素，最终都被视为满足个人的“生理上的基本需要”，然后满足“制度上的需要”（如法律制度、教育制度）以及“整合上的需要”（如宗教艺术等）。这就是马氏的三大功能说。这三大功能只能说是探究社会制度之间的相互联系，即制度之间如何彼此协调以及它们发生什么功能作用问题，而不是寻求因果的解释。马氏的功能分析显然是与他的理论联结在一起的。他自己曾经解释说：“他的功能理论是在一个有机的统一体内体现其独立部分是坚决地履行其生机的功能的。”①

地域文化的特性，尽管有它特定的地域性，但与一般性的文化一样，依然有它自身的结构性和功能性，这种结构性和功能性所反映的亦是人与人之间的各种关系。掌握了这些特点，可以深入地理解地域文化的价值意义。上述结构功能主义的理论为地域文化的研究提供了一个不可或缺理论视域。

六、精神分析学派的文化理论

精神分析学派是西方现代心理学思想中的一个主要流派。它产生于19世纪末20世纪初，最初主要是一种精神病症的治疗方法及其心理理论。其创始人是奥地利精神病学家西格蒙德·弗洛伊德，代表人物有阿德勒、荣格、奥图、兰克、卡伦等。到20世纪20年代，这个流派的理论逐渐扩展到社会科学的各个领域，发展成为无所不包的哲学观，构成了现代西方的一种主要的社会思潮。精神分

---

① Cultural Anthropology. Encyclopedia Britanca. 13th ed. Supple. p. 133, 737.

析学派在理论上最大的特征之一，是突出和深化研究人的“潜意识”，提出了人的心理和人格的新的独特的解释，强调人的本能的、情欲的、自然性的一面，它首次阐述了无意识的作用，肯定了非理性因素在行为中的作用，开辟了潜意识研究的新领域；它重视人格的研究、重视心理应用。

众所周知，精神文化是文化结构中最深层、最隐秘、最核心的部分，代表着文化的本质特征，是文化研究必不可少的关键性内容。依此，地域文化的核心部分自然也是其精神或心理的部分，具体内容是作为地域人群“集体潜意识”和人格心理特征。因此，探究“潜意识”问题且成果颇丰的精神分析学派的相关理论和方法，自然纳入了地域文化研究的视域。其中，弗洛伊德的“潜意识”理论、荣格的“集体潜意识”理论、美籍华人许烺光的“社会人格”理论，在被纳入唯物史观框架后，对地域文化研究大有裨益。

（一）弗洛伊德的“潜意识”理论

弗洛伊德（S. Freud，1856—1939）的“潜意识”理论，首先着眼于精神层次的分析，他认为人的精神活动，包括欲望、冲动、思维、幻想、判断、决定、情感等会在不同的意识层次里发生和进行；不同的意识层次包括意识、前意识和潜意识三个层次。所谓意识是指人能够自己意识、觉察到的观念、意象或情感心理活动；潜意识是指发生在人不知不觉的潜在境界里的一些本能冲动、被压抑的欲望或生命力，却因不符合社会道德和本人的理智，无法进入意识被个体所觉察的思想、观念、欲望等心理活动；而前意识是介于意识与潜意识之间的不会被个体所觉察，又偶尔会暂时出现在意识层次里的一些不愉快或痛苦的感觉、意念、回忆等心理活动。

接着，弗洛伊德又提出了他的人格理论，他认为人格结构由本我、自我、超我三部分组成。本我是指原始的自己，包含生存所需的基本欲望、冲动和生命力。本我是一切心理能量之源，本我按快乐原则行事，它不理会社会道德、外在的行为规范，它唯一的要求是获得快乐，避免痛苦，本我的目标乃是求得个体的舒适，生存及繁殖，它是无意识的，不被个体所觉察。自我是指自己可意识到的执行思考、感觉、判断或记忆的自己，自我的机能是寻求“本我”冲动得以满足，而同时保护整个机体不受伤害，它遵循的是“现实原则”，为本我服务。超我是个体在成长过程中通过内化道德规范，内化社会及文化环境的价值观念而形成的自己。其机能主要在监督、批判及管束自己的行为，超我的特点是追求完美，所以它与本我一样是非现实的，超我大部分也是无意识的，超我要求自我按社会可接受的方式去满足本我，它所遵循的是“道德原则”，故超我是人格结构中代表理想的部分的自己。

由此看来，弗洛伊德的精神层次理论和人格理论，是相互关联的，都是阐释人类精神或心理领域的心理学说。其中一个最关键的概念则是“潜意识”，潜意识是人的精神系统的内核要素，几乎统领、支配着整个人的全部心理活动。所以，弗洛伊德认为，潜意识积淀着人的身体的各个部分传来的机体刺激，这种刺激是由人们的欲望引发的。弗洛伊德一开始把所有欲望分为性欲和自我保护欲两种，后来将这两种欲望合二为一——性欲，并且认为欲望对人的控制力异常强大，不可能依靠人的肌肉运动加以消除。人的内在欲望的刺激是一种持久的力量，是无法逃避的，它顽强地要求获得满足。因此，如果说意识受着“现实”原则的支配，那么，由内在欲望的刺激而产生的无意识则只服从“快乐原则”。弗洛伊德还进一步指出，欲望的满足如不加以控制，则可能直接破坏个人的正常生活，而担当消除、压抑这些欲望的职能的是人的一种特殊部门——“监察部门”——人的良心，就是个体经过教育过程而形成的社会意识。如果人的良心一旦被蒙蔽或者放松警惕，“无意识就会显露出来，或者表现为各种精神病态，或者表现为创造性的升华状态，如人类精神中文化的、艺术的和社会方面的有价值的东西。这样，无意识在弗洛伊德那里已不再是某种偶然的、零散的、异己的东西，它已变成人人所具有的某种综合性体验，直接或间接地决定着人们各式各样的生存活动。不管是以往的或是现今的生活，不管是正常的或是病态的生活，也不管是低下的或是高尚的生活，无不由某种无意识所决定。因此，上述无意识学说使精神分析说由一种解决心理疾病的理论与实践中具体问题的方法，顺理成章地转向建立一种关于个性、社会和文化的无所不包的观念体系”①。

（二）荣格的“集体潜意识”理论

弗洛伊德的高足、瑞士心理学家荣格（C. G. Jung，1875—1961），继承和发展了他老师的学说，为现代心理学的发展做出了巨大贡献。他根据自己亲身体验及在对临床病人的大量观察和广泛研究了各民族宗教神话之后，提出来的“集体潜意识”理论是一套颇具说服力的人类心灵深层结构理论。这一理论勾画出了人类心灵的原始面貌，为沟通过去与现代、东方与西方架起了一道心理学的桥梁。荣格突出心理结构的整体性，提出“集体潜意识”等概念，一方面把人的精神结构视作意识和潜意识的统一体；另一方面把潜意识分为“个人潜意识”（或“情结”）和“集体潜意识”（或“原型”）两部分。个体潜意识是潜意识的表层部分，包括一切被遗忘的记忆、知觉和被压抑的经验，以及属于个体性质的梦幻等，这和弗洛伊德的前意识很相似，是可以进入意识的。集体潜意识一种本原的模型，是遗传的先天倾向，不需要任何帮助，就可使一个人的行动在一定的情况下与人类祖先的行动相似。

而荣格研究的重点是“集体潜意识”，按照他的观点，人的心理活动的最底层不是情结，而是集体潜意识，是体现人的社会特性的潜意识。所以，他的集体潜意识包含了以下四层含义：一是集体潜意识源于历史经验的积淀。集体潜意识是“人类自原始以来世世代代的心理经验的长期积累”，并“沉淀”在每一个人的潜意识深

① 夏建中. 文化人类学理论学派：文化研究的历史［M］. 北京：中国人民大学出版社，1997：161.

处，是“历史在种族记忆中的投影”[1]。二是集体潜意识是人类普遍所具有的心理意识。他说：“集体潜意识是全人类所普遍具有的，她的内容在全世界每个地方都能发现。”[2] 三是集体潜意识具有延续人类个体生命的作用。荣格解释说，因集体潜意识源于遗传，神话、图腾、不可理喻的梦等，往往包含人类心理经验中一些反复出现的“原始表象”，它们就是集体潜意识的表现，即“原型”[3]，它们是心理经验的先天决定因素，人在获得自己身体的同时，也获得了一个高度进化和变异了的大脑，这个大脑随身携带着它的全部历史。四是集体潜意识可以表现许多具体原型形式。荣格认为，在世界各民族的宗教、神话、童话、传说中，他找到了大量这样的原型，包括出生原型、再生原型、儿童原型、英雄原型、上帝原型、智者原型、大地原型、母亲原型等等，宛如磁石一般吸引着与之相关的各种生活经验，形成影响个人发展的情结，进而在生活中表现出来。

显然，荣格的“集体无意识”学说及其对弗洛伊德“潜意识”理论的深化是立基于人的社会特质的，具有较强的理论说服力和科学成分，因而一经问世就被许多人接受，成为人们衡量自我和别人性格的标准，对以后心理科学的发展起了积极的影响作用。但是，荣格的“集体无意识”学说并不是那么天衣无缝、无懈可击的，如有的理论和观点不是以实践调查为主，大多数出于主观的构想和纯粹逻辑的演绎，尽管他后来也作了适当调整和修正。有人是这样评价的：“尽管他似乎认为全世界所有的‘种族记忆’都是相同的，抹煞了不同群体集体潜意识结构的多层次和多样性，但是，他毕竟注意到了不能使万人一腔，亿人一面，因为，他最后还是提出了时代精神与潜意识之间的转换（‘补偿’）问题。由于人们的‘时代

① 弗尔姆．荣格心理学导论［M］．刘韵涵，译．沈阳：辽宁人民出版社，1988：2.
② 同①.
③ 同①3.

精神'是不同的，同时它也可能成为获得性遗传因素，所以，这种转换可能导向集体潜意识的多样化和变异性，从而为人们的心理也受制于实践的理论提供了贞守之地。"[①]

（三）美籍华人学者许烺光的"社会人格"理论

华裔美籍人类学家许烺光（英文名 Frances L. K. Hsu，1909— ）认为，人格这个概念应当是指个人的一生中与社会文化产生相互作用的动态过程。为此，他特别提出"社会人格论"，一方面从社会心理学和文化心理学的角度深化了精神学派的有关理论；另一方面又结合中国传统文化展开有关论述，对中国地域文化的研究不无启示。

许烺光指出，以往不少学者对人类心理的研究是以个体为单位展开的，社会文化对个人的心理结构的被严重忽略，这是有待纠正的。因此，他主张建立一种从社会、文化角度研究人格的理论。他在《文化与自我》中，将人格与社会、文化的关系勾勒成多层同心圆的模式。这个同心圆从外到里是"外部世界（其他社会的人、习俗及人工制品）——更广泛的社会与文化（人、文化规范、知识和人工制品）——有用的社会与文化（以角色关系为特征的、个人认为有用的人、事物和观念）——个人的社会与文化（个人对其有强烈依恋感的外部世界的一部分，主要是指与自己有亲密关系的人、文化习俗）——可表意识（可以表达的个人心理内容、观念和情感以及观点、思想等）——不可表意识（由于个人原因，隐藏在个人内心中不可表达的意识）——前意识（弗洛伊德的'前意识'）——无意识（弗洛伊德的'无意识'）"。[②] 于是，"人"与人格便成为两个概念，人格成了由"人"派生的东西。在这个思

① 胡义成. 把精神分析引入中国地域文化研究——论精神分析学派的"隐型文化"理论在中国地域文化研究中的改造性应用［J］. 南昌航空工业学院学报（社会科学版），2003（2）：2.

② 夏建中. 文化人类学理论学派：文化研究的历史［M］. 北京：中国人民大学出版社，1997：207—210.

路中，我们看到了心理人格对社会文化的依赖。所以，我们也不难由它们的地域差异推出关于“人格”地域特征的有关结论。

由此可见，上述精神分析学派关于无意识、潜意识、集体无意识、人格心理等的概念与理论，在地域文化研究中，有许多适用的范围和对应对象，应该说，只要加以适当的理论弥补，可以从这些概念、观点及其多样化的变异中探讨关于地域文化特质、地域文化形态、地域文化结构等，并以此作为地域文化研究的某些基本的社会心理学依据。

七、新进化论学派的文化理论

第二次世界大战以后，美国学术界对进化论的态度发生了转变，重新评价了古典进化论之父摩尔根的历史贡献，并在此基础上丰富了进化理论，成为影响较大的新进化论，其主要代表是莱斯利·怀特和他的学生斯图尔德。

（一）怀特的普遍进化理论

莱斯利·阿尔文·怀特（L. A. White，1900—1975）不像摩尔根那样以食物和生产工具作为进化的标志，而是用能源的获取来作标志。同时，他特别强调了文化发展的独立性或超有机体性，所以，他的理论被称为新进化论。该理论被誉为美国 20 世纪的主要社会思潮之一。具体而言，其理论内容主要有以下几个方面。（1）文化的主要特征是符号。符号则是人类随意赋予某种意义的事物或事件，符号的意义完全是由它的使用者来指定的。人具有以符号为特征的文化，是人与动物的根本区别。（2）文化进化的标志是人类获取能量的增长。怀特认为符号不能为文化进化提供动力，而这种动力只能来自能量。人类对更多能量形式的发现和改进、对能量加以利用的手段，使得文化逐步发展和进步。反过来说，文化的首要功能也是利用和控制能量，使之服务于人类，两者是相互促进、相互影响的关系。所以，文化是一种机制，是人类特有的手段，它要为人类的生存和生存水平服务，这是人类独有的优越性。(3) 技术发展是整个文化进化的基础。怀特将整个文化划分为三个亚系统，即技术系统、社会系统和思想意识系统。技术系统处于基础，对文化的进化起着决定性的作用。(4) 文化决定发明与革新。怀特坚持文化是一个自我产生、自我运行、自我发展的独立体系，它不但是人类天性的决定因素，也是发明与革新的决定因素。

（二）斯图尔德的多线进化与文化生态学理论

斯图尔德（J. H. Steward，1902—1972）的多线进化论观点集中体现在他对古代文化进化的研究中。他指出秘鲁、美洲地区、埃及、美索不达米亚和中国五个地区不仅经历了相似的演化顺序，而且发展阶段也大致相同。它们发展相似性的主要原因是生态环境的相似性，即都是干燥与半干燥地带。在这种生态环境下，土地容易耕种，易于发展农业生产，人口增长快。这五个地区的发展成为文化进化的一条线索，而别的生态环境与技术的结合，也会产生其他进化路线。他还断言，对于人类的生存而言，没有什么比从生态环境中获取生活资料更为重要。而对于这种获取生活资料的劳动来讲，也没有什么比这种人类活动更具社会性的交往性了。

就生态学的意义而言，人就是“适应环境”，而人类就视环境为总生命网，人是这一生命网的组成部分。所以，斯图尔德认为文化生态学主要研究生态环境、生物有机体与文化要素三者之间的关系。他认为文化在人类与其生态环境之间起着举足轻重的作用。其理论本质就是文化与自然环境虽然是相互作用的，但是自然环境起着最终的决定作用，它不仅允许或阻碍文化发明的运用，而且往往还会引起具有深远后果的社会适应。①

任何地域文化的形成和发展同其他文化一样，离不开文化主体的技术性创造活动，离不开人类生态环境的重要影响，怀特的普遍

① 夏建中. 文化人类学理论学派：文化研究的历史［M］. 北京：中国人民大学出版社，1997：228—230.

进化理论和斯图尔德的多线进化与文化生态学理论为地域文化研究中的地域环境与文化的互动关系提供了学理分析和理论支撑。另外，从文化的本质意义来说，文化就是有特殊意义的符号，地域文化的研究同样可以运用这一理论进行本体论的思考。

第二章

地域文化的理论阐释（下）

应该说，概念、范畴、认识论、方法论是学科体系构建的基本要素和重要内容。所以，地域文化研究不能忽视其方法论的讨论。方法论是普遍适用于各门具体社会科学并起指导作用的范畴、原则、理论、方法和手段的总和，是知识探究和价值追问的基础，必须将之摆在优先的位置。尽管人文科学有别于具有描述性、实证性特征的自然科学和社会科学，但是由于人文科学所具有的规范科学或价值科学的性质，其研究方法也有其独立性与独特性。地域文化研究从学科属性来说，应该属于综合性学科或者说是交叉学科性质，它具有地理学、历史学、人类学、文化学、民俗学等学科特点，所以，地域文化研究无疑属于人文科学领域。事实上，目前地域文化研究中的诸多方法，都是源于人文学科方法论的启示。

第四节　地域文化研究的基本方法

就目前情况而言，纯粹而独立的地域文化研究方法暂时阙如，学术界一般是基于自己学科的立场，运用所属学科的研究方法，开展地域文化研究的。在此，考虑到地域文化研究的人文学科的综合性性质，笔者选取适应地域文化研究的人文科学研究方法，如地理环境与文化关系研究法、理解与文本的诠释学研究方法、大传统与小传统的民俗研究方法、文献与田野的实证研究方法，希望为地域文化研究提供方法论视角。

一、马克思主义文化研究方法

经典著作家非常关注历史文化和社会文化，有着十分丰富的文化认识论和文化方法论思想。这是每一个马克思主义者认识和改造文化世界的根本方法，这主要包括在辩证唯物主义和历史唯物主义之中，其内容的丰富性和实践指导性是不言而喻的，其中主要有主体实践方法论、文化辩证方法论、文化历史方法论、文化系统方法论。

（一）主体实践方法论

实践的观点是马克思主义哲学的首要观点，也是马克思主义文化哲学的首要观点。从主体实践出发，是马克思主义文化方法论的根本出发点；人民群众是建设文化、发展文化的主体力量，“以人为本”是马克思主义文化方法论的核心立场；文化理论根源于社会实践，又反过来指导实践，理论与实践相结合是马克思主义文化方法论的基本原则。

马克思、恩格斯创立的新唯物主义坚持从主体实践去观察文化世界，马克思明确指出：“从前的一切唯物主义（包括费尔巴哈的唯物主义）的主要缺点是：对对象、现实、感性，只是从客体的或者直观的形式去理解，而不是把它们当做人的感性活动，当做实践去理解，不是从主观的方面去理解。所以，结果竟是这样，和唯物主义相反，唯心主义却发展了能动的方面，但只是抽象地发展了，因为唯心主义是当然不知道真正现实的、感性的活动本身的。”① 在这里，马克思首次以主体实践为基础来解释文化的本质问题，形成了以主体实践为基础的文化哲学及其方法论。文化的本质在于主体实践的创造性。主体实践是创造文化、发展文化的基础。为什么说主体实践是文化的基础？这是因为：实践是形成文化主体的基础，实践是创造文化的基础，实践是文化发展的根本动力。正因为主体实践是文化产生和发展的基础，所以必须坚持从主体实践出发，去研究文化和建设文化，这是马克思主义文化方法论的根本出发点。

马克思主义还认为，人民群众是历史和文化的创造者，坚持“以人为本”，这是马克思主义文化方法论的核心立场和根本态度。

① 马克思，恩格斯．马克思恩格斯选集：1［M］．北京：人民出版社，1995：58.

马克思明确指出："旧唯物主义的立脚点是'市民'社会；新唯物主义的立脚点则是人类社会或社会化的人类。"① 这里讲的"社会化的人类"，实质上是指最广大人民群众，而不是孤立的、抽象的个人。马克思主义特别注重坚持从现实世界出发，实事求是，理论与实践相结合。实事求是是马克思主义的精髓。实事求是的基本方法就是理论联系实际、理论与实践相结合。在马克思主义看来，一方面，实践是理论的基础，实践是检验真理的唯一标准；另一方面，理论是实践的向导，它对实践具有指导作用。因此，必须坚持理论与实践相结合的基本原则。

（二）文化辩证方法论

文化辩证方法论是以辩证唯物主义和历史唯物主义为哲学基础的，是唯物辩证法在文化研究中的具体运用。运用唯物辩证法指导文化研究，必须坚持从本国现代文化的实际出发，以社会核心价值观为指导，探求文化发展的客观规律，以客观辩证的态度和方法对待本国传统文化、地域文化及其多样性、普遍性、特殊性。批判地吸收传统文化和地域文化中的精华或有益成分，使之为本国现实文化发展服务，推动本国现实文化的创新与超越。我们必须从中国现实出发，用辩证方法论来研究传统文化、地域文化。我们所讲的文化辩证方法论以及对中国传统文化采取辩证分析的方法，必须做到以下两点：一是要对中国传统文化采取辩证分析的态度，把"去其糟粕"与"取其精华"有机地结合起来。二是要对中国传统文化采取辩证否定的态度，把批判继承与创新发展有机结合起来。辩证否定的实质是"扬弃"，既有克服，又有保留，既有继承，又有创新。

（三）文化历史方法论

历史唯物主义是马克思主义哲学的重要组成部分，是马克思一生两大理论发现之一。历史唯物主义是文化历史方法论的哲学基

① 马克思，恩格斯. 马克思恩格斯选集：1［M］. 北京：人民出版社，1995：61.

础，文化历史方法论是历史唯物主义的具体运用。唯物史观既是科学的历史观，又是科学的方法论。从方法论的视角看待历史唯物主义，就形成了历史方法论。历史方法论是研究文化的基本方法，主要内容有历史的发展是有规律性的；社会存在决定社会意识，而社会意识又具有相对独立性；经济基础决定上层建筑；人民群众是社会历史的创造者等等。

历史方法论还要求我们必须科学地对待文化遗产。所谓“文化遗产”包括物质文化遗产和非物质文化遗产两大类。物质文化遗产是以物质财富的形式遗留下的历史文化，从形式上看，它是一种物质财富，比如：建筑、桥梁、工具等，但从内涵看，它凝聚着人类祖先的智慧和精神。非物质文化遗产是以语言、文字、艺术、宗教、传统、习惯等精神财富的形式遗留下来的历史文化。其存在形式是非物质的，其内涵是精神文化。无论是物质文化遗产，还是非物质文化遗产，都是人类祖先遗留给我们的宝贵财富。历史方法论是具体分析文化性质的正确方法。

（四）文化系统方法论

人类文化也是以系统的方式存在的。所谓“文化系统”，是指由若干相互联系、相互作用、相互影响的文化要素所构成的具有一定结构层次，并发挥文化功能的有机整体。文化系统具有整体性、多维性、动态性和开放性等特点。既然文化是以系统的方式存在的，因此，研究文化时必须采用系统分析的方法。文化系统方法论包括以下几个方法：文化整体研究方法论，文化多维研究方法论，文化动态开放方法论。

综上所述，马克思主义文化方法论包括主体实践方法论、文化辩证方法论、文化历史方法论和文化系统方法论。这四个方面是有机结合，不可分割的。其中，主体实践方法论是基础，是最根本的方法论。文化辩证方法论和文化历史方法论是核心和灵魂，是辩证唯物主义和历史唯物主义的集中体现。文化系统方法论是综合，是主体实践方法论、文化辩证方法论、文化历史方法论的综合运用。

二、地理环境与文化关系的研究方法

（一）地理环境

一般而言，地理环境可分为自然地理环境（或自然环境）、经济地理环境（或经济环境）和人文地理环境（社会文化环境）。就地理环境与文化之关系语境来说，地理环境是指一定社会所处的地理位置以及与此相联系的各种自然条件的总和，包括气候、土地、河流、湖泊、山脉、矿藏以及动植物资源等。作为生态基础的地理环境还可以分为两大部类，其一为生态系统的生物成分及其他有机物质，是人类生活的有机环境；其二为生态系统的气候、土壤、无机物质、地形、纬度、海拔等，是人类生活的无机环境，无机环境就广义而言之，还应包括地质环境（地球整个岩石圈）和星际环境（宇宙条件）。这两大地理环境共同构成了人类生存的物质基础、创造文化的自然前提。地理环境的诸成分又相互影响，伴随着物质、能量的输出、输入关系；而人类的生活、生产活动也同地理环境诸成分之间不断进行物质、能量的新陈代谢过程。

由此可见，地理环境具有三个特点：（1）具有来自地球内部的内能和主要来自太阳的外部能量，并彼此相互作用；（2）它具有构成人类活动舞台和基地的三大条件，即常温常压的物理条件、适当的化学条件和繁茂的生物条件；（3）这一环境与人类的生产和生活密切相关，直接影响着人类的饮食、呼吸、衣着、住行。由于地理位置不同，地表的组成物质和形态不同，水、热条件不同，地理环境的结构具有明显的地带性特点，对人类社会的作用和影响亦有差异。

当然，地理环境不仅仅是文化的消极衬托物，自从人的因素渗入地理环境以后，地理环境已经成为各民族、各国度文化机体的构造成分，成为造就文化的重要元素；地理环境不是脱离人类生活的纯客观事物，而是在不同时间和空间范围内有可能为人类提供福利或造成困难的物质和能量，是人类社会生活的有机组成部分。随着人类活动向深度和广度的进军，地球上愈来愈少有全然不受人类影响的纯地理环境。在这个意义上，可以把地理环境称作“社会——地理环境”。①

（二）地域文化研究中的地理环境关怀

众所周知，历史和文化的形成与发展抑或衰败，总是受时间、空间这一特定的自然条件影响，所以，对历史和文化的认知与理解，唤起生命意识的关怀，都不能游离于地理环境的研究之外；同理，地域文化的研究对地理环境的探究与关怀，也是题中应有之义。这是基于以下几个方面的原因。一是人类本身总是特定地域之内自然的产物，其生存和生活要受自然法则的极大制约，正所谓“生于斯，长于斯”这个道理；二是人类所创造的一切文化，包括物质文化、制度文化、行为文化和精神文化，都是自然因素与人文因素的综合，地域文化的地域特色更是强调地理环境对文化的影响；三是地域文化理所当然地包括地域之内人们所创造的一切活动，即生产活动、生活活动，以及政治、经济、文化、军事等活动，都是在特定的地理环境中进行，并与之发生交互联系。

然而，进入文明时期后，随着人类主观能动性的提高和科学技术日新月异的发展，人类对地理环境的依赖性似乎有所淡化和隐化，但是人类永远也不能摆脱地理环境的制约，“天人关系”是人类思考的一个永恒主题。实际情况是人类的文明程度愈高，对地理环境利用的范围也愈益扩大和深化，人类不断向地理环境的深度和广度进军，人类进入太空、航天飞船的发射是极好的证明。因此，无论对哪一阶段、哪一地区人类文明进行研究，都不能忽视文化与地理环境的考察。

古往今来许多著名哲学家、思想家、学者已经认识到了文化与

① 冯天瑜，何晓明，周积明. 中华文化史［M］. 上海：上海人民出版社，1990：20.

地理环境的紧密联系，并提出了较为深刻的思想。古希腊著名历史学家希罗多德（Herodotos，约前484—约前425）认为，全部历史都必须用地理观点来研究，地理提供了历史和文化的自然背景和舞台场景，历史事实与它联系在一起才具有意义。古希腊著名医生希波克拉底（Hippocratēs，约前460—前377）所著《论空气、水和环境的影响》一书，认为人的身体和性格大部分随着自然环境的不同而有所不同，强调地理环境对人性的影响。古希腊著名哲学家柏拉图（Platon，前427—前347）就认为人类精神生活与海洋影响有关。古希腊百科全书式学者亚里士多德（Aristotelēs，前384—前322）认为地理位置、气候、土壤等影响个别民族特性与社会性质；希腊半岛处于炎热与寒冷气候之间而赋予希腊人以优良品性，故天生能统治其他民族。这是古代智者关于地理环境之于人类社会的思想火花。

至于到了近代，文化与地理环境关系研究成为文化研究的一个重要方面，如16世纪初期法国历史学家、社会学家博丹（Jean Bodin，约1530—1596）在他的《论共和国》中认为，民族差异起因于所处自然条件的不同；不同类型的人需要不同形式的政府。他还注意到了人类的法规、意志和教育对自然条件的反作用。他的思想表现了人文主义者对地理因素与人文因素相互关系的重视。法国启蒙哲学家孟德斯鸠（Montesquieu，1689—1755）在《论法的精神》一书中，将亚里士多德的论证扩展到不同气候的特殊性对各民族生理、心理、气质、宗教信仰、政治制度的决定性作用，认为“气候的王国才是一切王国的第一位”[①]，热带地方通常为专制主义笼罩，温带形成强盛与自由之民族。第一个系统地把决定论引入地理学的是德国地理学家拉策尔，他在《人类地理学》一书中机械搬用达尔文生物学观念研究人类社会，认为地理环境从多方面控制人类，对人类生理机能、心理状态、社会组织和经济发达状况均有影

① 孟德斯鸠．论法的精神［M］．许明龙，译．北京：商务印书馆，2009：6.

响，并决定着人类迁移和分布。因而地理环境野蛮地、盲目地支配着人类命运。拉策尔把地理环境对人类文化的影响归结为四个方面：第一，直接的生理影响；第二，心理的影响；第三，对社会组织和经济发达的影响；第四，支配人类迁徙及其最后分布。[①] 德国著名哲学家黑格尔（G. W. F. Hegel，1770—1831）认为地理环境为“历史的地理基础”，他把世界上的地理环境划分为三种类型：干燥的高地，广阔的草原和平原；巨川、大江所经过的平原流域；和海相连的海岸区域。黑格尔将自然环境对人类的影响归结为三个方面：对生产方式、经济生活发生作用；对社会关系、政治制度发生作用；对民族性格发生作用。他认为各种不同地理环境中的人们形成了不同类型的生活和性格。这里值得说明的是，辩证法大师黑格尔并没有陷入“地理环境决定论”，他特别申明，应当给地理环境的作用力以恰如其分的评价，他说：“我们不应该把自然界估量得太高或者太低：爱奥尼亚的明媚的天空固然大大地有助于荷马诗的优美，但是这个明媚的天空决不能单独产生荷马。”[②]

唯物论哲学的经典著作家们更是注重地理环境对人类社会及文化的影响，为研究地域文化提供了较为深刻的理论思维。马克思指出，在人类历史初期，“不同的共同体在各自的自然环境中，找到不同的生产资料和不同的生活资料。因此，它们的生产方式、生活方式和产品，也就各不相同”[③]。恩格斯在对古代欧洲大陆与美洲大陆的自然条件和社会历史发展情况进行比较时指出，欧洲大陆与美洲大陆在可供人类利用的动物、植物资源方面存在着很大的差异，欧洲大陆“差不多有着一切适于驯养的动物和除一种以外一切适于种植的谷物”；而在美洲大陆，在适于驯养的哺乳动物中，只有羊驼

① 曾昭璇. 人类地理学概论［M］. 北京：科学出版社，1999：1—2.
② 黑格尔. 历史哲学［M］. 王造时，译. 北京：商务印书馆，1963：123.
③ 马克思. 资本论［M］//马克思恩格斯全集：44. 北京：人民出版社，2001：407.

一种，并且只是在南部某些地方才有，在可种植的谷物中，也只有玉蜀黍。自然条件的这些差异，使这两个大陆形成了不同类型的物质生产活动，“两个半球上的居民，从此以后，便各自循着自己独特的道路发展，而表示各个阶段的界标在两个半球也就各不相同了”。[①]

其实，对地理环境与文化关系的认识是东西方学者的一个普遍视角，古代中国的一些智者也提出了相同的看法。《礼记·王制》记载：“凡居民材，必因天地寒暖燥湿，广谷大川异制，民生期间者异俗。”《管子·水地篇》也有同样的记载：“地者，万物之本原，诸生之根菀也，美恶、贤不肖、愚俊之所生也。水者，地之血气，如筋脉之通流者也。……故水一，则人心正；水清，则民心易。”又明代学者王士性在论及关中和川中水土与人性的关系时说：由于关中土厚水深，“故其人禀者博大劲直而无委曲之态……盖关中土厚水深，川中则土厚而水不深，乃水出高原之义，人性之禀多与水推移也”[②]。近代国学大师钱穆在论述中国文化的差异性时指出：

> 各地文化精神之不同，穷其根源，最先还是由于自然环境有分别，而影响其生活方式。再由生活方式影响到文化精神。人类文化，由源头处看，大别不外三型。一、游牧文化，二、农耕文化，三、商业文化。游牧文化发源在高寒的草原地带，农耕文化发源在河流灌溉的平原，商业文化发源在滨海地带以及近海之岛屿。三种自然环境，决定了三种生活方式，三种生活方式，形成了三种文化类型。此三种文化，又可分成两类。游牧、商业文化为一类，农耕文化为又一类。[③]

地理环境对文学的样式亦有深刻影响，近代国学大师刘师培先生的

① 恩格斯. 家庭、私有制和国家的起源［M］//马克思恩格斯选集：第4卷. 北京：人民出版社，1995：19—20.

② 王士性. 广志绎：卷3［M］. 北京：中华书局，1981：44.

③ 钱穆. 中国文化史导论［M］. 上海：上海三联书店，1988：2.

《南北学派不同论》对此有精彩阐述：

> 大抵北方之地，土厚水深，民生其间，多尚实际。南方之地，水势浩洋，民生其间，多尚虚无。民崇实际，故所著之文不外记事析理二端。民尚虚无，故所作之文或为言志抒情之体。①

王国维先生在研究诗歌时，对我国南北不同的文化精神有过精彩的论述，他说：

> 北方派之理想，置于当日之社会中，南方派之理想，则树于当日之社会外。易言以明之，北方派之理想，在改作旧社会；南方派之理想，在创造新社会。然改作与创造，皆当日社会之所不许也。南方之人，以长于思辩，而短于实行，故知实践之不可能，而即于其理想中，求其安慰之地，故有遁世无闷，嚣然自得以没齿者矣。若北方之人，则往往以坚忍之志，强毅之气，恃其改作之理想，以与当日之社会争；而社会之仇视之也，亦与其仇视南方学者无异，或有甚焉。
>
> ……南人想象力之伟大丰富，胜于北人远甚。彼等巧于比类，而善于滑稽：故言大则有若北溟之鱼，语小则有若蜗角之国；语久则大椿冥灵，语短则蟪蛄朝菌；至于襄城之野、七圣皆迷；汾水之阳，四子独往：此种想象决不能于北方文学中发见之，故庄、列书中之某部分，即谓之散文诗，无不可也。夫儿童想象力之活泼，此人人公认之事实也。国民文化发达之初期亦然，古代印度及希腊之壮丽之神话，皆此等想象之产物。以我中国论，则南方之文化发达较后于北方，则南人之富于想象，亦自然之势也。此南方文学中之诗歌的特质之优于北方文学者也。

① 刘师培．清儒得失论：刘师培论学杂稿［M］．北京：中国人民大学出版社，2004：253.

由此观之，北方人之感情，诗歌的也，以不得想象之助，故其所作遂止于小篇。南方人之想象，亦诗歌的也，以无深邃之感情之后援，故其想象亦散漫而无所丽，是以无纯粹之诗歌。而大诗歌之出，必须俟北方人之感情，与南方人之想象合而为一，即必通南北之驿骑而后可，斯即屈子其人也。①

笔者之所以不厌其烦的征引古今中外学者在研究有关文化问题时，对地理环境与文化关系重视和富有见地的论说，其原因主要是强调地理环境对文化的影响作用和在地域文化研究中适度采用地理环境对地域文化产生作用这一文化生态学视域及其方法。忽视和回避地理环境对地域文化的作用和影响，都是片面的。

然而，曾几何时，在主张经济决定一切和过分崇尚人的主观能动性时代，只要一谈到地理环境的作用就被列为“地理环境决定论”和“资产阶级地理思想”，甚至冠以“天命论”，并加以批判和否定，以至历史学、社会学、文化学中的地理学派以及人文地理学、统一地理学在长达30年中是销声匿迹的。“文革”之后，特别是十一届三中全会以来，极“左”思潮开始得到清算，地理环境作用论已不再被列为资产阶级地理思想。目前，由于历史惯性的原因，在学术界，地理环境作用论还是未能得到充分认识，甚至语焉不详。那么，我们究竟怎样认识地理环境的重要作用呢？

（三）地理环境对社会文化持续而深刻的作用

如上所述，地理环境对人类文化形成、发展乃至衰亡的影响是真实而多侧面，持续而深刻的，但这种作用主要又不是立竿见影的。在通常情况下，地理环境只能为文化发展提供多种可能性，至于某种可能性以某种形态转变为现实性，则取决于人类的选择。对于文化的发生、发展而言，地理环境具有物质的制约力，而创造性

① 王国维．屈子文学之精神［M］//王国维文集．北京：北京燕山出版社，1997：239.

的选择功能则蕴藏在人类的社会实践之中。

人类既受制于地理环境，又能主动地适应、选择环境，其中一个根本的原因在于人是世界上唯一具有理性的动物，理性是人类最本质特征之一，理性主要包括人所具有的分析、判断、概括、推理、演绎、综合、选择等一系列思维倾向，这就是人的人文化成、人文性。正是这种人文性，才成就了人类对地理环境的抉择。尽管这样的抉择受制于其他社会因素的影响，人类选择地理环境的一个重要原则之一则是趋利避害，当地理环境为人类创造性劳动提供机遇的时候，人类就会不遗余力地把握这种机遇；当地理环境阻碍或者危害人类的创造性劳动的时候，人类就会绕过或者克服这种困难，特别是当人文传统形成并得到高度发展以后，人类面对地理环境的趋利避害原则，便成为一种顽强的生存定势和创造性机制，成为文化发展的强大动力。

这样的情况可以得到很多事实的证明，例如在相似的地理环境中可以产生大异其趣的文化类型，东亚大陆和北美大陆同属纬度、气候大致相同的地理环境，而文化特质无论是古代还是现代，均不相同；江浙文化和岭南文化同属我国东南沿海的大陆性季风气候，其文化表征各有特色；同属长江中下游及洞庭湖地理环境影响的荆楚文化和湘楚文化也难以雷同。这是地理环境给文化提供的多样性。然而，即使相同的地理环境区域，由于强大的人文因素的介入，文化可以发生剧变，如日本大和文化的近代变化，中国台湾在 1949 年后的社会制度文化的变迁，近代英属印度殖民统治结束后印度文化等。

由此可见，在人类的创造性劳动和社会发展之中，人文因素具有强大的选择功能，人类可以在同一地理环境内创造不同的文化成果。自然环境是相对固定的，人文是相对变动的，但是变动的人文因素不能天马行空地纵横驰骋，而必须以相对固定的地理环境为物质基础，把握自然因素提供的可能性，去创造文化的现实性。地理环境作用论正是从这一意义上肯定地理环境对历史和文化的巨大影响，并进而考察地理环境对地域文化的作用，从而全面、深刻地理解地域文化。

三、理解与文本的诠释学研究方法

（一）作为研究范式的诠释学

诠释学（Hermeneutics），又名“解释学”“阐释学”“释义学”，20 世纪 60 年代以来，成为西方哲学、宗教学、历史学、语言学、心理学、社会学以及文艺理论中有关意义、理解和解释等问题的哲学体系、方法论或技术性规则的统称。诠释学主要是通过诠释学上的“理解”和“解释”以揭示“文本意义”为目标。尽管其产生的历史不长，但运用这种方法进行研究可上溯到古希腊时代。诠释学是从对文学作品、《圣经》经文、各种法典、史籍等文本意义的理解发展而来的，原初形态的诠释学主要是对荷马及其他诗人的作品的批评和解释，到中世纪后期引申到对神的寓意的体悟和对宗教经文的解释，是一种狭义的文本解释方法论。德国哲学家施莱尔马赫（F. Schleiermacher，1768—1834）突破了具体诠释对象的局限性，使之转变为一种普遍适用于一切文本解释的普遍方法论，将理解与解释的意义置于中心。他认为，由于文本的作者和读者在时间、语言、历史背景和环境诸方面的差异，造成了他们之间的个性化存在，从而使得在理解过程中误解成为一种经常的和普遍的现象，那么，诠释学就是消除误解，恢复原义。后来，狄尔泰（W. Dilthey，1833—1911）对诠释学的应用范围予以了拓展，认为要了解人的历史和社会现实存在的各种联系，就得再度体验人的各种生活，只有通过这种“体验”才能达到“理解”。这样，诠释学成为了一种不折不扣的方法论。而海德格尔（M. Heidegger，1889—1976）则开始实现从方法论诠释学向本体论诠释学的转向。海德格尔从追寻存在的意义这一哲学基本问题出发，论证了理解不仅是一种认识方式，更是一种人的存在方式，认为诠释学的对象不再是单一的文本或人的其他精神客化物，而是人的“此在”本身，“理解”不再是对文本的外在解释，而是对人的存在方式的揭示，诠释学不再被认为是对深藏于文本里的作者心理意向的探究，而是被规定为对文本所展示的存在世界的阐释。最终完成方法论诠释学向本体论诠释学转向的则是伽达默尔（H. G. Gadmer，1900—2002）的哲学诠释学。他把诠释学现象看作是人类的世界经验，通过强调理解的普遍性，确立了解释学作为一种以理解问题为核心的哲学的地位。

诠释学是围绕着“文本理解”这一个核心概念和对“文本意义”追寻为目标而建构其内容框架的。我们知道，地域文化具有广阔的人文世界和丰富的人文精神，其人文性、个体性、价值性、偶然性、习得性是不言而喻的。所以，地域文化研究的基本任务就是探究地域文化中人的主观性、意识，揭示地域文化的深层意义，而不是只停留在人的物质性层面。所以，地域文化研究要达到这样一个目的，依靠自然科学的研究理论、方法和途径是无法实现的。也就是说地域文化属于人文学科系列，人文学科的研究自有其独特的探究理论和方法，“人文现象不存在像自然界中那样强烈的和普遍有效的因果性，很难通过经验的观察来客观地加以描述和解析，只能通过主体间的交往来加以理解和解释。理解基础上的解释和解释性的理解是人文科学最重要的，也是最基本的研究方法”。[1] 这就是以追寻“文本意义”为目标的诠释学“文本理解”研究方法。更为重要的是诠释学为地域文化研究既提供了世界观的宏观理论指导，又贡献了方法论的具体方法应用。当然，诠释学不只适应于地域文化研究，事实上，自从诠释学创立以来，已经运用到了哲学、文学、心理学、语言学、教育学和历史学等学科研究之中，并取得

① 朱红文. 人文社会科学导论［M］. 北京：教育科学出版社，2011：141.

了相当可观的理论与实践成果。下面就诠释学理论中的“理解”和“文本”两个关键概念的含义及原理予以说明。

（二）“理解”的诠释学方法论旨意

“理解”是解释学的核心概念和范畴。诠释学的“理解”不是我们平时所说的一般性理解，不是人们对一种现象、事物的意义和价值的认知，不是主体对客体的主观反映；实际上，它是人的一种存在方式，是人的本质属性的一种规定，正如文化是人的一种生活样式一样。诚如伽达默尔所说：“理解的能力是人的一项基本限定，有了它，人才能与他人一起生活。”[①] 一般而言，对事物的理解是用概念或问题等来体现。根据理解的对象不同，理解具体分为言语理解，即把握言语表达的思想；行为理解，即把握人的动机与行为；自然和社会现象的理解，即把握因果关系、结构功能；科学理论理解，即把握事物的逻辑关系。“理解”的实现或达成需要一系列的前提条件，如前理解、语言、间距、解释学循环等等，它们共同规定着理解者的存在。伽达默尔是这样解释的：“理解不属于主体的行为方式，而是‘此在’的存在方式。‘诠释学’概念是在这个意义上使用的。它标志着‘此在’的根本运动性。这种运动性构成‘此在’的有限性和历史性，因而也包括‘此在’的全部世界经验。既不是随心所欲也不是片面扩大，而是事情的本性使得理解运动成为无所不包和无所不在。”[②] 可见，在伽达默尔看来，“理解”是包含主体现在和过去之全部世界经验的一种根本性、此在性（主体的存在）存在方式。用一句较为通俗的语言来说，诠释学的理解是理解者通过作者、文本和读者的意义关系的研究，考察解释过程中整体与部分的关系，弄清历史传统对理解的影响，区分说与听以及读与写这两种对话模式，探讨作者心态对原文意义的涉入，

① 伽达默尔. 解释学的挑战［J］. 哲学译丛，1987（2）.

② 伽达默尔. 真理与方法：上卷［M］. 洪汉鼎，译. 上海：上海译文出版社，2004：6.

阐明理解原文意义以及读者自我理解的互动关系。

那么，作为主体，人类为何需要“理解”呢？换言之，人类为何具有这样一种“理解”的规定性呢？这是人类精神活动或者心理活动使然。这一情形早已在狄尔泰那里得到了论证：人类在精神科学领域的活动依赖于对以往精神遗产的解释，解释活动一直贯穿在精神科学发展的始终。诠释学发展到伽达默尔时代，伽氏则进一步认为，精神科学讨论的是“理解何以可能的问题”，这就使理解获得了本体论意义。行文至此，我们说，诠释学“理解”之主体存在方式，是人类来到世界孜孜以求的一种理想境界或是一种对生命意义、价值追问与思考的终极关怀。具体而言，“理解”是人类最根本、最抽象的存在方式——意义世界的构建。首先，理解的直接目的是为了解决文本意义是什么这一问题，把握文本的意义，实现主体之间的沟通与对话，尽可能“复原”和“重建”文本意义。所以，有人说：“解释致力发现‘原意’的信念，已浸透于古典思维方式之中。”① 其次，理解主体为了自身实践活动和进一步发展的需要，必须在与文本对话、交流的过程中，创建新的意义，以实现新意义的生成。“这种意义同时也是理解者所领会到的意义，是文本在其后的流传中不断变化（意义增加与丢失并存）、在理解中所显现的意义，即在不同时代、不同的理解条件下所呈现出来的不同意义。理解就是让文本意义显现、展示、出场。”②

如前所述，诠释学的发展使伽达默尔无疑成为诠释学之集大成者，他的诠释学理论成为人文和社会科学的基础，在学术界得到了较为广泛的认可和运用。可以说，伽达默尔全部的诠释学努力主要在于“理解如何可能?”他的“理解”理论主要有以下一些关键内容：首先，理解的非客观性。在他看来，理解不可能做到完全客观化。一方面，被理解的对象本身所蕴含的信息是一种具体而丰富的

① 殷鼎．理解的命运［M］．北京：生活·读书·新知三联书店，1988：140.
② 朱红文．人文社会科学导论［M］．北京：教育科学出版社，2011：143.

结合，理解本身就不只是说明或再现，而是需要理解者积极、主动地去发现其中包含的意义。另一方面，理解者在理解中不可排除前识，前识的存在不可避免。其次，理解的历史性。伽达默尔认为时间并未造成理解的绝对疏离，而是使理解获得一种效果历史。理解按其本性乃是一种效果历史事件，没有不带“偏见”的理解，成见或偏见之物是理解的过程不可缺少的组成部分，理解永远是相对的。第三，“一切理解都是自我理解”，理解具有自我反思的作用。“解释学过程的真正现实依我看来不仅包容了被解释的对象，而且包容了解释者的自我理解”。[①] 正是在这个包容的过程中，个人的经验得到了丰富，原有的框架发生了变化。第四，理解的语言性。语言是理解必不可少的媒介，理解与语言的关系一方面表现为理解对象的本质存在于语言的媒介中；另一方面解释的语言总是同文本有着一种联系，当理解通过解释获得某种明确的语言时，它并没有创造出脱离被理解和解释的意思。第五，理解是“视界融合”。理解的结果是新的交融的视界的形成。通过理解，最终达到的不是一种视界代替另一种视界，而是两种视界的交融。

（三）“文本”的诠释学意义

“文本”也是诠释学一个至关重要的概念，又称“本文”，它是构成诠释学的对象和基础。“文本”包括书本，但又不等同于书本。其含义界定的确立经历了一个历史发展的过程。最初的即传统理解的“文本”是指表达、传递人类思想的符号系统，如文学作品、文献资料、论著等，这是“文本”最为常见的最为典型的文字文本形式。后来，随着诠释学的演进，文本就扩大了其外延。在伽达默尔诠释学理论中，为了将诠释学荣升为哲学的高度，强调其本体论意义，他将非文字物品，如文艺雕塑、绘画、

① 伽达默尔. 哲学解释学［M］. 夏镇平，宋建平，译. 上海：上海译文出版社，1994：57.

照片等也纳入到了文本对象之中，大大扩展了“文本”对象的考察范围。而真正将“文本”内涵意义上升到具有哲学意味的是法国哲学家、当代著名诠释学家保罗·利科（P. Ricoeur，1913—2005），利科认为，“文本”是“任何由书写固定下来的话语”①。在这里“话语”并不是指“语言”，而是指文本固定的是话语，凸显的是文本的主体性，它表达的是说话者的意图及其所意指的意义；话语所涉及的领域是整个世界，这个世界构成了文本的境域。这样文本理论在利科这里就延伸到了历史—社会领域。文本不再是主客体对立之间的关系，而是主体与主体之间的交往、理解的关系。于是乎诠释学“文本”概念从一般的文字文本发展到了一种具有意义的普遍性。所以，“广义的文本包括人类社会历史现象在内，即将有意义的人类行为、历史事件、社会现象等都归入文本研究的内容中”。②

由此看来，文本的本质在于它的“意义”，文本是“意义”诠释的载体，是“意义”创生的媒介。“对人类存在的历时性而言，它是一个不断产生新意义的形式结构。文本世界不同于人文世界，然而通过对文本和文本世界的分析和解释，人们重新认识和理解人文世界，并开始自我反思、自我认同与自我理解的过程。”③

从诠释学理论来看，任何一种地域文化都包含了知识、历史、传统，都是文本，都需要理解。对地域文化这一文本的理解，不只是揭示地域文化的意义，更为重要的是以地域文化为媒介不断创生新的意义。可见，在全球化日新月异和科技理性日益张扬的时代，自觉运用诠释学理解地域文化、解读地域文化，不失为人文学科研究的明智之举。

---

① 利科. 解释学与人文科学［M］. 陶远华，袁耀东，等译. 石家庄：河北人民出版社，1987：148.

② 朱红文. 人文社会科学导论［M］. 北京：教育科学出版社，2011：157.

③ 同②160.

四、“大传统”与“小传统”的研究方法

（一）雷德斐尔德“大传统”与“小传统”的研究框架

美国人类学家雷德斐尔德（R. Redfield，1897—1958）以研究乡民社会而著称，他在《乡民社会与文化》一书中提出了“小传统”（little tradition）与“大传统”（great tradition）的二元分析框架，以此来说明在复杂社会中存在的两个不同文化层次的传统。这一分析框架注重于强调二者之间的差异性，把二者置于对立面，认为小传统处于被动地位，在文明的发展中，“小传统”不可避免要被“大传统”同化。他的这一观念在西方学术界备受关注而被学者广泛接受，其学术价值不言而喻。雷氏认为，“文化中存在着小众、精英化的大传统和大众、世俗化的小传统。大传统薪火相传地承传于经院之中；小传统则自在自为地存在于非书写文化的村社生活之中。哲学家、神学家、文学家的传统被有意识地精致化而传承下来，而细民百姓的传统则在无意识中被视为自然而然，无须进一步精细化和提高”[①]，所谓“大传统”是指一个社会里上层的士绅、知识分子所代表的文化，多半是经由思想家、宗教家反省深思所产生的精英文化；而相对的，“小传统”则是指一般社会大众，特别是乡民或俗民所代表的生活文化。这两个不同层次的传统虽各有不同，却是共同存在而相互影响，相为互动的。他还认为“大传统”与“小传统”最适于研究古老文明的社会，例如印度、伊斯兰、中国。他说这些古老文明社会的研究，一向因为它们的上层士绅文化或经典文化较为突出，所以容易引起学者的注意，史学家、思想家以及古典学者的兴趣，大都长久集中在这些大传统文化方面，而其成就向来也很高。只有到了后来，人类学家与民俗学家才开始注意到代表大多数民众一般生活的小传统文化，认为这也是不可忽略的一部分，必须加以探讨，但是，这种研究的对象与资料向来都被看

① Robert Redfield, Peasant Society and Culture, Chicago: University of Chicago Press, 1956: 70.

作是不登大雅之堂的东西，也是“缙绅先生难言之”的部分，难以得到真正的共鸣。在论及小传统的功能价值时，雷氏认为，不论是大传统或小传统都对了解该文化有同等重要的意义，因为这两个传统是互动互补的，大传统引导文化的方向，小传统却提供真实文化的素材，两者都是构成整个文明的重要部分，如果只注意到其中一部分，而忽略另一部分，总是偏颇而不能综观全局的。①

在这个文化研究的框架中，他特别提到了中国。他认为，在两种传统可以区分的文明中，如中国和印度，大传统与小传统是相互影响的，主要表现在正统的哲学、宗教等精致文化向地方流动，逐步“地方化”（Parochialization）；而地方的文化则向中央和全国流动，形成“普遍化”（Universalization）。不过，按照雷氏的总体思想，他更强调大传统对小传统的影响。②

后来，西方史学界对雷德斐尔德“大传统”与“小传统”作了补充和修改，提出了“精英文化”（elite culture）与“通俗文化”（popular culture）的概念。尽管两者名词不同，实质的分别却不大。“大体来说，大传统或精英文化是属于上层知识阶级的，而小传统或通俗文化则属于没有受过正式教育的一般人民。由于人类学家和历史学家所根据的经验都是农村社会，这两种传统或文化也隐含着城市与乡村之分。大传统的成长和发展必须依靠学校和寺庙，因此比较集中于城市地区；小传统以农民为主体，基本上是在农村中传衍的。”③ 不过，“精英文化—通俗文化”论者进一步认为大传统通过学校等正规途径传播，处于封闭状态，不对大众开放，从而成为精英的文化；小传统非正式传播，向所有人开放。从而导

① Robert Redfield, Peasant Society and Culture, Chicago: University of Chicago Press, 1956: 70.

② 夏建中. 文化人类学理论学派：文化研究的历史［M］. 北京：中国人民大学出版社，1997：156.

③ 辛华，任菁. 内在超越之路 余英时新儒学论著辑要［M］. 北京：中国广播电视出版社，1992：193.

致小传统有精英的参与，而大众则没有参与大传统。因此小传统由于精英的介入而受到大传统的影响，而小传统对大传统的影响则微乎其微。

雷德斐尔德的大、小传统分析框架在西方学术界，特别是人类学领域中被广泛接受，并运用在有关的文化研究之中。而在中国文化，尤其是地域文化的研究领域中，小传统民间文化的研究是经常被忽略的，这实在是一件很遗憾的事情。① 因为我国小传统的民间文化无论如何代表较大多数一般民众的文化，它不仅在传统时代扮演一种提供大传统文化许多基本生活素材的角色，而且在当代的社会中也逐渐被认定是影响社会发展、经济发展以及产业现代化的重要因素，因此这一领域的研究不但不能忽视，而且更应该加强。所以，从雷德斐尔德的大、小传统分析框架入手是地域文化研究的又一选择。

（二）李亦园和余英时的"大、小传统"分析路径

受到雷德斐尔德大、小传统分析框架的影响和启发，台湾文化人类学学者李亦园认为，大传统与小传统虽然有所不同，但两者有共同的追求目标——和谐，因此，大传统与小传统表现出的同构性、整一性要远远大于两者之间的差异。李亦园通过实证性的田野调查研究，验证了以上观点与事实的吻合。② 最后，李亦园提出了

---

① 夏建中说："雷德菲尔德的人类学研究和'大传统'与'小传统'的概念构架，对后来研究中国文化的学者产生了相当大的影响。美国学者 D. 尼维森（D. Nivison）曾编过一本美国学者研究儒家思想的《行动中的孔子》，该书的献辞就是给雷德菲尔德的。另外一个美籍华人著名学者陈荣捷在其著作《现代中国的宗教趋势》中认为，中国的儒家道教与佛教思想，归结起来就是大传统与小传统两种。此外，英国、美国、日本的人类学家对于中国社会的研究，也都曾借鉴过这一概念。而且，围绕中国社会大传统与小传统的区别与合一的争论，至今仍时断时续。例如台湾著名人类学家李亦园就强调，在中国社会的发展中，作为小传统的民间宗教至少与作为大传统的儒家一样重要。"（夏建中. 文化人类学理论学派：文化研究的历史［M］. 北京：中国人民大学出版社，1997：156—157.）由此可见，中国学人运用雷氏的大传统与小传统文化框架研究中国地方文化还远远不及境外学者。

② 李亦园. 小传统的宗教祭仪［M］//人类的视野. 上海：上海文艺出版社，1996：145—147.

一个“三层次均衡和谐”模型，包括由“自然系统的和谐”“有机系统的和谐”“人际关系的和谐”三部分所组成的“整体的均衡与和谐”，也就是“致中和”理论。而这三个层次，“实际上是说明追求均衡和谐境界所必须的项目与步骤，换而言之，传统民间文化理想中的最完善境界，无论是个人的身体健康以至于整个宇宙的运作，都以此一最高的均衡和谐为目标，而要达到此目标，就是要三个层面的次系统都维持均衡和谐”①。由此可见，在李亦园看来，大传统和小传统的整一性是两者的首要特征，甚至这种对和谐的追求成为一种具有普遍性的文化结构，影响制约着中国人的历史和未来。

余英时对“大传统”的重视则更加明显，在其《汉代循吏与文化传播》中，几乎通篇都聚焦于“大传统”，尤其强调自上而下的大传统对小传统的教化和影响。余英时认为“一般地说，大传统和小传统之间一方面固然相互独立，另一方面也不断地相互交流。所以大传统中的伟大思想或优美诗歌往往起于民间，而大传统既形成之后也通过种种渠道再回到民间，并且在意义上发生种种始料不及的改变”。但是，中国的情况又有其特殊性。由于自古以来的文字统一，“中国文化大、小传统之间的交流似乎更为畅通”②，而且儒家知识分子非常有意识地贯通大小传统。换句话说，余英时是把大、小传统置于一个相互贯通，彼此圆融的结构中加以阐释的。“大传统是从许多小传统中逐渐提炼出来的，后者是前者的源头活水。不但大传统（礼乐）源自民间，而且最后又必须回到民间，并在民间得到较长久的保存，至少这是孔子以来的共同见解。像‘缘人情而制礼’、‘礼失求诸野’之类的说法其实都蕴涵着大、小传

① 李亦园. 传统文化的三层次和谐［M］//人类的视野. 上海：上海文艺出版社，1996：149.

② 余英时. 汉代循吏与文化传播［M］//儒家伦理与商人精神. 桂林：广西师范大学出版社，2004：42.

统不相隔绝的意思。”① “中国古人不但早已自觉到大传统与小传统之间的密切关系，而且自始即致力于加强这两个传统之间的联系。我深信这一点颇有助于说明几千年来中国文化传统所表现的一种独特的稳定性。”② 由此可见，余英时也颇为强调大、小传统的沟通和交流。

但是，余英时与李亦园的想法有点不同的地方是，认为大、小传统虽然可以圆融共通，但彼此的地位、势力绝不相同。“由于古代中国的大、小传统是一种双行道的关系，因此大传统一方面固然超越了小传统，另一方面则又包括了小传统。”③ 他认为，大传统与小传统的地位并非对等，小传统显然处于弱势，大传统不断吸纳小传统中有生命、有活力的部分充实自己，同时也将这些部分升华。也可以反过来说，只有能够被转换为“大传统”的“小传统”才是有价值、生命和活力的。所以，余英时宣称，“所谓‘上层文化’（elite culture）和通俗文化（popular culture）在中国传统中并不是截然分明的，其间界线很难划分。士大夫当然有他们的‘上层文化’，但他们同时也是浸润在‘通俗文化’之中”。④

李亦园与余英时同样强调大小传统的沟通、圆融、同构，但是两者认定的运动轨迹颇有不同，前者自人类学视野出发，更注重自下而上的小传统到大传统的流动；而后者则从历史学的角度入手，关心自上而下的大传统对小传统的统摄。

（三）钟敬文的文化分层构想

我国著名民俗学家钟敬文早在 20 世纪 30 年代提出“民间文化”的概念，甚至想用这一名词取代“民俗”一词。后来，他在

---

① 余英时. 汉代循吏与文化传播［M］//儒家伦理与商人精神. 桂林：广西师范大学出版社，2004：43.

② 余英时. 从史学看传统［M］//史学与传统. 台北：时报文化出版有限公司，1985：13.

③ 同①46.

④ 余英时. 士与中国文化［M］. 上海：上海人民出版社，2003：483.

《话说民间文化》一书的自序中说："从 30 年代起，我就注意到广大民众自己所创造、享用和继承的文化，并且创用了'民间文化'这个新术语……我甚至拟用这个名词去代替'民俗'一词，而把民俗学称为'民间文化学'。现在考虑起来，当时那想法是合适的。"① 从以上我们可以知道钟敬文对于民俗学的范围界定似乎认为可以继续扩大，其原因乃在于随着世界潮流的演进所呈现出的一种倾向。所以钟敬文后来补充说："几十年来，世界学界民俗学的范围在不断扩大，以至于将使它包括民间文化全部事象在内了。"② 为此，钟敬文孜孜不倦，笔耕不止，在长期探索民间文化的过程中，提出了"文化分层"的著名理论，钟敬文认为："中国传统文化有三个干流。首先是上层社会文化，从阶级上说，即封建地主阶级所创造和享有的文化；其次，是中层社会文化，城市人民的文化，主要是商业市民所有的文化；最后是底层社会的文化，即广大农民所创造和传承的文化。这三种文化，各有自己的性质、特点、范围、结构形态和社会机能。"③

钟敬文提出的"文化三层次说"意指上层文化、中层文化和下层文化。而所谓的下层文化就是民间文化、群众的文化。不过这三种文化彼此并非各自独立而存在，反而彼此之间有一些相互的牵动，就好比"你泥中有我，我泥中有你"。因此钟敬文说："由于三种文化活动在一个共同的大群体中，因此它们虽各具特点，但又互相联系，互相渗透。文化三层次的构成形态不仅体现在传统社会，而且直到现代还存有它的一定遗迹。"④ 从以上的叙述可知钟敬文的观点并非单指在过去的传统社会或是原始社会才有的形态，相对地在当代的社会组织与结构上，仍普遍存在这种现象。

① 钟敬文. 话说民间文化［M］. 北京：人民日报出版社，1990：2.

② 同①2—3.

③ 同①3.

④ 陈曼娜. 钟敬文对文化分层理论的研究［N］. 光明日报，2002-4-9（4）.

钟敬文因个人兴趣与专业的关系主要以研究下层文化为主。他认为下层文化也称为“传承文化”，其原因在于下层文化普遍和人民大众的生活较为贴近，并具有世代相传的延续性，因此称之为“传承文化”；“这种文化虽然有生有灭，但比起上层文化，它更富于稳定性。当然它也会随着社会历史的变化而变化。它具有类型性（模式性），因此很容易使一个民族的成员发生认同的情感，在特定的时间，采取共同的行动”。①

这三种文化虽各自拥有独特的性质、范围与社会机能和结构，不过因为同在一个社会文化体制下存在与发展，彼此之间难免会有相互联系与排斥的复杂关系。例如“统治阶级的文化是占统治地位的文化，是霸道的文化；它要侵入被统治阶级的文化是必然的”。②

（四）费孝通的“差序格局”分析法

“差序格局”一词是费孝通提出的，旨在描述亲疏远近的人际格局，如同水面上泛开的涟漪一般，由自己延伸开去，一圈一圈，按离自己距离的远近来划分亲疏。

费孝通解剖中国传统社会，使用的是社会结构分析方法，这是社会学通用的方法。在费先生之前，法国社会学家迪尔凯姆就曾用“有机团结”和“机械团结”两个概念区分传统社会和现代社会。费先生为更准确地区分中国传统社会和现代社会，提出了“差序格局”和“团体格局”概念，其中“差序格局”可谓是费先生的独创，并被国际社会学界所接受。他说：“我们的格局不是一捆一捆扎起来的柴，而是好像把一块石头丢在水面上所发生的一圈圈推出去的波纹，每个人都是他社会影响所推出去的圈子的中心，被圈子的波纹所推及的就发生联系，每个人在某一时间某一地点所动用的圈子是不一定相同的。”③“差序格局”这个概念揭示了中国社会的

---

① 林祥. 世纪老人的话：钟敬文卷［M］. 沈阳：辽宁教育出版社，1999：32.

② 钟敬文. 话说民间文化［M］. 北京：人民日报出版社，1990：3.

③ 费孝通. 乡土中国　生育制度［M］. 北京：北京大学出版社，1998：26.

人际关系是以己为中心、逐渐向外推移的，表明了自己和他人关系的亲疏远近。那么，能够造成和推动这种波纹的“石头”是什么呢？费孝通明确地讲到是以家庭为核心的血缘关系，而“血缘关系的投影”又形成地缘关系，血缘关系与地缘关系是不可分离的。[①]也就是说，中国传统社会的人际关系以血缘关系和地缘关系为基础，形成“差序格局”模式。“在差序格局中，社会关系是逐渐从一个一个人推出去的，是私人联系的增加，社会范围是一根根私人联系所构成的网络，因之，我们传统社会里所有的社会道德也只在私人联系中发生意义。”[②]

费先生揭示出了中国传统社会差序格局的特点：一是自我主义，在传统社会差序格局关系中，每个人总是以自己为这种关系的中心，一切价值是以“己”作为中心的主义。二是公私群己的相对性，在这种格局中，站在任何一圈中，向内看可以说是公，是群；向外看就可以说是私，是己。两者无清楚的界限。三是特殊主义伦理，中国的道德和法律都得看所施加的对象与自己的关系而加以程度上的伸缩，一切普遍的标准并不发生作用。四是人治社会，所用于维持秩序时所使用的力量，不是法律，而是人际关系的历史传统。五是长老统治，这是一种包含着不民主的横暴权力、民主的同意权力及教化权力等复杂内容的权力结构。整个中国传统社会中的制度安排和权力运作，都是以这样的一种社会关系模式为基础。

（五）田野调查研究方法

广义的地域文化研究，绝不是“安乐椅上的玄想”，也不是纯粹“书斋式”的考据训诂，必须注重实地的田野考察。人类学研究的田野调查研究方法，为解决地域文化研究中很多棘手的问题，提供了方法论指导。按照王铭铭的解释，所谓田野调查是指“参与当地人的生活，在一个有一个严格定义的空间和时间的范围内，体验

① 费孝通. 乡土中国　生育制度［M］. 北京：北京大学出版社，1998：70.
② 同①.

人们的日常生活与思想境界，通过记录人的生活的方方面面，来展示不同文化如何满足人的普遍的基本需求、社会如何构成。”① 在《文化人类学》一书中，孙秋云对田野调查的解释是这样的：田野调查，也就是我们熟知的田野作业，它是指一种对社会及生活方式亲自去从事的长期性的调查和体会工作。为了了解某个特定的群体及其文化，人类学、民族学学者必须花上数月、半年，甚至是一整年的时间，深入浸淫到当地民族的生活之中，学习并使用当地的语言，与当地居民进行一定的沟通，同时参与到他们的生活当中，尽可能地将自己融入到他们的日常生活当中里，观察、体会和了解当地人的生活，与他们建立良好的社会关系，研究其社会结构，并致力于了解当地人的观点，以期望达到研究社会整体文化的目的。从这些大家的论述中，可以清晰地归纳出一点：田野调查就是进入到研究对象当中去，对其方方面面进行研究的过程。②

可见，所有实地参与现场的调查研究工作，都可称为田野调查研究。不论是对人类文化的起源和发展的研究，还是对当今社会群体行为和文化变迁的研究都是建立在田野工作基础之上的。田野调查涉猎的范畴和领域相当广，举凡语言学、考古学、民族学、行为学、人类学、文学、哲学、艺术、民俗等，都可透过田野资料的收集和记录，架构出新的研究体系和理论基础。

具体而言，田野调查研究方法主要有谱系（系谱或谱牒）研究法和“文化残存”（“社会的化石”）研究法。谱系（Genealogy or Family Trees）研究法，又称谱系调查法，是民族学实用调查方法之一，指的是对调查人的家谱、族谱和亲属制度的调查分析，对于调查家族制度、婚姻制度以及民族迁徙等都有价值。“文化残存”研究法是指通过对“社会的化石”——文化残存，即后进民族的一些

---

① 转引自萧子扬. 从田野到文本：浅析田野调查与民族志的关系［J］. 西江月，2013（10）：460.

② 同①.

生活习俗——婚丧喜庆、婚姻家庭、宗教信仰等历史的物，探索人类群体的具体文化发展脉络及相关问题的研究。

田野调查研究法，一般是通过三个步骤或者三个阶段来完成的，一是准备工作阶段，包括明确目的，拟定提纲；了解情况，搜集资料；组织分工，建立制度。二是实地调查阶段，包括开好调查会，个别访问，及时搜集实物。三是整理分析阶段，包括分类整理，分析问题，综合意见。另外，根据研究对象，田野调查研究还可以分为历时态的、同时态的和社区内外关系分析的三种研究形式。[①]

总之，田野调查研究法对地域文化研究有较大的启示：为了认知、解剖、解读、阐释具体的民族文化现象，研究必须在占有资料的基础上，要自觉主动使用所有可能的研究方法，做到努力发现，不断创新。

五、地域文化研究的方法论思考

（一）坚持以科学和先进的文化理论为指导，克服地域文化研究的绝对化与片面化倾向

地域文化研究，最终目的是弘扬优秀的传统文化，继承优秀文化遗产，揭示地域文化发展的某些内在规律，并使人类从中既吸取文化智慧，提升自我历史意识和文化认同意识乃至对生命意义的理解，又能达到为现实政治、经济、文化服务的经世致用的目的。所以，研究地域文化的原则和方法，最根本的一个前提就是坚持科学和先进的文化理论指导。唯其如此，才能正确地认识、理解地域文化，才能正确地阐释地域文化的意义，才能正确地创生新的文化思想及其理论。科学和先进的文化理论包括辩证唯物主义和历史唯物

① 参见容观夐. 文化残存研究——文化人类学方法论研究之二［J］. 广西民族大学学报，1998（3）；关于田野调查工作——文化人类学方法论研究之七［J］. 广西民族学院学报，1999（4）.

主义、至今被人们广泛认可而切实可行的历史上的相关文化理论和现代有关文化理论。辩证唯物主义和历史唯物主义的精髓，既是地域文化研究者的行动指南，又是地域文化研究者必须遵循的原则，既具有世界观的价值，又具有方法论意义。特别是其中的“实事求是”是马克思主义活的灵魂，是一切科学研究的基本准则。中外历史上，人类经过艰苦不懈的努力，积累了丰富的行之有效的文化研究方法，如人类“轴心文明”时代，那些包括基督耶稣、柏拉图、孔子、释迦牟尼在内先知先觉者思考世界和人生的一些基本理论、方法，还有我国古代思想家的“天人合一”和“道法自然”的思想，在今天看来，依然不失科学的成分和价值，给地域文化研究提供了许多理论空间，是我们必须借鉴、借用的理论和方法。至于现当代的一些文化研究理论，更是以应接不暇的速度和鞭辟入里的深度，启示着人类对许多文化问题的全方位、多侧面的思考，如实证主义、人文主义的文化理论，如跨文化交际理论、文化生态理论、文化变迁理论、文化自觉理论、诠释学理论等等，都极大地丰富着地域文化研究的学术家园。事实上，在实践中运用这些理论已取得了相当可观的学术成果。这些都是以后地域文化研究必须加强、继续发扬光大的。

坚持科学和先进的文化理论指导地域文化研究，最重要的一项要求就是要正确地理解各种文化理论的科学精神实质，并将其灵活而具体地运用，决不能食古不化，食洋不化，否则，在实践中，地域文化研究将会绝对化、片面化，出现要么肯定一切，要么否定一切的主张。这非但不能正确而深入地理解地域文化，反而会得出一些失之偏颇、甚至错误的结论，最终有害当下文化建设事业。总之，唯有以海纳百川与实事求是的态度，坚持以科学和先进的文化理论为指导，才能提高地域文化研究的质量与水平。

（二）坚持点面结合与局部整体兼顾的探索路径，克服地域文化研究的碎片化倾向从知识论来说，整体化取向是学科知识研究的出发点。近现代认识论哲学的知识观认为，人类知识的建构自有其整体特性和内在的逻辑结构，并体现为系统性和体系化特征。地域文化虽然暂时无法独立成为一门学科，甚至难以确定其学科归属，但是其文化属性是不言而喻的。而文化的知识性特征也是一目了然的。这样地域文化的整体性及其内在逻辑性也就不难理解了。正是由于地域文化的整体性及其内在逻辑性，研究之中地域文化的系统性和体系化取向就显得尤为重要，这是其一。其二，地域文化是传统文化体系中的重要组成部分或者载体，传统文化又是源远流长、博大精深，蕴含着无穷的智慧，值得人们很好地发掘，并加以继承和发扬。事实上，地域文化的这种历史传承性和丰富性，在其形成、发展及其内容表现得尤为突出。例如湖湘文化是中华传统文化重要的组成部分之一，就其历史传承性来说，其上限最早可以追溯到一万多年前新石器时代的高庙文化，最晚也不迟于荆楚文化发轫之初，如此漫长的历史发展过程，积淀了丰富的湖湘文化内容，政治、经济、军事、艺术、宗教、思想乃至民情风俗，应有尽有，面面俱到。其他地域文化莫不如此。基于这两个方面的原因，在地域文化研究中必须坚持点面结合、局部与整体兼顾的探索路径。

地域文化研究的点面结合就是处理好地域文化的特殊性和普遍性问题，将两者有机结合起来，防止以偏概全、只顾一点而不及其他毛病的出现，例如在研究某地域之内的某一个著名历史人物，除了言说其生平、事功、思想观念、交友范围及别人评价外，还要注意这个历史人物生活的历史背景和社会环境，将之放置在共时性和历时性的时空范围之内，进行适当的比较研究，并梳理清楚其中的关系。如此才能全面而相对正确地认识其人，做到尽可能地接近历史的真实。所以，地域文化研究中的点面结合显得特别重要。

至于地域文化研究中的局部与整体兼顾的研究路径，就是在坚持整体史观的原则下，用全面的、联系的、系统的观点去研究各个具体的地域文化事象。关于整体史观，本书的第三章第二节作了详细的讨论，在此不多赘述。

如果地域文化研究中，不能很好地处理点面结合和局部与整体兼顾的问题，自然会产生两种极端化倾向。一种是只注重地域文化的某些细节，忽视整体，甚至将本来有机联系在一起的整体分割成若干部分，使得研究对象及其关系变得支离破碎，这就是当下学科研究中的“碎片化”倾向。另一种倾向是只注重地域文化的整体性而不作深入细致的具体问题的研究，流于泛泛而谈的宏大叙事模式，往往使得研究过于空洞。就目前学界情形看，防止“碎片化”研究的倾向应该是当务之急。我们认为，研究地域文化，要时刻记住时间、地点、环境和条件等因素，并以此为出发点来思考问题，力争做到客观、公正地对地域文化进行评析，以期对今人有所借鉴和启迪。

（三）坚持以历史与逻辑、理论与实际相统一的原则，克服地域文化研究的形而上性

地域文化是历史积淀、传承的结果，大多属于历史范畴。所以，用历史的眼光、历史的态度看待地域文化；用历史理论、历史方法研究地域文化；用客观公正、求真务实的精神评说地域文化，都是地域文化研究必须选择的历史视域。然而，地域文化并非简单、僵硬的事实堆积，而是有着前因后果、作用意义、内在关联的“文本”对象，所以，地域文化研究必须展开其恰当的逻辑演绎和哲学抽象。把地域文化的历史与逻辑很好地结合，就做到了文化研究中的感性与理性、形而上与形而下、道与器、体与用的统一。如此，方能将具有鲜活、灵动、丰盈姿态的地域文化呈现在现代人的面前。

学以致用、理论联系实际是古今学者治学的通行准则，也是做好一切工作、搞好学术研究、学好一切知识的基本方法。研究地域文化当然也必须坚持这一原则和方法。努力做到观点和材料、历史

与现实的统一。在研究地域文化各方面具体内容时，应注意揭示古今的联系，对传统的理论、观点等作出恰如其分的解释和阐发，挖掘其现实的价值和意义，而不能只是古董展览，毫无新意。当然，这种分析、解释又必须是恰当和贴切的，是地域文化研究的题中应有之义，而不能断章取义、生拼硬凑，更不能胡编乱造，搞“影射史学”。可以说，研究地域文化既需要饱满的热情，又需要清醒而理智的分析。

（四）坚持以溯本探源式的跨文化比较研究为取向，克服地域文化研究的盲目性

溯本探源是人类认识世界、了解社会、理解人性的一种本能性的文化意识、文化好奇、文化追问，具有唤起乡愁、寻找家园的意味。如果要达到这个目的，单靠某一类型或者某一民族的文化单枪匹马式研究是无济于事的，必须在相较于其他文化的前提之下，进行跨文化比较研究。这样，才能在揭示各种文化本质异同的基础上，最终达到返璞归真、找寻精神家园的目的，从而以便担负起现代人的崇高文化使命和以深沉的人文情怀来关照人类的终极关怀。而地域文化是最具乡愁意味，最能唤起故园情结的文化资源。因此，在地域文化研究中，对那些具有重大影响与意义的地域文化现象，除了探究其前因后果外，我们还要深究其来龙去脉，寻根究底，与此同时，还要与同时代、同背景、同类型的异域或者异质文化进行适当的互动比较，比如中华文化与古希腊文化，湖湘文化与岭南文化、江浙文化等等。通过这样的探究，我们不仅仅加深了对这些文化的认识，更为重要的是我们加深了对这些文化本质特征的理解，进一步理解了中华农耕文化下的伦理政治型文化，进一步理解了湖湘文化的经世致用、敢为人先的文化品格，从而对自己为何是一个中国人，又为何是一个湖南人有了更深切的体验。

所以，有学者指出：“溯本探源式的跨文化比较研究，既分门别类，又通过相互联系与比较，努力揭示出不同地域文化之间的内

在联系。在研究地域文化时，应首先对每一种文化形态的渊源、发展及其演变等方面作具体的研究，使当代人能对每一文化形态的来龙去脉、前因后果有一个概括性的了解，进而能对地域文化的面貌和特征有一个基本的理解和把握。其次，通过对各地域文化之间的比较研究，揭示不同地域文化之间的交流与融合等联系，进而确立各地域文化在中国传统文化形成、发展过程中的地位。”①

总之，地域文化作为一种相对独立存在而又与社会历史、政治、经济彼此联系的文化要素，对其进行认识与理解，分析与研究时，必须具有自己的理论分析框架和研究方法。这是由人文社会科学本质属性决定的，也是人类认识事物的必然性文化自觉。

第五节　地域文化研究的价值和意义

学科研究或者说知识研究从来就是为了两种价值和意义，一种是工具理性的价值和意义，一种是价值理性的价值和意义。一般来说，工具性的价值和意义是经世致用性的，功利性的，也就是为当下政治、经济、文化等服务的，解决救世济民的现实问题的。而价值理性的价值和意义往往是抽象的，形而上的，是一种生命意义的终极关怀，是人类对一种理想境界的渴望与追问。同样，对地域文化进行研究也面临着这两种关怀。例如，地域文化研究能为政府政策提供参考，能提升文化产业效益，能为区域经济、旅游经济提供指导，等等，这些都是工具性的价值和意义；而分析地域文化因素之中的哲学意蕴和生命意义，去追问人类一些普遍性的、本质性的问题，等等，这些属于价值性的价值和意义。然而，无论是工具性价值和意义还是价值性价值和意义，研究者在作出评判的时候，都

① 邱文山. 试论中国古代早期文化的汇融与整合［J］. 管子学刊，1998（3）：56—60.

具有主观性。为了避免大而化之的主观意味，研究者必须以诠释学理解之方法来解读文本（地域文化）。如此，才能将地域文化研究的普遍性价值和特殊性价值有机地结合在一起而不至于顾此失彼。

一、文化研究的价值评判

（一）价值评判的主观性

在社会生活当中，人们通常把主观认定的事物叫作事实，或者叫作客观事实。其实，任何一种事实判断都源于某种价值评判，正如马克斯·韦伯所指出的，实际上价值无涉本身就是一种价值判断，这与他的价值关联学说并无矛盾之处，也就是说，人们究竟能在实际中多大程度地做到价值无涉，与这种规范要求的合理性并不矛盾。① 而价值评判的依据则是某种评价标准，当对价值评判和评价标准趋于一致的时候，人们对事实的认定并无异议，当对价值评判和评价标准不一致的时候，就会出现多种事实认定。因此，对社会事物的认定，其本质是对价值评判和评价标准的认定。就社会文化而言，由于文化民族性、地域性、复杂性、多样性、变迁性、传承性等特点，再加上评价者因地理间隔、语言差异、民族感情、不同的历史场景，甚至不同的民情风俗的影响，对文化抑或文化研究的评价出现不同的观点，乃至大相径庭的对立。从诠释学的角度来看，这中间存在一种理解循环，即我们在理解文本（文化）时只可能用现在的目光，而所谓的现代目光则是在传统（文化）中形成的。同样，在理解整体时必须要通过理解其各组成部分，而反过来，理解各组成部分却必须理解整体。由此诠释学特别强调“视域融合”，以抑制过分的主观色彩，而文化的价值就是在各种不同的“对话”中达成而突显出来。当代哲学家德里达（Derrida，1930—2004）等人关于“解构”的见解给我们以另一种思维上的启示。

① 马克斯·韦伯. 社会科学方法论［M］. 韩水法，莫茜，译. 北京：中央编译出版社，1999：3—11.

在解构论看来，文化的发展犹如在一张白纸上写字，很多人在上面涂抹，其原先的面目早已不知是何模样，且是不可恢复的，这就是对于先前的东西的消解。由此其文化观是相对主义的，即文化传统无所谓寻找真迹或守护。从某种意义上来讲，二十世纪二三十年代中国学术界如古史辨派的“层累地构造历史说”和关于“真孔子”和“假孔子”的争论都已触及了这些西方理论的核心内容。在这里提及诠释学和解构主义问题的目的在于强调对于文化意义的评判和自然科学对于自然规律的探索不同，对于自然规律的证明虽也要受外在的影响，但其客观性容易得到保证。换言之，自然科学是回答“是什么”的问题，这是一种事实判断，解决事物之“实然”状态，因为自然界的规律是不以人的意志为转移的，如我们古书上所说的“天行有常，不为尧存，不为桀亡”。而对于文化之“本义”的理解和一种文化作用的判定则受主观态度影响很大。因为文化是人、社会的产物，它既是个人化的又是社会的。文化意义的判定明显属于人文科学的范畴，回答“为什么”“应该怎么样”的问题，属于价值判断，解决事物之“应然”状态。文化评价主观色彩还体现在文化意义的功利上，文化的意义体现在它对于社会发展的作用，如果有利于人类的福祉，那么这种文化是有价值的；如果与人类的利益相背离，就应该抛弃。然而这种对文化有利与无利的判断，很多时候是模糊或是难以确证的，甚至是利弊兼而有之的。

文化研究及其理解中的主观因素的确值得我们注意，否则很多问题将得不到合理的解释。辩证唯物主义和历史唯物主义认为实践是检验真理的唯一标准，这当然是毫无疑义的，因为对于自然科学而言的确如此。但是对于人文科学而言，就不见得具有绝对的意义。因为实践是主观见之于客观的过程，对于具体的实践来说，实践的主体是某一具体的人或人群，这必然受到主客观两方面条件的限制，所获得的是真理的部分而不是真理的全部。所以，在这里实践检验并不是对主观性的漠视和排除，而是要克服由于强调主观性而导致的相对主义和独断论。因此，在评判文化或文化研究价值的时候，根据前面提到的“理解循环”的整体与部分的关系，我们很有必要讨论文化的普遍性和特殊性问题。以此作为文化或文化研究评判的一个大致标准。

（二）文化的普遍性和特殊性

文化的普遍性和特殊性其实就是文化多元主义和文化中心主义的关系问题。归根结底是人类是否存在一种最终价值的问题，亦即人类终极关怀的问题。

可以这样说，自从人类来到这个世界上之后，内心深处一直在追寻着一种梦寐以求的至高无上、永无止境的理想境界，即普遍性的东西，来作为自己心灵安顿的精神家园。即使原始上古时期先民们天地崇拜、祖先崇拜、图腾崇拜莫不如此。人类跨入文明的门槛以后，很多哲学家、思想家、学者的这种“为天地立心，为生民立命，为往圣继绝学，为万世开太平”① 的努力也从未停止，不断地为宇宙寻找最后的本原。显然，这种形而上的本质意味就是要透过有形与无形物体而追问其背后的本质性的规律，也就是人类要从纷繁复杂的自然现象和文化现象中解脱出来。如古希腊赫拉克利特的“逻各斯”、柏拉图的“理念世界”、黑格尔的“绝对精神”、马克思的“物质性”、《周易》的“太极”、老子的“道”、朱熹的“理”、陆九渊的“心”，乃至基督教的“上帝”、伊斯兰教的“真主”、佛教的“佛陀”等，其本质意义都是认为找到了人类的共同性依据，即人类价值普遍性的一种存在。

当历史进入到 19 世纪末、20 世纪初，一场以尼采（F. W. Nietzsche，1844—1900）断然宣布“上帝死了”的思想革命爆发，意味着人类对于上述那种形而上的人类一致性的最强有力的批判，意味着价值普遍性基础的消失。经过现代主义和后现代主义对于中

① 张载. 张子语录：中［M］//张载集. 章锡琛，点校. 北京：中华书局，1985：320.

心和主流价值的消解，多元主义日渐显露。其基本立场是所有文化一律平等。认为西方文化优于其他文化不过是西方中心主义和文化霸权主义的腔调。所谓的非功利性、普遍性、客观性常常是不可靠的，它们与其他一切对于超越性的保证一样，不可能超越历史和地域的限制。普遍性只是一种幻觉，个人的自身认同只是在其作为某个具体的社会集团的成员时才能显示出来。

无论是强调价值的普遍性还是强调不同文化之间的平等和独特品质，其本身反映了文化的两个方面，将之对立起来的做法显然是过于情绪化的。但是，我们也无法找到它们致命的弱点。文化存在着普遍性这本身并无异议，因为从自然属性来说，不论何种民族、种族都具有人之为人的共同特性；从社会属性来说，各民族、种族的生存式样虽有不同的地理、历史背景，但在发展过程中都遵循大致相同的社会规范，这也是不同民族之间赖以交流的基础。由此产生一些相互可以接受的价值标准，作为全人类的共同标准，如爱、平等、公平、正义以及当下日益紧密的国际合作和全球化理念，等等，这就是我们古人所说的“人同此心，心同此理”。这种标准既基于人的自然性，更是为了人类生存与发展的共同命运而形成的一种契约准则。因此不能因为强调文化的特殊性而否定其普遍性。否则我们便不能认定先进和落后，也不存在吸收外来文化和进行文化交流的必要性。其实，后现代解构主义反对文化普遍性的观点在逻辑上也是非常站不住脚的，因为这种强调一切标准的虚构性并认为所有文化一律平等本身就是企图确立一种新的普遍性。

然而，后现代解构主义关于文化多元化的理论也并非一无是处，其中一个巨大的贡献就在于强调了任何普遍性的局限性，因为时代和历史的局限，所谓的普遍性只是一个特定时期的普遍性，即使对于人类共同确认的价值标准，不同的民族、国家也会有不同的理解，如民主、人权，中国人和美国人的看法就不尽一致。而文化普遍性观念发展到极端就会产生文化霸权，文化霸权在实践上是极具危害性的。

那么，基于上述文化的普遍性和特殊性（民族性、多样性、多元性）这样一个实际情形，在文化价值或者文化研究的价值评判上采取一种什么样的立场抑或标准呢？总的来说，我们要防止两种极端倾向的出现，一种是过分强调文化的普遍性而漠视文化的特殊性，从而导致文化霸权主义、文化优越论、文化中心主义势力的大行其道；另一种是片面强调文化的特殊性或者文化多元性而对外来先进文化加以排斥，从而导致文化孤立主义、文化地方主义、文化相对主义的潜滋暗长。世界上任何文化都是普遍性和特殊性的统一，两者是互为表里的。为此，我们必须树立一种仰望星空的文化理想和脚踏实地的文化现实关照。

二、地域文化研究的哲学价值

地域文化首先是一种文化，凡是文化的东西都与人的主体存在关联在一起，关乎人的生命意义，正如梁漱溟所说："文化就是吾人生活所依靠的一切"[①]。显然，这里的"生活"，不仅仅只有物质生活和社会生活，还包括人类生命意义在内的精神生活。这样，文化的思考视域就自然而然上升到了其根本性、本质性问题的高度，即形而上之抽象性问题，也就是哲学问题的领域。那么，地域文化形态，其哲学价值或哲学意味，也是极为丰富而深刻的。因为，地域文化也是人类在长期的历史演变之中的思想积淀和智慧创造。"这就要求我们在研究地域文化时不应只是按历史顺序罗列一些已有定评的文化成果，而是要从中把握与总结民族的审美观念和文化心理结构的发展脉络。"[②] 下面主要从地域文化彰显传统哲学价值和安顿人类心灵、寻找精神家园两个方面加以讨论。

---

① 梁漱溟. 中国文化要义［M］. 上海：学林出版社，1987：1.

② 陈厚诚，王宁. 西方当代文学批评在中国［M］. 天津：百花文艺出版社，2000：370—371.

需要说明的是，这里所说的传统哲学是指中国古代哲学，即主要是指以儒、释、道基本精神为代表的中国传统文化的核心价值系统。[①] 亦可称之为中华文化传统的根本信仰或文化精神。简单地说，这种信仰就是本体与现象、物质与精神、个人与社会、人类与自然之间的“同生共长”。包含在中国传统文化之内的各地域文化也无不体现出这一“同生共长”的文化特性。

其实，在《1844年经济学哲学手稿》中，马克思关于人与自然的关系做过一段深刻的阐述：“在实践上，人的普遍性正表现在把整个自然界——首先作为人的直接的生活材料，其次作为人的生命活力的材料——对象和工具——变成人的无机的身体。自然界，就它自身不是人的身体而言，是人的无机的身体。”因此，“人是自然界的一部分”[②]。在这里，马克思不仅揭示了人与自然的物质联系，而且也揭示了人与自然的精神联系；不仅从生态人类学的角度，而且从生命哲学的角度揭示了保护生态的重要性：生态是人的无机身体，保护自然就是保护人类的身体，保护我们的生命。当代德国哲学家海德格尔在阐释生命哲学时说道：“关键的不再是把人放在其他本质中去，而是要确定经历的一种特殊的集合状态，应把这种状态定为是‘人的生存’。这种状态在任何地方都不是以持久的、不变的东西为方向。对始终是意识到有限性的人的存在来说，不存在可以在生命之流的岸边停留的时刻，而仅仅只能坚决地往前游。这一点在人的内心产生了强化的生命感觉，存在成为参与生存的指标。”[③] 这段话明确告诉我们，生命哲学更多时候指的是，人

① 余英时在《从价值系统看中国文化的现代意义》一文中提到，美国文化人类学家克鲁克洪和克鲁伯检讨了160多种关于“文化”的界说后得出结论：文化是一种成套的行为系统，而其核心则由一套的传统观念，尤其是价值系统构成。这一观点注意到了文化的整体性和历时性，获得了多数人的肯定。辛华，任菁. 内在超越之路 余英时新儒学论著辑要［M］. 北京：中国广播电视出版社，1992：3.

② 马克思. 1844年经济学哲学手稿［M］. 北京：人民出版社，2000：56—57.

③ 转引自费迪南·费尔曼. 生命哲学［M］. 李建鸣，译. 北京：华夏出版社，2000：170.

首先应该清醒地认识到人的存在是有限的，因而在生命存在的有限过程中，不管是处在何样地域中，任何时候都只能是坚决地往前游，不能停下，更不能回头，只有这样，才能在人的内心产生一种被强化了的生命感觉。能否感觉到生命的无时不在，则是人的生存意识的一个重要鉴定指标，更是人的一种生存智慧。“在宇宙间，冥冥中常似有一‘大生命’之存在。此大生命是起始终结，及其价值意义之所在，虽然不可尽知，但是它的存在，它的运行不息与生生不已的力量，却是每个人都可体认的事实。”① 诚然，“自然是个充满了生命的自然，更是一个运行不已、生生不息的自然，它本身就是一个大生命。如果抽去生命因素，世界、人类、文化等等的意义便无从谈起。因而，从一种文化对生命的认识、观念入手，透视其生命观，便能把握住这种文化自然观的本质”。②

总的来说，地域文化的起源与传承之中包含了一种由生命文化衍生而来的“天人一体”的万物有灵、图腾崇拜等观念，而这些观念源于中国自远古时代起便未曾中断的生命型自然观和宇宙观。在古人的视野中，“万物有生，天地万物无不充满昂然奋进的生命，无不生姿跃动、生机焕发。人类万物，飞潜动植，乃至宇宙无机世界，无不是生命的结晶和生命的实体”③。而这种万物皆生，万物一体的观念，“其最根本的特点在于人把生命或生命的特性，例如，思想、情感、意志等赋予无生命的对象，从而使得一切事物都具有与人相似的生命现象和物活感”④。传统地域文化中的道家思想则更是明确提出人体与宇宙结构的一致性，认为“宇宙是一个放大的人体，人体则是一个缩小了的宇宙”⑤。

---

① 叶嘉莹. 迦陵论诗丛稿［M］. 北京：北京大学出版社，2008：276—277.

② 潘世东，林玲. 诗性的智慧 中国文化的自然观及其艺术表现［M］. 广州：华南理工大学出版社，2000：173.

③ 同②174—175.

④ 邱紫华. 论东方审美同情观［J］. 文艺研究，1994（4）：30.

⑤ 谢路军. 中国道教文化［M］. 北京：九州出版社，2008：223.

这样，基于对“万有皆生”的强烈同情，古人将“生”作为天地万物之性，所谓“天地之大德曰生”①，“天地以生为心”②；将“生生”作为对生命的最高礼赞和人生的不息追求，所谓“天地之所贵曰生”③，“生生不已，以生为道”④。正是在这种感通感应之中，古人将人和天地万物视为不可分割的有机整体，而“整个宇宙乃是由一以贯之的生命之流所旁通通贯”⑤，彼此交融互摄，相因相成，这就是中国传统文化，包括传统地域文化所主张的“天人合一”精神。

揆诸中国地域文化史，这种“天人合一”的思想始终是主流思想，所谓“中国哲学，不管其内容属于哪一类、哪一派，总是要说明宇宙，乃至于说明人生，是一个旁通通贯的整体……这是中国哲学上的第一个通性”⑥。从某种意义上来说，这种“天人合一”哲学思想的核心就是从自然之天与人合一出发，“将宇宙万物和社会生活、个体存在紧密连接为一个整体，这是一种无所不包，贯通一切的精神的思维的信仰的整体，也是作为宇宙万物本质性存在的整体，这是西方哲学不曾有的，也无从规范和解释的”⑦。

具体而言，地域文化中的“天人合一”思想，主要体现在天人同构，万物同质的共源性。这种生命型的自然观认为，人与万物皆化生于自然，由天地和合化育而成，充塞于天地之间的精气构成了人与万物的形体，统率天地之性即是人与万物的本性，如具有典型

① 易传：系辞下［M］//傅佩荣. 解读易经. 上海：上海三联书店，2007：447.
② 朱熹. 朱子语类［M］. 北京：中华书局，1986：4.
③ 扬雄. 太玄：大玄文［M］//陈本礼. 太玄阐秘. 清聚学轩丛书复印本.
④ 朱熹. 河南程氏遗书：卷二上［M］. 北京：中华书局，1981：27.
⑤ 方东美. 中国人的人生观［M］. 台北：幼狮文化事业公司，1980：13.
⑥ 方东美. 方东美先生演讲集［M］. 台北：黎明文化事业公司，1980：45—46.
⑦ 方同义. 中国智慧的精神：从天人之际到道术之间［M］. 北京：人民出版社，2003：21.

意义的中原地域文化就有“天地合气，万物自生”① 的观念；具有典型意义的关中地区的关学代表张载认为“乾称父，坤称母；予兹藐焉，乃混然中处。故天地之塞，吾其体；天地之帅，吾其性。民，吾同胞；物，吾与也”②。因此，从生命形成的角度而言，人与万物一样，都是自然界的一部分，所谓“理不在人皆在物，人但物中之一物耳，如此观之方均”③。

如果儒家学说及其生命意义具有中华大地之齐鲁地域的特色，那么，道家的“道法自然”“虚静无为”则有着鲜明的南楚地域风范。道家认为，化育万物的自然界是“先天地生”的“道”的产物，老子曰：“道生一，一生二，二生三，三生万物。”④ 在此，老子较为简单而深刻地揭示了宇宙万物的生命之源。道家进而又将其明确为“道生一气，一气生天地，天地生万物，所以道生一者，太极未判，一气之浑沦也；一生二者，谓清浊既分，而天地位焉”⑤。故此，在道家思维里，天地与人根本就是一个整体，天地就是大人身，人身即是小天地。

由是观之，起始于地域文化之中的中华传统文化，对生命及其意义的思考，有力地说明了广大自然是一个包容一切，浑然一体的生命场，如庄子所说的“天地与我并生，而万物与我为一”，⑥ 存在其中的万物生命只有形式上的区分，而无价值上的高下；由此，天地万物都是“血气相连，一体互通”的生命存在，人民皆我手足，万物皆我友好，所谓“民吾同胞，物吾与也”⑦；进而，人与

① 王充. 论衡：自然篇［M］//张二远. 天命人性论. 北京：国家图书馆出版社，2013：124.

② 张载. 张载集［M］. 北京：中华书局，1978：62.

③ 同②313.

④ 陈才俊. 道德经全集［M］. 北京：海潮出版社，2006：187.

⑤ 道藏［M］. 影印本. 上海：上海书店，1988：13，588.

⑥ 庄子. 齐物论［M］. //罗安宪. 老庄论道. 沈阳：沈阳出版社，2012：145.

⑦ 同②170.

万物同生共存于自然之大化流衍之中，物我交融，从而凝结为“彼此相因、同情交感的和谐中道”① 以呼应“广大和谐的生命精神”，共同融入自然大化之流，共同奔进。

如果用上述具有普遍意义、代表中华传统文化价值的哲学思考，在论述地域文化的生命意义稍嫌不够的话，那么，下面具有鲜明地域文化表征的祖先崇拜和神灵崇拜，其生命意义的彰显就显而易见了。

人类来到这个世界，面对自己命运的无常和生死的不可抗拒，总是深感力不从心，所以，人类超越生死，获得永恒的问题，成为了一种孜孜以求的理想和实际努力。那么，人类怎样才能实现这一梦幻般的理想目标呢？历史一再证明，太多的时候，只能求助于祖先的庇护和某种神灵的救赎，以找寻心灵得以安顿的精神家园。显然，这是一种深度的精神生活，这种理想的达成更多地仰赖于哲学、艺术、审美、信仰的生活。于平民百姓而言，以哲学照护灵魂安顿似乎机缘欠缺，信仰与艺术的生活倒是其滋养灵魂避难的可能之路。正如精神分析理论家荣格所说，所有的宗教（包括原始民族巫术般的宗教形式）都是心理治疗——处理并治愈心理创伤以及因心理痛苦所引起的心理不适——的手段。② 美国心理人类学家斯皮罗（M. E. Spiro）曾就缅甸和尚的精神健康问题做了细致的心理分析。在他看来，正是佛教信仰为和尚们的心理疾病提供了一种防御机制。③ 所以，宗教信仰几乎就是平民百姓守护灵肉一体，获得生命永恒的主要途径。

在中国地域文化的信仰习俗中，祖先崇拜十分普遍，甚至被西

① 方东美，蒋国保，周亚洲．生命理想与文化类型 方东美新儒学论著辑要［M］．北京：中国广播电视出版社，1992：65.

② 荣格．分析心理学与梦的诠释［M］．杨梦茹，译．上海：上海三联书店，2009：11.

③ 斯皮罗．文化与人性［M］．徐俊，译．北京：社会科学文献出版社，1999：163—166.

方人称为中国真正的“本土宗教”。祖先崇拜深层的“心理动力学”是个体灵魂的永恒诉求。生与死的游戏是人生沉重而严肃的课题；或者说，死亡是猥亵人类幸福在世的可恶的蛆虫。尽管每个活着的人都没有经历死亡，可以保持伊壁鸠鲁式的自慰，但漂浮于时间的川流之上，每时每刻我们都会产生逝者如斯的眩晕。眼看着生命的火花渐渐熄灭在永恒的静默和黑夜之中，如何才能坚韧地活下去，成为人生在世的最大难题，也是导致个体心理焦虑、精神忧郁、灵魂分裂乃至疯狂的因素。也正因此，才有了星象学、招魂术、宗教等众多超自然生命的故事。民间信仰中祖先崇拜之意义就在于为个体提供了一种灵魂永恒的“文化谎言”。高长江教授认为，中国农民之所以能乐观地执着于生，又能达观地面对着死，并非在于蒙田赞扬的“平静”和克尔凯郭尔讥讽的“琐碎”，而在于他以“神义论”的语言书写着个体的时间史：我虽然会死，但我将像我的祖先一样，血脉生生不已，故事仍在继续。他并没有从这个世界消失；在年节祭祀仪式中，他仍回到家里和族人欢聚一堂，享受亲情和美味。这样，个体实质便达到了基督教神学所谓的“永恒”。[①]民间社会除夕夜祭祖仪式的象征意义不是民俗学和伦理学的，而是心理学和人类学的：死神的不道德性的恐吓因家庙供桌上矗立的灵牌而失去了重量；“向死而在”的残酷人生过程因隆重的“迎祖”仪式而成为一种生命形式轮转的游戏。庄严的祭祖仪式成为死亡的驱魔仪式。不仅激发了个体的永恒想象，守护着个体灵魂的“在家”，也激励着个体的“生命律动”。这就是地域文化中对生命意义、生命存在的千篇一律的祖先崇拜的最朴实的哲学思考。

神灵崇拜是维系普通百姓灵魂安顿的另一种十分有效的形式。因为人类面对自然力量的伟大和神奇，就显得非常无能与无奈。就人类已有的“能力及手段”而言，无论是技术还是理性，都不足以

① 高长江. 东方乡村文明之路 中国社会主义乡村文化研究［M］. 沈阳：辽宁大学出版社，1994：61.

同自然相抗衡。为了活下去，人就要创造出“超自然”的力量。久旱不雨，河井干枯，无计可施，只能祈求龙王和雷公；久病不起，医穷药尽，只能邀请钟馗捉鬼和萨满驱邪。

我们不必嘲笑平民百姓的愚昧无知，其实这是弱者抗拒强者的一种生存策略。生存之本质就是一个在幻想的支持下不断试验的过程。相信奇迹的哲学不是实在论而是存在论，不应鄙视为愚蠢而应理解为人类在驾驭生活方面表现出的成熟。所谓“成熟”，就是维特根斯坦（L. Wittgenstein，1889—1951）所说的在某种情况下对某些非知识和经验的命题的相信。一次献祭，一次祷告，并不能改变不幸的命运，但它可以燃烧某些沉没的希望，或通过闪烁的烛光抹去哀伤，重构被现实的无常碾碎的生活想象。桑塔亚纳说得好：“祷告虽未带来任何物质的东西，但至少是培养了人的某些精神方面。它不会带来雨，但直到雨到来之前，它可以培养一种希望，一种屈从，可以培养一种心情以应付任何可能的结果，即展开一种远景，在其中人类的成功会根据它的被限定的存在和有条件的价值显示出来。”① 例如，对于一个在一次海难中丧失了两个儿子的母亲来说，如果她不是相信她的孩子得到了“天上圣母”妈祖的拯救并享受着妈祖之爱，那么，她的存在只有一种可能，就是彻底的疯狂。妈祖庙的献祭与祷告尽管并不能改变客观实在，却改变了人的心理状态，使人能够沉郁或轻松地忍受灾难与不幸。所以，从哲学层面来说，地域性的神灵崇拜是人类在现实生活之中获得的一种归属与存在感，也是对生命意义的一种最为朴实的诠释。

所以，德国哲学家费迪南·费尔曼曾经这样说过：“正因为人知道他必须死，他就会把在生命过程中形成的内容同他的目的分开，并得知这些内容是价值，这些价值在他生命结束后不会失去其

① 乔治·桑塔亚纳. 宗教中的理性［M］. 犹家仲，译. 北京. 北京大学出版社，2008：43.

意义。”① 这位哲人的意思是，人人都知道自己会以死的方式结束生命，因而在其生命存在于世的时候，就不会有意识地把其在生命过程中所形成的生存内容同他的生存目的相区分，生命存在期间的所有生命内容对于一个人来说都是极有价值的，同时这些有价值的生存内容之意义又是永存的。这段话的哲学意义就在于：生存内容之所以有意义，首先因为生命是有价值的，并且还是一种永存的价值，更是因为这种生存已被升华成了人类的生命哲学，也只有上升为哲学范畴，才能有永存的价值与意义，也才会使人成为其精神境界的守望者。

三、地域文化研究的独特价值

任何一种文化的存在都有其或隐或现的自身独特价值，这种独特价值是由文化的特殊性决定的。同样，与此相对应的文化研究亦有其独特价值。例如加强旅游文化研究而愉悦身心的审美价值则是由旅游活动中的吃、住、行、游、购、娱这一特殊规定性决定的；进行商业文化研究，提高经济效益则是由商品的生产、分配、交换、消费四个环节决定的。那么，地域文化由于其形成、发展、存在的地域环境性、历史传承性、丰富多样性等特征，不仅有其自身的独特价值，而且研究地域文化也有独特的价值。

第一，地域文化研究能拓宽文化研究领域的视野，加深对文化主体意义的认识与超越。众所周知，随着人类社会生产力水平的提高，人类物质文明创造能力得到极大的发展。在这个物质相对丰富的世界里，人们思考问题的模式、精神活动的形式乃至于人们情感运作的方式，都已经不同于以往历史上任何时期。变化最大的当属主体与客体、物质与精神乃至制度、宗教、科学、艺术、生产方式和生活方式等越来越紧密联系在一起，变成一种混合形态的文化范

① 费迪南·费尔曼. 生命哲学［M］. 李建鸣，译. 北京：华夏出版社，2000：200.

畴了，这必定是我们今天把握文化较为困难的原因之一。这种文化现象的出现，也表明人类已经走向更为宏观地、辩证地把握自身和把握世界的现代化的伟大进程之中了。二十世纪七八十年代以后，随着全球化时代的到来，文化的发展和演进也进入了一个新的时代。在这个时代里，由于科技进步带来的新的社会生产力迅猛地发展，使得人们发现，“人”成为了一种无所不在而又难于明确说明的文化关系之网中的生灵。“自然世界以外还有一个人类参与的第二维度，用人类学的笼统术语来说，叫人类文化世界，也就是思想的、价值观的、信仰的、艺术的、语言的、象征的、神话的、制度的、历史的（包括科学史）世界。”① 文化时代的到来使人们原有的对人的认识方式面临解体，此时人们抛弃了传统的从“社会人”的向度对人的解读和把握方式，开始转向从“文化”的向度对人的自由本质的再一次发掘。人所获得的崭新解释是：人是文化的动物。换言之，自20世纪后期以来，人类，尤其是西方始终面临着一个新的独特的文化语境，即人类社会已经发展到了从文化的向度来说明人的时代。于是，文化研究或文化批评开始应运而生。

而德国哲学家是这样论述的：

> 如果有什么关于人的本性或“本质”的定义的话，那么这种定义只能被理解为一种功能性的定义，而不能是一种实体性的定义。我们不能以任何构成人的形而上学本质的内在原则来给人下定义；我们也不能用可以靠经验的观察来确定的天生能力或本能来给人下定义。人的突出特征，人与众不同的标志，既不是他的形而上学本性也不是他的物理本性，而是人的劳作（work）。正是这种劳作，正是这种人类活动的体系，规定和划定了“人性”的圆周。语言、神话、宗教、艺术、科学、历史，都是这个圆

① 阿伦·布洛克. 西方人文主义传统［M］. 董乐山，译. 北京：生活·读书·新知三联书店，1997：251.

的组成部分和各个扇面。因此，一种“人的哲学”一定是这样一种哲学：它能使我们洞见这些人类活动各自的基本结构，同时又能使我们把这些活动理解为一个有机整体。语言、艺术、神话、宗教决不是互不相干的任意创造。它们是被一个共同的纽带结合在一起的。但是这个纽带不是一种实体的纽带，如在经院哲学中所想象和形容的那样，而是一种功能的纽带。①

换言之，人的实践怎样，人的本质也就怎样；人的创造性活动如何，人性的面貌也就如何。所以，由于地域文化的综合性和丰富性，自然而然引起了很多人文学者的广泛关注而进入其学科研究的视野。从学科研究的旨趣来分析，对地域文化进行研究，一言以蔽之，就是加深对人的理解与认识，加深对人的生命意义的终极关怀。

第二，地域文化研究能打破学科界限和各种画地为牢的限制，有利于促进学科研究的综合交叉，从而在一定程度上促成研究范式的转移和思维模式的转型。

地域文化研究不是简单地罗列地域范围之内的各种文化现象，也不是纯粹地归纳这些文化形成、发展的前因后果。事实上，我们在研究地域文化的时候，已经涉及地域文化形态、本质、结构、功能以及地域文化的普遍性与特殊性，地域文化的多样性、多元性，涉及哲学、历史学、地理学、考古学、人类学、文学、民俗学、民族学、宗教等，其综合交叉性是不言而喻的。说到底，无论哪种研究，都是人的一种思维活动，而这种思维活动就是人能够把自己的精神意识和情感活动变成一个有机联系的整体构成，即人通过精神意识、情感活动建立起一个超越肉体的和物质的世界联系。所以，思维活动是人所特有的一种精神活动。人类的这种思维活动或精神活动，从来不是一成不变的，而是随着人类文明的演进不断进步而

① 恩斯特·卡西尔. 人论［M］. 甘阳，译. 上海：上海译文出版社，1985：87.

走向全面与综合的。地域文化研究的思维特性正好适用了人类思维进步的趋势，将某个地域之内纷繁复杂的各种文化现象，从不同领域、不同视角进行考察、分析。而这样一种思维模式和研究范式正是现代学科研究所倡导和追求的，也正是现代文化研究求真向善的学术规定。

从总体的意义上说，人的精神活动体现出了四大文化形态或四大文化类型：第一种是社会制度文化形态。所谓社会制度文化形态是人在思考人与人之间如何相处时形成的制度性的规范，如政治制度、法律制度、经济制度等等。人们在研究或把握各种制度形态时，其实就是在研究和发现人如何调适人与人之间的关系。第二种是思想意识文化形态。思想意识文化形态主要包括宗教、哲学、文学、艺术等非物质的文化样式。这些思想意识都是以“文本”的形式，或者以有形的方式存在着的。在这些文本的背后，体现的也是人类精神活动的过程。第三种是生产方式文化形态。人类在发展过程中，其思维活动总是与生产过程密切联系的。人类每一次生产方式的出现、进步和发展，都是人们精神创造性活动的结果。第四种是生活方式文化形态。不同的民族或处在不同地域、或处在不同时代，因此形成着不同内涵的生活方式。比如，不同民族的生活习俗、饮食习惯、服饰特点、居住方式等等，其实都从本质上反映着各个民族精神联系的独特性。正是在这个意义上我们才说“文化作为人唯一所具有的意识和情感的产物，其底蕴反映着人的精神活动”①。可见，这四大文化形态或四大文化类型的研究结果，由此而形成了以往界限较为分明的诸多学科，其思维路径大体按照既定的方法论进行实证性的逻辑演绎与规范性的价值判断。当然，这种研究范式和思维模式有其科学依据。但是，也存在失之偏颇的局限，与文化内容纷繁复杂性质的研究要求亦有相当的距离。二十世

① 刘建军. 演进的诗化人学 文化视界中的西方文学的人文精神传统［M］. 长春：东北师范大学出版社，1998：16.

纪七八十年代兴起的地域文化研究的学科综合交叉趋势，能很好地融合上述四大文化类型的研究范式和思维模式，从而构建新时代的文化研究的新路径。所以，只有对人们如何看事情、如何想事情的思维模式和思维特征进行把握和考察，我们才能够打通各个学科的界限，才能进行真正的综合的文化研究。

第三，地域文化研究能丰富文化进一步发展的理论。人只能尊重与遵循规律，而不能改变和违背规律。众所周知，“百花齐放，百家争鸣”是文化发展的基本规律。“多元化”是宇宙中的万物存在与变化的基本样态。宇宙中的万事万物都有自己的特点，以人为主体的社会也是如此。生活在不同区域之中的人们，因其生产方式、生活样式、精神风貌及其价值观念等方面的差异，这些因素长期以来浸染着本区域的乡土人情，于是渐渐积淀为色彩斑斓的地域文化。而地域文化一旦形成，其影响力不容忽视。人的价值观、人生观、世界观、思维方式和行为模式等方面的差异，都会受地理环境、不同的生产方式以及社会结构、人文环境、风俗习惯和历史传统等方面的影响。这符合事物的多元发展规律。

一方水土养一方人，在不同地理环境、经济土壤和社会结构等因素影响下形成的不同地域文化，自然带有浓郁的地方特色。地域文化不仅以可见的、外在的形式存在于个体的实际生活中，从行为方式方面影响并塑造着个体；而且还以无形的、潜在的方式制约、影响着个体的意识形态，从精神观念的深处影响并塑造个体的道德品格。因此地域文化是人的健康成长过程中不可缺少的要素，它能满足人多方面的需求，对人的全面而有个性的发展产生积极的影响。所以，加强对地域文化的研究，是“多元文化教育”中的应有之义。“多元文化教育”倡导文化的平等，强调文化间的互动、交流与融合，从而保护和弘扬传统文化中的宝贵财富，进而拓展与创新当代的社会主义新文化。熟悉自己家乡的乡土民情、风俗习惯、历史渊源和文化传统，是建设有中国特色社会主义新文化不可或缺的前提与基础。

第四，对地域文化的研究可以强化中国民族文化的生命力。传统文化的“多元化”是一个民族、地区或国家从历史传统中继承宝贵精神财富的基础，也是建设顺应时代潮流的新文化的重要资源。从文化发展的整体性来看，加强对地域文化的研究与保护有利于保存和延续中国传统文化。

当然，随着时代的发展，科技的进步，人口流动的加快，特别是世界经济一体化加剧，一部分地域文化因子将不可避免地退出历史舞台；而不同地域文化之间的融合也是大势所趋。但由于地域文化产生的基础是地理环境的差异，经济结构的不同，政治权力和行政区划、民族、宗教以及外来文化等方面综合影响的结果，所以，地域文化之间界限的消失甚至完全同化也是不可能的。人类文明的长期发展历史也证明了这一点。

从中国古代历史发展的实际情况看，尽管实现了国家政治与经济的统一，但地域文化差异仍然持续存在。对此，任继愈强调指出：地区文化不仅在春秋战国存在，秦汉统一以后也仍然存在。大一统的封建国家形成之后，由于封建经济是自给自足的自然经济，由于中国地域广大，有千山万水相隔，各地文化传统具有保守性，思想文化上的地区差异性仍长期存在。不仅在秦汉，且在三国、南北朝、隋、唐、宋、明乃至清，地域文化一直是存在的。[①] 鉴于此，以积极的态度做好对地域文化的研究与保护，才能让后世子孙欣赏、怀念、追忆我们的先祖所创造的辉煌而灿烂的古代文明。

第五，对地域文化的研究有利于文化的多元共存与融合创新。文化是由活生生的人创造的，所以它始终就是一个动态、开放、不断变化着的有机系统。从文化生发学的角度看，文化的产生、发展、成熟与完善，始终是众多不同的文化形态不断交流与融合的结

① 任继愈. 中国哲学思想发展史：第一卷［M］. 北京：人民出版社，1983：23—27.

果。在这一不断交流与融合的过程中，各种文化都有平等的生存权利和发展空间。所以，不同地域文化之间应该平等共处、和谐发展。《论语·子路》说："君子和而不同，小人同而不和。"当然孔子所言的是人与人之间的原则，但我们可以作进一步的推演，在人所创造的文化与文化之间，这一原则同样适用。世界上已存的和现存的各种文化之间应"和而不同"，"和谐"有利于共生共长，"不同"有利于相辅相补。按照这一原则，各种地域文化应在平等竞争中取长补短，在求同存异中共同发展。

整个人类的文化恰恰是在各种不同文化的交流和融合中不断繁荣与创新的。自 20 世纪 80 年代以来，随着经济全球化的不断推进，不同民族、不同地区、不同国家的文化发展不但没有彼此"同化"，反而是"文化多元化"的趋势不断增强。各种不同特色的文化彼此共存，为它们的相互交流、融合提供了可能。不同的传统文化是不同的民族、国家和地区，在不同的历史时期所创造文化的融汇与整合。在这一融汇与整合的过程中，地域文化作为传统文化的重要组成部分，彼此借鉴、取长补短，产生了互相依存的共生性，从而形成了传统文化由"多元一体"到"一体多元"的演变。在这一过程中，处于同一时代背景之下、同一文化体系之中的不同地域文化虽各具特色，但彼此之间又是不断地相互交流与融合。在相互交流与融合的过程中，每一种地域文化都依据自己的价值体系和取舍标准来吸纳其他文化的精髓，从而丰富和发展自身。不同的地域文化在融合的过程中也会包含着矛盾或冲突，但这并不是一种相互敌对的关系，而是一种在竞争中的相互渗透、交流与融合的关系，这也正是不同地域文化保持其生命力的途径和方式。

第三章

地域文化理论视野下的湖湘文化（上）

地域文化同其他各种文化一样，其形成、发展和存在与之相对应的自然环境有着密切的联系，即有什么样的自然环境就会有什么样的文化，研究地域文化必须关注其赖以生存的自然环境。另外，地域文化的独特性、多样性也决定了其本身所固有的文化体系的相对独立性和稳定性，因此，地域文化研究也要关注其整体性，用系统观、整体观去观照地域文化的方方面面。所以，本章按照历史地理学、文化人类学、历史学的地理环境对文化的影响和整体史观的理论，对湖湘文化的地域文化意蕴、源与流、元与体及“上”与“下”等问题加以探讨。

第一节　地域历史中的湖湘文化

湖湘文化作为中国传统文化的重要组成部分，是一种历史久远的区域性文化，在漫长的历史积淀和发展过程中形成了自己丰富的内容和鲜明的文化个性，具有文源深、文脉广、文气足的历史特色①。湖湘文化之所以如此独具特色，主要原因之一就是湖湘地域特殊的自然地理环境和人文地理环境所长期形塑而成，与其说一方风水养一方人，不如说一方风水造一方文化。湖湘地域特殊的地理环境造就而成的文化，随着历史的变迁其内涵不断丰盈而深刻，其实，“湖湘”这一地理组合词语的来龙去脉，就能使湖湘文化的意蕴得到先见之明的诠释。

一、湖南地域环境特征

（一）自然地理概况

湖南位于中国内地的南部中央，浩荡滚滚的长江抵湖南北部而

① 朱汉民．湖湘文化通史：总序［M］．长沙：岳麓书社，2015：1—4.

东下，湖南处于长江之南，属于长江流域。湖南四周东接江西，北邻湖北，西达四川、重庆、贵州，南抵广西、广东，面积为210500平方公里。在这块广袤的土地上，有着独特地理环境。

就地质特点而言，根据地质学家研究，湖南属于中国江南古陆的一部分。① “分属两个大地构造单元。以罗翁绥宁大断裂向北东经安化，宁乡至长寿永安大断裂一线为界，其北西为杨子准地台的一部分，其东南为南华准地台的一部分。三大岩系（沉积岩、岩浆岩、变质岩）发育，晚元古代以后的地层出露齐全。地史上各期大的构造运动在湖南均表现明显。中、酸性岩浆活动强烈。受到三个地质成矿构造单元的控制：一是八面山褶皱区，二是雪峰的隆起区，三是湘中、湘东南褶皱区，构成了湘中、湘南两个大的成矿带。有‘有色金属之乡’和‘非金属之乡’之称，矿藏丰富，矿种齐全，质量优良。到1988年末，在全国已发现的140多种矿种中，湖南找到134种，已探明储量的有83种，成为全国矿种较多的省份之一。锑、钨、铋、雄黄、海泡石、重晶石、独居石的储量居全国第一位，锰、钒、铼、芒硝、砷、高岭土居全国第二位。由于在地质构造上岩浆活动较弱，湖南是一个弱震，少震区。”②

就地形、地势、地貌来看，湖南地形为东西南三面环山的结构，中北部低落，呈蹄形。位于石门县境内的壶瓶山海拔2099米，为省内最高点，中部大都为丘陵、盆地和谷地，北部为洞庭湖平原，地势低平，海拔大都在50米以下。湖南地势属于云贵高原向江南丘陵和南岭山地向江汉平原的过渡地带。湘西有海拔在1000至1500米之间山势雄伟的武陵山、雪峰山盘踞，是湖南省东西交通的天然屏障。雪峰山又是湖南省东、西自然条件的分界线。湘南有南岭山脉，向东西方向延伸，作为长江和珠江水系的分水岭，山

① 转引自张朋园. 湖南现代化的早期进展（1860—1916）［M］. 长沙：岳麓书社，2002：6.

② 湖南省地质矿产局. 湖南省区域地质志［M］. 北京：地质出版社，1988.

间盆地较多，谷地为交通要道。湘东有幕阜、连云、九岭、武功、万洋、诸广等山，均为东北—西南走向。湘中为海拔500米以下的丘陵，台地广布。这些盆地多为河谷沟通，并带有河流冲积平原。湘北为洞庭湖及湘、资、沅、澧四水下游形成的河湖冲积平原，海拔多在50米以下。全省东、西、南三面山地环绕，逐渐向中部及东北部倾斜，形成向东北开口不对称的马蹄形。省内大于海拔2000米高点的分布与地势总特点基本一致，集中分布在东、南、西三面的山地之中。湘东最高点是炎陵县的斗笠顶，峰顶海拔2052米。东南部有桂东县的八面山，峰顶海拔2042米。湘南有道县的韭菜岭，峰顶海拔2009米。西南部有城步县的二宝鼎，峰顶海拔2024米。西北部有石门县的壶瓶山，峰顶海拔2099米，是省内最高点。全省地势的最低点，是临湘县的黄盖湖西岸，海拔只有24米，与省内最高点相差2000多米。湖南的主要地貌为流水地貌，岩溶地貌次之，湖成地貌最小。按组成物质（不含水域）分沉积岩地貌为主，占全省总面积的57.75%；变质岩类地貌次之，占24.99%；岩浆岩类地貌所占比重稍少，仅占8.87%。按海拔（含水域）分，以300米以下地貌为主，占全省总面积44.27%；300米到500米地貌次之，占22.58%；500到800米地貌占18.43%；800米以上地貌占11.72%。按形态分，山地（含山原）占全省总面积51.22%，丘陵占15.40%，岗地占13.87%，平原占13.11%，水面占6.39%。全省以山地和丘陵地貌为主，合占总面积的66.62%。总而言之，全省可划分为六个地貌区：湘西山地区、湘西北山原山地区、湘南丘山区、湘东山丘区、湘中丘陵区、湘北平原区。①

就气候而言，湖南为大陆性亚热带季风湿润气候，气候具有三个特点：第一，光、热、水资源丰富，三者的高值又基本同步。第二，气候年内变化较大。冬寒冷而夏酷热，春温多变，秋温陡降，

---

① 湖南百科全书编辑委员会. 湖南百科全书［M］. 长沙：岳麓书社，1999：93.

春夏多雨，秋冬干旱。气候的年际变化也较大。第三，气候垂直变化最明显的地带为三面环山的山地。尤以湘西与湘南山地更为显著。湖南年日照时数为1300~1800小时，热量丰富。年气温高，年平均温度在15~18℃。湖南冬季处在冬季风控制下，而东南西三面环山，向北敞开的地貌特性，有利于冷空气的长驱直入，故一月平均温度多在4~7℃，湖南无霜期长达260~310天，大部分地区都在280~300天。年平均降水量在1200~1700毫米，雨量充沛，为我国雨水较多的省区之一。

（二）湖南历史沿革

“湖南”一词实指洞庭湖以南，唐朝广德中叶年间的地方行政建制设置“湖南观察使”而得名。湖南又简称“湘”，盖因古代为湘州地，又在湘水（今为湘江）流域的关系，故有“湖湘”之称谓。春秋战国时期，湖北湖南为楚国所辖，所以人们又不时称湖北为楚北，湖南为楚南。这些都是与地理和历史联系在一起的。①

上古时期的历史传说：湖南历史悠久，其地域版图随着时代的发展变化而不断变化。上古时，洞庭湖一带即为三苗之地，南面则是扬越的分布区域。早在5000年以前，中华始祖就已在这片土地上过着定居的农业生活。炎帝神农氏因遍尝百草中毒身亡，“葬于长沙茶乡之尾”，黄帝轩辕氏曾奏“钧天子之乐于洞庭”，尧舜时代，传说赤松子、善卷曾到此活动，舜帝南巡崩于苍梧之野，又有有穷氏后羿斩巴蛇于洞庭，更有夏禹治水之诸多遗迹……这些，虽为传说，不可全信，但也足以说明“湖南”之地是上古开发较早的地区。

先秦时期隶属黔中郡：商周时期，湖南与中原关系密切，湖南地区的冶铁技术已达较高水平。春秋战国时期，湖南为楚国属地，且有大量楚人移居此地，使该地农业、手工业以及水运贸易等都得

① 参见张朋园. 湖南现代化的早期进展（1860—1916）［M］. 长沙：岳麓书社，2002：6.

以发展。当然，此时的“湖南”，仅仅是统辖湖南全境的楚国的一块属地即黔中郡而已。

然而，作为地理地域概念的“湖南”从何而来呢？湖湘历史有明确记载的地方行政建制是在战国时期出现的，即楚国在所纳入其版图的湖湘部分地域建立起郡县制的行政建制——黔中郡。关于楚国黔中郡建置的时间史载不详，但应不晚于公元前385年，即著名的军事家吴起担任楚悼王的相后对湖湘地区的征伐，当时楚国“南并蛮越，遂有洞庭、苍梧”。楚国黔中郡的辖地大致相当于汉代的武陵郡，即今湖南的怀化市、湘西土家族苗族自治州和常德市的市区、桃源县、汉寿县，以及贵州黔东一带。至于在“洞庭”和“苍梧”是否另有行政建制，除近年出土《里耶秦简》载有“洞庭郡”外，另无史载。

战国晚期，秦昭王二十七年（前280），《史记·秦本纪》云：“又使司马错发陇西，因蜀攻楚黔中，拔之。”秦昭王三十年（前277），又命蜀守张若由蜀（今四川）出发征伐楚国，取巫郡（今四川巫山北）及江南（长江中游以南，即今之湖南及其以南地区）地，置黔中郡。秦国所置的黔中郡，是在楚国黔中郡基础上改置的，其辖地大于原来的地域，包括现今湖南的大部分地区，以及川东、黔西、黔东和桂西、粤东的部分地区，中心地区位于湖南沅水的中下游，郡治在今沅陵县，且楚国黔中郡存在的时间可能仅仅百余年。

秦汉时期设置长沙国（郡）：公元前223年，楚国被秦国灭亡。公元前221年，秦始皇统一六国，建立起以郡县制为基础的中央专制集权国家秦王朝。秦王朝在湖湘地区（包括与周边部分省区的接壤地区）先后设置了黔中郡和长沙郡。长沙郡是在秦国灭楚以后所建置的。

关于长沙郡的情况，大致可以归纳为：建置的时间在秦始皇二十三年至二十六年（前224—前221）之间；是将原来所设置的黔中郡的南部（即沙乡以南名为“湘川”的大块地域）划出所置。宋人根据历史文献所综合编撰的《历代地理指掌图》考证，这一地域包括古代的岳、潭、衡、郴、连、邵、永、道、桂阳等州，即今之岳阳、长沙、衡阳、湘潭、株洲、邵阳、娄底、郴州、永州9个市，以及广东的连县等地区；其郡治是临湘，即现今的长沙市。

西汉时期，地方行政建制基本承袭秦制，以郡县为主，辅以分封制的王或侯“国”。湖湘地区属于荆州刺史所统摄，共置3郡1国，即桂阳郡（治所在今之郴州，领11县，位于今湖南的有5县）、武陵郡（治所在义陵，即今之溆浦县；领13县，位于今湖南的有12县）、零陵郡（治所在泉陵，即今之永州市零陵区北；领10县，位于今湖南的有7县）和长沙国（国都为临湘，即今长沙市；领13县，位于今湖南的有12县）。此外，以今广西部分地域为主体所建置的苍梧郡，领有湖湘境内的谢沐（今江永县）和冯乘（今江华县）两县。

东汉时期，地方行政建制与西汉大体相同而略有改变。湖湘地区大部分仍属荆州，小部分属交州。域内原有的长沙国废除，另置有5个侯国，受郡守统辖，“侯”仅仅收取封地租税，已经没有行政权力，由朝廷任命的“相”主持辖区内的政务。所置郡有长沙郡（由西汉的长沙国改置，治所在临湘，即今之长沙；所领位于今湖南境内者有12县和1侯国）、零陵郡（治所同西汉，所领位于今湖南境内者有6县和4侯国）、桂阳郡（治所同西汉，所领位于今湖南境内者有6县）和武陵郡（治所为临沅，即今之常德，所领位于今湖南境内者有12县）。

隋唐两宋时期始有“湖南”之名：从三国历经六朝迄隋代，中央政权变更和颠覆频繁，湖南的地方行政建制也波动较大。至唐代，地方行政机构设道、州郡、县三级。今湖南大部分地域属江南西道所统辖，所领位于湖南境内者有潭州长沙郡、衡州衡阳郡、岳州巴陵郡、澧州澧阳郡、朗州武陵郡、郴州桂阳郡、永州零陵郡、邵州邵阳郡、道州江华郡9郡；另有部分地域属黔中道所统辖，所领位于今湖南境内者有辰州泸溪郡、锦州卢阳郡、叙（溆）州潭阳郡、奖州龙溪郡、溪州灵溪郡5郡，及晃州1个羁縻州。同时，唐王朝还在全国各地设置了一些军政合一的行政机构。其中在湖湘地区设置了潭州总管府，领潭、衡、永、郴等州，另将巴（岳）、澧、朗、辰等州隶于荆州大总管府。唐武德七年（624），改总管府为都督府，景云元年（710），潭州中都督府辖有潭、衡、永、郴、邵、道6州，而岳、澧、朗3州仍归荆州大都督府管辖，并一度将辰州升格为都督府。唐玄宗天宝十四年（755），“安史之乱”爆发，唐王朝随后在各地加设了一些初为履行军事职责、后则兼具军政合一职能的职位，如防御使、观察使、节度使、团练使等。与湖湘有关的主要有如下3个观察使或节度使：湖南观察使和武安军节度使，唐肃宗至德二年（757），于衡州置防御使，后废。唐代宗广德二年（764），于衡州置“湖南都团练守捉观察处置使”，简称“湖南观察使”，领衡、潭、道、邵、永5州。所以，“湖南”之名自此即公元764年才真正出现。大历五年（770），湖南观察使徙治潭州（今长沙）。僖宗中和三年（883），湖南观察使升为钦化军节度使；光启元年（885），改为武安军节度使。

五代十国时期，马殷建立楚国，辖地包括今湖南的全境及广东、广西和贵州的部分地区。马殷死后，其子及部将争夺统治权，主要的军事势力便是上述之武安军节度使、武平军（武贞军）节度使等。

北宋初年，地方行政建制基本沿袭唐制，为道、州郡、县三级。宋太宗至道三年（997），改道为路。就较为稳定的行政建制来看，两宋时期，现今湖南版图内共置12州郡、3军、59县，其中潭、衡、永、郴、道、邵（宝庆府）6州，桂阳、茶陵、武冈3军，及所属37县，属于治所设于潭州（今长沙）的荆湖南路；岳、鼎（常德府）、澧、辰、沅、靖6州，所属23县，属于治所设于江陵（今湖北江陵市）的荆湖北路。

从上述湖南行政区域的历史变迁情况可以看出，在宋代以前的大部分历史时期，现今湖南省域版图所领各个市县，从来没有被完整地或者几乎完整地划归到同一个行政区划内。在不同的历史时期，现今湖南的北部、西部甚至东部的一些州郡和县，都与现今相邻省份的一些州郡合并成另外的行政区划。现今湖南省域版图，被大致纵向划分为东西两个部分，分别归属到相邻的其他区划中。由此可见，“湖南”名称虽然在当时甚至更早已经出现，但其所指仅仅只是洞庭湖以南，主要是湘中、湘南的部分地区，并不包括湘北的洞庭湖及周边的巴（岳）、朗、澧州，湘西的辰、锦、叙、奖、溪等州，以及湘南的郴州等。“湖南（洞庭湖以南）”之名倒是名实相符，但与现今之湖南省域版图，却差距甚大。

晚唐时期，马殷曾一度被唐王朝任命为湖南节度使，“有潭、衡七州之地”，以“湖南”为名的辖地较之唐代多了二州，但仍未囊括现今湖南全境。后来，马殷在湖湘所建立的楚国，其辖地既囊括了今湖南省的全境，也包括了现今广东、广西和贵州小部分地区。将马楚辖地与现今湖南省域版图完全等同，当然亦似未妥。但在五代以及宋代追述马楚时期历史事件的诸多文献中，都是表述为马氏家族以及其他军阀据有“湖湘”。可见，当时人心目中，“湖湘”地域与马楚辖域的概念范围基本一致，亦与现今之湖南省的版图最为接近。

两宋时期，湖湘域内地理行政建制虽然不时也有一些调整变动，但就较为稳定的行政建制来看，大致以洞庭湖之南岸滨湖地区为分割线，从东北向西南斜横向分割，洞庭湖以南地区隶属于荆湖南路，包括潭、邵、衡、郴、永、道、全（今属广西）诸州以及武冈军和桂阳监；以北包括滨湖之东部、西北部、西南部以及沅水、澧水流域等地区，如岳、澧、鼎、辰、沅、靖等州隶属于荆湖北路。这一划分，虽然大致也是以洞庭湖为界，却将滨湖地区诸州郡以及远在先秦时期即与楚国接壤并联系密切之沅水、澧水流域诸州郡划归到荆湖北路，故与后世迄今之以洞庭湖北岸为界将这些地区划归于湖南省域版图，差距仍然很大。然而，以洞庭湖为界划分湘、鄂两省之辖域及其地名“湖南”“湖北”二名的对举产生，便是导源于此。

元明时期隶属湖广行省：元代，湖南属湖广行省江南湖北道肃政廉访司、湖南道宣慰司，岭北湖南道肃政廉访司、思州军民安抚司、新添葛蛮安抚司。明朝属湖广布政使司，辖岳州、靖州、永顺、宝靖军民宣慰使司。

清朝设立湖南省：清康熙三年（1664）建立湖南省，下设长宝道、岳常澧道、辰沅永靖道、衡永郴桂道，道下为府，直隶州（厅），府（州）下为县。民国三年（1914），全省设湘江道、衡阳道、武陵道、辰沅道，道下辖县。1916 年废武陵道。1922 年废除道制。1936 年起改设行政督察区，下辖若干县不等。1949 年初，湖南设 10 个行政督察区、2 市、77 县。

综上所述，可以看出，虽然“湖南”一名早已于唐代出现，但截至五代时期，其地域范围之所指，与现今湖南省域版图并不完全契合。

（三）湖南历代人口变迁

文化是由人创造的，是人类超越本能的、有意识地作用于自然界、社会以及人类自己本身的一切活动及其产品，文化本质上来讲就是“自然的人化”。可见，人与文化构成了一种必然的因果逻辑关系，人在文化创造中起着决定性作用。讨论地域文化，就离不开地域之内人口的数量、结构及其变迁。①

① 主要参考：葛剑雄. 中国人口发展史［M］. 福州：福建人民出版社，1991；毛况生. 中国人口：湖南分册［M］. 北京：中国财政经济出版社，1987；张伟然. 湖南历史文化地理研究［M］. 上海：复旦大学出版社，1995；张朋园. 湖南现代化的早期进展（1860—1916）［M］. 长沙：岳麓书社，2002.

整的来看，在历史上，清朝以前湖南人口数量仍是地广人稀，传统农业未见完全开发。上古时期的湖南是蛮夷之地，几不为人所知。春秋战国时期由于中原文化的扩展，中原汉人已有进入湖南北境者，但中原人大量南迁，盖在王莽更始时期，此时中原大乱，南阳、襄阳居民颇多走避于洞庭沅湘之间。[①] 司马迁《史记·货殖列传》云："楚越之地，地广人稀。"据《汉书·地理志》记载，元始二年（2）长沙、零陵、桂阳、武陵四郡国在今湖南省境内有人口五十多万，平均每平方千米 2.47 人。东汉时期的湖南人口相较于全国来说，有较大增长，《续汉书·郡国志》所载永和五年（140）户口计算，零陵、长沙、桂阳、武陵四郡的人口密度分别为元始二年的 6.57、4.83、3.22、1.24 倍。有学者分析，这个数量"如果放到全国普遍户口减少而南方州郡增加的背景下来看，湖南的增长最为突出"。[②] 魏晋南北朝时期，《晋书·地理志》记载西晋太康元年（280）湖南有 24.8 万口，约 962000 人。《宋书·州郡志》载刘宋大明八年（464）湖南有口约 33 万。显然，这个数字水平是相当低下。但是，值得注意的是这个时期，由于北方大量移民的南迁至湖南而出现大量人口脱籍的现象，实际人口应该有所增加。到了隋朝，湖南人口仍不见增长，据《隋书·地理志》载，隋大业五年（609）湖南仅有户口 28 万余。张伟然分析这是因为一方面由于隋朝政府以增加赋税为目的举行大索貌阅而检括不够，另一方面由于湖南在南朝时期曾经有过汉化的倒退过程所致。[③] 唐朝时期，由于社会稳定和经济发展，湖南的人口有所增长。《旧唐书·地理志》载天宝元年（742）增长到 95 万余口，安史之乱后，由于接受北方移民，仍有不断增长。有宋一代的变化也极其重要，北宋初年湖南人口在前代的基数上有所下降，乾德元年（963）为 50 万

① 谭其骧. 中国内地移民篇——湖南篇［J］. 史学年报，1932，1（4）：56—58.
② 张伟然. 湖南历史文化地理研究［M］. 上海：复旦大学出版社，1995：7.
③ 同②8.

口，而元丰六年（1083）增长到 180 余万，崇宁年间（1102—1106）户口数量进一步增加到 260 余万，到南宋嘉定十六年（1223）前后，人口数量增至 720 多万，这充分反映了两宋时期湖南社会、经济的快速发展和自中唐以来中国经济重心的从西北向东南、中部的倾斜。这其中一个主要原因是湖南有大量移民的进入，移民主要来自北方和江西，这是湖南社会、经济发展的关键。① 元朝因战乱缘故，湖南人口再度下降，据《元史·地理志》记载，至顺元年（1330）湖南共有 569 万余口。明朝时期，因漏户、投靠、隐匿和逃亡等原因，人口统计数量锐减，据《湖南通志》所载，万历六年（1578）湖南人口为 1917052 人。清朝时期由于政府采取摊丁入亩和地丁银政策，湖南人口迅速增长，直线上升，乾隆十一年（1746）人口接近 900 多万，乾隆四十一年（1776）湖南人口几乎达到 1500 万，道光二十二年（1842）超过了 2003 万，同治十三年（1874）超过了 2100 万。此后，人口更是猛增，1911 年达 2340 万。]②

由上可知，湖南人口数量的发展演进随着历史进程的跌宕起伏而曲折变化，可以以清朝康熙年间为界划分为前后两个时期。前期是人口增长过程十分缓慢，其中且有几次下降。发展较快的是东汉、唐朝、南宋时期，人口减少严重的是隋末、唐末、明末。后期则是湖南人口快速增长的时期，且呈直线上升增长的趋势。

而人口的分布格局在清朝以前是地广人稀，且主要集中在湘水上游和潇水流域。清朝开始则人口主要集中在环洞庭湖区。

（四）自然经济形态

① 参见：漆侠．关于宋代人口的几个问题［M］//求实集．天津：天津人民出版社，1982；吴松弟．北方移民与南宋社会变迁［M］．台北：文津出版社，1993；谭其骧．湖南人由来考［M］//长水粹编．石家庄：河北教育出版社，2000：163；曹树基．湖南人由来新考［M］//历史地理：第 9 辑．上海人民出版社，1990：119.

② 李瀚章，裕禄，卞宝第，等．湖南通志：卷 48［M］．刊本．1885（光绪十一年）.

经济形态是对以生产力为先决条件的生产活动的抽象描述，一般包括生产模式、主导产业、基本结构及政策等等。那么，自然经济形态是指以家庭为主要基本生产单位，生产规模相当小；且大多数情况下产品的原料采集、生产乃至消费都是为了满足劳动者自身需要而不是为了进行资本积累并扩大再生产；生产只有在过剩的情况下才会将产品拿到市场上交换；农业生产同家庭手工业相结合，满足自给自足的需要，也叫小农经济。

由于受地理条件和中华农耕经济的影响，湖南的经济生产活动在历史上属于典型的自然经济形态。从整体上讲，湖南地区开发较晚，在历史上很长一段时期内经济发展相对落后于开发较早的中原地区，而被称为“蛮荒之地”。春秋战国时期，湖南开始变成楚国的“江南”，农业生产开始发展。这一时期湖南的冶炼技术很有成就，中国最早的铁凹口锄、最早的铸铁件和第一把钢剑均在长沙出土。手工制品方面有铜镜、漆器、丝织品和琉璃器等，商业方面出现了蚁鼻钱，还有黄金币，商品交换开始出现。楚国对湖南地区的开拓和经营，使湖南经济社会得到了一定程度的进步，楚国也因此成为“战国七雄”之一。

秦汉时期，湖南地域农业生产力水平逐步提高。一方面，由于铁制工具和牛耕等生产技术的传播推广，土地在更大范围内逐步开发，农业、手工业、商业均有发展。另一方面，与此相适应的土地私有制发展和土地兼并加剧，大土地所有制和世族豪强地主逐步形成，地主庄园经济逐步成为占主导地位的经济形态。

魏晋南北朝时期，由于北方人口的大量南迁，中国的政治经济文化重心开始南移。这一时期的农业生产发展较快。一是耕地的开垦和灌溉面积的扩大。二是牛耕进一步推广，农业生产技术在改进提高。三国时湖南生产的稻谷有“长沙好米”之名。西晋时杜预开凿的“开杨口，起夏水，达巴陵千余里，内泻长江之险，外通零桂之漕”① 的运河，就是调运湖南粮食的水路运输线。同时，陶瓷、纺织、金属冶炼以及金银器、玉器制作等手工业的兴盛和发展。

隋唐时期，北方人口继续大量南徙，湖南社会相对安定，经济总量有所增加。大部分地区实行一年二熟制，粮食产量进一步扩大，“则潭、衡、桂阳必多积谷，关辅汲汲，只缘兵粮。漕引潇、湘、洞庭，万里几日，沦波挂席，西指长安。三秦之人，待此而饱；六军之众，待此而强”②。经济作物种植，如茶叶在五代马殷时期发展较好，棉花的种植技术也在这一时期由两广传入湖南。湖南稻、棉、茶三大种植农业基本格局由此形成。手工业方面如长沙窑的釉下彩瓷器代表湖南乃至全国瓷器生产水平。

宋朝经济重心南移，湖南经济得到一个较好的发展机会。在农业领域，一是耕地面积进一步扩大，洞庭湖逐步开发利用，重视兴修水利；二是对丘陵山区少数民族聚居地区实施拓边政策。到北宋末，已是“湖南无荒田，粟米妙天下”。适用稻田深耕的曲辕犁、灌溉用的龙骨水车等在湖湘地区普遍运用；牛耕进入少数民族聚居区。水稻优良品种占城稻也引入湖南，湖南也成为重要的地区。这一时期湖南的手工业如矿冶业、纺织业、陶瓷业、造船业等的发展形成了自己的特色和风格。

明朝后期，农业生产进一步发展，湖南已成为全国粮食的主要产地和供应基地，当时流传有“湖广熟、天下足”民谚。同时，各类经济作物如桑、麻、棉等也有很大的发展，其中又以茶叶生产成绩最为突出。

清代湖南地区的经济发展首先表现在农业生产的恢复和迅速发展上面。清初政府十分注重兴修水利和奖励垦荒，在洞庭湖区大量

① 房玄龄. 晋书：卷三四：杜预传［M］. 青岛：青岛出版社，1993：369.

② 刘昫，等. 旧唐书：卷一二三：刘晏传［M］//张家林. 旧唐书·新唐书. 北京：中国戏剧出版社，2007：490.

兴修堤垸，围垦湖田。到乾隆时期湖区几乎发展到了“无土不辟”的程度，因此，湖南的粮食产量赶上并超过湖北省，并且有了新民谚“湖南熟，天下足”。这一时期一些新的农作物如番薯、花生也传入湖南。经济作物如茶叶、茶油、桐油、棉花和烟叶等，不但种植面积在扩大，产量也在增加。在手工业方面，矿冶业获得发展，康熙十九年（1680），“准衡、永等府属产铜、铁、锡、铅处，招民开采输税”[①]。另外一些特色产品如刺绣、土布、花炮等相继获得发展。

二、地域历史中的“湖湘”意识流变[②]

（一）“湖湘”的由来及其意蕴

通常来说，地理分为自然地理和人文地理，自然地理比较容易理解，而人文地理则需要加以说明，它是指以人地关系的理论为基础，探讨各种人文现象的地理分布、扩散和变化，以及人类社会活动的地域结构的形成和发展的一门地理学分支学科，具体又包括政治地理（行政地理）、经济地理、文化地理。我们在探讨“湖湘”这一概念的时候，就是从自然地理、行政地理和文化地理来思考的，“湖湘”作为一个文化地理概念，是与自然地理、行政地理紧密关联在一起的。周振鹤先生曾经指出：“对于中国历史上自然区域、行政区域以及文化区域三者相互关系的研究，是一个尚待开拓的研究课题。”[③] 显然，对于“湖湘”这一概念的时间与空间的理解，有助于加深对湖湘文化人地关系的研究。

文明的日积月累，造就了人类以语言、文字命名事物的禀性。人类把许多地理实体标记为一个地名，用来识别不同地域的符号，

① 巴哈布，翁元圻. 湖南通志：卷四二：矿厂［M］. 嘉庆本.

② 本节主要参考《中国地域文化通览：湖南卷》（于来山主编）和《湖湘文化通史：第一册》（朱汉民主编）有关内容撰写，在此一并致谢。

③ 张晓红. 文化区域的分异与整合：序［M］. 上海：上海书店出版社，2004：1.

它是人们进行社会活动交往的工具，也是社会发展和人类进步的文化宝藏。而我国存在着大量古地名和有着丰富文化内涵的地名。地名的命名一般包括以地貌特征或地物命名、以家族或族群姓氏命名、以动植物命名、以神话命名、以历史人物或历史事件的命名等。“湖湘”这一名称是由“湖”和“湘”二者结合而成，属于典型的以地貌特征或地物命名，其中的“湖”是指洞庭湖，“湘”是指湘江，因为江南地域水系发达，深深地影响着人们的生产和生活活动，所以，以地域之内的著名水系称呼地名也是情理之中的。如前所述，将“湖”与“湘”合并称之为“湖湘”，早在唐朝时期就出现，成为很多官员和文人称呼湖南的地名表达。

就自然地理而言，“湖湘”主要表达的是一种重要的地理位置之人地关系。洞庭湖位于湖南北部，长江荆江河段南岸，是中国著名的“五湖”之一，也是我国第二大淡水湖，春秋、战国时期，因湖中洞庭山（即今君山）而得名，古亦称云梦、九江和重湖。洞庭湖北纳长江的松滋、太平、藕池、调弦四口来水，南和西接湘、资、沅、澧四水及汨罗江等小支流，由岳阳市城陵矶注入长江。所以，整个洞庭湖区跨现今岳阳、汨罗、湘阴、望城、益阳、沅江、汉寿、常德、津市、安乡和南县等县区市。洞庭湖古代曾号称“八百里洞庭”。1825 年时湖水面积约 6000 平方千米，真可谓“四渎长江为长，五湖洞庭为先”。

洞庭湖湖滨平原地势平坦，土地肥美，气候温和，雨水充沛，盛产稻米、棉花，湖内水产丰富，因而也是中国传统农业发祥地，是著名的鱼米之乡。早在春秋时期这里成为楚国的粮仓。洞庭湖是长江流域重要的调蓄湖泊，具有“容纳四水”“吞吐长江”的强大蓄洪能力，减轻了长江中游的洪水压力，在历史上使长江无数次的洪患化险为夷。另外，洞庭湖风光绮丽迷人，湖中浩瀚迂回，山峦突兀，湖外有湖，湖中有山，渔帆点点，芦叶青青，水天一色，鸥鹭翔飞。春秋四时之景各异，一日之中变化万千。历来都是文人墨客观光赏景、流连忘返之地。范仲淹笔下的《岳阳楼记》将洞庭湖的雄伟壮观描写得淋漓尽致，美不胜收。1826 年陶澍主持修撰的《洞庭湖志》，其中三分之二的篇幅收录了历代洞庭湖艺文、捃摭和掌故，可见洞庭湖对中国文学艺术的贡献。基于洞庭湖的地理、经济、政治、文化位置的重要性，故而成为中南地区的重要自然地理标识。

湘江是湖南最大河流，为长江主要支流之一。发源于湖南省永州市海拔近 2000 米的九嶷山脚蓝山县野狗山麓。上游称潇水，零陵以北开始称湘江，向东流经永州、衡阳、株洲、湘潭、长沙，至湘阴县入洞庭湖后归长江。全长 817 公里，流域面积 92,300 平方公里。上游水急滩多，中下游水量丰富，水流平稳。湘江干支流大部可通航，旧时是两湖与两广的重要交通运输线路。因此，理所当然成为湖南地区的自然地理的主要标识。

那么，这个湘江（湘水）为什么叫“湘”呢？其真正的含义是什么呢？按照传统的说法是湖南湘水与广西的漓水都发源于广西兴安县的海阳山，流至兴安县 5 公里处，因相互分离为南、北二流，故有相水、离水之称，后人因水而名之曰湘水、漓水。其证据有如下几条：

宋代柳开《湘漓二水说》：

湘漓二水始一水也，出于海阳山。山在桂州兴安县东南九十里，西北流至县东五里岭上，始分南北为其二，水北为湘水，南为漓水。求其二水之名，于书于纪皆无所说。淳化元年，开自全州移知桂州，问其岭之名，即分水岭也。分水是相离水也，二水异流也。谓其同出海阳至此岭分南北而离也。二水之名，疑昔人因其水分相离而乃命之曰湘水也、漓水也。其北水所为湘，南水所为漓，将有以上下先后乃名之也。水属阴，属北方，北方为水之主也，以其北流者归主也，乃尊之以相字，加其名为上焉。

又疑为以其北者入于华，南者出于夷，华贵于夷也，故以相字为先焉。既二水以二字分名之，即北者为上为先名湘也，即离者必加南流者也，所以漓江是分水之南名也。因其水之分为相离也，乃字傍从水为湘为漓也。

《汉书·地理志》注："漓水与湘水出一山而分源。"

《说文解字》："湘水出零陵阳海山北入江，从水相声。"

然而，据近现代很多专家的实地考察，湘、漓二水并非同源。1969年出版的《广西壮族自治区地图集》中的《兴安县图》标示，湘水发源于广西灵川县东阳海乡的岐岭南，其实，这一说法也不准确。最具权威的是2013年5月20日发布的湖南省第一次水利普查成果所述：湘江源头在湖南省蓝山县紫良瑶族乡，具体发源地在该乡国家森林公园的野狗岭，也就是潇水发源地。这一成果，已得到国务院水利普查办和水利部的权威认定。因此，"以二水相离故名之曰相曰离"之说不能成立，亦即"湘"并非相离之"相"义。

据湖南社科院何光岳考证，"相"即看管、帮助之意，来源于古代地名。[①] 其理由如下：据古老的传说，舜帝南巡崩于苍梧之野，二妃娥皇、女英亦葬于君山，故名湘妃，君山也叫湘山。《楚辞》里就有《湘君》《湘夫人》两篇，描述湘妃的事迹。《遭厄》里说，"沈玉躬兮湘汨"。《渔父》里有"宁赴湘流"。《战国策·楚策》有"食湘波之鱼"。《山海经·中山经》有"交潇湘之渊"。《史记·屈原列传》也有"浩浩沅湘兮"。可见湘水地名来源甚为古老。

所以，何光岳进一步认为，"湘"字是从"相"字发展而来，"相"即看管、帮助之意，各种训诂学和辞义学多作此解释。商代武丁有子封于"相"，北魏于此建相州，即今河北省临漳县西。周武王灭商时，商人有一部分南逃，所以河南上蔡出现了湘水。相人又继续南迁，于是湖南也出现了湘水。湘君和湘山，乃周代追称的

① 何光岳. 湖南叫"湘"的来历［J］. 档案时空，1985（1）：46.

名号。《后汉书·南蛮传》载廪君蛮五姓中有相氏，可能是相人南迁的一支，也带来了湘水的地名。笔者甚为认同何光岳之说，“湘”由“相”而来，即为古地名之义，故湖南也就顺理成章地简称“湘”了，更具有历史文化的积淀。

承前所述，自从春秋战国以来，“湖（洞庭）”或者“湘”二字就不断出现在有关文献中，逐步得到认同与传播。

又东南一百二十里，曰洞庭之山。……帝之二女居之，是常游于江湖。澧沅之风，交潇湘之渊，是九江之间。①

袅袅兮秋风，洞庭波兮木叶下。②

浩浩沅湘，分流汩兮。③

何君臣之相失兮，上沅湘而分离。测汨罗之湘水兮，知时固而不反。④

永负汉庭哭，遥怜湘水魂。⑤

可见，至少在战国时期，洞庭湖、湘江就作为标志性自然地理的名称大量出现在当时的诗文之中。而且，由于洞庭湖、湘江是两个最终合为一体的自然现象，这些诗文也往往是将“洞庭”与“湘”的名字联系在一起讲的。

就文化地理而言，“湖湘”概念主要表达的是在湖南地域文明演进之中湖南人的精神存在和价值追求意蕴。精神存在主要是指人的丰富、神秘、敏感的精神世界的自主性，希望获得更大的精神力量和对生命意义理解与掌控，其中的精神世界包括意志、知识、情感；价值追求是人对自己存在意义的渴望。作为文化层面的“湖

① 张步天. 山海经解：卷五：中山经［M］. 香港：天马图书公司，2004：329.

② 王逸. 楚辞章句［M］//文津阁四库全书：第 1066 册. 北京：商务印书馆，2006：19.

③ 同②40.

④ 东方朔. 七谏·哀命［M］//四部备要：楚辞（卷十三）第 91 册. 北京：中华书局，1989：111.

⑤ 杜甫. 建都十二韵［M］//仇兆鳌. 杜诗鳌注. 北京：中华书局，2007：776.

湘”概念内容非常丰富，无不包含着有关湖南人的精神存在和价值追求，如神话传说、语言文字、宗教哲学、文学艺术、历史传承、景观建筑、学术谱系，等等。前面所引《山海经》《楚辞》关于洞庭湖、潇湘、沅湘的记载，就与这个区域的神话传说、宗教信仰、文学艺术的人文现象联系在一起。南宋理学大师朱熹在其《文集》《语类》中大量使用了“湖湘之学”“湖湘学”“湖南一派”等语，专指在湖湘之地讲学的胡安国、胡寅、胡宏、张栻及他们的湖南弟子，确定了以“湖湘”作为人文地理概念。后来明代学者黄宗羲、全祖望在著名的《宋元学案》中就使用了“湖湘学派”“湖湘学统”的称呼。明清以来，学者们大多沿用“湖湘”的概念，并用来指称湖南这个政区的人文历史现象。所以，在历史上，人们一讲到洞庭、湘江，总会联想起与这些自然标识紧密相联系的人文现象：湘君、湘夫人的神话传说，舜帝与湘妃的爱情故事，忠贞不屈的三闾大夫屈原与他吟唱的《九章》《九歌》《离骚》，范仲淹《岳阳楼记》中的“先天下之忧而忧，后天下之乐而乐”的忧国忧民情怀，还有岳麓书院的古色古香和教育传承，思考身心性命的宋代湖湘学派，倡导经世致用的清代湘学，等等。也就是说，洞庭湖、湘江这些自然地理概念，又成了重要的文化地理概念。

下面再以湖南先秦艺术——帛画创作为例，重点谈谈“湖湘”概念中的意义世界。因为在很多时候，谈到“湖湘”就会联想到考古挖掘出土的先秦、两汉时期巫觋神性文物。湖南境内出土的先秦时期的帛画主要有三幅，分别是《十二月神图》《人物龙凤画》《人物御龙图》，前者是作为承载教化作用的典籍，后两者是作为丧葬仪式中的“旌幡”帛画。这三张帛画所表现出的内容均为脱离了现实生活的神明、巫鬼世界。例如后两张“旌幡”帛画，腾飞的凤鸟、成舟的巨龙，都是注入了人们神圣想象的符号化图像，是古人在无法见到魂魄、鬼怪这些物象的情况下所想象出的理应存在的另一个平行世界中所发生的事件。古人将当下无以解释的事情通过种种神话传说以及巫蛊典章联结起来了，这种联结促成了一个紧密团结的社会体系，将血缘亲情上升到了一个更加神圣的文化集约团体。那是一个万物有灵的浪漫世界，人类的意志并非世界的主导，所以，先民敬天礼神，尊崇先辈揣度出的神意，从而出现了虽然在我们今天看来并不符合科学原则但在先民理念中理所当然的常理。他们笃信这种常理，并将其看作行为准则，生老病死，沧海桑田，或悲喜、或成败，无论其结局如何，都被赋予了天意，某种神秘的力量将万物维系起来了。因此这种并不实用的巫觋之法倒是成为了最为实用的方法，正是由于有了这种“方法”，人类才又能够通过多年的发展厘清其中存在的真理，从而成就现代社会高度发达的自然与人文科学，节令变化是如此，星象也是如此。这种依赖集体表象存在的价值观是在自然科学尚不发达的先秦时代，先民在继承了先辈口传心授的原始崇拜信仰的基础上所进一步深化，并融入后世逐渐发展起来的人生哲学。这充分反映湖南境内先民在那样一个荒蛮时代的精神存在和价值理念。

由此可见，像如此具有“湖湘”意味的文化现象，比比皆是，限于篇幅，无法一一解读。“湖”“湘”是人文地理的概念。人总是在自然条件下创造出文化来，特别是洞庭湖、湘江这样重要的自然地理标识，总是与人文历史密切相关，故而又成为重要的文化地理标识。

就行政地理而言，“湖湘”这一概念主要表达的是一种政治行政管理区域的独立性。“湖湘”也可以代称湖南这一省级行政管理区域。由于不同的自然地理条件又会影响到文化区域的产生，所以，传统中国的行政区域基本上是以自然地理、文化地理为依据建立起来的。这样，洞庭湖、湘江又成为郡、省及其下属行政单位命名的依据。根据2002年在湖南龙山县里耶镇出土的秦简记载，秦所设的郡级行政单位就有“洞庭郡”。西晋时期，设立以“湘”命名的“湘州”，统领长沙、衡阳、湘东、零陵、邵陵、桂阳等郡。

唐以后，“湘州”的辖区又被一个新的“湖南观察使”所统辖。到宋代时设湖南路。一般认为是在五代时期才开始出现以“湖湘”命名的地域名称。当时武陵（即今常德一带）“权知潭州军府事”周行逢（916—962）在取代马殷任潭州军府事以后说：“我占有湖湘之地，兵强马壮……”其实，在这之前，“湖湘”二字的文字记载还有许许多多。如初唐著名诗人王勃（650—676）在其撰写的《益州德阳县善寂寺碑》中说：“虽复苍梧北望，湖湘盈舜后之歌。”唐中宗朝至唐玄宗朝初年（684—713），李峤在《谢端午赐衣表》中说：“臣一至湖湘，再周星岁，扇皇风而苏息黎庶，布圣泽而底定封疆。”唐代诗人杜牧（803—853）在《贺生擒衡州草贼邓裴表》中说：“伏以湖湘旱耗，百姓饥荒，遂有奸凶敢图啸聚。”唐代诗人狄焕在《送人游邵州》诗中曰：“况入湖湘路，哪堪花乱飞。”“湖湘”一词，不仅多见于唐代诗文，还见于唐代来华游学的外国人的笔下。如晚唐时期，朝鲜新罗著名文学家崔致远（857—?），12 岁时即渡海入唐自费游学，在中国生活了 16 年。崔氏在《（上）吏部裴瓒尚书》中就有“泊湖湘察俗，瀍洛都便宜，入秉化权，坐匡圣略”。所以，清初湖南成为独立的行政省区时，就以“湖南”命名，一直沿用至今，并以“湘”作为湖南省的简称。总之，“湖湘”又是一个行政地理的标识。

由上可见，“湖湘”一词早在周行逢之前，就已出现，且在当时人们的心目中，“湖湘”也早已从早期的“荆楚”的地域概念中分离出来。所以，在南宋时期湖南地区出现的第一个著名的理学学派，就被当时学界称之为“湖湘学”“湖湘学派”。不仅如此，当时政府官方文献中，也时常出现“湖湘”一词。如唐僖宗广明元年所下《改元广明诏》中就说：“江右海南，疮痍既甚，湖湘荆汉，耕织屡空。”宋初大型丛书《太平御览》中，也有“《唐史》曰：江东有吐蚊鸟，夏夜鸟吐蚊于芦荻中，湖湘尤甚”的记载。另外五代北宋年间薛居正（912—981）所撰《旧五代史》有五处提及

"湖湘"。以上材料都将"湖湘"与"荆楚"对列并举，可见当时人已经将"湖湘"从"荆楚"的地域概念中完全分离开来。这一切，都说明"湖湘"早已作为地理名称为世人所认同。

总之，"湖湘"既是自然地理的概念，又是文化地理、行政地理的概念，而且这三者是密切关联的，其文化意蕴非常深刻。故探讨"湖、湘"概念的自然地理、行政地理与文化地理的互动关系，对把握"湖湘文化"的历史演变与区域建构十分重要。

（二）"湖湘"之谓的多源流变：南楚与沅湘

"湖湘"的文化地理概念与"湖南"的行政地理概念是密切关联的，它们同时产生于唐代。但是，在此之前，已出现过与"湖湘"相关的文化地理、行政地理的概念。所以，我们还得探讨"湖湘"出现之前的文化地理概念。

战国以前，湖南地区是不同氏族部落居住、活动的地方，尚未纳入古代王国的行政区域，其文化也是与行政地理无关的部族文化，具体来说包括三苗、南蛮、百越等氏族部落，人们统称苗蛮文化。春秋中后期，楚人南下湖南地区，促进了楚文化与苗蛮文化的融合。到了战国初期，湖南地区正式纳入楚国的管辖范围，并设立了行政区。根据《史记》记载苏秦所说："楚，天下之强国也；王，天下之贤王也。西有黔中、巫郡，东有夏州、海阳，南有洞庭、苍梧，北有陉塞、郇阳。"① 学者们考证，这里所说的："南有洞庭、苍梧"，即是楚国在南部地区设置的洞庭郡和苍梧郡。② 洞庭郡一直延续到秦朝，龙山县出土的里耶秦简中就有"洞庭郡"的记载。可见，洞庭湖的"洞庭"最早就成为楚国的行政区名号。

同时，湘、沅二江也成为这段时期重要的行政区域的名称。在秦汉时期，湘、沅主要是作为县级区域的命名，如秦汉时期设置了临沅县、沅陵县、临湘县、湘阴县、湘南县等，由此可见沅江、湘

---

① 司马迁. 史记：苏秦列传第九［M］. 北京：中华书局，1999：2259.

② 周宏伟. 湖南政区沿革［M］. 长沙：湖南师范大学出版社，2009：21.

江在县域政区命名中的重要作用。晋以后，湘江流域在地方行政的重要地位进一步提升，晋朝廷将湘江流域为主的八个郡（长沙、衡阳、湘东、邵陵、零陵、营阳、建昌、桂阳）合为一个州，名“湘州”，州治为“临湘”（即今长沙）。两晋时期设立的“湘州”在行政地理上很重要，它不仅是将湘江流域归于一体的州级行政单位，“湘”的命名也具有文化地理的特殊意义，强化了“湘”在文化区域概念形成中的重要地位。

这段时期，湖南地区文化地理的命名不太一致，但用得较多的是两个：南楚与沅湘。楚国是春秋战国时期的大国。楚文化本身有东南西北的地区差异，故而司马迁在《史记》中谈到“南楚”的区域文化概念，并讨论了其风俗民情的特点，他说：“是南楚也，其俗大类西楚。……故南楚好辞，巧说少信。”① 所以，“南楚”的区域文化概念沿用很久。唐宋以后，仍有许多文人学者沿用“南楚”的区域文化概念来表述湖南地区及其周围的区域文化命名。“南楚”的区域文化概念出现有其道理，但是不宜作为湖南地区的通用文化地理概念：其一，“南楚”的空间外延不一样，司马迁的“南楚”是指衡山、九江、江南、长沙等郡，包括了后来的湖南、江西等；其二，“南楚”的时间外延也不一样，楚文化与春秋战国时的楚国相联系，有特定的时间范围，最多只能延续到两汉；其三，由于时间外延的差别，故而其文化内涵也有重大区别。所以，“南楚”可以作为楚汉时期的阶段性命名，而并不是一个关于湖南地域文化的通用命名。

战国以来还有一个比较重要的文化地理名称：沅湘。这个命名是以湖南区域范围内两个重要的自然地理标识沅江、湘江为文化地理的标识。最早以沅湘作文化地理标识的是屈原。屈原被贬后，流放到南楚的洞庭、苍梧两郡，即沅水、湘水流域，也就是后来的湖

① 司马迁．史记：货殖列传［M］．北京：中华书局，1999：3268.

南省区范围之内。屈原流放于沅水、湘水一带，留下了大量的诗歌作品，而作为自然地理标识的沅水、湘水也就大量进入到屈原的诗歌之中：

济沅湘以南征兮，就重华而陈词。（《离骚》）

令沅湘兮无波，使江水兮安流。（《湘君》）

浩浩沅湘，分流汩兮。（《怀沙》）

“沅湘”一词进入到屈原的诗歌作品中，就不仅仅是自然地理的标识，而是具有深厚的文化意义了。一方面，“沅湘”概念代表了沅水、湘水流域的本土文化，即所谓“其俗信鬼而好祠。其祠，必作歌乐鼓舞以乐诸神”。另一方面，屈原诗歌中的“沅湘”又与诗人的“怀忧苦毒，愁思怫郁”及“上陈事神之敬，下见己之冤结，托之以风谏”相关。① 可见，“沅湘”在这里又是一种文化地理的标识，它代表的是一种沅湘本土的苗蛮文化与南下的荆楚文化的结合。此后，“沅湘”遂作为既是自然地理，又是文化地理的标识，出现在各种历史典籍之中。如《汉书》为司马迁作传时说：“（司马迁）二十而南游江淮，上会稽，探禹穴，窥九疑，浮沅湘，北涉汶泗，讲业齐鲁之都，观夫子遗风。”② 这里记载的是司马迁对中华大地历史文化的考察，故所谓“浮沅湘”主要是以“沅湘”为文化地理的标识与概念。

“沅湘”作为文化地理概念，也有相对应的行政地理空间。具体而言，它具有与“洞庭、苍梧”相对应的行政地理空间。司马迁《史记》记载苏秦所说的楚国“南有洞庭、苍梧”的说法，南楚地区有洞庭郡、苍梧郡，洞庭郡的管辖范围主要是沅水流域，而苍梧郡的管辖范围主要是湘水流域。“沅湘”从自然、文化两个方面来看均是联系紧密的，洞庭、苍梧两郡作为南楚地区也是紧密联系

① 王逸．楚辞章句［M］//文津阁四库全书：第 1066 册．北京：商务印书馆，2006：17.

② 班固．汉书：司马迁传［M］．北京：中华书局，2002：2714.

的，故而史书上总是将“洞庭、苍梧”联系起来说。这充分证明，“沅湘”的文化地理概念的空间外延，与“洞庭、苍梧”的行政地理空间是对应的。

“沅湘”的文化地理概念形成于战国时期，其空间外延与楚、秦的行政区“洞庭、苍梧”相对应，那么，“沅湘”文化的内涵是什么呢？我们从汉王逸的《楚辞章句·序》中，可以分析、发现其文化特性。王逸说：

> 《九歌》者，屈原之所作也。昔楚国南郢之邑，沅湘之间，其俗信鬼而好祠。其祠，必作歌乐鼓舞以乐诸神。屈原放逐，窜伏其域，怀忧苦毒，愁思怫郁。出见俗人祭祀之礼，歌舞之乐，其词鄙陋，因为作《九歌》之曲。上陈事神之敬，下见己之冤结，托之以风谏。故其文意不同，章句杂错，而广异义焉。[①]

这里，我们可以明显看到，沅湘文化包含着两个层面。其一，是沅湘流域的民间文化，沅水、湘水流域的居民是上古三苗之后、南蛮之民，与中原华夏族后人深受周孔之教的政治礼仪、道德理性不同，“沅湘之间，其俗信鬼而好祠。其祠，必作歌乐鼓舞以乐诸神”。也就是说，这是一种充满原始宗教的信仰，具有巫风歌舞的野性的沅湘民俗文化。其二，是屈原在沅湘流域创造的《九歌》《离骚》等诗歌艺术文化。屈原作为一个伟大的诗人，他在被放逐沅湘之时，创作了一大批熠熠生辉的文学艺术作品，形成了与中原文化的诗歌艺术代表《诗经》并列的南楚文化的诗歌艺术代表“楚辞”，他因此而成为楚文化和中华文化的最杰出代表。所以，沅湘文化又是一种表达了战国时期追求政治理想、道德情操的士大夫精神。

沅湘文化（或南楚文化）内涵的最大特点，是上述两个层面文化的渗透、融合。区域文化的建构、发展，正需要借助于两种文化

---

① 王逸. 楚辞章句［M］//文津阁四库全书：第 1066 册. 北京：商务印书馆，2006：16—17.

互动：一是不同区域文化之间的交流互动，二是民间文化与士大夫文化之间的交流互动。而沅湘文化之所以具有那么丰富而深厚的文化内涵，恰恰在于这两点。其一，沅湘文化的形成是区域文化交流互动的结果。屈原追求的政治理想与道德理想来自于中原，他的“重华情结”表达了他对中原圣王舜帝的崇敬，因此，当他“济沅湘以南征兮，就重华而陈词”时，正如杨义先生所指的：“这是中国诗中第一次出现沅水与湘江，而且把沅湘与中原五帝之一的舜帝联在一起，这一点在中华文化共同体中留下了极有意味的一笔。”① 这种“意味”体现了沅湘文化与中原文化的融合，正是这种区域文化之间交流互动，促进了沅湘文化的提升与发展。其二，沅湘文化的内涵体现了民间文化与士大夫文化之间的交流互动。屈原的《九歌》，显然是源于沅湘流域的民间宗教艺术，但又体现了士大夫精英文化对民间艺术的提升。所以，有学者认为汉朝《楚辞》注者王逸对《九歌》的评价②“如实揭示了《九歌》渊源于湖湘巫歌，而又超越巫歌，进而融合文人的才学灵感的精神创造的诗歌史独立过程”③。

沅湘文化作为一个重要的文化地理概念，既有沅、湘流域的空间外延，又有上述两个文化层面的内涵。那么，这一区域文化形态的时间外延是什么？或者说它持续了多久呢？应该说，“沅湘”与“南楚”的文化内涵和外延是比较接近的，（“南楚”的空间外延比“沅湘”稍广，还包括江西的一部分。）它们所包含的主要是从战国到两汉时期的湖南地域文化。唐宋以后，文人学者则开始大量使

① 杨义. 屈原诗学与湖湘文化［J］. 湖南文理学院学报（社会科学版），2006（4）：2.

② 王逸在《楚辞章句》评价《九歌》说：“《九歌》者，屈原之所作也。昔楚国南郢之邑，沅湘之间，其俗信鬼而好祠。其祠，必作歌乐鼓舞以乐诸神。屈原放逐，窜伏其域，怀忧苦毒，愁思怫郁。出见俗人祭祀之礼，歌舞之乐，其词鄙陋，因为作《九歌》之曲。上异陈事神之敬，下见己之冤结，托之以风谏。故其文意不同，章句杂错，而广异义焉。”

③ 同①4.

用“湖湘”的地理概念。

（三）“湖湘”：地域文化概念的确立

当代人们普遍使用的文化地理概念——“湖湘”，是在唐代出现、宋代盛行的。唐宋时期的学者文人之所以要用“湖湘”作为湖南文化地理的标识，而代替“沅湘”的标识，这其中既有行政地理的原因，又有文化地理的原因。

考查史籍可以发现，“湖湘”一词在唐代很多文献中已经将其作为自然地理和文化地理的名称或标识。例如：

> 虽复苍梧北望，湖湘盈舜后之歌；绿荇西浮，江汉积文妃之颂。①
>
> 伏以湖湘旱耗，百姓饥荒，遂有奸凶敢图啸聚。②
>
> 今以湖湘梗涩，伊洛迢遥。③

这几条均涉及“湖湘”的地理概念，可见唐代已经开始较多地用“湖湘”指代洞庭湖以南、湘江流域，这其中尤以王勃的“湖湘盈舜后之歌”比较重要，不仅是因为它出现得最早（初唐），而且具有较突出的文化地理名称的含义。另外，在史部的《旧唐书》《新唐书》中亦有几处“湖湘”。可见，从唐朝开始，“湖湘”逐渐成为区域文化的标识，与“江汉”“荆汉”“伊洛”等地域标识区别开来。

到了两宋，“湖湘”作为文化地理名称普遍地流行开来。同样从电子版《四库全书》中检索“湖湘”，可以看到两宋时期关于“湖湘”的文献资料大大增多，光集部的宋人文集中就可以找到300多处，在《宋史》中可以找到37处。这既体现了“湖湘”地

① 王勃. 益州德阳县善寂寺碑. 王子安集：卷一五［M］. 上海：上海古籍出版社，1992：106.

② 杜牧. 樊川集：卷一二：贺生擒衡州草贼邓裴表［M］//文津阁四库全书：第1085册. 北京：商务印书馆，2006：628.

③ 黄滔. 黄御史集：卷六：祭右省李常侍［M］//文津阁四库全书：第1088册. 北京：商务印书馆，2006：106.

区地位的提升，也反映了人们对“湖湘”标识的普遍认同。尤值得注意的是，两宋时期以“湖湘”为文化地理标识表现出这样的特点，即将“湖湘”与“荆楚”并列。湖湘地区在战国时期属南楚，故而先秦以来人们往往以“楚”称其文化，即“南楚文化”。但是，从两宋以来，学者往往将“湖湘”与“荆楚”并举。试看以下几例：

> 当是之时，战士不过数万，北御契丹，西捍河东，以其余威开荆楚，包湖湘，卷五岭，吞巴蜀，扫江南，服吴越。①
>
> 先平江、淮，静湖、湘，复荆楚，通武关之路，出秦、陇之田，下巴、蜀之粟，一统西南，亘江、汉而北，以壮兵势。②
>
> 汴梁淮泗之郊，荡为榛棘；荆楚湖湘之地，尚厌干戈。③

上面引文中的“湖湘”，均是与荆楚以及巴蜀、吴越、五岭、江南并列的区域。早在唐初，王勃已经将湖湘与江汉并列为两个区域，但是到了两宋时期文人学者和《旧五代史》那里，已明确将“湖湘”从荆楚之地中分离出来，使之成为一个相对独立的区域，这反映了洞庭湖以南的湘江流域地区地位的大幅度提升以及作为独立文化区的形成。

唐五代以来，“湖湘”作为文化地理的名称出现，特别是两宋时期大量历史文献以“湖湘”为区域标识，并以其区分“荆楚”，有着行政地理与文化地理变化发展的双重原因。

其一，“湖南”行政区的出现所导致的行政地理的变化。战国、秦汉时期所流行的沅湘文化，以洞庭、苍梧二郡为行政地理的依托。两晋时期设立“湘州”，管辖湘资流域的长沙、衡阳、湘东、零陵、邵陵、桂阳诸郡，唐广德二年（764），设“湖南观察使”，

---

① 王云五．奏章三 言拣兵上殿札子［M］//司马文正公传家集：卷二〇．北京：商务印书馆，1937：299.

② 胡宏．胡宏集 中兴业［M］．北京：中华书局，1987：218.

③ 仲并．浮山集：卷七［M］//文津阁四库全书：第1141册．北京：商务印书馆，2006：814.

管辖潭州、衡州、邵州、永州、道州。以后的宋、元、明时期，“湖南”成为统领湘资流域的重要行政单位。可见，楚、汉时期以“苍梧”命名的湘水流域，遂为“湖南”的行政命名所取代。唐代开始出现、宋代十分流行的“湖湘”标识，与这种行政区域的格局是密切相关的。当时所讲的“湖湘”总是与“湖南”的行政区域空间是一致的。譬如，当时的文人学者总是将“湖湘”与“湖南”等同使用，黄庭坚《山谷集》载：“《竹枝词》本出三巴，其流在湖湘耳。《欸乃》，湖南歌也。”① 他所说的“湖湘”与“湖南”是同一个空间范围，“湖南”是正式的行政区名，而“湖湘”则主要是自然地理和文化地理的命名。因此，宋人肯定“湖南”政区与“湖湘”文化区二者是同一空间范围。譬如，南宋时期荆湖南路统领五州（潭、衡、道、永、郴）、一府（宝庆）、二军（武冈、茶陵）、一监（桂阳），合计是九个郡级单位。而南宋时任湖南安抚使的真德秀在其《潭州谕同官资目》中说道：“则湖湘九郡之民，庶乎蒙赐。”② 真德秀说的“湖湘九郡”，与荆湖南路统领的九郡是一致的。当然，这也说明宋人所讲的“湖湘”区域，是不包括沅水流域的武陵、卢溪（辰州）、澧阳、巴陵等郡的。这是唐宋以来人们喜欢以“湖湘”代替原来更广泛的“沅湘”的原因。

其二，文化内涵的变化。“湖湘”的文化地理空间发生了变化，同时其文化内涵也发生了变化。“沅湘”所标志的文化，是以南下荆楚文化与本土苗蛮文化的结合为特征，尤以屈原及其“楚辞”的特色与成就为标志；而“湖湘”所标志的文化，则是南下的中原文化与本土的楚蛮文化的结合，而尤以理学开山周敦颐及其湖湘思想学术的特色与成就为标志。所以，宋代士大夫眼中的“湖湘”，就与湖湘

① 黄庭坚．山谷集：卷五［M］//文津阁四库全书：第1116册．北京：商务印书馆，2006：690.

② 真德秀．西山文集：卷四〇［M］//文津阁四库全书：第1178册．北京：商务印书馆，2006：455.

地区理学家群体的崛起、书院教育的发达联系在一起。他们反复说：

> 姑考诸近世，倡明正学，以绍孔孟之传者，前后迭出，率在湖湘间。至于登朝著仕，州县奋科第者，又不可胜数。①

> 窃惟方今学术源流之盛，未有出湖湘之右者。盖前则有濂溪先生周元公，以其心悟独得之，……中则有胡文定公，以其所闻于程氏者设教衡岳之下，……其子致堂、五峰二先生又以得语家庭者，进则施诸用，退则淑其徒，……近则有南轩先生张宣公寓于兹土，晦庵先生朱文公又尝临镇焉。……故人材辈出，有非他郡国所可及。②

魏了翁、真德秀是南宋后期著名的理学家，他们均非湖南人，但从他们对湖湘文化的论述与评价来看，两宋时期的文化特质、文化地位均发生了重大变化。一是就文化特质而言，两宋时期的文化人及他们关注的重点是“绍孔孟之传”“扶皇极正人心为本”“进则施诸用，退则淑其徒”等儒家内圣外王之道、身心性命之学，这与沅湘文化的“信鬼好祠”“舜帝湘妃”的神话传说、诗歌艺术传统大不相同了。二是就文化地位而言，在中国文化重心南移的大背景下，两宋时期湖湘文化的地位有了巨大的提升。从秦汉到隋唐，湖湘地区一直是中华文化演变发展的边缘地区；但到了两宋时期，湖湘学人“倡明正学”，从而导致“学术源流之盛，未有出湖湘之右者”“有非他郡国所可及”。也就是说，湖湘已成为中华学术文化的核心地区，湖湘学术文化已经成为中华的主流文化。

区域文化总是在历史变迁过程中累积而成的，故而区域文化的内涵也会呈现一种层叠的状况，像地层所体现的年代差别一样。沅

① 魏了翁. 鹤山全集：卷七八：郁林州佥书判官陶君墓志铭［M］//文津阁四库全书：第1177册. 北京：商务印书馆，2006：266.

② 真德秀. 西山文集：卷四〇：劝学文［M］//文津阁四库全书：第1178册. 北京：商务印书馆，2006：452.

湘文化（南楚文化）时期，其文化层叠也分为本土的苗蛮文化和南下的荆楚文化以及二者融合的楚辞文化。宋代以后，湖湘区域文化的层叠又发生了变化，苗蛮文化与荆楚文化融合的“楚蛮文化”，成为湖湘地区的民间文化与底层文化，而前述宋代士大夫所讲“方今学术源流之盛，未有出湖湘之右者”“绍孔孟之传者，前后迭出，率在湖湘间”的湖湘文化，则成为湖湘地区的上层文化与知识精英文化。如果说，在南楚地区的沅湘文化中，还出现了苗蛮文化与中原文化融合而成的楚辞艺术世界，这是“民间智慧进入文人传统”的典范，是“一个散发着沅湘民俗的清新感和神妙感的精神家园”,[1] 那么，宋以后湖湘文化体系中的楚蛮民俗文化与儒学精英文化之间的关系，则会复杂得多。一方面，外来的湖湘精英文化与本土的湖湘民俗文化之间有着激烈的冲突对立，宋代士大夫在湖湘地区传播中原正统儒家文化时，曾对湖湘本土的楚蛮习俗采取禁抑、压制、改造的政策，他们的“毁淫祠”、禁恶俗等激烈行动，常常体现出湖湘文化在转型、建构过程中两种文化的冲突。另一方面，湖湘精英文化与民俗文化之间又有交流、融合的一面。儒家士大夫对湖湘本土楚蛮习俗的禁抑与压制，是为了建构与正统儒学相一致的礼俗文化。譬如，他们强化了对合乎主流文化观念的祭祀，大量修建神农炎帝、舜帝、屈原、贾谊、柳宗元等儒家圣王、圣贤的祠庙，以取代楚蛮宗教习俗中的鬼神系统。但是，他们在关于炎帝陵、舜帝陵、湘妃祠、南岳祠、屈子祠、贾太傅祠祭祀仪式及活动中，又大量吸收了本土的民间宗教、楚蛮习俗。这又充分体现出湖湘精英文化与民俗文化之间的融合。

（四）“近代湖湘”：地域文化概念的发展

当代学者所讲的“湖湘文化”，其空间外延是在清代确立、成型的。从清康熙开始，才建立起一个融湘、资、沅、澧四水为一体

---

① 杨义. 屈原诗学与湖湘文化［J］. 湖南文理学院学报（社会科学版），2006（4）：4.

的独立行省即“湖南省”，这是今天我们常讲的“湖湘文化”完全成型的行政地理条件。

从自然地理和文化地理的角度看，湘、资、沅、澧的区域整体性很强。所以，楚汉时期的沅湘文化，是包括湘、资、沅、澧四水流域的。但是，从楚汉至元明，湘、资、沅、澧从未成为一个统一独立的最高行政单位。从楚国的“洞庭”“苍梧”两郡分设开始，到两汉以来湘资流域和沅澧流域基本上分属不同的州郡。唐代中期的湘资流域、沅澧流域大体上分属江南西道与黔中道。唐代后期开始出现“湖南观察使”的行政设置，但辖区仅仅是湘、资流域的五个州，沅澧流域则属于另外的团练使或节度使。宋代沅、湘两区域亦分属荆湖北路、荆湖南路。所以，这段时期特别流行的“湖湘”地域，无论是行政地理，还是文化地理，均主要是指湘资流域。这一局面延续到元、明两代。

以“省”为最高一级地方行政区开始于元朝。元、明时期，湖南与湖北合为“湖广行省”，省府为武昌。清康熙三年（1664），作为独立的最高地方政区——“湖南省”正式建立，[①] 省府长沙，湖南成为中国内地十八省之一。湖南省下设长沙、宝庆、衡阳、永州、辰州、常德、岳阳、郴州、靖州共九个府州（后来，府、直隶州又有一些微小的调整），从而形成了延续至民国的最高一级地方行政区域。这样，湘、资、沅、澧的四水流域也就完全成为一个统一独立的地方行政区域。

清初以“湖南”命名设立独立行政省区，对区域文化形态的完全成型也产生了重要的影响。唐宋以来，人们所说的“湖湘”，往往泛指洞庭湖以南的湘水流域，大多不涉及沅水流域。而到了清朝，人们所说的“湖湘”则包括湘、资、沅、澧四水流域，与楚汉时期所说的“沅湘”大体接近。所以清代时候的“沅湘”往往等

① 关于湖南建省具体时期有不同意见，参阅周宏伟. 湖南政区沿革［M］. 长沙：湖南师范大学出版社，2009：143.

同于“湖湘”。如道光二十三年（1843）新化人邓显鹤编了一部湖南范围的“诗征”，即取名《沅湘耆旧集》，可见当时人们的普遍看法，“沅湘”也即“湖湘”，也就是清朝的“湖南省”的行政区范围。邓显鹤特对取名“沅湘”作出说明：“湖以南水，《禹贡》言九江，《国策》言五渚，实则沅、湘、资、澧四水而已。而资水入湘，澧水入沅，湘长于东，沅雄于西，故举沅湘而湖以南水尽在是，即湖以南郡县尽在是。其曰《沅湘耆旧集》，即《湖南诗征》之变名也。”① 他特别表明“沅湘”的文化地理范围也就是湖南的行政范围。时任兵部尚书的裕泰为《沅湘耆旧集》作序时也说：“盖湖以南言诗家尽在是矣，……余以湖湘为风雅故乡，是集为湖湘掌故。”② 他从文化地理的角度看，认为“沅湘”即“湖湘”，《沅湘耆旧集》即“湖湘掌故”。当然，邓显鹤编湖南地区诗歌总集，之所以命名为《沅湘耆旧集》，显然是因为楚汉时期的“楚辞”影响太深、地位太重要，才沿用了屈原、贾谊、司马迁以来的“沅湘”的习惯用法。应该说，清代的学者文人更普遍地使用的文化地理标识仍是“湖湘”。

从清初到近现代，以“湖湘”作为湖南地区的文化地理标识一直在沿用，其空间外延也一直保持不变。人们普遍认同湖湘文化是一独立的区域文化形态，这一方面是由于清初建立独立的湖南行政省一直延续到今天，另一方面也是由于这一区域文化形态的内涵、特质的连续性。

从清初到近代，这一段时期既是湖湘文化的成型期，又是湖湘文化的转型期。

首先，我们探讨清代湖湘文化的定型。清代湖湘文化的定型，首先是指空间外延方面的，即由于湖南最终以一个独立行政省区建立，而且将辖区定型为湘、资、沅、澧四水流域，就与楚秦时期的

① 邓显鹤. 沅湘耆旧集：第1册［M］. 长沙：岳麓书社，2007：4.

② 同①1.

"洞庭、苍梧"、"沅湘"的地理概念保持了一致，构成了一个既有历史渊源，又有时代变迁的区域空间文化。其次，湖湘文化定型又是指文化内涵方面的，即这个时期的湖湘文化，是先秦以来各个时期历史文化的积淀、汇聚，既包括蛮风楚习的民俗文化，也包括湖湘道脉的思想学术文化。在民间通俗文化方面，清代湖湘仍然保存和延续了上古苗蛮部落、南楚方国的习俗、宗教、艺术等民间通俗文化，特别是在文化交流不太剧烈的湘西、湘中、湘南地区的民俗文化，更是具有浓郁的蛮风楚习。而在士大夫的精英文化方面，清代湖湘则明显继承了两宋以来以"理学之邦"自居的传统，清代湖湘的主流学术思想一直是理学，清代湖南书院的学风也尊崇理学。总之，两宋盛行的理学，到了清代，已经深入地渗透到湖湘士大夫的思想观念、学术研究、社会政治、家庭生活、学校教育等各个文化层面。

当然，与两宋时期一样，清代湖湘地区的精英阶层的思想文化与民间社会的通俗文化之间，也是一种既有差异、排斥，又有交流、互动的关系。主流思想的理学及国家宗教观念等思想文化，正通过社会教化、宗法家族、文学艺术、宗教崇拜等各种途径渗透到民间社会，对民间通俗文化产生影响。同样，民间的文化习俗、宗教观念、文化艺术也会影响湖湘的精英文化。特别是湖湘士人表现出来的精神气质现象，十分明显地体现了这种民俗文化与精英文化的渗透与结合。一方面，湖湘士人深受楚蛮的强悍民风、刚劲气质的影响，故而具有坚强的血性意志；另一方面，湖湘士人又深受湖湘理学思想传统的影响，坚持儒学正统的价值观念及经世致用理念。这两者的结合、渗透，深刻地影响了湖湘士人的精神气质，并且使得清代湖湘士大夫、士绅更加充分地发挥了主流儒学的文化功能。

其次，我们再讨论晚清、民初湖湘文化的转型。晚清以来，湖湘文化的地位急剧提升，并成为近代中国最有影响力的地域文化之一。恰恰这时中国文化正面临近代化转型，各种新的文化观念、思潮不断涌现，推动着中国传统文化的演进与发展。作为晚清时期居于重要地位的区域文化，湖湘文化在中华文化转型的大背景下有了十分显著的表现。中国近代化过程中，涌现出来的各种新的学术思潮、文化观念，在湖湘文化中均有杰出的代表人物及相应的文化观念。譬如，以陶澍、魏源等为代表的经世思潮，影响了晚清文化思想界，推动了晚清社会的变革与文化的反思；以曾国藩、左宗棠、郭嵩焘等为代表的洋务思潮，他们从科技、教育等方面引进外来的文化；以谭嗣同、唐才常等为代表的维新思潮；以黄兴、蔡锷、宋教仁等为代表的辛亥英烈，他们从思想观念、社会制度方面学习外来文化；最后，新文化运动中，产生了毛泽东、蔡和森、李达等一大批接受、传播共产主义思想观念的人物。清末民初的湖湘知识群体，一方面能够追随社会历史的发展，不断地吸收和传播新的文化观念、学术思想；另一方面又继承了湖湘文化传统，包括湖湘精英文化的传统、民间文化的传统以及二者结合的湖湘士大夫精神气质的传统。正因为清末民初的湖湘文化具有这种创新性与传统性的结合，故而显示出强悍的生命力，在中国近代区域文化中独树一帜，写下了辉煌的文化篇章，从而推动了湖湘文化的近代转型。

第二节　整体史观下的湖湘文化

整体史观是全球化时代历史条件下在史学领域产生的一种新的研究范式，从理论层面而言，既是一种知识认识论，又是一种研究方法论。其主要观点在于历史研究不能局限于某一国家或者某一地区，而要放眼全球，将研究对象纳入全球视野作整体思考；同时，历史研究也不要局限于西方人或者非西方人，而要关注整个人类。所以，整体史观为一直被传统学术不太关注的地域文化，尤其是地域文化中的宗教信仰、民情风俗、行为习惯的研究提供了理论支撑和学理依据。整体史观之下的湖湘文化在认知整体史观的前提下，主要讨论湖湘文化研究中的“多源一流”与“多元一体”、“自上而下”与“自下而上”两个问题。

一、整体史观的文化认识论和方法论

（一）何为整体史观

整体史观又叫全球史观，是史学界对日益深化的全球化的学术反思与回应。整体史观批判“欧洲中心论”，主张从全球视角考察和分析世界历史的进程，专注跨民族、跨国家和跨地区的文化或文明交往和联系，形成一种跨学科的新的学术视角和方法，日益受到史家重视并运用在具体的研究实践之中。

英国史学家巴勒克拉夫（G. Barraclough，1908—1984）在其1955年的论文集《处于变动世界中的史学》中，最先明确提出了“全球史观”。他认为，主要从西欧观点来解释历史已经不够了，史学家应该“从欧洲和西方跳出，将视线投射到所有的地区和时代”，这样才能“公正地评价各个时代和世界各地区一切民族的建树”。

1963年，美国历史学家威廉·麦克尼尔（William H. McNeill，1917—2016）的《西方的兴起——人类共同体史》一书，被普遍认为是全球史（“新世界史”）兴起的一个重要标志。这部著作被称为“整体世界史”或“总体世界史”著作。麦克尼尔从全球视野和互动视角来考察历史，开创了宏观历史社会学研究和当代历史比较分析的先河。《西方的兴起》将全球文明作为一个不断运动变化的整体，认为农业、战争以及其他领域内的技术进步显然是人类发展的关键因素。对于各个文明的比较与兴衰的评价和它们之间的相互影响的探讨应以此为出发点。他认为各个文明之间的相互影响，不同的文化人群之间的接触、交流是促使文明演变的主要动力。1985年，麦克尼尔在作为美国历史学会主席发表的讲演《神话——历史：真理、神话、历史和历史学家》一文中，进一步阐述了他致力于研究世界整体史的思想。他认为："所有的人类集团都喜欢受到奉承。历史学家于是永远处于迎合某种期望的诱惑之下，按该民族的愿望来描述他们的历史。结果是真实与虚假相混合，主观意识混杂在历史中。……结果是神话般的虚构，往事像我们希望的样子，被着实简化成好人和坏家伙，'我们'和'他们'之间的争夺。大部分民族史和大部分集团史皆属这一类。"麦克尼尔又说："我们完全应该问一下，我们面前是否有其他道路。在理论上，答案是明确的，全人类具有共同性，历史学家可望深刻地理解它，如同他们理解把较小的集团团结起来的东西一样。一部透彻的世界史可望培养个人与整个人类休戚与共的感情，缩小各集团冲突的毁灭性，而不是如狭隘史学那样不可避免地加剧冲突。这作为我们时代历史专业的道德责任，确实深深打动着我。我们需要发展一种世界范围的历史，为人类全部复杂性造成的多样化留有充分的余地。"①

此后，美国历史学家斯塔夫里阿诺斯（L. S. Stavrianos，1913—2004）的两卷本《全球通史》、美国历史学家沃勒斯坦（I. Wallerstein，1930— ）的多卷本著作《现代世界体系》等继承和发展了这一观点。德国学者弗兰克（G. Frank）的代表作《白银资本：重视经济全球化中的东方》在学术界引起了人们的广泛关注。整体史观在学术界受到越来越多的重视，其基本理论特征是将人类社会的历史作为一个整体来看待。正如斯塔夫里阿诺斯所说的那样，它的"主要特点就在于：研究的是全球，而不是某一个国家或地区的历史；关注的是整个人类，而不是局限于西方人或非西方人"。②

① 麦克尼尔. 神话——历史：真理、神话、历史和历史学家［J］. 王加丰，译. 史学理论，1987（1）：94—95.

② 斯塔夫里阿诺斯. 全球通史：1500年以前的世界［M］. 吴象婴，梁赤民，译. 上海：上海社会科学院出版社，1988：54.

毋庸讳言，这种“整体（全球）史观”，冲破了西方以兰克（L. V. Ranke，1795—1886）为代表的西欧中心论的传统史学框架，从世界历史的整体发展和统一性考察历史。其研究的视野不仅包括欧洲史，而且覆盖二次大战后崛起的亚非拉的广大地区。随着整体史观在史学界逐渐兴起，并渐渐影响到中国，成为一股不可忽视的史学指导思想潮流。其实，早在20世纪40年代周谷城编撰《世界通史》时指出：“世界史并非国别史之和，……本人不认国别史之总和世界通史，故叙述时，力避分国叙述的倾向，而特别着重世界各地之相互之关联。”① 我国著名史学家吴于廑教授通过深入研究，构建起“从分散到整体”的世界史体系。他强调说：“世界历史是历史学的一门重要分支学科，内容为对人类历史自原始、孤立、分散的人群发展为全世界成一密切联系整体的过程进行系统探讨和阐述。”② 他的观点在我国史学界产生了重要影响，反映出人们对全面了解人类历史的共同要求。并且，他参与编著的《世界史》一书中，也透露出了整体史观的思想。北京大学历史系的高毅在斯塔夫里阿诺斯的《全球通史》第7版的《斯塔夫里阿诺斯的乐观与踌躇》一文中指出：“盛行于当今西方史学界的‘全球史’之风，刮了已经有几十年了。自从20世纪60年代麦克卢汉首次把世界唤作‘地球村’起，一些富于文化敏感和社会责任感的西方史学家就感到了一种必要，那就是必须突破19世纪以来国别史和西方中心论传统，从文明比较的角度重写世界史，以便提供某种参照，对地球村中某种健康的共同文化的培育产生积极的影响。于是，他们开始有意识地淡化世界史中政治方面的内容（这常常与起分裂作用的民族国家紧密相关），而把全人类的文化、社会生活的演进作为史学考察的重点，同时试图赋予过去长期被忽视的、被认为是‘没有历史的’非西方民族以平等的历史地位，突出文化多元

① 周谷城. 世界通史［M］. 石家庄：河北教育出版社，2000：37.
② 吴于廑. 吴于廑学术论集自选集［M］. 北京：首都师范大学出版社，1995：70.

共存的合理性以及人类各区域文明之间交往互动的历史推动意义——所谓的'全球史'，就这样渐渐发展了起来。"①

可见，整体史观是伴随着对"西欧中心论"或"欧洲中心论"的批判，在学术界出现的一种强调以"全球眼光"审视人类历史的"整体历史观"。其基本特征是将人类社会的历史作为一个整体来看待，史学家们根据新的时代特征，视世界为一个整体，并从宏观的、联系的角度考察和分析人类社会历史演变走向的一种方法、观念和理论体系，是史学家们对 20 世纪世界历史变化和史学研究方法进行全面而系统的反思的结果。"整体历史观"的出现反映了学者们在新的时代背景下认识历史及其变化的一种新的思维活动，标志着史学观念上的一次重大变革，它正在并必将对历史研究产生深远的影响，具有鲜明的时代特点和理论启发性。

（二）整体史观之文化认识论②

综上所述，"整体史观"的基本理论包括：第一，从全球整体的视角来认识人类社会发展的进程。第二，人类社会的发展进程是从分散发展到整体发展的过程。第三，纵向发展和横向发展是历史发展的两个相互关联、彼此影响的基本方面。第四，生产力的发展和人类社会交往的发展历程是历史发展的两根主轴。

概而言之，"整体史观"的理论内涵及其特点主要表现在以下几个方面：

一是它的全球性和整体性。全球历史观是整体观，它强调对历

---

① 高毅. 全球通史：从史前史到 21 世纪：第 7 版［M］//斯塔夫里阿诺斯的乐观与踌躇. 北京：北京大学出版社，2009：1.

② 学术界有一些学者不同意将整体史观或全球史观视为一种史观，认为严格说来只是一种史学研究方法，如美国夏威夷大学教授本特利认为全球史（方法）有明显的不足，即忽略对社会发展史的纵向描述；如果把全球史方法看作是同历史唯物论一样的认识世界发展过程的理论体系，并仅仅用以解释世界历史，那一定会犯认识论的错误；首都师范大学刘新成教授认为，严格地说，全球史（Globe History）并不能称为一种"史观"，而只能说是一种史学方法，或者说是一种阐述世界通史的方法。笔者在此依然将之视为一种新的历史认识理论。

史考察、分析的着眼点应当是全球的而非区域的，整体的而非局部的。正像英国历史学家巴勒克拉夫所倡导的研究历史要具有“全球性眼光”和“总体历史眼光”，“如果我们不采用全球性的眼光，就不能够理解塑造世界史的诸种力量”。① 因此，如果仅仅以单个的民族或国家为视角就难以展示世界历史的全貌、也无法理解世界历史的总体运动。

二是它的系统性和联系性。整体历史观是联系观，它强调世界地区之间、地区内部之间是一个彼此联系的有机体。如同有的学者所言：“世界已成为一个巨大的整体，所有的一切都在这一整体中互相作用、互相影响以及互相碰撞和冲突。”② 作为研究者，其任务是探究世界内部彼此之间的关联性及其依存关系，仅仅靠“记述各种事件的过程，即使这种记述扩及世界范围，也未必能使人很好的理解当今世界”③。

三是它的客观性和公正性。全球历史观强调客观、公正记述历史，平等对待各个地区和各个民族的历史和文明，即“不仅放眼世界，展示全球，而且不带成见和偏私，公正地评价各个时代和各地区一切民族的建树”。并且认为“世界上的每个地区的各个民族和各个文明都处于平等的地位，不允许将任何民族和任何文明的经历只当作边缘的、无意义的东西加以排斥”。④

整体史观强调当代历史研究的本质特征就在于它的全球性，它的对立面则是形形色色的“中心论”或“中心主义”（包括“地区中心主义”“种族中心主义”和“文化中心主义”等多种类型）。历史上的“西欧中心论”“欧洲中心论”“欧美中心论”，以及在反

① 巴勒克拉夫．当代史学主要趋势［M］．杨豫，译．上海：上海译文出版社，1987：242.

② 同①13.

③ 巴勒克拉夫．当代史导论［M］．张广勇，等译．上海：上海社会科学院出版社，1996：1.

④ 同③2.

对“西方中心主义”过程中出现的“东方中心主义”等都是盲目的以自我为中心，通过贬低或抹杀其他民族或国家在人类文明演进中的作用，来强化本民族或国家的优越感，其中危害最大、影响最广的是“西欧中心论”。“西欧中心论”主要强调西欧白色人种的优越性，把西欧一隅的进步视为整个世界历史的发展过程，把西欧看作是世界历史的主角，是人类文明的摇篮；其他民族和国家没有独立存在的历史，这些地区的人民是白种人的负担。德国哲学家黑格尔、史学家兰克、法国社会学家孔德，以及美国史学家海斯、穆恩、韦兰等人是这种历史观念的典型代表。他们对白种人以外的其他地区人民抱有根深蒂固的偏见，其理论一度成为西方社会的主流倾向，对帝国主义在全球的殖民扩张起了推波助澜的作用，为殖民统治活动提供理论根据。各种“中心论”或“中心观”从本质上讲是排他性的、封闭性的和垄断性的，它要么是对历史缺乏客观、辩证的态度，要么是对历史进行别有用心的歪曲。因此，对各种“中心论”或“中心主义”的批判和否定是形成整体历史观的前提。这种批判和否定是站在全球观、整体观的高度，而不是简单地用一种“中心论”去反对另一种“中心论”。但是，这并不意味着整体历史观要取消一切“中心”。历史发展过程中出现的多个文明中心现象是一种客观事实，承认并正确对待不同历史发展时期自然形成的不同文明中心是历史研究的基本态度。同一历史时期的不同文明在发展水平上或发展层次上必然存在着差异，但是，先进的文明不能以其先进性来抹杀其他文明及其载体的存在价值。各种文明的价值是相等的。倡导整体历史观的学者们所反对的就是那种狭隘的、以自我为中心的思维方式和行为方式。可以说，整体历史观是一个全方位、开放性的体系。

从史学思维的角度看，全球历史观属于宏观历史思维范畴，具有整体性和系统性思维的特点。它是当代史学家们根据历史思维的发展规律和历史演变的实际情况，在理论上进行的反思与概括。全球历史观不仅打破了19世纪以来以“欧洲中心论”为代表的思维定势和历史观，而且为史学思维的创新和发展开辟了道路，是当代历史思维的体现和反映。于沛依据思维规律和现代科学的发展状况，提出了当代历史思维的三个特征，即科学的辩证思维、创造性思维和系统性思维。① 其中历史研究中的系统性思维，“首先要求把人类社会历史作为一个整体或一个系统进行认识和分析”，“体现了整体化思维观，强调从政治、经济、文化、自然环境、地理环境以及个别人物的活动等因素的相互作用和相互联系中认识世界历史；并强调对重大历史现象进行综合研究”。② 由此看来，全球历史观所倡导的不仅是对各种“中心论”思维方式的否定，而且是以全球眼光和整体意识审视人类历史，关注人类共同利益的实现，不单单是某个民族或国家的利益。这在人类思维认识的发展史上是一大飞跃。

（三）整体史观之文化方法论

整体史观作为一种史学研究方法，它强调“整体历史视野”，注重历史比较和多学科综合方法的运用，提倡跨国家、跨学科合作，其贡献和影响都是巨大的。首都师范大学刘新成教授说：“我觉得全球史观的时代感很强，反映了全球化时代社会公众对新知识的渴望和专业学者对这种现实需求的回应。因此，无论它目前是不是一种成熟的理论，甚至无论它是否可能发展为一种独立的理论，我们都应该承认，它是有独特的价值、有生命力的。”③ 其中值得肯定之处主要表现在以下几个方面：

首先，整体史观强调历史考察要以社会相互关系为思维路径，逐渐淡化或者摒弃以国家为单元的思维模式。一般来说，相较于整

① 于沛．论历史思维［J］//当代西方史学思想的困惑．北京：中国社会科学出版社，1991：176.

② 同①181.

③ 刘新成．一个学者对世界历史的思考——刘新成教授访谈录［J］．历史教学，2005（10）：9.

体史观，以国家为单元的传统史观，在描述世界历史进程时具有两个明显缺陷。“其一，诸如物种（包括农作物、动物等等）传播、疾病蔓延、气候变化等‘超越国界’的现象概被忽略，而这些现象对全球历史的发展曾经产生不容忽视的影响。其二，任何一个社会都是全球的组成部分，但每个社会都不是孤立存在的，社会和社会之间互为发展的条件，它们之间的竞争、交融、碰撞以及力量对比关系，是推动全球发展的重要动力，而这一动力因为不是发生在国家框架之内，而长期被忽视。”[①] 在这样一种认识的前提下，整体观史家认为，世界历史的发生、发展是相互联系的，尤其是现代世界历史的构建，所以，历史学家应该以具有依存关系的社会所形成的网络为世界通史的基本叙事单位。只有这样的思维路径，才能将完整的、全面的世界历史即全球历史呈现在世人面前，从而获得对世界历史的整体感知。

第二，整体史观以人口增长、技术进步与传播、不同社会之间日益增长的交流三大社会化过程作为全球发展的整体性主题。整体观史学家认为，世界历史发展的整体趋势不能以某个国家在某一个历史阶段的发展作为唯一的判断标准，而只能依据具有普遍性的历史因素作为历史发展的主流，即人口增长、技术进步与传播、不同社会之间日益增长的交流三大过程之中。从整体上看，人类居住的地球是一个由无数具有独立文化传统的社会组成的巨大系统，在这个系统中，各个社会都在自觉和不自觉地进行彼此的政治、经济和文化交流与碰撞，以此维系着人类文明的进步和社会的发展。诚如有的学者所说：“在网络中各地的自然物种互相传播，各种新技术、新观念和新信仰互相交流；与此同时，每个社会也都在不断地摸索和创造与其他社会相处的新手段、新模式，或是征服、利用及制约与之相关的其他社会，或是与之和平共处；物种交换、移民、文化

① 刘新成. 全球史评论：第一辑［C］. 北京：商务印书馆，2008：28.

交流等等以前常被忽略的新内容，与社会发展、商品流通、帝国主义等传统命题一道，共同成为描述全球三大过程的主题。全球史学者通过描述这三大过程，为正在全球化时代重新认识本土文化价值的各民族提供了新的审视角度，具有鲜明的时代感。”[①] 这样，整体史观学者通过描述这三大过程，就为认识本土文化的价值提供了新的审视角度，“从而大大拓展了历史学家的研究视野”[②]。

第三，整体史观注重历史进程中的“互动”，历史就是这种“互动”的结果。在上述三大过程中，整体观史学家认为，最重要的是“不同社会之间日益增长的交流”，因为“人口增长”和“技术的进步和传播”都有赖于这种交流，越来越多的学者承认，历史就是世界各族互动的结果。学者们着力最多的就是不同社会、不同地区、不同民族、不同国家之间的“跨文化互动”。

第四，整体史观以一种相对中立的价值尺度审视和探究历史。众所周知，“欧洲中心论”（或“西方中心论”“西欧中心论”）一度成为学术界的时髦话题，但是，随着世界联系的加强和学术理性化的深入，越来越遭到人们的质疑和批评。然而以往的这种批评“大都停留在意识形态层面，全球史学者却从学理上分析了‘欧洲中心论’产生的原因及其谬误的根源。他们指出，在世界历史领域造成‘欧洲中心论’的原因有两个，其一是前面所说的以国家为单元的思维模式，其二是‘依据结果反推原因’的分析方法”。[③] 因此，全球史学者“自觉抵制‘欧洲中心论’，反对从西方在当今世界处于强势地位的现实出发，以西方经验作为评价全球历史现象和整体运动的惟一标准，主张建立‘全球普适的历史话语系统’，重新书写人类整体的历史”。[④] 正如英国著名历史学家杰弗里·巴勒

---

① 刘新成. 全球史观与近代早期世界史编纂［J］. 世界历史，2006（1）：42.

② 刘新成. 全球史评论：第一辑［C］. 北京：商务印书馆，2008：134.

③ 同②30.

④ 同②2.

克拉夫所言，“这种历史观认为世界上每个地区的各个民族和各个文明都处于平等的地位上，都有权利要求对自己进行同等的思考和考察，不允许将任何民族或任何文明的经历当作边缘的无意义的东西加以排斥”。[①]

第五，整体史观注重对历史发展，尤其是许多重大历史事件必然性的重新分析，以全球化理论为背景，从而得出令人信服的新的结论。整体史观认为，从单方面（比如某个国家）考察具有“必然性”的事件，几乎是不可能的。因此，“在考察一个有若干社会参与其中的历史事件的原因时，要充分考虑其发生的偶然性和特定条件性”[②]。

应该肯定，全球史学者的这些方法论极富启发意义，尤其是他们把全球视野与区域研究有机结合，创造了“小地方—大世界”的研究范式，为史学研究提供了新的理论和方法视野。当然，同其他学术理论一样，整体史观在认识论和方法论上，无法做到完美无缺。最明显的缺陷是对社会内部自身发展的忽视。因此他们在分析跨文化互动对各个社会所产生的政治、经济、社会、文化影响时，就有欠深入。另外，在一些概念如什么叫文化、什么叫跨文化、什么叫互动等阐释方面还不够深入，特别是把“跨文化互动”作为历史断代的依据是否妥当，有待进一步思考、说明的必要。

根据整体史观的认识论和方法论主旨，在考察湖湘文化演变及其特征、结构等问题时，都能对湖湘文化的认识和把握有所深入，下面主要是从“多源一流”和“多元一体”两个理论性问题，对湖湘文化进行整体认知。

二、湖湘文化的“多源一流”与“多元一体”

对湖湘地域文化的研究离不开历史学的维度，上述整体史观的

---

① 杰弗里·巴勒克拉夫. 当代史学主要趋势［M］. 杨豫，译. 上海：上海译文出版社，1987：158.

② 刘新成. 全球史评论：第一辑［C］. 北京：商务印书馆，2008：30.

历史整体性、普遍联系性、事物系统性、文化多元性等特征，为研究湖湘文化提供了一定的视角。湖湘文化的研究必须讨论其“源”与“流”、“元”与“体”的问题。这主要反映在湖湘文化的“多源一流”和“多元一体”问题上。

（一）湖湘文化的“多源一流”

尽管湖湘文化是在“湖”（洞庭湖以南）、“湘”（湘江流域）这个特定空间范围之内形成、演变、发展而来的，但由于战争、移民、人口的自然流动、地理环境的变化等原因，使得湖湘文化在形成过程中与周围其他形态的文化发生联系与融合。这样，就出现了多元文化相互影响又有鲜明特色的湖湘文化。一般而言，湖湘文化有三个重要的来源：上古本土文化、楚文化和中原文化。

首先，上古本土文化与湖湘文化的关系。

最早见诸史籍的上古本土文化体现有炎帝在湖湘地域的行迹。炎帝，又称神农氏，为远古传说中一个强大氏族部落的首领。炎帝氏族部落与黄帝氏族部落，原来都出自我国甘肃一带，后沿黄河东下，发展为中原的华夏部落集团。炎帝、黄帝也因此一同被尊为中华民族的共同始祖。据传炎帝部落东下后，同蚩尤九黎集团发生冲突。最初炎帝败于蚩尤，后来炎帝与黄帝联合起来，擒杀蚩尤。战胜蚩尤九黎以后，黄帝部落又反过来攻打炎帝部落。经过这场战争，黄帝部落势力迅速扩张，取代炎帝，成为华夏部落联盟之首和黄河中下游的主宰。据《新书·益壤》记载：黄帝“伐涿鹿之野，血流漂杵，诛炎帝而兼其他”。由于黄帝部落的征伐，炎帝部落往南流亡迁徙，从洞庭之野直达九嶷苍梧。现今湖南许多地方留下了炎帝神农的传说与遗迹。据传炎帝神农氏曾在湖南土地上播种华夏文明的火种，教民稼穑；为解除疾病对人们所造成的痛苦，“尝百草之滋味，水泉之甘苦，令民之所辟就，当此之时，一日而遇七十毒”[1]，置自己的生命于不顾，在中华道德精神史上成为美谈，现今湖南炎陵县保存有炎帝陵，一直禋祀不断。

传说还有上古时期的舜帝也曾南巡来到湖湘地域，将“五伦之教”传授湖湘大地的黎民百姓，使自己的孝行德义播撒在湖湘文化的源头。《孟子》曰：“舜明于庶物，察于人伦”，即舜帝不仅力行孝悌之道，而且“使契为司徒，教以人伦，父子有亲，君臣有义，夫妇有别，长幼有序，朋友有信”。从此“五伦之教”在湖湘之地传播，道德文明薪火相传，化育万代。

湖湘上古本土文化除了炎帝、舜帝的远古传说以外，还有蛮苗、古越的古老文化成分。上古时期湖湘地域居住的居民主要是三苗、南蛮人，他们在此生产生活，成就了古老的苗蛮部族文化。距今四五千年左右，与传说中的尧、舜、禹三代同时，在洞庭、鄱阳湖之间和江淮、江汉平原出现了一个名为“三苗”的新的部落集团，在与炎帝部落的战争之中失败后流亡迁徙到南方发展而成。蚩尤“九黎”部落集团被炎黄打败后，一部分蚩尤族人臣服于炎帝部落集团，留居黄河中下游，融合到炎黄华夏集团；而大部分成员战败后退出黄河流域向南流徙，形成新的部落集团，成为南方“苗蛮”民族最初的先民之一和重要的组成部分。[2]《国语·楚语》有“三苗复九黎之德”。苗蛮文化是湖湘文化的土壤和根基。

司马迁《史记》记载三苗之国在“洞庭、彭蠡之间”，即现在的湖南、江西一带。《韩诗外传》则说“衡山在南、岐山在北”，表明分布范围达到湘江中游。《山海经·大荒南经》载：“有宋山者，……有木生山上，名曰枫木。枫木，蚩尤所弃其桎梏，是为枫木。”湖南以及贵州等地的苗族一直崇尚祭祀“枫神”，崇拜枫木树。湖南湘西北的苗族古歌中有很多内容是叙述其祖先在洞庭彭蠡

① 夏曾佑. 中国古代史［M］. 北京：生活·读书·新知三联书店，1955：10.

② 刘安，等. 淮南子·修务训［M］. 高诱，注. 上海：上海古籍出版社，1989：208.

之间斗鳄鱼、开水田的史迹。在各地苗族中，至今还保留了不少有关蚩尤的古歌、传说和习俗。在湘西地区有苗族传说的“剖尤”。按苗族东部方言，“剖”是公公的意思，“尤”就是蚩尤，“剖尤”就是“蚩尤公”。也有学者认为三苗只是一个国名，并不一定是苗族，但说明古代湖湘地区曾是少数民族聚居地区。[①] 这种状况一直延续到汉代，汉初分封的长沙王苗就是一个番君。现在湖南少数民族分布之广，还是这种历史文化的遗存。

古籍记载“潭州古三苗之地”“三苗建国在长沙”，所以三苗活动的中心应当是在长沙一带。明周祁《名义考》：“三苗建国在长沙，而所治则江南荆、扬也。”其文化特征可以在文化遗址和文物上得以大致反映，如湘乡岱子坪、长沙腰塘与团李山、浏阳樟树潭等文化遗址。按考古学界的分类，前期相当于屈家岭文化范畴，后期为龙山文化范畴。除了生产工具有显著进步外，作为生活用具的陶器也大有发展，种类多样，有甑、鼎、盆、罐等，少量已有镂空、卷沿、折沿造型。除了粗糙厚重的炊、容器外，还出现了小型、精致的薄胎食器，彩色多样，印纹形式丰富。这说明当时的陶器除作生活实用外，已开始艺术化。特别是在遗址中发现了陶鸟、陶环和玉器等纯粹的玩具和装饰品，表现了湖湘地区的原始先民们对美的追求，被学者誉为质朴的原始艺术之花。

后来，三苗集团因受到来自北方华夏部落激烈战争的打击和部族内部的混乱，势力日益削弱，部族因此分崩离析。这在史书中有大量记载，《吕氏春秋·恃君览·召类》载：“尧与有苗战于丹水之浦，以服南蛮。”《孟子·万章上》载：“舜……杀三苗于三危。”《战国策·魏策》载：“昔者三苗之居，左彭蠡之波，右有洞庭之水，文山在其南，而衡山在其北。恃此险也，为政不善。而禹放逐之。”自此以后，一部分三苗部族成员退居偏僻山林之中，成为嗣

---

① 游俊，李汉林. 湖南少数民族史［M］. 北京：民族出版社，2001.

后湖南境内和西南苗、瑶、侗诸民族的先民，还有一部分衍化成古越民族集团中的一支。

古越，在先秦时期主要分布于现北起江苏省、南迄越南近海的地带，根据所处地位又分为扬越、于越、闽越等，统称为“百越”。故古越族或百越族只是一种泛称，实际上越人并没有形成统一的民族。但也必须看到，越族各个支裔又是个既有区别又有联系的庞大的人类共同体。古越族有“断发文身”的风俗，后被秦朝吞并。湖南境内的三苗衍化而来的古越人属于“扬越”，处于新石器时代末期。如宁乡炭河里、长沙杨家山与接驾岭遗址及其大量出土的石器、陶器、青铜器和玉器，是其主要体现。在这些器具中可以发现，其生产工具仍以石器为主，与以前相比，出现了许多诸如马鞍形石刀、穿孔宽刃石锄等新器型，而且磨制较为精巧；生活陶器出现了圈足黑皮陶碗、敞口折唇皮陶盆等器型和S型纹、米字纹等，特别是捺印粗点组成的人字形纹及瓦纹为以前所未见，充分反映了湖湘苗蛮古越文化的特征。最值得注意的是，这一时期湖湘地区的古越文化遗址中出现了鬲、大口尊、粗细绳纹等陶器器型及纹饰，而这本是黄河流域新石器晚期的陶器特征。由此说明，当时湖湘地域文化和中原文化已有所交流和融合。商代起湖湘地区的古越人已经大量使用青铜器，体现了成熟的青铜文化。另外，考古还发掘出大量玉器，如玉管、玉珠、玉虎、玉鱼等，制作精细，是商代玉器中的罕见之物，表明当时湖湘地区古越人已具有相当高的艺术鉴赏水平。①

其次，楚文化与湖湘文化的关系。

讨论楚文化与湖湘文化的关系，首先必须了解“荆楚”和“荆楚文化”两个概念的由来及内涵。在古代，荆楚仅仅只是一个地域概念。“楚”当然指的是位于湖北的楚国或楚民族早期生活居

---

① 参见周秋光：古代湖湘文化的形成与历史演变［J］. 湖南社会主义学院学报，2009（1）：71—80.

住的楚地；“荆”指荆山①，即楚族部落首领熊绎受封于西周之后所最早开辟的聚居地。这里的“荆”“楚”合一，便成为与楚民族或楚国密切相关的“荆楚”，此为狭义的荆楚地域概念。“荆”又指“荆州”，《尚书·禹贡》载：“荆及衡阳惟荆州。”《尔雅·释地》称：“汉南曰荆州。”《周礼·职方》载：“正南曰荆州。”这里的“荆”也指荆山；“衡”指衡山，《汉书·地理志》认为即指位于今湖南的衡山。荆州指的是从湖北荆山至湖南衡山这块广阔的地域。故汉代置“十三部刺史”之一的荆州时，就一度将荆州的治所设在位于荆山与衡山之间的汉寿县（今湖南常德市东北）。正如在本章第一节介绍湖南行政历史沿革时所指出的，在远古至先秦时期，湖湘地区还被视之为蛮荒之地，居住着各种“蛮”族，既没有形成方国，也没有建置具体有效的行政建制，故没有对这一地域进行命名。由于在“荆州”地域内，荆山附近的楚人（楚国）是当时文明程度发展最高的民族并建立了方国，他们的势力又一度进入湖湘，故往往又将广大的荆州地域称之为“荆楚”，此即广义的荆楚地域概念。产生于广义荆楚地域上的文化，当然被称之为“荆楚文化”。

楚文化与湖湘文化的关系，首先牵涉楚人何时入湘以及楚文化何时开始对湖湘地区产生影响的问题。对此，学术界包括明朝顾栋高（“春秋时楚地不到湖南”）在内还是存在不同看法的。② 不过，在这些看法中笔者较为认同李海勇观点，因为他从历史地理学的角度，运用考古学、历史学、人类文化学等分析方法，通过对湖南早期“楚文化”考古材料中所包含的不同文化因素和湖北地区关于楚

---

① 关于商周时期的荆山究竟在什么地方，学界分别有湖北、河南、安徽等多种说法，现楚史学界一般认为指古南漳以西八九十里之处（今湖北保康县境内），即今湖北沮水、漳水发源地之荆山。

② 参见李海勇. 湖南早期楚文化的历史地理分析［J］. 中国历史地理论丛：第2辑，2001：97—98.

文化相关材料的考辨与分析，认为："西周末期，楚文化对湖南产生了微弱的影响，但终西周之世，楚人尚未跨过长江到达湖南，直至春秋早期，楚人才开始入湘。"① 所以，现在一般认为，楚国大致是在西周末东周初开始将其势力深入到湖南，并将湖南的大部分地区纳入楚国的版图。楚人大规模的进入湖湘地区，意味着楚文化对湖湘本土文化产生影响的开始。随之而来的是湖湘本土社会、经济、文化的变化和发展。

另外，关于楚文化与湖湘文化的关系问题，我们先要认识清楚楚文化到底是一种什么样的文化，即楚文化的特质是什么，又有何特点？

从楚文化的发展历程来看，《史记·楚世家》记载："高阳者，黄帝之孙，昌意之子也。"故楚王族属于华夏后裔。《史记·楚世家》又载："当成王之时，举文、武勤劳之后嗣，而封熊绎于楚蛮，封以子男之田，姓芈氏，居丹阳。"也就是说，楚人先祖鬻熊辅佐周文王灭商有功，周成王念其功劳，封鬻熊曾孙熊绎为子爵，建国于丹阳（今河南南阳市淅川县境）。不过，其领地只有 50 里，所以，在西周早中期，楚国局限于一个狭小的地域，主要是在中原姬周文明的影响下发展。其时，楚文化虽处于襁褓中，其风格接近于中原姬周文明，但其个性特征开始孕育。西周早期，随着楚人第一次扩张军事行动的开始，楚人有了进一步与外围蛮夷文化接触的机会，华夏文明与蛮夷文化的交融使楚人在继承华夏文明即姬周文明的同时，也按已逐步形成的自我意识对其进行改造。楚文明就在这种既坚持主源又兼收并蓄的过程中初步兴起了，这一过程可持续到春秋初年。在春秋战国之交，楚国攻城略地，相继灭陈、蔡、越等诸侯国，成为席卷南土、问鼎中原的极强盛的诸侯霸主。楚国兼并的弱小诸侯国，有案可稽的，也在四五十个以上，其势力范围达到

① 参见李海勇. 湖南早期楚文化的历史地理分析［J］. 中国历史地理论丛：第 2 辑，2001：103.

了今湖北、湖南、河南、安徽、江苏、浙江、江西、云南、广东等地。也正是在一种特殊的多民族环境和共存意识中奠定了楚文化多元的特征和鲜明的个性，主要体现在以下几方面：

第一，楚文化具有兼采百家、个性鲜明的浪漫气息。楚国之所以在春秋战国时期诸侯兼并、纵横捭阖的竞争环境中，存在800多年之久，是因为其始终抱着一种海纳百川、适者生存的态度，不断吸取其周边民族文化的精髓，将中原文化与巴濮文化、三苗文化、南蛮文化、古越文化有机融合，从而创立了适合自身发展而灿烂辉煌的楚国文化。就其内容而言，如独步一时的青铜铸造工艺、巧夺天工的漆器制造工艺、高超绝伦的丝织刺绣工艺、精彩绝艳的辞赋、汪洋恣肆的散文、义理精深的哲学、诙诡谲怪的美术、五音繁会的音乐、翘袖折腰的舞蹈，等等，表现出百花齐放、丰富多彩的特色。在考古发掘中，各式各样的文物更是琳琅满目，应接不暇。这种多姿多彩的文化特色不仅丰富了中华文化具体内容，更是为中华文化带来了深远的影响。楚文化中的老庄道家思想以一种上天入地、放荡不羁、怪诞幻想的超现实方式，形成了对虚幻的理想和超现实精神境界的追求品格，为此而产生的神话式的幻想、大胆的夸张、离奇的情节、神妙的人物、夸张的语言等等，便自然而然地成为我国浪漫主义文学理论的远祖。屈原的辞赋和庄子的文笔更是以高洁的情操、巧丽的才思、博洽的见闻、无拘无束的想象，以及不懈不怠的革新精神，像庄周驱使着寓言那样，调遣着许许多多的神话、传说、史事，以及天地、日月、风云、雷电、雨雪、山川、神鬼、龙凤、贤士美人、佳花芳草等等，构造出独特的艺术境界，可谓思接千载，视通万里。还有楚国的音乐舞蹈、美术绘画、雕刻刺绣等，无一不是东方浪漫之花的杰作，所有这些充分体现了楚文化瑰丽奇谲的浪漫气息和理想主义的境界。

第二，楚文化具有筚路蓝缕、自强不息的进取精神。这一点可以从楚国历史发展线索得以有力证明。楚人从先王熊绎立国荆山开始，就具有了一种奋发图强、自强不息的精神。周初分封对楚国不公，“齐、晋、鲁、卫，昔封皆受宝器，我独不（否）”①。况且封国只有区区50里而已。这种待遇之不公，促使楚多次问鼎周室，不断开拓疆域，消灭诸侯国四五十余，把楚国的版图扩展到大江南北广大地区，诚如史书所载之“筚路蓝缕，以启山林”，终成霸业，成为春秋战国时期势力最强大诸侯国之一。

第三，楚文化具有强烈的乡土意识和家国情怀。楚文化对故乡的热爱，对故土的依恋，在楚人身上表现得特别强烈，特别突出。屈原《离骚》说：“陟升皇之赫戏兮，忽临睨夫旧乡。仆夫悲余马怀兮，蜷局顾而不行。”诗人上天入地，上下求索，亲临许多美好的境界，见到许多美好的事物。正当他要向更光明的境界飞升时，忽然从天界上看到自己的故乡，于是，悲从中来，徘徊而不继续前行了。在此，屈原对故土眷恋不舍之情溢于言表，一泻千里。难能可贵的是屈原不只是这么说的写的，他更是以自己的生命之躯，践行了这种悲壮而伟大的家国情怀，那就是屈原在一心报国而遭人谤议的情况下，沉汨罗江而死。这种热爱故土、眷恋家园的情感后来不断升华，成为中华民族生生不息、忧国忧民的爱国主义精神。

第四，楚文化具有锐意进取、开拓求新的创新精神。楚人的这种创新精神可以从政治上的大胆改革和文化上的标新立异得到很好的说明。如熊渠封子为王、熊通自称武王、首创县制、熊赀建都于郢、吴起变法等均属离经叛道、惊世骇俗之举，也都是楚国历史上不断求新求变的创新壮举。这种“不鸣则已，一鸣惊人”的楚文化性格，最后逐渐上升为以蔑视既存、敢于创新为主要内容的民族精神。楚人在科学技术、哲学思想、文学创作方面都作出了杰出的贡献。庄周的散文奇诡莫测，汪洋恣肆；屈原的《九章》《九歌》等作品则是“气往铄古，辞来切今，惊采绝艳，难与并能”②，表现

① 司马迁. 史记：楚世家［M］. 北京：中华书局，1999：1705.
② 周振甫. 文心雕龙译注［M］. 南京：江苏教育出版社，2006：95.

出奇异瑰丽之美。楚人大胆革新，创造了灿烂辉煌的楚文化。

可见，在春秋战国时期楚文化是一种典型的强势文化，具有强大的辐射功能，随着楚国军事势力的不断扩张，楚文化也随之传播而影响其他文化。而这种影响，对那个时代的湖湘本土文化可以说是首当其冲的。

楚人入湘后，一方面征服和统治了原住民，另一方面也推广了较为先进的生产工具和生产技术，使得湖湘大地的农业、畜牧业、手工业和商业都有了显著的改善和进步。从湖南各地挖掘的楚墓看，出土的铁制农具有锄、锸、铲、斧、锛、刀，并普遍使用；粮食作物除了粟以外，还有稻谷、麦子、豆类等，以及甘蔗、椒、姜等作物；饲养的家畜有牛、羊、鸡、凫、鳖、龟等；手工业制品有各种各样的铜镜、漆木器、竹器、琉璃器及丝织品；商业流通领域出现了蚁鼻钱（铜贝），还有黄金货币。商业的出现，促使湖湘地域的城市随之兴起，如湘水流域的长沙城、澧水流域的鸡叫城、沅水流域的黄楚城等。战国时期的长沙城已是楚人聚居、人口稠密、农业、手工业和商业较为发达的城市。仅目前为止，在长沙地区发掘的春秋战国楚墓已达3000余座。

楚文化不仅影响了湖湘地域的物质文化，同时也促进了湖湘地域新的生产关系和精神文化的进步。楚国在春秋时期已是较早实行封建郡县制的国家，征服湖湘原地居民后，即在湖湘设县任尹，封君建邑，无论郡县或者封邑，都必须向楚王室缴纳贡赋。对湖湘地域之内居民一律征收实物地租与田赋。与此同时，湖湘原居民开始学习由楚人传入的中原文字和较为先进的礼仪习尚，刻在青铜器上和书写在简牍与帛书上的文献典籍在湖湘广为流传。

楚文化入湘后，湖湘地区的文学艺术、哲学宗教等明显发展。楚人善作楚辞，散文讲究用韵。长沙出土的帛书《天象篇》除个别句子外，通篇均为韵文。可见已有湖湘文人熟习了这种押韵体散文。

在文化思想方面主要表现为受五行学说、阴阳术数学说和老庄虚静无为的影响。人们认为天干地支、四季年月之间存在着某种内在而神秘的联系，它影响着人们的生死、婚丧、仕途升迁、战争胜败等一切世俗事务。由此，湖湘某些地区，特别是城镇地区盛行占卜术。子弹库楚墓帛书中就有“卜问吉凶”之语，并详细叙述了一岁中灾异的趋避、祭祀的禁忌，表明当时的人们以封筮来卜问神灵有关生老病死、婚丧、战争等现实生活行为的吉凶。所以，李学勤先生认为：汉代的长沙原为楚文化的中心，马王堆帛书凡能推定作者的，大都是楚人的著作。长沙马王堆汉墓出土的帛书“黄帝书”，就是这一时期黄老派道家的著作。①

在宗教文化方面，楚人入湘之前，湖湘地区的越族居民大都崇拜信仰原始宗教或者多神教，楚文化进入湖湘地区后，又带来了楚人的宗教信仰和神话传说，两者互相融合影响，构成了春秋战国时期湖湘地区的独特的宗教与神话。当时的人们普遍相信有一个与人间现实世界相对应的天上神仙世界和阴间鬼灵世界，巫鬼风气尤为浓厚。依据长沙楚墓出土的帛书及屈原在湘所作的楚辞，可以得知湖湘先民一是信奉自然神，如日神东君、云神云中君、风神飞廉、雨师薄号、水神河伯、东皇太一、山神、湘君、湘夫人等，其中湘君、湘夫人是湘人特有的信仰；二是信奉英雄神，他们是族神、祖先神的升华，最突出的为伏羲和女娲，他们是天地万物之神，又是补天的英雄和确定岁时的神。还有炎帝和祝融。传说炎帝即神农氏，是中华先祖之一。他教人耕作百谷，并精通医药，相传在湖湘地区采药时误食断肠草而亡，“葬于长沙茶乡之尾”；祝融是传说中的火神。楚人尚火，自认是火神的嫡嗣，所以在神话体系中祝融的地位也很高。相传祝融死葬衡山（古时属长沙），故衡山最高峰名祝融峰。此外，湖湘先民信仰的还有帝，是制定日月运行的神；以

① 李学勤. 新出简帛与楚文化［M］. 武汉：湖北人民出版社，1981：28.

及管日之神，襄助其父祝融“授民以时”的共工氏等。

由此可见，楚文化对湖湘文化的影响是全方位的，使得湖湘本土文化的物质层面、制度层面、行为层面、精神层面都发生了明显的变化，当然这种变化是湖湘本土文化与楚文化的交融互摄的结果。所以，毫无疑问，楚文化是湖湘文化重要源头之一。

再次，中原文化与湖湘文化的关系。

在中国历史上，自上古至唐宋，中原一直是中国的政治、经济、文化中心。中国历史上先后有 20 多个朝代定都于中原，中国八大古都河南省占据一半，包括洛阳、开封、安阳和郑州，所以，中原地区被誉为中华文明的摇篮。因此，中原地区以特殊的地理环境、历史地位和人文精神造就了丰富多彩、辉煌灿烂的中原文化。在中国历史上，中原文化长期居于正统地位，在某种程度上代表着中国传统文化，是中华文化的重要源头和核心组成部分。中原文化以黄河中下游地区为腹地，逐层向外辐射，影响延及海外。这种辐射和影响自然包括对湖湘文化产生和形成的影响在内，而“这种对湖湘文化的影响主要是通过王朝的统治与教化、贬官和流寓文人、移民和战争等途径实现的”①。

秦王朝建立政权、统一中国后，湖湘地域就被纳入了中央王朝的统一治理之中。秦朝设郡县、修驰道、统一币制与度量衡等措施都在湖南地区得到施行。秦朝时，湖湘地区分属于黔中郡和长沙郡。汉代时湖南属于荆州刺史管辖。唐代宗广德二年（764），朝廷在衡州设立湖南都团练守捉观察处置使，简称湖南观察使，这就是“湖南”之名的由来。此后，湖南行政区域的辖制在不同朝代虽有些变化，但是自从唐代开始就相对稳定，湖湘文化产生和形成有了较为稳定的区域环境。另一方面，湖南行政区划的相对稳定，不仅使中原文化的制度、礼仪、风俗、习惯等直接影响着湖南的本土居

① 杜纯梓. 湖湘文化要略［M］. 北京：北京大学出版社，2011：53.

民，也为湖南本土的文化保留自己独特的风俗习惯等地域文化特色创造了较为稳定的外部环境，使之成为中华文化中一支富有地方特色的区域文化。

从文化史的角度考察，中国历史上的贬官和流寓文人现象，蕴含了文化传播的意义，因为贬官和文人们流放到各地，在一定意义上承担着文化传承、人性的思考、对制度的反思等。这样，他们为地域文化的发展与融合起到了特有的作用。湖南地域自古以来被视为蛮荒之地，远离中原，生活条件较为艰苦，常常成为贬官流寓之所。由于所贬官员来自较为发达的中原地区，都是有文化素养的官宦阶层。中国历代被贬到湖南地区的官员不计其数，对湖湘文化产生重要影响的主要有屈原、贾谊、柳宗元、刘禹锡等，此外还有李白、杜甫、韩愈、秦观、辛弃疾、范仲淹、朱熹、王阳明等文人曾流寓湖南，他们也促进了中原文化和湖南本土文化的交流和融合。

柳宗元是唐代著名文学家和政治家，也是贬官文化典型代表人物。他于唐代宗大历八年（773）生于京城长安，出身官宦家庭，少年就胸怀大志，以才气闻名。贞元九年（793）中进士，十四年（798）登博学鸿词科，授集贤殿正字。贞元十七年（801），调为蓝田尉，两年后调回长安任监察御史里行。入朝后，他对时政的黑暗和腐败，特别是当时宦官专横跋扈和藩镇割据愈演愈烈的态势深为不满，与好友刘禹锡积极参与王叔文、王丕集团政治革新，成为永贞革新的核心人物，世称“二王刘柳”。永贞元年（805）九月，由于顺宗下台、宪宗上台，革新失败，“二王刘柳”和其他革新派人士都随即被贬。宪宗八月即位，柳宗元九月便被贬为邵州（今湖南邵阳市）刺史，行未半路，又被加贬为永州（今湖南永州零陵）司马。柳宗元被贬永州，一贬就是 10 年。这一贬，虽然远离了朝廷，远离了庙堂，但政治失意后，使他有更多的时间专注于广泛研究古往今来关于哲学、政治、历史、文学等方面的一些重大问题，撰文著书，《封建论》《非〈国语〉》《天对》《六逆论》《捕蛇者说》等著名作品，大多是在永州完成的。同时，游历于永州如画的山水中，寄情于景，在永州写出了大量脍炙人口的山水游记，典范之作为《永州八记》《始得西山宴游记》《钴鉧潭记》《钴鉧潭西小丘记》《至小丘西小石潭记》《袁家渴记》《石渠记》《石涧记》《小石城山记》。因此，永州的10年，无论是在政治、哲学、历史还是文学上，都是柳宗元一生成就最辉煌的时期。于是，有人说，是湖湘大地的永州成就了柳宗元，但同时也正是因为有了柳宗元，有了柳宗元的文章，才成就了今天的永州特色。“地因人始重”，湖湘大地正是因为拥有了柳宗元，湖湘文化的历史底蕴更为深厚。

又如西汉杰出的文学家、政治家贾谊，就有“贾长沙”之誉。贾谊，河南洛阳人，年仅18岁即以“诵诗属文”被汉文帝召为博士，不久即任太中大夫。《过秦论》一出贾谊之手，即成传世佳作，令同居太中大夫的陆贾惊羡不已。贾谊企图革新政治，提出“改正朔、易服色、法制度、定官名、兴礼乐”等一系列主张，一度受到文帝的赏识，但遭周勃、邓通等权臣的诋毁，诬蔑他“年少初学，专欲擅权，纷乱诸事”，终于未受重用，而于公元前177年，被贬到长沙。贾谊在长沙度过了4年时光，并写下了汉赋名篇《吊屈原赋》。贾谊在赋中对屈原的遭遇表示的深切悼惜，实际上是对自身处境的伤感。两人的经历有着太多的相似之处，贾谊是将自己愤慨不平与屈原的忧愁哀思融汇在一起，以表达对世间贤人失意、小人得志这种不公平状况的极大不满。他后来又写下了汉赋名篇《鹏鸟赋》。此赋借与鹏鸟的问答，抒发怀才不遇之情，并用老庄“齐生死，等祸福”的思想来自我宽慰。贾谊任职长沙王太傅期间，虽然心情悲愤，但并没有忘怀对国家政治的关心。据《贾生年表》载，贾谊反对民间铸钱的主张就是在谪居长沙时上书《谏铸钱疏》提出来的。正是基于贾谊的政治、文学才华以及对湖湘文化的深刻影响，后来人们把他与屈原联结起来，称长沙为“屈贾之乡”。

湖南因其地理位置的特殊性，自古为南北兵家首征之地，经常性的战争使人口大量丧失。战争带来的大量中原移民的进入，早在炎帝战败时就开始了。商朝盘庚迁都于殷后，逐步加大对“荆蛮”的征伐，军事、政治、经济势力南下，进一步促进了中原文化对湖湘本土文化的影响。秦汉时期，北方和中原人口因兵祸和天灾大规模地向南迁徙，导致湖湘境内人口成倍的增长，人口的民族成分也发生了较大变动。湖湘境内一部分原居民逐步向西部、西南部和湖湘境外的山区退徙。这样，从北方而来的中原人和楚人与湖湘没有退徙的原居民融合，便构成了湖湘境内新的主体民族——汉族。①

到魏晋南北朝时期，国家长期分裂，政局动荡，战乱频繁，然而，正是在这样一种艰难的环境之中，中原周边民族与中原民族、北方民族同南方各族相互之间的接触、交流和融合却得到进一步加强。隋唐五代时期，湖南的社会经济文化继续发展。土地得到进一步开拓，农业、手工业生产技术不断提高，商业、交通扩展，同中原地区的联系日益加强，封建经济和封建文化的发展进入了一个新的时期。两宋时期，特别是南宋王朝偏安江左，加上这个时期中国经济重心南移，南方的经济、文化十分发达，已经超过了北方。大批中原地区的望族和文人迁移到南方，他们主要是从事文化教育活动，湖南等地成为文化最发达的地方，产生了盛极一时的湖湘学派和许多理学大师，与此同时，创建了许多著名的书院，如岳麓书院、石鼓书院、城南书院等，从而开启了湖湘文化一个崭新的时代。这也是湖湘文化成熟于两宋时期的一个重要原因。

元代初年及明末清初，湖湘大地遭受战火多次蹂躏，十室九空。元代和清代有两次在中央政府鼓励和安排下的大规模移民，故湖南省是移民省，境内有多达45种方言，如湘乡、新化、常德、湘西、衡阳、平浏、醴陵等等，可以说没有一个湖南人能听懂省内的所有方言。移民主要来自江浙、江西和四川等地，移民的进入给

① 参见周秋光：古代湖湘文化的形成与历史演变［J］. 湖南省社会主义学院学报，2009（1）：71—80.

湖湘文化提供了厚实的基础。近代有人论说，湖南之所以名人辈出，盖因湖南是移民省的缘故。而不管移民来自哪里，其最根本的特点是一定有吃苦耐劳的心理素质和拼搏的精神，这种承接先人楚文化的浪漫气质，就形成了近代湖湘文化的激越、笃实、浪漫的基本特征。

通过以上的分析，我们可以大致地看出：湖湘文化在历史发展过程之中，是逐步传承，不断丰富而自我完善、自我更新；同时又是与中原各族文化不断碰撞、交流和融合而成就的。所以，湖湘文化是一个开放的体系，它既能实现自我的新陈代谢，又能不断地吐故纳新，是一个多元性的文化体系。

（二）湖湘文化的“多元一体”

湖湘文化之所以发展成为一种具有鲜明地域特色的儒学地域化文化形态，其中一个根本的原因在于湖湘文化在长期的历史流变过程之中，不断吸收其他文化形态的因素亦即异质文化形态对湖湘文化的不断渗透。因此，就文化内容本身而言，湖湘文化的成分是极其复杂而多元的。当然，这种情况本身就是文化发展与进步的一个普遍现象。概而言之，构成湖湘文化整体的诸多元素，应该包括湖湘地域之内的苗蛮本土文化、春秋战国时的楚文化（道家文化）、中原地域南下的儒家文化、外域传来的佛陀文化以及近代从西方而来的西方文化。值得说明的是，湖湘文化虽然具有上述这样一些文化元素，但并不是这些文化元素的简单相加，而是依据湖湘本土特色，经历了长期不断地调适、综合、融合而形成的独具魅力的湖湘文化。考虑到湖湘本土文化和楚文化在上述“多源一流”的讨论中已涉及，在此，主要讨论儒、释、道和近代西方文化对湖湘文化的影响。

首先讨论儒家文化在湖湘地域的渗透。

儒家是春秋战国时期形成的一个学术流派，具有较强的辐射功能，尤其是孔子创办私学以后，儒家文化下移，广为传播，所谓

“礼失求诸野”，就包含了儒家礼乐文化的扩散意思。孔子主张“仁者爱人”、道德修养的君子人格，追求天下大同。孟子提倡“仁政”学说。总之，修身齐家治国平天下，成为了儒家的理想的奋斗目标，如《礼记·礼运篇》所言：“大道之行也，天下为公。选贤与能，讲信修睦。故人不独亲其亲，不独子其子，使老有所终，壮有所用，幼有所长，鳏寡孤独废疾者，皆有所养。男有分，女有归。货恶其弃于地也，不必藏于己；力恶其不出于身也，不必为己。是故谋闭而不兴，盗窃乱贼而不作，故外户而不闭，是谓大同。”这就是儒家所追求的最高理想社会——天下为公的大同之世，它具有超越现实社会、国家的普遍性文化精神意义，故而被称之为“天下有道”。儒家学说到了西汉时期，汉武帝采纳了董仲舒“罢黜百家，独尊儒术”的建议，使儒学获得了国家意识形态的独尊地位。于是，儒学就突破时空限制，成为具有普遍价值意义的意识形态而向四周传播。

战国初期，湖南地区开始纳入楚国的版图，成为楚之苍梧、洞庭两郡，楚国贵族开始将中原地区的文化，包括儒家文化在内，带入到湖湘之地。战国末期，不少流寓湖湘的士大夫将中原地区具有普遍性的文化理念带入湖湘。譬如，楚大夫屈原流放于沅湘之地所创作的大量楚辞作品如《九歌》《九章》《离骚》等，这表达出对中原地区深受儒家文化影响的——虞舜的特别崇敬，对那种具有普遍性文化精神的“美政”“美人”的追求。汉朝以来的湖湘地域还属于“蛮夷之地”，中原王朝必须借助一大批所谓的“循吏”或“流寓”，来积极传播推广那作为普遍性文化价值的儒家文化。虽然从秦开始，湖南已经纳入到秦帝国的版图，但是直到汉魏以后，大量受到中原文化影响、持有儒家文化信仰的士大夫到湖南地区做官，才真正开始儒家文化的传播、渗透。这些“循吏”或“流寓”不仅是中央王朝委派的行政官员，同时也是儒家礼义文化的推广者。在汉唐时期，这一类在湖湘之地积极从事儒家文化推广的循吏十分普遍，有的还受到了正史的表彰。如《后汉书》记载的“宋钧传”“应奉传”等，均记载了他们在湘西等蛮夷之地任职时，兴建学校以扩广儒家礼义、废淫祠以移风易俗的事迹。除了历朝历代“循吏”之外，还有许多来自于政治、文化核心的中原，往往因各种政治原因而被流放于湖湘之地的贬谪官员，他们在湖湘之地继续从事文化教育事业，在儒家文化的推广方面发挥十分重要的作用。这些人物如贾谊、柳宗元、刘禹锡等人，均是在文化上居于重要地位的人物，他们本人均是一代儒宗，其文化辐射力极其强大。由于这些“循吏”“流寓”的文化传播，湖湘本土也逐渐产生了一些对儒家文化价值有着坚定信仰、并积极从事儒家文化的研究与传播者。贾谊就是秦亡后最早思考并推广儒家之道普遍意义的人。他在著名的《过秦论》中，反思秦国迅速亡国的原因，提出“是以君子为国，观之上古，验之当世，参之人事，察盛衰之理，审权势之宜，去就有序，变化因时，故旷日长久而社稷安矣”[①]，其实是在强调儒家“王道”之具有普遍的、恒常的文化价值。贾谊把仁、义、礼、智、信等道德规范看成是各种事物动静的原则，“为人下者敬而肃，为人上者恭而仁，为人君者敬士爱民，以终其身，此道之要也”[②]。“道之要”的目的在于维护统治阶级的长治久安，“故夫天下者，难得而易失也，难常而易亡也。故守天下者，非以道则弗得而长也。故夫道者，万世之宝也”[③]。所以，贾谊之“法道德”“行仁政”乃圣人之所为；“故守道者谓之士，乐道者谓之君子；知道者谓之明，行道者谓之贤。且明且贤，此谓圣人”。[④] 所以说，贾谊是历史上最先在这个具有浓厚南蛮文化之地倡导、追求一种普遍性文化的人，他的这种文化追求也激发了后来许多的“流寓”与

① 王洲明，徐超．贾谊集校注［M］．北京：人民文学出版社，1996：21．
② 同①371．
③ 同①369．
④ 同①310．

"循吏"。如唐朝的柳宗元，曾流寓永州达10年之久，并为推广具有普遍性文化价值的儒学曾不遗余力。柳宗元提倡"天人不相预"① 的观念，就是强调能够主宰天下的不是人格化的"天意"，而是儒家的"道"或"尧舜之道""仁义之道"，他说："天之所能者，生万物也；人之所能者，治万物也。法大行，则其人曰：'天何预人邪，我蹈道而已。'法大弛，则其人曰：'道竟何为邪？任人而已。'法小弛，则天人之论驳焉。今以一己之穷通，而欲质天之有无，惑矣！"② 柳宗元特别从地域文化的角度来诠释与建构这种"道"，譬如他在湖湘凭吊屈原时对屈子的精神价值所作的诠释："后先生盖千祀兮，余再逐而浮湘。求先生之汨罗兮，揽蘅若以荐芳。愿荒忽之顾怀兮，冀陈辞而有光。先生之不从世兮，惟道是就。"③ 但是，他也深知自己谪居的道州向来是远离中原儒家追求普遍精神的地域，他与他的同道者均是致力于儒家文化推广、传播的学人。他们通过文庙的修建与祭祀，以推广源于中原的儒家文化，他在《道州文宣王庙碑》中说："荆楚之阳，厥服惟荒。民鲜由仁，帝降其良。"④ 他和道州刺史薛伯高就是希望这一具有普遍性精神的圣王之道传遍天下，他们相信"钦惟圣王，厥道无涯"⑤，湖湘之地自然也应该成为这一圣王之道的王化之地。

两宋以后直至明清时期，儒学在湖湘地域的发展已经形成了一种独具特色的学术（湘学）或学术流派（湖湘学派），从而完成了儒学在湖湘地区的地域化。北宋的周敦颐，南宋的胡安国、胡宏、张栻，明清时期的王夫之、魏源、曾国藩、郭嵩焘、谭嗣同等，均

---

① 柳宗元. 柳宗元集：答刘禹锡天论书［M］. 北京：中华书局，2008：817. "余则曰：生植与灾荒，皆天也；法制与悖乱，皆人也，二之而已。其事各行不相预，而凶丰理乱出焉，究之矣。"

② 刘禹锡. 刘梦得文集：卷一二：天论上［M］. 四部丛刊本.

③ 柳宗元. 吊屈原文［M］//柳宗元集：第2册. 北京：中华书局，2006：516.

④ 柳宗元. 道州文宣王庙碑［M］//柳宗元集：第1册. 北京：中华书局，2006：122.

⑤ 同④123.

是湘学史上比较杰出的历史人物，毫无疑问，这些人物之所以在湘学史上有重要地位，首先是他们在中国学术史、中国文化史上的重要地位与杰出贡献。譬如说，他们的学术宗旨、知识旨趣的指向，几乎均是儒家文化中具有普遍性意义的“天下之道”。周敦颐成为“道学宗主”“理学开山”，因为他坚持为具有普遍性价值的儒家伦理作出了“穷源探本”的创造性建构，使原本只是“人道”的仁义道德获得了“天道”的宇宙法则意义。所以，《宋史·道学传》认为“孔子没，曾子独得其传，传之子思，以及孟子”。但孟子以后，儒家之道失传，“至宋中叶，周敦颐出于舂陵，乃得圣贤不传之学”。[①] 此“学”即“道学”。这个“出于舂陵”的周敦颐具有这么高的地位，亦体现湘学对中国学术文化的重大贡献。南宋时期的胡安国、胡宏、张栻不仅是周敦颐道学的传人，同时也是对儒家之道的理论建构做出了重要贡献的道学家群体，他们创建的湖湘学派，是南宋理学集大成阶段的重要学派，张栻与朱熹、吕祖谦齐名，成为“东南三贤”之一。到了清代，湘学发展大盛，王夫之被称为清初三大儒之一，他以“六经责我开生面”的宏伟抱负，从学术、历史、政治等各个层面，对儒家之道作了全面、深入的思考。清中叶以后，湘学人士群星灿烂，他们均是进入到中国传统学术的最前沿，为建构一个在时空上具有普遍性、恒常性的文化价值体系，做出了十分重大的贡献。

所以，儒家文化成为了湖湘文化中的一个重要因素，正如朱汉民先生所说：

> 经过长期的演化与建构，湘学发展到晚清达到极盛，居于这个时期中华文化的重要地位。这不仅是因为自两宋以后，湖湘一直是“道南正脉”、“潇湘洙泗”的理学重镇，从而形成了以理学正统自居的地域文化心态；还由于

① 脱脱，等．宋史：卷四二七：道学传［M］．北京：中华书局，1999：12710.

晚清时期中国学术文化发生重大变革的情况下，湖湘仍一直居于中国学术文化的前沿，参与着中国学术文化的转型与建构。由此可见，清代以来的湖湘士人群体，确是坚信自己是“天下之道”的正宗传人，而获得了中国传统文化的普遍性价值理念。[①]

其次是道家文化对湖湘文化的作用。道家是春秋战国时期的重要思想学派，最初被称为道德家。老子是公认的道家创始人，首倡道为本原，道生万物；提出道法自然，无为而治；主张贵柔守雌，以弱胜强，向往回复“纯朴”的至德之世。道家在中国传统文化中，是仅次于儒家的重要学派，对魏晋玄学、宋明理学都产生过重要影响。道家文化流布于湖南，对湖湘文化的形成影响至深。[②]

战国时期，楚国屈原因主张改革而被流放到湖湘之地，屈原长期活动在湖南，也给湖湘文化带来了道家思想，对后世湖湘文化影响至深。冯友兰先生曾经指出：“继吴起之后，在楚国主张变法的政治家就是屈原。他是在楚国推行‘法治’的政治家，是一个黄老之学的传播者。”[③] 屈原这种思想对湖湘人的影响更多地表现在思想意识深处。因而，湖湘文化深层心理结构中的道家（道教）因素长期被忽略。

众所周知，道家思想与儒家思想虽然可以互补，成就完美人生，但是两者又有一种天然的排斥与抵抗。考察历史上的道家人物，大都有着一种特立独行的品格，“无所依傍，浩然独往”。这一傲然不群、卓然独立的文化性格，为湖湘文化所继承和光大，成为一种“敢为天下先”的新型品格。如杨毓麟所论：

（湖湘文化）其岸异之处，颇能自振于他省之外。自

---

① 朱汉民. 近代湘学对儒学普世性的诠释［J］. 红网：论道湖南，http：//ldhn.rednet.cn/c/2015/09/23/3800535.htm.

② 文选德. 麓山文化与湖湘文化［J］. 新湘评论. 2007（6）：42—46.

③ 冯友兰. 三松堂全集［M］. 郑州：河南人民出版社，2001：235.

濂溪周氏师心独往，以一人之意识经纬，成一学说，遂为两宋道学不祧之祖。胜国以来，船山王氏，以其坚贞刻苦之身，进退宋儒，自立宗主；当时阳明学说遍天下，而湘学独奋然自异焉。自是学子被服成其俗。……道咸之间，举世以谈洋务为耻，而魏默深首治之。湘阴郭嵩焘远袭船山，近接魏氏，其谈海外政艺时措之宜，能发人之所未见，冒不韪而勿惜。至于直接船山之精神者，尤莫如谭嗣同。无所依傍，浩然独往，不知宇宙之圻埒，何论世法！其爱同胞而惎仇虐，时时迸发于脑筋而不能自已。是何也？曰：独立之根性使然也。”①

道家文化的另一面就是追求心灵的独立与宁静。湖南地势东、西、南三面环山，只有北面是烟波浩渺的八百里洞庭，且境内多为高山、丘陵地区，自古以来交通甚为不便，这令道家在湖湘大地找到了生长和滋润的土壤。一直到现在，湖南民间各种宗教仪式少见僧众而多见道士，湖湘文化得以深深浸润。

产生于东汉末年的道教与道家有密切关系，它崇拜信仰道家学说的“道”，将老子奉为教主，并认为“道”是造化之根，神明之本。道教徒的最高追求是得道成仙，达到长生不老的境界。所以道教徒比较重视现世生活，注重养生。道教传入湖南是在魏晋时期，此后在湖湘地域的流布与发展经历了四个阶段。

第一阶段是魏晋南北朝，为湖湘道教的兴起时期。湖南最早的道观，是晋泰始年间（265—274）建于常德桃源的真源观。正式以宗派形式在湖南传道的是上清派，这一派因信奉《洞真上清经》而得名。东晋元帝大兴元年（318）著名道姑魏华存在南岳修道 16 年。南岳的黄庭观就是供奉魏夫人的。魏晋南北朝时还先后有 9 位真人在南岳修行，后人建九真观纪念他们。另外，史书记载，东晋大兴元年

① 杨毓麟. 新湖南［M］//饶怀民. 杨毓麟集. 长沙：岳麓书社，2001：35.

太尉陶侃之孙陶炎、侄孙陶桓曾在长沙学道修炼。据传，最初道人修炼是在岳麓山的蟒蛇洞中进行的，因此蟒蛇洞又叫抱黄洞。《岳麓志》载：晋时德润门外有白鹤观，观有高楼与麓山抱黄洞相对。

第二阶段是隋唐五代，为湖南道教的鼎盛时期。唐代皇帝与老子同姓，所以特别崇信道教。唐高宗和唐玄宗都曾派人来南岳封岳或祈求长生。唐代葛洪天台派传人肖灵护在此学道炼丹。

第三阶段是宋元明时期，为湖南道教分派的时期。因为在宋代，道教开始分为正一派和全真派。正一派的道士不出家，俗称“火居道士”“师公”，大量分散在农村居住，以从事超度亡灵之类的斋醮宗教活动为主。全真派的道士要出家，重在清修，以从事神仙养身修炼功法为主，绝大部分聚居在宫观。例如宋代道士刘跛仙隐居长沙岳麓山抱黄洞，行灵龟吐舌之法，他自号“潇湘子”，每日吟诗撰联，曾作诗云：“我爱潇湘境，红尘隔岸除。南山七十二，独喜洞真墟。”① 这说明当时的道家思想在潇湘大地特别是在长沙境内已经广为传播。又如岳麓山“云麓宫”的来历，也有力地说明了道教对湖南的影响。据史载，明宪宗成化十四年（1478），当时吉简王朱见浚，就藩长沙时取武当山道观的宫殿建筑形制，在岳麓山顶修建了道观，名曰洞真观，这是道教在长沙发展兴盛的重要标志，被奉为道家七十二福地的“第二十洞真墟福地”。当时有佚名诗《云麓峰洞真观日记》云：“玉洞仙坛长冷落，真虚岩窦色常新。可怜城里悠悠者，不识潇湘四季春。”② 看来诗者对当时长沙城里的公子哥儿们，不上山求神拜道还甚为不满。隆庆年间，山顶庙宇虽陈旧乏修，但香火旺盛，于是知府孙复即令道士李可经主持修葺，并植松、柏、梓以及篁竹等，使其观宇隐秘于青松翠竹之中。此时，正有道士金守分云游到此，见此地是仙山宝地，遂生爱

① 陈田夫. 南岳总胜集：南岳诗存［M］. 清光绪三十二年（1906）长沙叶德辉影宋刻本.

② 同①.

慕之心，于是驻足修炼，并增建殿堂，凿石为柱，覆以铁瓦，改名为“云麓宫”，使山顶道观香火日益旺盛。明末清初长沙人廖元度有《宿云麓宫》诗云：“林深宵空重，一枕对青灯。月色如秋瘦，虫声触梦醒。壁铭嗟故宅，天问补遗经。乐死吾知勉，云山足典型。”① 清末临湘进士、湖南高等学堂吴獬先生到此一游时，见景生情，欣然撰联：“对云绝顶方为麓，求道安心才是宫”，将“云麓道宫”巧嵌其中。清人黄道让则为宫右望湘亭撰联：“西南云气来衡岳，日夜江声下洞庭。”

第四阶段，是清代至近现代，湖南道教从衰落走向复兴。清代至民国时期，湖南道教开始衰落。

再次，还要探讨湖湘文化中的佛陀因素。

佛教是世界三大宗教之一，创立于古代印度。佛教主张“四谛”说教，生死轮回和因果报应，重视人类心灵和道德的进步与觉悟。佛教信徒修习佛教的目的即在于依照悉达多所悟到的修行方法，发现生命和宇宙的真相，最终超越生死和苦、断尽一切烦恼，得到最终解脱。佛教在魏晋之际传入中国后，迅速传播。佛教进入湖南是在西晋武帝泰始四年（268），比道教传入湖南要早 50 年。是年，第一个来湘传播佛教的僧人竺法崇从会稽剡（今浙江省嵊县）到达长沙，登临岳麓山。他被岳麓山古木参天、林深泉清、清静幽雅的自然环境深深地吸引，并毅然决然在此修缮“湖湘第一道场”——麓山寺。故麓山寺成了湖南佛教的发源地，也是中国佛教史上著名的道场之一，有“汉魏最初名胜，湖湘第一道场”之称。自此以后，佛陀文化便浸润三湘四水并开始生根发芽，而岳麓山的这座原本奇秀异常的山峰也就开始具有永久的文化魅力。

佛教传入湖南后，在两晋时期得以初步发展，除上述所建麓山寺外，另外，在湖湘地区还建有佛教寺院 5 所，即长沙巴陵（今岳

① 廖元度．宿云麓宫［M］//黄纲正．历代名人咏长沙诗词选．长沙：湖南文艺出版社，1996：173—174.

阳市）的楚兴寺（又名君山寺、崇胜寺）、浏阳县（今浏阳市）的普济寺、武陵龙阳（今汉寿县）的香积寺（后来改名净照寺）、衡阳重安（今衡阳县）的云龙寺（又名灵龙寺、法轮寺、金轮寺）。著名僧人有竺法崇、法导、法愍等人，都是外来湖南的。据史载，自竺法崇创建麓山寺后，八方高僧纷至沓来。晋代法导、法愍二人步法崇后尘，于法崇入山 13 年后也入驻麓山寺，法愍撰著了《显验论》，还注释了《大道地经》，使佛事日益得以弘扬。

南北朝时期，由于梁武帝萧衍及其臣僚大力提倡佛教，寺院经济获得进一步发展。这期间在湖湘地区不仅新建的寺院数量大大增加，而且佛教僧侣对于教义的研究，形成各种流派，如成实师、地论量、涅槃师、摄论师等。知名僧人有慧生、道盛、法安、慧球、慧澄、昙迁、慧旷等人。有的生长在湖南而赴外地学习，有的由外地来到湘州传播佛教。湖南佛教中特别值得重视的人物，要算被后人推崇为天台宗祖师的慧思（515—577），他于陈废帝光大二年（568）从光州（今河南省潢川县）大苏山避难南来，定居南岳山，建立般若寺（今福严寺），提倡定慧双修。这在湖南佛教史上占有相当重要的地位。以后，他的门人、天台宗的实际创始人智顗，曾两度来湘活动。

隋唐是佛教蓬勃发展的时期，隋开皇九年（589），天台宗集大成者智顗大师在此传经说法，宣讲《妙法莲华经》，宣扬“三谛圆融”教义，一时听者云集，对湖南佛教影响久远。唐代活动于麓山寺的著名僧侣有昙捷、权武、智谦、摩诃衍那、首楞严、惠镜、惠齐、兴哲等人。摩诃衍那是唐代高僧，唐德宗时曾入藏讲经，力倡禅宗，一时西藏僧人风靡相从，贵族妇女 30 余人从其出家。后赤松德赞派人从印度请来寂护的弟子莲花生，传印度佛教，于是发生了长达三年之久的两派辩论，史称“顿渐之争”或“拉萨法诤”。据西藏史书记载，摩诃衍那辩论失败后，返回内地。摩诃衍那与莲花生的这场辩论，至今还是国际佛教学者研究的课题。① 当时麓山寺的兴旺引来了无数大家巨匠登临求拜，并留下了诸多名篇及有“三绝”之誉的《麓山寺碑》。唐代著名文学家、大书法家李邕在《麓山寺碑》中高度评述了麓山寺周围的环境：“幽谷左豁，崇山石峙，瞰郭万家，带江千里，玉水布飞，石林云起。雷激庭际，月窥窗里。花台随足，天乐盈耳。”②

宋代湖南佛教以禅宗突出和盛行，新建的寺院有潭州湘阴的资圣寺（今属汨罗市），衡州衡阳（今衡阳市）的西禅寺、花药寺，此外，常德武陵（今常德市）的文殊院，潭州益阳的龙牙寺（今属桃江县），潭州长沙的道林寺（今属长沙市）、云盖寺（今属望城区），这些寺院，在当时都有一定的影响。这个时期从禅宗、临济宗分出的黄龙派、杨岐派和曹洞宗在湖南比较盛行。

元代是湖南佛教始渐衰落的时期。明代是湖南佛教恢复和发展时期，不少在元明之际被战火毁掉的寺院，均得以重建和维修，并有所新建，如岳阳临湘的至源寺，长沙湘潭的海会寺（今属湘潭市），衡州衡山的护国寺、慈贤寺，长沙湘乡的白云寺，宝庆邵阳的五台庵，衡州衡阳的庞山寺等，均于此时创建。为表彰麓山寺的功绩，明神宗万历年间特赐名“万寿禅寺”。值得一提的是：擅长文学艺术包括诗歌、绘画、书法的僧人，时有出现，如髡残，湖广武陵（今常德市）人，生活在明末清初之际，诗文书画都有很高的成就。在美术史上占有一定的地位。清代前期，湖南佛教尚可勉强维持局面，著名僧人如弘储、道忞、天培、金赋都是从江浙或江西而来。此时在佛教各个宗派中还是禅宗占优势，净衲主常宁大义山，智依开创耒阳云山，懒放开创清泉（今衡南县）岐山仁瑞寺，都是湖南禅宗从衡山向南发展的产物。清代后期，从鸦片战争以

① 段启明，戴晨京，何虎生. 中国佛寺道观［M］. 北京：北京燕山出版社，1997：483—484.

② 李邕. 麓山寺碑［M］//全唐文：卷263. 北京：中华书局，1983：2671.

后，中国已由封建社会变成了半殖民地半封建社会，湖南佛教日益衰落。特别是太平天国革命和戊戌变法维新兴起后，出现了“庙产兴学”运动，给佛教寺院经济以沉重的打击。这一时期，湖南省内比较著名的僧人，禅宗有恒志，天台宗有默庵，擅长文艺的有寄禅、笠云等。

不过，整个清代，麓山寺仍香火不断，诗僧辈出，先后涌现了智檀、阿诺、弥嵩、天放、笠云 5 个在诗坛上颇有成就的诗僧，为名山大寺增色不少。至晚清时，寺宇经过修复与扩建，仍基本保持旧昔的规模，且显得面貌一新。由此可见，“佛家文化两晋时就在岳麓山腰独辟蹊径，创建麓山寺，以供人们求神拜佛、占卦问签、卜筮吉凶，任尔须弥芥子，佛家皆以其恢宏气度予以容纳，并以慈悲宽忍为宗旨，化恶扬善为手段，普度众生为目的，深深地将佛家文化植于湖湘大地，历时 1700 余载仍顽强屹立于岳麓山腰”。[①] 清代张九镒怀悲天悯人之情写下《麓山寺》诗：“名蓝有榻枕书城，四十年来小劫更；白鹤泉开新镜影，六朝松卷旧涛声。不逢惠远云归杳，空说王乔化羽经，惆怅西廊数椽在，半欹风雨不胜情。”[②] 扎根于岳麓山的佛家文化以及由这佛家文化引述而来的许许多多诗词歌赋，碑雕摹刻等，也构成了湖湘文化大系中的重要一脉。这个时期，一个引人注目而值得研究的现象是在中国近代思想史上几个著名的思想家如魏源、谭嗣同都曾受佛教思想很大的影响。

接下来就讨论近代西方文化对湖湘文化的影响和浸染。

1840 年鸦片战争以后，近代中国的大门打开，伴随着西方列强的炮火，西方文化像潮水般涌入中国，地处内陆的湖南也日益受到其影响与冲击。这种冲击主要体现在：一是传教士入湘，一是湖南门户打开——开埠。

西方传教士进入湖南其实早在鸦片战争之前，并且有相当规

① 文选德. 散落的思想碎片［M］. 长沙：湖南人民出版社，2008：305.
② 张九镒. 退谷诗钞［M］. 谷诒堂刻本. 1805（嘉庆十年）.

模，但自从清朝雍正颁布禁教之令后，湖南的传教士活动几乎消失。1860 年清政府被迫签订《北京条约》而准许传教士入内地传教，传教士才又开始入湘，尤其是英国、法国、德国、美国等新、旧教各派迅速在湖南传播，大兴土木，建造教堂，至 1919 年，“湖南共有新旧教派 20，传教士 1164 人（外国人 327 人，中国人 837 人），信徒 6978 人”。①

传教士入湘后，为了达到其传教之目的，除了讲经布道，传播福音外，还进行诸如教育、慈善事业，其影响不仅是宗教意义。如 1906 年美国传教士在长沙创办的雅礼学校，以服务的精神追求宗教意义，表现出浓厚的人文主义色彩，后来湖南湘雅医学院及其附属医院的诞生就是导源于此，这为湖南的高等教育、医学事业的现代化进展产生了深远影响。当然，西方传教士在湖南的种种活动并不顺利，由于其宗教传播动机的不纯加上中西文化背景的不同，其传教活动遭到湘人激烈抵抗，从 1860 到 1910 年，湖南发生大小教案近 30 次。特别是 19 世纪 90 年代在湖南发生的持续不断的周汉反洋教案，可以视为一个最具典型的例子。因此，湖南在近代成了西方传教士心目中的“铁门之城”的代名词。尽管如此，西方传教士并未停止在湖南的活动，到宣统年间，湖南全省的每一个角落几乎都有传教士的踪迹。而传教士所从事的非宗教活动如教育、慈善等文化事业也带来了湖南的进步，“传教士所创办的学校，初时无人问津，而渐渐地，有人被吸引住了，人数多起来了。少数出身教会学校的人士，当他们的学业完成或甚至于游学归来，推动新的观念，发动改革，湖南渐渐的改变了”。实际上，这种态度的改变是湖南人对西方文化态度的转变，于是乎“湖南的现代化有了端

① 张朋园. 湖南现代化的早期进展（1860—1916）［M］. 长沙：岳麓书社，2002：107—108.

倪”。①

商埠作为外商出入和外货流通的通商口岸，这是近代中国国门洞开后沿海、沿江各省一个不得已而为之的必然趋势。动议湖南门户打开之初，这对有“铁门之称”的湖南带来的不仅仅是经济的变化，政治、文化等随之受到深刻影响。尤其是湖南人传统保守的防卫心理也开缺了一道闸门，所以，无论如何也无法接受。事实上，商埠开放，外商自然要进入，于是洋商来来往往，洋货源源而来，土货也经此出口。洋货涌入难免使湖南手工业受到打击。于是乎引起湘人的不满和抵制，特别是引起了一些地方绅士如王先谦、王闿运等人的反对。当然，反对无济于事，1899 年以后，湖南相继向外开放岳州（1899 年）和长沙（1903 年）。从现代化的观点看，通商口岸的开放，应该是走向现代化，实现近代社会转型的必然举措。因为通商口岸的开放随着外商、外货的进入，西方文明也自然进入，其影响和作用并不亚于传教士的入湘。只是比起沿海各省，湖南的这种变迁至少落后了二三十年。这种社会变迁莫过于人们观念的变化，即是由拒斥西方转变为学习西方。

其实，湖南人在近代思想观念的转变，很早就开始了，尽管起初只体现在少数精英人物身上，也尽管这些少数精英人物思想的变化大多发生在湘省以外。如魏源是近代中国第一个开眼看世界的湖南人，其作《海国图志》明确提出了“师夷之长技以制夷”的口号。故史载：“道、咸之间，举世以谈洋务为耻，而魏默深首治之。”② 之后曾国藩、郭嵩焘的洋务观也可以视为对西方文明冲击的回应。曾国藩虽然是一位理学大师，但是面对西方列强的坚船利炮，他不沉溺于心性玄谈，而是着意于实行、实功、实用，倡导“自强新政”，主张通过洋务运动来实现经世致用、富国强兵的目

① 张朋园. 湖南现代化的早期进展（1860—1916）［M］. 长沙：岳麓书社，2002：115.

② 杨毓麟. 新湖南［M］//饶怀民. 杨毓麟集，长沙：岳麓书社，2001：35.

的。作为洋务运动创始人之一，曾国藩显然与传统理学家不同，在学术上没有很深的门户之见，不仅不排斥理学以外的其他儒门学派，而且对“西学”也抱着吸纳和包容的态度，试图将其纳入理学体系。也就是说，曾国藩想在保持中国传统的儒学占统治地位及中国封建政治体制不变的情况下，力图通过办理所谓洋务，吸收西方先进的科学技术，以此挽救时局。事实上，他开创的洋务事业，开启了中国早期现代化。郭嵩焘面对晚清“三千年未有之变局”，比同时代的其他官僚能保持较为清醒的意识。他以敏锐的目光审视当时的形势，大胆办理各项洋务，主张全面向西方学习。他的洋务思想，经过出使英法的特殊经历，有了飞跃的发展。他认为中国学习西方富强之术，应从根本上效法西方的政治制度。他在考察西方的政治制度后，认识到西方的民主制度明显优越于中国当时的君主专制制度。因为西方的民主政治体现的是法治，而不是人治。这种见识大大超过当时其他士大夫的西学思想。

甲午中日战争战败后，维新变法运动在全国各地展开，湖南走在维新变法的前列，成为当时最富朝气的省份，采取了改革政治、经济、文化的各项举措，诸如办学堂、创学会、办报纸等等，一时湖南的社会风气和民众的思想观念大为改变。特别是湖南时务学堂的创办，影响了一大批年轻有为的湖南青年，他们借助时务学堂、南学会和《湘报》开展维新活动，成为时代的先锋，抨击时政，宣传维新，主张民主，其中尤以谭嗣同最为著名。谭嗣同的《仁学》一书，即是此一时期湖湘文化的最重要成果，它在观念层面把湖湘文化提升至一个新的高度。与此同时，变法维新的社会氛围也改变着湖南地区的教育、报刊事业，学术研究、文学创作呈现出新的景观，社会习俗也在不动声色中发生改变。总之，19 世纪末年在社会加速变动中出现的文化变动在湖湘地区势头强劲，这一势头进入20 世纪后一如既往，特别是在辛亥革命的背景下得到新的进一步发展。

1911年爆发的辛亥革命又一次将湖南推向了思想与行动变革的前列，出现了一大批资产阶级民主革命志士，如黄兴、宋教仁、陈天华、杨毓麟、蔡锷等，他们以“若要中华国果亡，除是湖南人尽死”[①] 的勇敢担当精神和大无畏英雄气概，奋勇投身于推翻清王朝、民主救国、创立和护卫中华民国的革命斗争之中，为中国社会的政治转型做出了巨大贡献；而其间湘人所表现出来的特有的精神风貌和气质，又为湖湘文化注入了新的革命性因素和民主性因素，并直接影响到辛亥革命之后。

对于湘人的心理变迁和文化转型来说，1905年后的废科举和兴学校具有特殊意义。湖南开始有新式学堂是在1903年，当年全省各地共兴建各式学堂80所。以后逐年增加，1906年为486所，1909年达到1262所，入学人数5万余人。民国年间，由于教育部通令各省普设学堂，加强普及教育，小学增加速度加快。至1921年，小学已超过6000所，入学人数达到33.8万人，后者占人口总数比约千分之十二。[②] 这些数据虽然总体仍然偏低，但它反映出来的积极变化不可低估。新式教育的兴起使新知识有了传播的机会，新知识的传播也会带来人们观念的变化，促进文化、社会的变迁和转型。

随后兴起的新文化运动为国内新型知识分子提供了一个大舞台，也为湖南文化人提供了一个大舞台。这主要表现在，一是直接参与以《新青年》为阵地的文化宣传和文化批判。二是鼓吹和宣传新文化的报刊在湖南各地大量涌现。三是进步社团组织纷纷建立。四是在新思潮的鼓动下，人们的思想获得进一步解放，引起湖南的社会习俗发生相应改变。种种情况表明，新文化运动激发了湘人追求新思想、新文化的热情，而湘人的积极响应又丰富了新文化运动的内涵，也丰富了湖湘文化的内涵，湖湘文化获得了新的动力。

① 杨度. 湖南少年歌［M］//刘晴波. 杨度集. 长沙：湖南人民出版社，1986：95.
② 参阅冯象钦，刘欣森. 湖南教育史［M］. 长沙：岳麓书社，2008：215—216.

湖湘文化所受新文化运动的影响以及由此带来的社会转型的加速，其表现是尤为明显的。引人注目的有两点，一是旧的封建礼教受到人们抵制，特别是男尊女卑观念受到猛烈冲击，女性纷纷觉悟起来，平权意识快速兴起。二是西方新思潮特别是马克思主义在湖南地区大量传播，一批追求新知的进步人士特别是青年逐渐树立起马克思主义信仰，湖南思想界发生革命性变化，湖湘文化再度重塑。实际上，我们看到，20 世纪 20 年代以后直至三四十年代，湖湘文化的众多领域包括哲学、史学、文学等，都逐步接受了马克思主义世界观和方法论的洗礼，形成了马克思主义的中国气派和中国形态。

三、湖湘文化研究的“自上而下”与“自下而上”

就历史研究的方法论而言，到底是“自上而下”看历史还是“自下而上”看历史，是 19 世纪末、20 世纪初以来历史研究视域的转向或革命。因为这不仅仅具有史学研究的方法论指导意义，更为重要的是极大地丰富了历史研究的内容和改变了长期以来人们对历史认知的传统观念，有利于全面历史观、整体历史观的构建。地域文化中的历史现象的研究，亦可运用“自上而下”与“自下而上”的历史观。

（一）“自上而下”与“自下而上”看历史

“自上而下”（topdown）看历史是一种将历史研究的眼光投向历史上那些政治领袖和统治集团参与的公共事件或改变历史进程的重大政治、经济、文化和科学变革，并将其作为最重要研究课题的一种历史编纂立场。美国史学家鲁宾孙（J. H. Robinson，1863—1936）指出：“政治史是最古的、最明显的和最容易写的一种历史。因为君主的政策，他们所发布的法律和进行的战争，都是最容易叫人记载下来的。国家这样东西，是人类的最伟大的和最重要的社会组织。历史学家一般都认为人们最值得知道的过去事实，都是同国家的历史有着直接的、或间接的联系。兰克、德罗生、毛兰勃莱克、傅利门等人都把政治史看成真正的历史。”[①] 这种情形体现在具体的史学实践上，那就是历史著述的主要内容都是政治史，所依据的材料都是政治方面的文书档案，把政治层面的因素（包括重大政治事件、重要政治人物在历史上的作用）看成是决定历史发展变化的关键力量，同时尽量从政治方面去解释历史。无独有偶，差不多就在同一个时期，中国的史家梁启超和李大钊也感同身受，提出了类似的“新史学”观点。梁启超在 1901 年 9 月的《清议报》上发表了《中国史叙论》一文，指出“前者史家，不过记载事实；近世史家，必说明其事实之关系，与其原因结果。前者史家，不过记述人间一二有权力者兴亡隆替之事，虽名为史，实不过一人一家之谱牒；近世史家，必探察人间全体之运动进步，即国民全部之经历，及其相互之关系”。[②] 在此，任公既道出了旧史学的局限，又道出了新史学要将研究的关注点放在全体国民，研究这一群体的经历以及原因结果。次年 2 月，他在《新民丛报》上发表《新史学》，展开批判旧史学，他说“上自太史公、班孟坚，下至毕秋帆、赵瓯北，以史家名者不下数百。兹学之发达，二千年于兹矣。然而陈陈相因，一丘之貉，未闻有能为史界辟一新天地，而令兹学之功德普及于国民者，何也？吾推其病源，有四端焉”[③]。李大钊也批评旧史中“只是些上帝、皇天、圣人、王者，决找不到我们自己”，“中国旧史，其中所载，大抵不外帝王爵贵的起居，一家一姓的谱系；而于社会文化方面，则屏之弗录”。[④] 从那以后，人们开始更多地关注普通人的日常生活，关注长期存在的社会深层结构与趋势，这在西方以年鉴学派等的“新史学”为代表，在中国可以顾颉

① 詹姆斯·哈威·鲁宾孙. 新史学［M］. 齐思和，等译. 北京：商务印书馆，1964：33.

② 梁启超. 中国历史研究法［M］. 北京：中华书局，2009：161.

③ 同②176—177.

④ 李大钊. 李大钊史学论集［M］. 石家庄：河北人民出版社，1984：200.

刚等人为代表，掀起了一场“眼光向下”的学术革命。[1] 而要真正运用到具体的史学研究之中，才是近二三十年的事情。

尽管“自上而下”看历史把目光投放到更为宽阔的领域，使史学研究的内容更加丰富多样，并由此带动了史料来源的扩展和研究方法的更新，但研究者的立场却因缺乏主体的自觉，有可能依然是高高在上的，可能会不自觉地带着某种优越感，“自上而下”地审视芸芸众生及其命运。故“自下而上”审视历史也就成为了人们关注的热点。

“自下而上”（bottomup）看历史的提出，恰恰是对前者概念体系的重大改进。依据霍布斯鲍姆的说法，“自下而上的历史”（historyfrombelow）亦可称之为“草根史学”（grassrootshistory），但这并不意味着研究停留在对草根社会的关注，而是要从民众的角度和立场来重新审视国家与权力，审视政治、经济和社会体制，审视帝王将相，审视重大的历史事件与历史现象。因此，“自下而上”看历史，是历史编纂学上的一个阶段性的进步，西方史学近年来的所谓“政治史的复兴”就是明显的表现。但是，在中国体现这一立场转换的史学实践是北京大学赵世瑜 1999 年出版的《眼光向下的革命：中国现代民俗学思想史论（1918—1937）》一书。尽管这本著作是从民俗学的角度切入主题的，但其问题意识依然是对中国民间文化的探索，并提出了民间文化研究的理论、方法等问题，正如作者在书中“绪论”里所说：“本文将不仅把民俗学视为一门学科，而将其当作一种思想、一种社会思潮，因而本文就不仅是民俗学

---

① 顾颉刚认为：“我们对于考古方面，史料方面，风俗歌谣方面，我们的眼光是一律平等的，我们决不因为古物是值钱的骨董而特别宝贵它，也决不因为史料是帝王家的遗物而特别尊敬它，也决不因为风俗物品和歌谣是小玩艺儿而轻蔑它。在我们的眼光里，只见到各个的古物、史料、风俗物品和歌谣都是一件东西，这些东西都有它的来源，都有它的经历，都有它的生存的寿命，这些来源、经历和生存的寿命，都是我们可以着手研究的。”顾颉刚．一九二六年始刊辞［J］．北京大学国学门周刊，1926：15．16（合期）．

史，也是思想史或社会思潮史，至少是把民俗学的产生发展纳入思想史或社会思潮史的轨道。”① 显然，这种眼光向下的“自下而上”的研究范式，从较为新颖的角度启发了史学领域的研究思维，令人耳目一新。

那么，在地域文化，包括湖湘文化的研究中，到底是“自上而下”看历史还是“自下而上”看历史呢？是不是对历史研究的方法论思考就此停止呢？回答当然是否定的。其实，美国物质文化史家卡尔森的观点，对我们的研究有所启发。他曾经这样说过，对那些以往从未在历史研究的舞台中心出现过的普通大众或弱势群体的关注，“根本上并非因为他们的史学家庇护人是一些狂热的平权主义者。对历史研究忽视的大多数的认识必然导致史学家对社会的新强调，即将社会强调为一个正在运行的有机体，一个相互依赖的个人与群体的共同体——因此无论是自上而下还是自下而上，都无关宏旨”。② 其意思很明显，历史研究必须重点关注历史本身的整体性，用整体史观的视域去关注整个社会，即一个相互依赖的个人与群体的共同体。无论是“自上而下”还是“自下而上”，都必须做到这点。

正如“自下而上”看历史是“自上而下”看历史的发展延伸一样，所谓整合的历史观则是“自下而上”看历史的进一步发展，它是观察历史的两种视角的有机综合。整合的历史观时刻要求我们把一个社会看作一个整体，我们所做的一切就是要了解历史上的社会是如何结成一个整体的，这个整体的各个部分之间究竟是什么样的关系，它们是怎样进行着相互间的调适、从而使社会能够正常地运行，这个整体的背后究竟有哪些力量或因素在起作用，即或凝

① 赵世瑜. 眼光向下的革命：中国现代民俗学思想史论（1918—1937）［M］. 北京：北京师范大学出版社，1999：14.

② 转引赵世瑜. “自上而下”、“自下而上”与整合的历史观［N］. 光明日报，2001-7-1.

聚、或分离、或改造这个整体及其部分等等。

（二）湖湘文化研究的“自上而下”与“自下而上”

从文化普遍性角度而言，湖湘文化同任何其他文化一样，具有“上”和“下”两个方面的具体内容，从这两个层面的具体内容中，都能分析和研究出湖湘文化的特点、类型、结构及其特质，所以，在研究湖湘文化时，必须注重这两个方面的内容，二者不可偏废。换言之，对湖湘文化的研究，我们既要“自上而下”，也要“自下而上”，采取一种整体史观的态度和研究方法。其实，湖湘文化研究中的“上”就是包括与文献典籍、思想学术相关的精英文化、重大文化事件、著名历史文化人物；“下”就是以风俗礼仪、心理习惯为主要表现形式的通俗文化。“人类学、文化学的学者又将前者称之为雅文化、大传统，将后者称之为俗文化、小传统。”①就以往湖湘文化研究情况来说，学术界都几乎不约而同地重视对文献典籍、思想学术、重要文化事件和文化人物的研究，似乎相对忽视或者不太重视对风俗礼仪、心理习惯的研究。近年来这个情况有所改观，就以《中国地域文化通览·湖南卷》和五卷本《湖湘文化通史》为例，两书都较好地注意了地域文化研究中的“自上而下”与“自下而上”的问题，即精英文化与通俗文化的相互结合，两者相得益彰。《中国地域文化通览·湖南卷》中的下编部分几乎都是讲的湖南地方的通俗文化，如湖南山水、湖南地方戏曲、湖南传统音乐舞蹈、湖南岁时节令习俗、湖南民间工艺品。五卷本《湖湘文化通史》中每一册都有对湖湘民俗、湖湘艺术、湖湘生产生活习俗等的考察和论述。这样的研究较为全方位地再现了湖湘文化的原貌。

之所以要对湖湘文化的“上”（精英文化）与“下”（通俗文化）两个层面进行整体研究，这是由这两个层面的差异及其特点决

① 朱汉民：地域文化研究中的两个问题［J］. 求索，2006（9）：215.

定的。因为，湖湘文化所包含的文化类型及其文化特质，应该体现在“上”（精英文化）与“下”（通俗文化）两个层面。这两种文化的具体分布不同，生产和传播的方式和途径不同，在社会结构中所发挥的作用也不同，故而在区域文化中有非常不同的表现，这就直接影响到湖湘文化类型与特质的确定。湖湘文化的这两个层面存在着一系列显著的差异：湖湘文化的上层即精英文化的创造、传播主体是士大夫，而湖湘文化的下层即通俗文化的实践、传播的主体是广大的平民百姓；湖湘上层文化的表现形式是典籍文献、重大历史事件、重要历史人物，其传播方式是学校教育，其影响、作用于国家的意识形态与人们的思想观念，主要体现出湖湘之地的文化成就、文化水平；而湖湘下层文化则体现在百姓的日常生活之中，其传播途径则是口耳之传、生活实践，其影响、作用于人们的社会生活、日用常行，故主要体现了湖湘之地的地方特色、习俗传统。

所以，关注和重视湖湘文化中的上层文化，便成为了研究之中顺理成章的事实。如学术界在研究秦汉和南北朝时期湖湘地域文化的时候，就特别重视这个时期的文献与学术，如最古的《老子》传抄本和“黄老”四种佚书，罗含《更生论》的哲学思想，邓粲的《晋纪》和《元明纪》及湖南最早的史地著作；也特别重视这个时期的文学艺术，如屈原在湖南的创作，贾谊与《吊屈原赋》，最早诗人阴铿等人的文学著述，绘画、乐器与音乐艺术及湖南早期的书法等，当然，还包括这个时期湖南地域之内的科技与工艺和宗教。因为，对这些问题的研究较为真实地反映和揭示出该时期湖湘文化的繁荣以及在整个中华文化中的地位和作用。又如两宋时期湖湘地域理学思潮的迸发以及湖湘学派的形成是湖湘地域文化最突出的表现，给湖湘地域文化带来了极大的研究空间和研究内容，所以，很多学者大多将研究重点聚焦于两宋时期的湖湘书院与教育，湖湘理学与经学，如周敦颐、胡安国、胡宏、张栻等理学思想与湖湘学的形成，朱熹及其门人与湖南理学，周尧卿、易祓、丁易东和湖南经学的发展，王观国《学林》与湖南最初的考据学，等等。湖湘理学在当时就代表了湖湘文化的崛起，并对明清湖湘学术传统、文化教育产生了很大的影响。北宋周敦颐既是中国古代道学（或理学）的开山祖，又是湖湘道学的奠基人，其《太极图说》《通书》对后世产生深远影响。南宋胡安国、胡宏、张栻是当时著名的理学家，也是湖湘学派的代表人物。明末王船山是宋明理学的总结人，其理学思想在中国思想文化史具有崇高的地位。清代湖湘人才群体崛起不是一个偶然的现象，湖湘道学传统的深刻影响、道统观念的传承以及地方学风的流行，均会对明清学人之盛产生重大影响。应该说，一方面，两宋时期湖南地区的文化教育背景对湖湘学术思想的形成有不可忽视的作用，以岳麓书院、石鼓书院为代表的书院群崛起对湖湘学术的大盛有重要推动作用；另一方面，湖湘学术文化又会对他们所成长的文化区以重要的影响，构成湖湘地区的文化环境、文化特质。由此可见，湖湘地域文化研究中，上层文化即精英文化研究的作用和影响是不言而喻的。

下层文化即通俗文化也是湖湘文化中十分重要的文化内容。尽管这一文化层面不如上层文化那么受到关注，只是体现为一个区域的风俗、习惯、礼仪以及民间文艺、民间宗教等，但与上层文化相比较而言，它在湖湘文化中分布更广泛、历史更悠久、特色更鲜明、影响更深远，故而同样值得深入关注和思考，所谓“礼失求诸野”是也。从学理上来说，湖湘上层文化的繁衍可能只是湖湘之地的少数儒家士大夫的文化现象，而湖湘下层文化则是湖湘地域无所不在、无人不及的广泛存在；湖湘上层文化的出现可能有随机性，几十年的繁荣之后曾经有几百年的沉寂，而湖湘下层文化则是绵延不绝，几千年前的某些习俗、传说仍保留传衍下来；湖湘上层文化往往要受全局性的学术风尚、学术思潮的影响，地域特色并不占主导地位，而湖湘下层文化的形成、特色则完全来自于地方传统；湖湘上层文化的成就总是有其固有的文化脉络，如学术师承关系往往可能突破区域的文化关联性，而湖湘下层文化的地方传承关系更加凸显，就是外来的移民也往往最终会逐渐接受本地的风俗习惯。“湖南民俗文化蕴涵绵延于湖南独特的自然环境、人文环境中，承载着浓郁的湖南人精神。”① 例如，两宋以前的湖湘文化研究，其实，在更多意义上主要依赖于这种下层文化即湖湘地域的民俗文化。因为，两宋以前，湖湘地域的上层文化即精英文化资源非常有限而不入主流。所以，在湖湘文化的形成建构过程中，通俗文化似乎受制于更加久远的地方传统，并且更鲜明地体现着区域文化的特色。又如，现在仍流传于湖南民间的神话传说、巫舞、傩戏、风俗习惯，就不仅是几百年、上千年的代代相传，我们甚至可以由此追溯到文明初期的楚文化形态，或者是更早的原始文化形态。所以，不少研究者发现，在湘西少数民族的民歌中仍部分保留了春秋战国的楚辞楚歌，在湘南及湘中一带盛行的傩戏中仍透露出原始文化中的巫风，在湖湘地区的神话传说中甚至还包含着远古时代的意向、观念与思维。由此看来，湖湘地域文化中的下层文化特别是民俗文化作为民族和地方的传统文化，是随着历史的变迁而逐渐形成的，是人们社会生活的反映和真实体现，至今还影响着人们的社会生活和行为方式。它是我们对祖先创造的文明的传承，又在现实生活中起着凝聚民族、强化认同的作用，因而对湖湘文化中的下层文化即通俗文化研究至关重要。这一研究或者能弥补上层文化研究之中的缺失，或者能进一步佐证上层文化研究之中的结论。

事实上，我们在研究湖湘文化的过程之中，也无法将“上”与“下”或者精英文化与通俗文化二者截然分开，因为在文化发展之中，文化的这两个层面自始至终存在着交集，相互联系。湖湘文化中的心理、性格、民间宗教、风俗、礼仪以及乡风民俗等这些下层文化的要素，均可以成为湖湘士人们创造上层文化的重要源泉；湖

---

① 赵玉燕，吴曙光. 湖南民俗文化：前言［M］. 长沙：湖南师范大学出版社，2010：8.

湘文人学士的文艺创作、宗教精神、道德观念、学术思想等各种上层文化、精英文化中，均可以找到民间文艺、民间宗教、社会风尚、民间思潮的文化要素。如上古时代的苗蛮遗风，代代相传与融合，成就了湖湘学派之中的经世致用、敢为天下先的湖南精神。这一点在文学艺术的创作方面尤为突出。如在屈原的代表作《离骚》《九歌》《天问》中，就包含着大量楚地的民俗文化方面的内容，没有荆楚的民俗文化就没有楚辞这种精英文化。后来诸多的文人墨客，仍然源源不绝地从湖湘民俗中吸收养料。另一方面，湖湘上层文化又可以影响、制约、改造下层文化，甚至直接转化为通俗文化。文人学士所创造的精英文化，无论是学术思想还是文学艺术作品，也无论它们是成为主流的意识形态还是作为主流的学术思想、社会观念，均会影响、渗透到生活日用、乡风民俗之中去。这是由于，儒家士大夫在从事高雅的精英文化创造的同时，从来就是以“化民成俗”作为自己的文化使命，从来就是以将儒家思想精英文化转化为平民百姓的通俗文化为职责和志向的。事实上，宋元明清时期流行于民间社会的种种礼俗、家训、民谚、民谣、传说等各种通俗文化中，无不深深地打下了儒家士大夫及各派文人学士倡导、传播的伦理、政治、人生哲学的观念，深刻体现出精英文化向通俗文化的渗透和转化。湖南的诸多地方志在《风俗》篇中，往往有记载湖湘学人在各地兴教传学时移风易俗的作用，使得民间社会“一道同风，家弦户诵，湘上儒雅之风，固已蒸蒸日上矣”①。在湖湘文化发展过程中，这种士人的精英文化与平民的通俗文化之间的相互影响、相互渗透非常鲜明。②

综上所述，关于湖湘文化“自上而下”与“自下而上”的研究方法或范式问题，不应该存在二者偏废的倾向，唯有以整体史观的视域，将二者辩证统一，才能全面、深刻地认识湖湘文化。朱汉

---

① 齐德正. 风俗卷二［M］//湘乡县志：第1册. 长沙：岳麓书社，2009：104.

② 朱汉民. 湖湘文化：精英文化？通俗文化？［N］. 湖南日报，2005-8-26（1）.

民教授在论及这个问题时的主张，可以作为研究的借鉴，他说：

> 文化研究本来就是一种更加综合性的学术视域，它是对哲学、宗教、政治、伦理、艺术、民俗及社会心理等学科研究对象的综合思考。而对文化区域的研究与探索，只有以这种综合性的文化学学术视域才能有比较全面而深入的思考，才能够对一个文化区的历史渊源、建构过程、发展演变有一个整体性的认识，而不致于局限于对某种文化要素的片面思考或某种具体学科的片面结论。因此，尽管区域文化中有精英文化与通俗文化的区别，由于它们各自的特点不同而需要对它们各自的渊源、形成、演变作具体的研究与思考，但是，区域文化的历史形态、文化构成总具有综合性、整体性，只有对文化区的各种文化要素——无论是精英文化的要素还是通俗文化的要素——作整体性、综合性的分析与思考，才可能对一个文化区的结构、形态、特征作出合理的结论。这就要求研究者必须对地域文化的两个层面作更加综合性、全面性的探索和思考。[①]

① 朱汉民. 地域文化研究中的两个问题［J］. 求索，2006（9）：215—216.

第四章

地域文化理论视野下的湖湘文化（下）

文化是一种历史的客观存在，它除了表层异彩纷呈的具体文化事象之外，实际上还有更为深层次的文化属性，如文化的地理分布、文化的类型、文化的形态、文化的结构、文化的功能、文化的特质等。这既是文化复杂多变的体现，又是文化自成一体的稳定性特征。对文化深刻而全面的认识和理解，必须将之纳入文化研究的范围而予以高度重视。地域文化如此，湖湘文化亦如此。接下来，对湖湘文化的进一步认识，将从考古学、历史学、文化人类学的相关理论进行讨论。

第三节　湖湘文化的文化类型学考察

湖湘文化的地理分布，并非一成不变的，而是随着历史时期的不断更替和发展，也是不断变迁的。实际上，古代湖湘本土文化分布在四大区域，即澧水中下游和洞庭湖区，湘江、资江中游和湘中区，沅水中上游和湘西区，湘东、湘南区。后来随着楚文化，特别是中原文化的介入，湖湘文化的地理分布日益扩展而丰富。这种多元一体的文化属性造就了湖湘文化的独特的地域文化类型。

一、古代湖湘文化的分布

（一）史前时期湖湘地区的人类活动

据考古发掘资料证实，远在旧石器时代，湖南地域就早已有古人类活动。1987 年 5 月，考古工作者在新晃侗族自治县的江口、曹家溪、柏树林、新村、沙湾、长乐坪、十家坪、石鸟溪八处地方发现了旧石器时代的遗址，时间约在距今 5 万～10 万年前。同年，又在怀化、辰溪、黔阳、澧县、石门、津市、临澧、桑植、安化、浏阳等市、县陆续发现旧石器地点 30 多处，时间分别距今为 1 万至 20 万年不等。这些遗址出土的旧石器大都发现于河流溪水之傍的一级或二级阶地上，所用石料均为采集于溪河中的砂岩、石英岩或石英质地的砾石。发现的地址及石器的材质等都表明，远古人类一般都选择在靠近水源的地方居住，这便于多种食物的采集。

距今 1 万年前后，人类进入新石器时代。至今，湖南已经发现新石器时代的文化遗址 1000 多处，分布的地域遍布湖南全省各地，时间距今为 9000 年前至 7000 年前不等。由于各地自然环境的差异，以及受周围地区不同文化系统的影响，这些新石器的内涵和风格又各具特点，发展并不平衡。大致可以分为四大区域，即澧水中下游和洞庭湖区，湘江、资江中游和湘中区，沅水中上游和湘西区，湘东、湘南区。其中澧水中下游和洞庭湖区的新石器遗址发掘最多，发展的序列也最为清楚，故考古学界将这一区域的新石器文化分为皂市下层文化（或称“前大溪文化”）、大溪文化、屈家岭文化和长江中游龙山文化四大发展阶段。资江中游和湘中区、沅水中上游和湘西区新石器文化的发展序列与此大致相近。比较典型的遗址有：澧县彭头山新石器时代遗址、澧县八十垱遗址、石门皂市下层新石器遗址等。在这些新石器文化遗址中，发现了大量石器、陶器和竹、木、骨器，许多动物的残骸，上百种可以辨析的植物如莲、菱、桃等，以及距今时间超过 8000 年的大量稻谷、稻壳，还发现了建筑遗址、墓葬甚至原始的古城址。这些均表明，湖南的远古人类已经由单纯的采集渔猎经济进入到了与原始农业及原始养殖业并存的经济形态阶段；并且已经学会了建筑房屋、储备粮食、炊煮熟食，进入到定居的原始农耕社会阶段，甚至可能已经产生了氏族部落制度。经 1993 年、1995 年和 2004 年的多次考古发掘，在湖南永州道县玉蟾岩的新石器时代遗址中发现了迄今世界上最早的原始古栽培稻，经北京大学 14C 实验室及美国哈佛大学人类学系先后用质谱加速器测定，已经能够确定这些稻谷距今至少约有 1.2 万年至 1.4 万年。这一最新发现，不止是将湖南的新石器时代于距今 9000 年的基础上向前推移了 3000 至 5000 年，更为湖南可能是中国乃至世界稻作文明之源提供了初步的实物证据。联系到被称为中国农业文明始祖的炎帝神农氏墓葬位于湖南酃县（今炎陵县），这一认定可能接近史实。

（二）夏商周时期的湖湘文化

这一时期湖湘地区的文化发展可以归纳为两条并行发展但不时交织在一起相互产生影响的主线：其一为承袭于远古的土著人类在湖湘大地继续创造和发展着本土文化，其二是中原文化通过军事、政治、经济等途径不断地对湖湘文化产生影响。

约在公元前21世纪，中国开始由原始氏族社会进入阶级社会。这表明，中国的先民们已经进入了明确的社会文明阶段。在中原地区，禹传位于其子启，建立了历史上第一个世袭制王朝——夏。湖南地区古人类的社会历史进程与中原地区相比，大致同时或稍后。至今，在一些史籍及传说中，夏王朝建立之前的几位著名的氏族部落首领，如尧、舜、禹，都与湖南有着或多或少的联系；尤其是舜，更是死于湖南、葬于宁远县的九嶷山——这是传世唯一可靠的舜帝墓葬，不但载于史籍，还在马王堆汉墓出土的古地图上已经标明。2003年，湖南省文物考古研究所在九嶷山玉琯岩已经发掘出了不晚于东汉早期的舜帝陵寝祭祀坑遗址，更早的遗址还在继续发掘之中。此外，湖南湘潭的韶山，相传也与舜帝有着联系，即谓舜南巡时，曾经奏韶乐于此，因而得名。这表明，在夏王朝建立前后，华夏中原地区与荆楚地域之间已经有了文化的互动交流，从而带动湖南境内的氏族部落逐渐进入阶级社会。

约在公元前16世纪，商王朝于中原建立。据《竹书纪年》等古籍记载，商王朝在征伐荆蛮的战争中，其军事及政治势力一度接近或进入湖南，这表明殷商的政治、经济、文化已经影响了湖湘大地。自1922年从桃源县漆家河发现精美绝伦的“皿天全”青铜方罍后，至今，湖南各地出土了大量殷商时期的青铜器，所出土的青铜器，既与出土于中原地区的样式形制风格接近，又具有自身独特的地域特色，而且有些器物比中原所出土者样式更为精美、形制更为庞大。例如，1959 年从湖南宁乡老粮仓师古寨同时出土了 5 件商代青铜大铙，其中最精美的一件象纹铜铙现藏于湖南省博物馆，也是湖南出土青铜大铙中最有代表性的一件。1983 年又在宁乡发现了一件通高 103.5 厘米、重 221.5 千克的象纹青铜大铙，是我国目前所见最大的商代铜铙。后来又陆续出土铜铙近 20 件，比举世闻名的于湖北出土的曾侯乙编钟还要早 1000 余年，这些铜铙组合起来，至今还能奏出清脆悦耳的乐曲。宁乡出土的这些铜铙具有明显的地方特点，如形体高大厚重，甬部有旋，纹饰繁复，有特殊的兽面纹，多为虎、象、鱼等动物图纹，需置于座上仰击。这与北方铙形体很小、甬部无旋、纹饰简单、可手执而击等特征相比有明显的差别，因而可推断这些大铙应该是长沙本地铸造的。至今，在湖南已经出土了 40 余件大铙，居全国之首，超过 100 千克的大铙有 10 件以上。此外，在宁乡县黄材炭河里遗址出土了大量青铜器，其中的“人面纹方鼎”，四方形、立耳、深腹、柱足，四面皆以人面孔为纹样，在现在可见的商周器物中尚属孤例；20 世纪 30 年代在宁乡出土的“四羊方尊”造型独特，漆黑光亮，以 4 只立体山羊构成，整体纹饰繁复细腻，巧妙精致，有强烈的立体感，采用分铸法制造，为国内绝无仅有的珍品。由此可见，湘中地区最迟在商代中期已进入成熟的青铜器时代。

约在公元前 11 世纪，周王朝于中原建立。更多的古籍如《竹书纪年》《诗经》等记载了周王朝征伐荆蛮的战争。相传周昭王曾经南巡来到湖南长沙与湘潭之间的昭山，盘桓多日，后殁于山下深潭，故潭名“昭潭”，山名“昭山”。此外，各地出土了数量更多的周代陶器和青铜器，除了能够证实湖湘本土先民与周王朝存在着密切的交流外，也表明湖南的本土文化有了更大的发展。

关于湖南出土的大量商周时期青铜器的来源，学术界有着截然不同的观点，或认为这是来自于中原的商周器物，或认为是南下的商人后裔在湖南所铸造，或认为完全是湖湘土著所铸造。1996 年至 1998 年，在望城县高沙脊发掘了一处商末周初的遗址和墓地，地层中的文化堆积在时间上与湘江下游费家河类型的晚期紧相衔接，而且在文化面貌上没有缺环，但与地处中原的商周文化相去甚远，与地处更南的越文化更是大相径庭。一些学者认为，将其视之为湖湘本地土著民族的文化更为恰当，这个民族就是殷商人未进入湖南之前的本土史前文化的创造者苗蛮的一支，也许就是史书上记载的大大有名然而又扑朔迷离的“三苗”。在经过科学发掘的墓葬中，有数座出土了青铜器，有典型的商末青铜兵器戈与矛，也有礼器鼎与尊，这些应该属于受到殷商文化影响的作品；但是，另外有 6 件铜鼎和 1 件铜尊的形体很小，总体形态和纹饰类似商器，但有变异，个别因素与西周晚期以后越式鼎中的一种、即盘口鼎似有渊源和演变关系，这后一类器型，显然系本地铸造。由于这是一处既有遗址又有墓葬的地方，故铸造这些铜器的人群也应该是其使用者，亦即苗蛮的一支——三苗。这一问题的解决，同样为宁乡铜铙的制造者的族属找到了可以为人们所接受的答案。

此外，湖南有着丰富的金、铜、锡等矿产资源，后两种矿产就是铸造青铜器的金属材料。更值得指出的是，青铜是一种以铜、锡为主要材料的合金，与中原所发现的同时期青铜器相比，湖南所发掘的商周青铜器中金属锡、铅的含量较多，还含有中原青铜器中非常少见的金属锑，而湖南正是中国锑金属的主要产区，也为这些青铜器为湖湘本地所铸造提供了有力的内证。由此可见，远在先秦时期，湖南的铸造业已经非常发达。这也可以作为当时湖湘社会文化已经非常发达的佐证。如此多的祭祀礼器、乐器和饮食器具的出土，可以证明在商周时期，湖湘大地的社会政治和经济文化形态已经初露雏形。

（三）春秋战国时期的湖湘文化

春秋战国时期，湖湘社会经济文化进入了初步发展阶段。要对春秋战国时期湖湘地区文化的发展概貌及其属性特征有一个较为准确清晰的认识，首先必须了解这一时期湖湘地域内的民族构成情况。

根据史籍记载及考古材料来看，在春秋战国时期或更早以前，湖湘大地主要居住着越人、蛮人、濮人、巴人和楚人。其中前三者最为古老，可以称之为湖湘大地的“原住民”，后两者进入湖湘地区的时间相对较晚。

古越人是湖湘地区最古老的民族之一，其活动地域广泛分布于除湘西之外的湘东北、湘东、湘中和湘南地区，即湘江流域和资水中下游地区。在春秋晚期至战国中期楚人进入湖湘以后，居住在湘北和湘中地区的越人群体南迁，大部分徙居于湘南地区，也就是湘江中上游流域。直到秦汉时期，越人群体仍然保持着较为稳定的状态，一直是这一地区的主要住民。此后，部分越人开始向西南和南方迁徙，部分仍然留在湘南，侗族的先民大抵来源于这些留守湘南的人。

蛮人也是湖湘地区最古老的民族或部族群之一，一般认为是殷商至西周时期的“荆蛮”，即远古时期曾经与炎、黄两大部族集团逐鹿中原的苗蛮——“三苗”的后裔。他们广泛分布于长江中游和湘北的洞庭湖沿岸地区。春秋战国时期，在不断强大起来的楚国的控制下，部分被融合进楚民族，部分则迁往湘西和湘西南，但他们仍然保留着自身的民族特色和民族独立性，成为现今湖湘苗、瑶民族的先民。

濮人也是湖湘大地最古老的原住民之一，是当时散居在汉水流域及其以南一带如湘西北地区的一个历史悠久的方国部落群。顾颉刚在《史林杂识·牧誓八国》中认为，濮人的活动地区广阔，东起荆楚，西至四川、云南、贵州，南及湖湘一带。[①] 据《尚书·牧

① 顾颉刚. 史林杂识：牧誓八国［M］. 北京：中华书局，1963：26、31.

誓》记载，濮人（“百濮”）曾经作为一个独立的部落群参加了周武王伐纣灭商的战争。聚居在湘西的濮人后来成为秦汉时期史籍中所记载的“武陵蛮”和“五溪蛮”的主要民族构成部分，与前述“蛮人”一道，成为现今湘西和湘西南苗、瑶等少数民族的族源之一。

相对于中原各民族而言，越人、蛮人、濮人三个民族或部落群的社会经济生产力较为落后，没有达到建立起本民族政权国家的水平。《左传·文公十六年》孔《疏》引杜氏《释例》有：“濮夷无君长总统，各以邑落自聚，故称‘百濮’也。”前述所谓“苗蛮——三苗”的民族社会发展状况大抵如此。正因为这样，史籍对其记载较为散乱，有时还相互交错混淆在一起，我们在研究的时候就需要理清其中的关系。

在先秦古籍中，对居住在南方包括湖湘的各民族统称为“南蛮”，这是一个庞大的民族系统，内部民族关系比较复杂。顾栋高在《春秋大事表·四裔》中将南蛮分为卢戎、蛮、濮、巴四族，其中的卢戎即蛮族之一，故他认为“南蛮”实际上是指蛮、濮、巴三个民族或部落群。[①] 有些学者认为，我国古代的所谓“三苗”，指的就是这三个民族——这些民族或部落群中的某些部分，便是历史上乃至现在仍然生活在湖湘大地的各少数民族。[②] 无论怎样，他们是在湖湘大地居住最久、人数最众、文化最为丰富、历史沉淀物最深、对湖湘文化的原创贡献最大的土著民族，则是无疑的。这三个湖湘远古原住民族的存在、活动情况以及文化特征，不止是有着许多历史文献的记载，还得到大量考古发掘材料的证实。他们远在春秋战国时期以前，就已经进入到青铜器文明的时代之中。

巴人相传起源于鄂西清江流域，为廪君巴务相的后裔，也曾经参加周王伐纣灭商的战争，周初受封建立巴子国，其领地大致为鄂

① 参阅顾栋高. 春秋大事表［M］. 北京：中华书局，1993.

② 顾铁符. 楚国民族述略［M］. 武汉：湖北人民出版社，1984：38—39.

西和川东一带。战国时期，在势力兴起的楚国逼压下，逐步向川东退缩。春秋时期，与巴人发源地鄂西相邻的湘西北地区已经有了巴人的活动。战国中后期，巴国被秦国所灭，川东失国的巴国遗民大批流徙进入湖湘，散居于湘西北和湘西的蛮人、濮人居住地区。这一民族，也成为秦汉时期史的“武陵蛮”和“五溪蛮”构成部分，并成为现今湘西土家族的族源。

楚人是进入湖湘大地较晚的一个民族。与湖南古代民族历史有关的楚人，应该包括两部分人，其一即前述自夏、商时代一直居住在洞庭湖区的湖湘土著民族“荆蛮”而后被融合进楚民族的一部分；其二为春秋战国时期作为征服者不断从长江以北楚国腹地南下湖湘的楚人。这一部分楚人包括有楚国的王族和贵族、派遣的地方行政官员、南征的士兵、部分移民和商人及其家属等，还包括部分被楚灭国和同化后被强制南迁的江北方国居民。春秋以前，楚人主要分布在湘中、湘西北和湘东北地区；自吴起相楚征湘后，逐渐分布到湖湘各个地区，其中以长沙为中心的湘中地区最为集中，其他则分布于长沙、益阳、常德、临澧至湖北江陵的交通线上；在湘南和湘西南地区，楚人仅仅作为统治者和征服者，为数甚少。

以上所述巴人和楚人进入湖湘的时间均较晚，且巴人仅仅分布并散居于湘西北和湘西，楚人则主要分布在部分中心城镇和交通线上，而且无论是绝对人数还是相对人数都较少，从某种意义上说，他们被包围在其他湖湘原住民族的“汪洋大海”之中，故述说春秋战国时期的湖湘文化，肯定难以将楚文化作为湖湘地域文化构成的主体。据《史记·楚世家》记载，周宣王六年（前822），楚国的国君熊霜去世，他的三个弟弟争位，最后的结果是仲雪死，叔堪（叔熊）逃亡避难于濮，少弟季徇立为君主。据《国语·郑语》记载，楚国的一些贵族准备支持叔堪（叔熊）立为国君，因为祸难而没有成功，最后，叔堪只得留在濮地而被濮人蛮化了，没有再能回到楚国。由此可见，在商朝乃至西周时期，活动于湖湘大地的包括

"濮"在内的"三苗"作为一个庞大的方国部落群，尚未归顺于楚国成为其版图内的属民，反而还具有一定的军事能力得以保护楚国的王族流亡者，并具有吸引他人归化的文化同化力。

东周时期，楚国日益强大。周平王十三年（前758），楚国蚡冒即国君位，随后便开始了对濮族的征战，以开拓疆土。周桓王十六年（前704），熊通自立为楚武王后，即对濮族大举进攻，并占有其地。经过这次打击，汉水流域的一部分濮人与楚人融合，其余的则纷纷逃亡迁徙，楚国的军事政治势力开始占有汉水流域并从西路进入湖南的湘西地区。周庄王八年（前689）以后，楚文王即位。《汉书·地理志》"罗"应劭注："楚文王徙罗子自枝江居此。"汉代的罗县，即今之岳阳汨罗，故城在今汨罗市西北。表明此时楚国已经从南路进入湖南，并建立了战略据点罗子国城。此后，史籍中虽然记载着楚国不断地向周边征战并扩大版图，但在这一时期，楚国究竟是否进入了湖南内地，以及进入了多深的地域，并没有明确的记载。而大量的考古材料证明，直到春秋时期的中叶，湘东南、湘中地区，即湘江流域，仍然生活着以印纹硬陶为考古文化特征的古越民族。多年来，在湖南的境内发现了不少属于春秋时期的楚文化墓葬和遗存，但全都分布于湘、资、沅、澧四水的交通要道上。

一般认为，楚国大致是在西周末东周初开始将其势力深入到湖南，并将湖南的大部分地区纳入楚国的版图。但是，正如前面已经提到的，清代学者顾栋高认为"春秋时楚地不到湖南"①。不论怎样，作为与楚国紧密相邻的地区，湖湘文化受到楚文化的一定影

① 顾栋高《春秋时楚地不到湖南论》："乃尝反覆《左传》，而知楚之疆域，断断无此。何也？楚灵王淫侈，周行无所不至，尝招诸侯田于江南之梦矣，不闻其田洞庭也。证一。入郢之役，吴之兵东北至光华，楚宜南走洞庭之野，乃更西北涉睢以奔随国，证二。昭王论命祀，而曰'江河睢漳，楚之堂奥'，不闻及洞庭湘水，证三。"顾栋高. 春秋大事年表［M］//张旭光. 文史工具书评介. 济南：齐鲁书社，1986：387.

响，应该是没有疑义的。而且，这种影响，更加促进了湖湘本土社会经济文化的发展。

战国时期，楚国成为“战国七雄”之一，在激烈的兼并战争中，不断加强对江南地区的开发。据《后汉书·南蛮西南夷列传》载：约公元前385年，著名的军事家吴起（前440—前381）担任楚悼王的相后，“南并蛮越，遂有洞庭、苍梧”。可见，直到此时，楚国的势力才真正深入到湖湘的腹地，并置黔中郡进行着严密有效的统治。而此时距楚国被秦国灭亡的前223年，只有160余年的时间；而且，正如前面已经讨论的，楚国在湖湘所置黔中郡的存在时间，包括楚国对湖湘部分地域的实际控制，可能仅仅只有百余年。

（四）秦汉时期的湖湘文化

秦王朝建立后，施行了有利于封建集权专制的郡县制，广修驰道，统一了币制和度量衡，湖湘地区也在政治、经济、文化诸领域逐渐与中原地区融为一体，成为统一的多民族国家之不可分割的重要组成部分。秦王朝统治的时间虽然短暂，但版图的统一，促进了各个地区文化的交流、碰撞和融会，为湖湘地域的社会经济文化的持续稳定发展奠定了坚实的基础。

秦汉时期，湖湘地区的社会政治、经济、文化获得了较大的发展。北方、中原及各个地域一些移民涌入湖湘，带来了他们包括生产技术在内的文化。整个秦汉时期，全国的户口数及人口数呈现出一种由低到高再到低的消长起伏状况，而湖湘地区则呈现一种大幅度、稳定性的增长。这是由于中原地区兵祸天灾接连不断，当战乱较少、年成较好之时，人口呈增长趋势，反之则减少。因而每当中原兵祸天灾频繁发生时期，中原地区的人口便大规模地向南迁徙，其中包括人们自发地迁徙及政府有组织的移民。据史载，西汉元始元年（1），湖湘人口数为71万多，到东汉永和五年（140）时便增长到281万多，100余年的时间，人口增殖将近三倍。所增殖的人口数中，既包括本地人口的自然增殖，也包括大量外地的移民。

随着大量移民的进入，湖湘地区人口的民族成分开始发生较大的变动。境内原有的大部分土著民族逐步向西部、西南部以至湖南境外的西南山区退让，而外地移民则占据了自然条件较好的地区，主要是湘北平原及湘中丘陵间的盆地。迁入的主要是中原人和原来楚地的住民，他们与那些还留在湖湘各地的土著住民融合，逐渐形成了湖湘境内新的主体民族——汉族。这一时期，作为广义荆楚地域文化产物的道家思想文化得到了飞跃的发展，形成了有别于先秦道家的“黄（帝）老（子）道”，被学术界称之为“秦汉新道家”。黄老道甚至成为了西汉王朝官方的治国指导思想。中国历史上的所谓“文（帝）景（帝）之治”，与施行道家“轻徭薄赋”“与民休息”的治国思想是分不开的。长沙马王堆汉墓出土帛书中，就有关于黄老道的著作。湖湘又被称之为“屈贾伤心之地”，西汉著名的思想家贾谊，也一度因被贬谪来到湖湘担任长沙王太傅，留下了一些与湖湘有关的杰出篇章。他与先秦时期流寓并悲壮殉身于湖湘的伟大爱国主义诗人屈原一道，成为了湖湘人的骄傲与取之不尽用之不竭的精神文化资源。

（五）魏晋隋唐时期的湖湘文化

三国时期，湖湘地区成为了吴、蜀军阀争夺的战场。至魏晋六朝时期，也遭受过多次战祸兵燹，出现过“湘土荒残”的状况。这不能不对湖湘的社会经济造成负面的影响。但是，相对于中原而言，湖湘地区社会仍然较为稳定，故北方及中原的移民继续不断迁入，湖湘的社会经济虽然缓慢但仍在持续发展。这一时期，形成并流行于北方及中原地区的道教，以及由印度传入中国的佛教也陆续传入了湖湘，在交流融汇中给湖湘文化带来了新的文化基因，促进了湖湘文化的发展；当然它们在与湖湘文化的交流、碰撞中，也获得了新的生机，进而促进了自身的发展，并在此基础上甚至引领着中国道教、佛教的发展潮流。例如，著名道教人物魏华存在南岳修道 16 年，传播上清经录，成为道教上清派的宗师，直接促进了中国道教上清派的产生；以佛教“南岳怀让系”为主体所形成的“江湖禅宗网络”，更是对全国乃至海外的佛教发展产生重要影响。

隋唐五代，随着国家由分裂重新走上统一，中国社会的政治、经济进入了空前繁荣的发展时期。湖湘地区也与全国保持着同样的发展态势。这一时期，许多杰出的政治家、思想家、文学家因各种不同的原因来到湖湘地区，进一步推动了湖湘文化的发展。如果说在先秦时期湖湘文化是以地域民族文化凸显自身特色，那么在这一时期，湖湘文化则开始以地域思想文化特色而崭露头角了。

（六）两宋元明清时期的湖湘文化

宋王朝在公元960年建立后不久，即逐步消灭了南方包括湖南“马楚”在内的地方割据政权，并着力经营南方。例如，宋神宗熙宁五年（1072），朝廷派蔡煜、章惇对湘中的梅山地区进行开发，新置了新化、安化两县，史称“开梅山”。南宋时期，北方的广大疆域沦入金人之手，湖南更是成为了南宋王朝所倚赖的重要地区。例如，著名的爱国主义将领、词章大家辛弃疾，在任潭州知州兼湖南安抚使期间，于长沙建立了练兵基地，创建了一支当时最精锐的地方部队——飞虎军；飞虎军的营垒故地就是长沙妇孺皆知的地名“营盘街”。宋代、尤其是南宋时期，湖南的手工业、商业及交通，都在这一时期得到了较大的发展；当时几乎所有的著名学者都来过湖湘，并为湖南的文化发展做出了贡献。这一政治、军事、经济、文化局面的出现，无疑促进了湖南社会经济文化的飞跃发展，为湖湘文化的崛起奠定了扎实的基础。由此，湖南出现了像周敦颐这样在中国古代学术史上具有划时代影响的本土学者，他所撰写的《太极图说》和《通书》，成为理学的奠基之作，他也被推崇为宋代理学的创始人；还产生了由流寓而定居湖南成为“湖南人”（原籍福建）的胡安国、胡宏父子，他们开创了以“经世致用”为核心理念、以理学为学术特征、并致力于弘扬民族精神的湖湘学统，成为“湖湘学派”的奠基者。两宋时期有着中国学术史上的“濂”“洛”

“关”“闽”四大理学学派。“濂”学指以北宋周敦颐为首的学派，因其为湖南营道（道县）人而讲学于濂溪而得名；“洛”学指以北宋二程兄弟（程颢、程颐）为首的学派，因其居住并讲学于洛阳而得名；“关”学指以北宋张载为首的学派，因其讲学于关中而得名；“闽”学指以南宋朱熹为首的学派，因其主要在福建建阳考亭书院、崇安武夷精舍、松溪湛卢书院讲学授徒而得名。这四个学派，就有三个与湖南有关系。“濂”学为湖南人周敦颐所创；“洛”学的创始者二程兄弟曾经向周敦颐求学，为其弟子；“闽”学的创始者朱熹曾多次因出仕或讲学来到湖南，与湖湘学派的杰出传人、著名学者张栻交游并会同讲学于岳麓书院。与以前各个时代相比，湖湘文化的思想学术性特征从此产生，影响全国并绵延后世。例如，宋元以降直至明清，理学成为了官方哲学，随着中国封建社会由巅峰步入末期，以及统治者对理学的改造和利用，以儒家思想为其主干的理学逐渐成为禁锢人们思想、约束人们行为的精神牢笼；但是，“湖湘学派”所开启的以“经世致用”为核心理念的湖湘学，却有别于一般理学家们高谈性理而不切实际的空疏学术，成为士大夫文人关心政治、关注民生、着眼于社会发展的思想资源，经明末清初的王夫之影响到近现代的一大批湖湘爱国志士，致使近代乃至现代的湖湘文化以及湖湘的人才群体独步于中华。

从传统的华夏农耕文明角度看，元朝是一个由社会文明相对落后的游牧民族入主中原所建立的王朝。这一时期，民族矛盾、阶级矛盾乃至文化冲突都非常激烈，导致整个社会的发展状况极不稳定。与全国的情况一样，湖湘地区的社会政治、经济、文化发展都陷入了一个历史的低谷期。明王朝建立后，采取了一系列的措施加强中央集权、整顿吏治、恢复生产，湖湘的社会经济文化也与全国一样开始复苏并得以发展。这种复苏与发展当然是多方面的，但尤其体现在农业生产的发展上，“湖广熟，天下足”取代了宋代的“苏湖熟，天下足”，这表明包括湖湘地区在内的“湖广”已经取代以苏州、湖州为中心的长江三角洲地区而成为中国粮食生产的重要基地。湖湘的城市经济主要是工（手工业）商业也在这一时期得到了一定的发展，虽然其发展速度及所达到的高度还比不上江浙地区。社会经济的发展必然带动各个文化领域的发展，毋庸赘述。与前面所述各个历史时期相比较，明代对湖湘社会文化的发展产生重要影响的新因素之一是大量移民的迁入。元末明初的连年战乱和兵燹，使得湖南境内的居民大批逃亡外省，主要是逃往四川。随后，各省人，主要是江西人，以从征、屯垦、宦游和经商等方式大批地涌入湖南。此即民间父老相传的“江西填湖广，湖广填四川”的说法。大量的移民既引进了不同的地域文化特质，又带来了新的人种血缘基因。多元异质文化的交会融合，无疑能够有力地促进湖湘文化的发展。

与元朝相比，虽然清王朝也是一个由关外入主华夏的少数民族政权，但除了易服薙发（这些措施仅仅只针对男性）等属于文化表层结构的强制性改变外，清朝统治者从一开始，就积极学习和主动吸收汉民族文化，并一改明朝中后期统治者的腐朽糜烂，励精图治，采取一系列措施恢复和发展社会经济，出现了可与历史上最兴盛的汉代“文景之治”、唐代“贞观之治”相媲美的“康乾盛世”。这一时期对湖湘文化发展产生重要影响的积极举措，主要有单独建立湖南省的行政建制，以及对少数民族地区的“改土归流”。前者使湖湘的地域文化能够以一种无可争辩的空间概念向世人宣告；后者则使在中国封建社会的历史上一直被置于“二等百姓”地位的各少数民族至少从理论上说享有与汉、满民族同等的政治地位。当然，各少数民族真正意义上的被解放，还是新中国建立以后的事情了。即使如此，“改土归流”在当时、在客观上，对少数民族地区的政治、经济、文化的发展还是产生了一些积极的推动作用，对湖湘文化的整体发展也功不可没。

二、湖湘文化类型探讨

（一）文化类型界说

文化类型是文化学理论中的一个重要概念。按照文化学的理论，如果从文化时间和空间系统来考察，文化的发展就是一个由简到繁、由低到高、由不稳定到稳定的自然历史过程。其中，人们可以依文化层、文化丛、文化圈、文化区、文化类型、文化模式等概念，从不同层面对文化进行剖析和考察，以便把握研究对象的特质。

文化类型这一概念，早在 1936 年就已在美国人类学者拉夫·林顿（R. Linton，1893—1953）写的《人的研究》一书中出现。其实，差不多同一时期，德国的斯宾格勒和英国的汤因比都对类似于文化类型的问题进行过比较集中的理论研究。他们认为，研究人类统一的历史是不可能的，也是不存在的，因此必须确定一个空间范围的最小单位作为研究对象，他们把这个最小的历史单位叫做文化或文明类型。

文化类型作为一个重要的文化范畴，则是由美国现代进化论者斯图尔德（J. Steward，1902—1972）于 1955 年在《文化变异论》一书中提出的。他认为，文化类型是不同的民族文化适应环境而产生的各种文化特质相互整合的核心特征。它不是全部的文化特质或文化元素的总和或集合，而是指那些有代表性的、具有因果联系的特征；这些特征都是与文化结构相关的，具有功能上和生态上的联系；它代表着一个特殊的时间顺序和发展水平，表示着各民族之间的本质差别。

《简明不列颠百科全书》对文化类型界定为："在文化分类中，一种以经过选择并互相起作用的各特征或各组特征为主要内容的结构。因为任何文化样式都有分类学上的意义，那些为分类而选择的形象就要以考虑中的特殊问题为依据。……可以按照惯用的价值定向、整合原则或风俗习惯的复杂程度，作类型学的探索。考古学家为了建立时间和空间的序列，已经使用了根据各种典型的人工制品体系所划定的类型。使用这一概念还会涉及许多问题，包括选择比较特征、选择比较点以及确定这些抽象概念以外的实用价值等。”①

上述文化类型的解释更多的是叙述了文化类型的特点，其内涵要义还是不得而知，那么，我们究竟怎么去理解文化类型，从而给予一个恰切的定义呢？文化类型是一个体系性的概念范畴，牵涉的问题很多。

与考古学家依据典型的人工制品体系（如彩陶文化、青铜文化）划分文化类型不同，人类学家、社会学家、历史学家考察文化类型，比较注意各文化体系的风俗习惯层面和文化心理结构层面，比较注意各民族文化的精神、人生路向、价值系统的区别。这大概是由于文化体系相互区别的本质特征，一般不停留在器物文化层面和制度文化层面上，而停留在深层的别具一格的民族文化心理和民族文化精神上。故此，文化类型与文化地理学和文化心理学存在密切的联系。文化类型与地理环境的联系，前述第二章已有详细论述，这里主要阐述文化类型与文化心理学的联系。文化心理包括民族的性格和民族的文化心态，赫尔德认为：“作为自然的生命，人便分为人类各种不同的种族，每一种族都和它的地理环境密切相联系着，并具有由那个环境所塑造的它原来的体质的和精神的特征；但是每个种族一旦形成，就成为人性的一种特殊类型，它具有它自己的永恒特征，不以它和环境的直接关系为转移，而以它自身近亲繁殖的特点为转移，（正像在一个环境里所形成的一种植物，在移植到另一个环境时仍保持相同不变一样。）不同种族的感受能力和想象能力因此就真正分化了；每个种族都有其自己的幸福观念和它自己的生活理想。”柯林伍德说：“就我所知，赫尔德是第一个思想家，以系统的方式承认在不同人种之间存在着差别，而且承认人性

① 简明不列颠百科全书：第8卷［M］. 北京：中国大百科全书出版社，1986：260.

并不是一致的而是分歧的。举例来说，他指出使中国文明之成为中国文明的，不可能是中国的地理和气候，而仅仅是中国人的特性。如果不同的人种被置于同样的环境中，他们就会以不同的方式开发那个环境的资源，从而就创造出不同的文明来。因此在历史中起决定作用的事实，并不是一般人的特点，而是这种人或那种人的特点。这些特点，赫尔德看作是种族的特点，亦即不同的人种所遗传下来的心理特征。因此，赫尔德就成为了人类学之父，所谓人类学是指这样一门科学，（a）它区别人类各种不同的体质类型，（b）对这些不同类型的风俗和习惯进行研究，作为是与体质的特点相并行的心理特点的表现。”①

各种不同的区域文化，作为不同的生活方式，和在许多隔离的状态下发展起来的独特的心智系统，是通过不同人的群体在时空中的独特经历逐渐得以存在的。但是，不同的区域文化从未变得完全隔绝，它们仍是整体的世界文化的各个部分。因此，研究文化类型或形态，必须放在世界文化的背景上。

基于以上分析，一般来说，文化类型的划分标准或依据主要是依据不同的地理环境和文化心理（文化特质）两个方面。事实上，由于文化的纷繁复杂和丰富多彩以及研究视角的不同，在实际的研究过程中则表现出仁智之见。如斯宾格勒将世界文明史划分为希腊（古典）、阿拉伯、西方、印度、中国、埃及、巴比伦、墨西哥 8 个部分，它们被视为独立的、已经发展完成了的文化形态。② 汤因比则将现存于今的世界文明史“分割”为 21 个部分。③ 美国著名文化人类学家露丝·本尼迪克特将尼采的观点加以发挥，分析了“日

① 柯林伍德. 历史的观念［M］. 何兆武，张文杰，译. 北京：中国社会科学出版社，1986：102—104.

② 斯宾格勒. 西方的没落［M］. 吴琼，译. 上海：上海三联书店，2006.

③ 汤因比. 历史研究［M］. 刘北成，郭小凌，译. 上海：上海人民出版社，2005.

神型”和“酒神型”这两种类型的民族文化性格，在学术界颇有影响。[①] 我国近代著名学者梁漱溟选择的中国、印度、西方三大文化形态。[②] 冯友兰则将文化区分为西洋文化和中国文化。[③] 钱穆是20世纪中国文化史上的重要人物，是对中国传统文化资源加以创造重建的国学大师。他从不同角度对世界文化的类型进行了考察，视野开阔，见解独到精妙，令人深思。他从文化发生的源头来考察，世界文化可以划分为游牧文化、农耕文化、商业文化；从文化绵延展扩的时空维度来考察，世界文化可以划分为中国、印度、欧洲三大文化；从文化的个性特质来考察，世界文化可以划分为青年文化、壮年文化、老年文化；从文化对待人生的态度来考察，世界文化可以划分为希腊、印度、中华、阿拉伯、希伯来五大文化。[④] 李尚武将文化分为元文化、原创型文化和衍生型文化三种。[⑤] 当然，学界还有很多不同别类的划分。[⑥] 可以想见，这些各有千秋的划分，体现了学术界文化争鸣的求索精神，大多具有启发作用，也有的存在难以自圆其说的局限。

既然文化类型是历史上形成的各种文化共同体最本质的特征。那么，简而言之，文化类型是指由于自然环境和生存方式差异，以及观念、信仰、兴趣、行为、习惯、智力发展方向和心理性格不同而形成的具有相似文化特征或文化素质的地理或者行业单元。需要说明的是，在文化研究中，我们常常会遇到“文化模式”这个词，

① 露丝·本尼迪克特. 文化模式［M］. 王炜，译. 北京：社会科学文献出版社，2009.
② 梁漱溟. 东西文化及其哲学［M］. 北京：商务印书馆，1921.
③ 冯友兰. 新事论［M］. 北京：生活·读书·新知三联书店，2007.
④ 钱穆. 文化学大义［M］. 台北：正中书局，1983；中国文化史导论［M］. 北京：商务印书馆，1994；文化与教育［M］. 桂林：广西师范大学出版社，2004.
⑤ 李尚武. 文化类型新论［J］. 齐鲁艺苑，2003（1）：68—70.
⑥ 参阅张海钟，冯媛媛. 文化类型论与中国区域文化心理类型解析［J］. 阴山学刊，2010（1）：18—22；叶志坚. 文化类型探析［J］. 中共福建省委党校学报，2001（3）：21—27.

文化类型与文化模式是密切相关的。“所谓文化模式，是指特定的社会群体（民族）的文化构成要素与方式，以及由此表现出来的稳定的特征。文化类型是文化模式的内在本质的反映，文化模式则是文化类型在构成要素和方式上的集中概括。二者统一于文化的主体内容和所依存的社会经济结构、政治结构及其历史进程的基础之上。”①

（二）湖湘文化类型

根据上述对文化类型的理解，特别是判断文化类型的两个标准，我们以两宋时期为界，把湖湘文化类型分为两个时段来划分：两宋以前是荆楚文化为核心的艺术型文化；两宋以后则为地域化儒学为核心的政治—伦理型文化。这两种文化类型尽管内涵、实质有别，但是两者都是由于湖湘地域特殊的地理环境和民族心理共同作用的结果，因而既具有文化类型所表征的差异性，又具有文化变迁所蕴含的关联性。而这种关联性体现在其本身所具有的原创性、外倾性、农耕文明性三个特点，所以，湖湘文化又是一种明显的复合型文化。

就文化起源和文化原初要素而言，两宋以前主导湖湘文化生成化育的是楚文化，经过春秋至五代十国漫长的历史大浪淘沙，形成了具有鲜明个性的湖湘地域荆楚文化。整体来说，因受南方水乡泽国、丛林山峦自然氤氲之气和自然物产丰饶的地理环境与巫觋文化的影响，荆楚文化的特质是以青铜器、漆器与刺绣、老庄哲学和楚辞为代表的极富想象力、充沛的激情、浪漫的色彩、不屈的性格与理想主义精神。从楚人“剽轻”的风俗习性，“宏识孤怀”“一意孤行”的思维方式，以及“劲质而多忍，峭急而多露”的性格情感而论，荆楚文化的特质应该是与艺术文化特质紧密联系在一起

① 李宗桂. 中国文化概论［M］. 广州：中山大学出版社，1988：320.

的。[1] 具体而论，楚地已出土的青铜器如《青铜禁》和《青铜尊盘》，漆器如《虎座立凤》和《虎座凤架鼓》，刺绣如《刺秀三头凤》和《凤斗龙虎纹绣》等作品来看，那种浪漫、抽象、奇幻的造型与富艳繁丽的色彩，变形、夸张似乎自由无序而又无不合目的的组合，对生命力的张扬与对运动美的追求，所呈现的“惊采绝艳，难与并能”的艺术魅力，是中原之地的同类之作无可企及的。南方丰饶的自然环境，给生活在荆楚之地的人们以丰富想象的时间与空间，从而大大增强了人们的想象力，故王国维在其《屈子文学之精神》一文中指出：“南人想象力之伟大丰富，胜于北人远甚。”南方湿热的气候，容易形成狂放超俗和倜傥不羁的习性，而丛林水泽的氤氲之气更易激发奇思幻想，所以，荆楚多有狂人。这与司马迁《史记·货殖列传》中所说的“越、楚则有三俗……其俗剽轻，易发怒……则清刻，矜己诺”是吻合的。扬雄亦云：“……包楚与荆。风剽以悍，气锐以刚。有道后服，无道先强。”[2] 所谓“剽轻”“风剽以悍，气锐以刚”，就是楚人性格中较易受到情感激荡而显得躁急、强悍的性气，所谓“清刻，矜己诺”，是指执着而重信念的品格。所以，钱基博《近百年湖南学风》指出：

> 湖南之为省，北阻大江，南薄五岭，西接黔蜀，群苗所萃，盖四塞之国。其地水少而山多，重山叠岭，滩河峻激，而舟车不易为交通。顽石赭土，地质刚坚，而民性多流于倔强。以故风气锢塞，常不为中原人文所沾被。抑亦风气自创，能别于中原人物以独立。人杰地灵，大儒迭起，前不见古人，后不见来者，宏识孤怀，涵今茹古，罔不有独立自由之思想，有坚强不磨之志节。湛深古学而能自辟蹊径，不为古学所囿。义有淑群，行必厉己，以开一

① 孟修祥. 荆楚文化特质平议［J］. 武汉科技大学学报（社会科学版），2011（2）：131—135.

② 李兆洛. 骈体文钞：卷四［M］. 四部备要本.

代之风气，盖地理使之然也。[①]

楚学研究专家张啸虎曾明确指出："在我国古代文化发展最繁荣的春秋战国时期，各主要地区，各放异彩。如齐鲁之国为经学，晋是史学发祥地，而楚则是文学艺术……这种传统可谓历久不衰。"[②]当代著名作家熊召政于2006年11月24日在北京大学作过一次题为"楚人的文化精神"的演讲，言楚文化"是一个艺术的文化，是一个把生活的快乐发挥到极致，把艺术发挥到一个灵性高度的文化，这种文化特点作用于'人'上，便构成了楚人的精神气象"。

两宋开始，湖湘文化可以说以它那特有的文化使命与责任，尽情演绎几近式微的儒家道统，在湖湘大地开启了具有本体论哲学思维的儒学地域化运动，形成了一种有别于传统的新的政治——伦理型文化。

揆诸史事，我们发现从两宋开始，随着经济重心的南移，中原文化——官方儒学大肆传入江南，由此带来了江南地域文化的勃兴，而江南地域正是释道文化的重镇和渊薮，释道文化在学理上要比儒学深厚而精细，于是这就带来了儒学在江南地域的生存危机。所以，传统儒学为了应对释道的强势入侵，必须弥补其学理的抽象化和形而上之不足，以维护自身的"道统"权威。这样的努力是通过两宋时期儒学地域化运动展开的。杨念群先生谈到两宋儒学地域化问题时是这样说的：

> 儒学地域化过程大约发生于北宋年间，其催化剂是印度佛教文明的侵入，儒学的原生形态原来包含有较多的原始意象和巫祝特征，经过西汉董仲舒的改造，被纳入了一个气魄宏大的天人宇宙论图式中而趋于官方化、结构化。儒学人文传统的复归与再建，是以官方儒学的没落与儒学传统的地域化为前提的。如果说释道的入室操戈直接导致

① 钱基博．近百年湖南学风［M］．北京：中国人民大学出版社，2004：1.

② 廖元度．楚风补校注：上册［M］．湖北省社会科学院文学研究所，校注．武汉：湖北人民出版社，1998：7.

了儒学官方形态的崩毁，那么官学化儒学的没落则催发了地域文化精英群落的萌生。在官方儒学逐渐分崩离析的过程中，我们发现了一个奇特的现象，宋明新儒学各个流派的起步与发展，都是由如群星般散落于各个地域的思想家们一手创立的，他们均“谓孟子没而圣学不传，以兴起斯文为己任”。儒学的这种地域分野并不存在某种统一的官方模式，而是呈多元并立的个体化状态。如清初奉朱熹为正统和尊湘学为道南正脉，则并非儒学官方形态的重演与复苏，而属于对地域精英文化某一支的特殊青睐。儒学的官方形态是以超越于地域与个性之上的形式和上下尊卑的政治秩序形成同构的。而宋明新儒学本身是作为官方儒学的对立面出现的，所以必然呈现出某种地域性的文化反思意识，这恰恰是和超地域性的大一统官方意识对抗的最佳格局，这就是非官方形态的宋明儒学在多元化的理论背景下，必然以各个地域为其流派的基本界定的缘故。①

儒学地域化在湖湘地域的主要表现形式是湖湘学派的兴起及其理学系统的构建，其主要的特点是政治—伦理色彩十分鲜明。如周敦颐的太极无极说，对释道不是采取“人其人，火其书，庐其居”的简单办法，而是援释、道入儒，为理学家如何出入释、道开辟新路，为重建理学体系提供典范。同时，他融会《易传》《中庸》及释、道思想，以“太极图”为框架，论述了儒家一系列重要范畴，如无极、太极、阴阳、五行、动静、主静、至诚、无欲、顺化等，其核心范畴是“性与天道”，成为理学讨论的重要问题。周敦颐特别强调天地之间“至难得者人，人而至难得者，道德有于身而已矣”。② 从而确立了以“无欲”“静虚”“动直”为内容的“立人

① 杨念群. 儒学地域化的近代形态——三大知识群体互动的比较研究［M］. 北京：生活·读书·新知三联书店，1997：116.

② 周敦颐. 周子全书：卷九：师友上第二四［M］. 西京清麓丛书本.

极”道德伦理原则。“立人极”的思想意义，在于传统儒学的天人感应宇宙图式中确立了人的主体位置，消解了官学儒学化的政治化倾向。杨念群说，周敦颐的“立人极”说是“对于儒学外在结构化、政治化倾向的一次反动，是人类自我意识的一次复苏”。[①] 在周敦颐的启发之下，后来闽学之祖朱熹提出更为形而上的宇宙万事万物本原之“理”，从而阐发了“理”“心”二殊的二元论学说，此后，理学的“存天理，灭人欲”大行其道，成为统治阶级的统治工具。

南宋湖湘学派的“性本论”学说最能体现湖湘文化类型的本质。“性”虽然是一个古老的概念，但把“性”作为宇宙本体的基本范畴，却是以张栻为代表的湖湘学派所独有的。这也是湖湘学派与程朱理学相区别的重要标志。首先提出此说的是张栻的老师胡宏。胡宏既与程朱学派以“理”为宇宙本体不同，也与陆王心学派以“心”为宇宙本体相异，他在“理”和“心”之外提出了“性”为宇宙本体说。胡宏说：“性也者，天地之所以立也。”[②] 又说：“天命之谓性。性，天下之大本也。”[③] 胡宏认为宇宙的本原是“性”，万物则由“性”所派生，“万物皆性所有也”，离开了“性”也就没有万物，故说：“非性无物，非气无形，性，其气之本乎！”[④] 张栻秉承师教，同样也把“性”作为宇宙的本体。他说：“有太极则有物，故性外无物；有物必有则，故物外无性。”[⑤]“性”犹之乎“太极”，亦即是宇宙的本原。也仅仅是因为“性”具有本体的意义，所以张栻才把“性”称之为“本然之性”“性之大本”和“性之本然”。“性”不仅指人类而言，而且包括了宇宙万物在内，人和物的本质都是“性”。他说：“原物之始，亦岂有不善者

---

① 杨念群. 儒学地域化的近代形态——三大知识群体互动的比较研究［M］. 北京：生活·读书·新知三联书店，1997：121.

② 胡宏. 胡宏集［M］. 吴仁华，校. 北京：中华书局，1987：333.

③ 同②328.

④ 同②22.

⑤ 张栻. 张栻全集［M］. 杨世文，王蓉贵，点校. 长春：长春书社，1999：432.

哉？其善者天地之性也；而孟子道性善，独归之人者，何哉？盖人禀二气之正，而物则其繁气也。人之性善，非被命受生之后，而其性旋有是善也。性本善，而人禀夫气之正，初不隔其全然者耳。若物则为气所昏，而不能以自通也。惟人全乎天地之性。故有所主宰，而为人之心所以异乎庶物者，独在于此也。”① 人和物虽有区别，但此区别并不在具备性否，而在于对“性”是否“不隔其全然者耳”，人之所以为人，因他得气之正，故孟子说“性”善独归于人。物之为物则是它不得气之正，并不说明它不具备“性”。就“性”是人和宇宙万物的共同本质来说，它们之间是没有任何差别的。“性”的本质属性即善，是人和物共具的；人性善，物亦性善。张栻解释说：“原人之生，天命之性纯粹至善而无恶之可萌者也。”② 不仅如此，而且，“物之始生亦无有不善者”③。人性、物性共同的本质属性都是善。由此可见，“善”是世界统一的基础，也是世界的共同本质。自不待言，于此性论已远远超出了传统性论的范围，“性”成为了宇宙的本体，所以胡宏说“万物皆性所有也”张栻亦说“性外无物”了。“性”在此就具有了必然性和绝对性的意义，亦即是宇宙本体的意义。

湖湘文化的这种哲学思想发展到明朝中叶以后，就有了王夫之的以“理”释“势”的经世思潮。王夫之沿着前期儒学的理路，将“理”“势”打通，把二者看作相辅相成的东西。他认为“势”是历史的规律与客观必然性，“势相激而理随以易”，④ 这就空前放大了事物的历史意识而消解了抽象的本体意味，使“理”日益明晰化、具体化而成为活泼流动的本体，而非模糊静态的偶像。王夫之以“理”释“势”淡化了“理”的抽象性，增加了“理”的现实

① 张栻. 张栻全集［M］. 杨世文，王蓉贵，点校. 长春：长春书社，1999：739.
② 同①426.
③ 同②.
④ 王夫之. 读通鉴论：卷一［M］. 舒士彦，点校. 北京：中华书局，2013：1.

观照，使其充满客观内容的历史本体。这一变化对近代史上以务实经世为思维特征的地域文化群落具有深刻而广泛的影响。例如魏源、曾国藩、左宗棠、胡林翼、郭嵩焘、王闿运、杨度、蔡锷的事功业绩，都是这一思想的践履体现。所以，至近代“湖南学风的一个重要特点就是强调经世致用，一切理论与修养均围绕着这一核心内容来进行。近代湖湘人士很少做抽象的心性玄谈或纯思辨的启蒙工作，他们议论、研究、奔走、忧虑的焦点往往与纯粹的政治目标和迫在眉睫的现实形势相关”。①

由上观之，湖湘文化的政治—伦理型越到后来，特别是到了近代已非常突出，形成了湖南地域精英文化的鲜明个性。然而，这种鲜明的文化个性，又是与湖湘文化的原创性、外倾性、农耕文明性紧密关联在一起的。关于文化及湖湘文化的这三个特点在冯天瑜《中华文化史》一书、杨念群《儒学地域化的近代形态——三大知识群体互动的比较研究》一书和李尚武《文化类型新论》一文多有论述，在此不再赘述。

第四节　湖湘文化的文化人类学分析

一、湖湘文化的文化形态

人类有意识地作用于外在世界所呈现的文化是一个自然演进的过程，那么在这个过程中必然有若干阶段的区分，而每一个阶段又必然呈现出不同的外貌，这些不同的外貌就使文化呈现出不同的形态。故文化形态是一种文化的内部结构、运动方式及其表现形式，而由此产生的文化形态学就是对文化总体以及不同区域文化的不同形态进行相互比较和研究的理论。在历史上，对文化形态或社会形

① 杨念群. 儒学地域化的近代形态——三大知识群体互动的比较研究［M］. 北京：生活·读书·新知三联书店，1997：123—124.

态进行思考和研究，成绩较为突出的有黑格尔的东方世界、希腊世界、罗马世界、日耳曼世界四种历史形态说；摩尔根的蒙昧、野蛮、文明三形态说；斯宾格勒的发生、发展、成熟、衰老（春、夏、秋、冬）四阶段形态说以及汤因比的文化形态理论。这些文化形态观无疑有益于世界各地文化形态和文化的比较研究，但是都或多或少存在理论和逻辑的缺陷。只有马克思的三大社会形态理论，为文化形态研究作了理论的铺垫和方法论指导。[1]

（一）马克思的三大社会形态理论

马克思关于人类社会形态演变及其区分，最完整的表述主要出现在《1857—1858 年经济学手稿》中，他是这样论述的：

> 人的依赖关系（起初完全是自然发生的），是最初的社会形式，在这种形式下，人的生产能力只是在狭小的范围内和孤立的地点上发展着。以物的依赖性为基础的人的独立性，是第二大形式，在这种形式下，才形成普遍的社会物质变换、全面的关系、多方面的需要以及全面的能力的体系。建立在个人全面发展和他们共同的、社会的生产能力成为从属于他们的社会财富这一基础上的自由个性，是第三个阶段。第二个阶段为第三个阶段创造条件。[2]

在这里，马克思使用的“社会形式”就是“社会形态”，都是用来表示社会发展阶段的概念。在马克思看来，人类社会的演变与发展大致经历了最初的人的依赖关系的社会形式，其次是以物的依赖性为基础的人的独立性的社会形式，最后是全面的自由个性的社会形式，马克思分别称之为人类社会形态的第一阶段、第二阶段和第三阶段。马克思所说的这三大社会形态或三大社会阶段，第一阶

① 顾乃忠. 文化与文化形态学——东西方文化比较研究之一［J］. 江苏行政学院学报，2001（1）：34—37.

② 马克思，恩格斯. 政治经济学批判［M］//马克思恩格斯全集：46 Ⅰ. 北京：人民出版社，1980：104.

段古已有之，第二阶段是当下状况，第三阶段则是未来可能。这里所说的每个阶段都是前一阶段客观矛盾自我运动和积极扬弃的结果，同时又为后一阶段的到来准备条件。实际上，马克思在考察人类历史而划分三种社会形态时，大致确定了三个划分的标准，一是社会的生产方式，二是社会主体生存状态，三是以城乡历史格局为坐标的空间维度。马克思关于人类社会发展历史分期的三个标准，成为观察和研究人类历史发展阶段划分问题视角不同但逻辑一致的解释范式。尤其是以社会主体生存状态为标准的三大社会形态理论，为探索社会的文化形态提供了解释范式。

不知何故，马克思并没有使用一个具体的名称来指代社会形态不同性质的三个阶段，只是在论述中重点说明了这三个不同阶段的特征。针对这个情况，中国的马克思主义学者为了研究的方便，在进一步解读上述文字后，将马克思社会形态的三个不同阶段，根据自己的理解，提出了具体的社会形态名称，有的称为前资本时代、资本时代和后资本时代①；有的称为农业社会、工业社会、后工业社会②；有的称为人的依赖性社会、物的依赖性社会、共产主义社会③；有的称为以自然经济为基础的前资本主义社会、以市场经济为基础的现代社会、以产品经济为基础的共产主义社会④；等等。在此，无意讨论上述观点的正确与否，为了文化形态讨论方便起见，笔者在此依照农业社会、工业社会、后工业社会一说而思考社会文化形态的问题。

根据马克思上述三大社会形态理论，尤其是三个划分标准，我

---

① 张一兵. 回到马克思——经济学语境中的哲学话语 [M]. 南京：江苏人民出版社，2009.

② 顾乃忠. 文化与文化形态学——东西方文化研究比较之一 [J]. 江苏行政学院学报，2001 (1).

③ 杨学功，楼俊超. 如何理解马克思的三大社会形态理论——兼评学界的几种常见理解 [J]. 教学与研究，2012 (8).

④ 石建水. 马克思的三大社会形态理论及其经济哲学意蕴 [J]. 重庆科技学院学报（社会科学版），2015 (7).

们把人类社会文化形态划分为以自然经济为基础的农耕文化形态，以商品经济和市场经济为基础的产业文化形态，以个人全面发展、独立发展、自由发展和共同的社会生产财富为基础的信息网络文化形态。根据人类已往的经验以及人类已有的抽象能力，现在，我们已有可能对文明时代的这三种文化形态作一比较具体的勾画。

农业文化形态的主要特点是：由于以自然经济为基础，生产力水平低下，生产方式单一，产品很少交换或者没有交换；绝大多数人口居住在农村，人们活动的范围狭小、封闭，社会的组织形式一般是以血缘或地缘等自然性纽带结成氏族、部落、公社、村落等人群共同体；群体成员缺少独立、自由、个性，或附属于群体，或依附于极少数社会财富的占有者和权力者；社会关系极其简单，社会组织状况是家国同构、宗法一体，社会权力与国家权力没有分化，往往是政教合一；人们在价值取向上崇拜神灵、先祖、权力，注重社会关系的融洽和伦理道德的修为，重感性轻理性，重人治轻法治。①

产业文化形态的主要特点是：由于以商品经济和市场经济为基础，生产力水平不断提高，以生产和消费相分离为特征的商品经济成为主要的产品交换方式，生产力已经相当发达，世界市场已经形成，以标准化、专业化、规模化等为特点的工业生产方式成了社会主要的生产方式，经济持续增长；政教分离，工业化、城市化、法制化与民主化程度较高，社会阶层流动性增强、文化教育普及、信息传递加速、非农业人口比例大幅度增长。个人获得了独立性，独立人格普遍生成；在价值观上，倾向于理性主义、个人主义。

信息网络文化形态是以产品经济为基础的，以服务业生产方式为主导的自由个性的社会文化形态。在这种文化形态下，生产力已经高度发达，商品货币关系在很多领域已经趋于淡化甚至已经不复

① 顾乃忠．历史决定论与中国现代化 顾乃忠文选［M］．南京：江苏人民出版社，1997：22—23.

存在；服务业取代工业在社会中发挥日益重要的作用，物质财富已经不再是社会财富的代表，人们的社会生产能力成为他们的社会财富①，发展能力成为人们的目的。② 在人与自然的关系和个人同社会的关系上，消除了对立和外在性，人们在价值观上重新重视宗教、情感和整体的价值。独立的个人重新联合起来，个人获得了自由全面的发展，形成了真正的自由个性。

农耕文化形态、产业文化形态和信息网络文化形态之所以是文明时代的三大文化形态，是因为这三种文化形态是前后相继的，任何一个民族都不可能超越其中的任何一个阶段。如果我们仔细观察就会发现，当今世界上的任何一个民族，或者处于第一种形态之下，或者处于第二种形态之下，或者处于向第三种形态的过渡之中。当我们具有了这样一种眼光的时候，我们对文化形态的理解就有了进一步的加深。具体而言，我们怎样用马克思社会形态理论审视各个具体的地域文化呢？应该说，单单使用因生产力而决定的生产方式、经济基础是无法判断某一个地域文化的具体形态的。那么，地域文化形态的区分与确认就只能根据马克思社会形态理论之三大社会形态划分标准，即前述之社会的生产方式、社会主体生存状态、城乡历史格局为坐标的空间维度。

（二）湖湘文化的文化形态

综而言之，笔者认为湖湘文化属于颇具湖湘地方特色的儒学地域化的农业文化形态。这里有两个概念必须予以讨论的，一个是湖湘地方特色，一个是儒学地域化。至于农业文化（或者农耕文化），无论是古代还是近代的湖湘文化，即使近代的湖湘文化处于转型阶段，仍然是自给自足的小农经济文化，生产力水平低下，生产方式

① 马克思，恩格斯．政治经济学批判［M］//马克思恩格斯全集：46 Ⅰ．北京：人民出版社，1980：104.

② 马克思，恩格斯．资本论［M］//马克思恩格斯全集：25．北京：人民出版社，1980：927.

落后，没有或很少有商品交换，社会群体以血缘关系为纽带，生活范围狭小封闭，个人独立人格缺失，家国同构，重伦理道德而轻视法治理性，这些农耕文化的特征十分明显，所以，其农业文化的文化形态是不言自明的。湖湘文化形态的儒学地域化规定，基于其内涵的广泛而深刻，故在下一节专门讨论。在此，只讨论湖湘地方特色的湖湘文化形态。

如果从广义的湖湘文化角度而言，湖湘文化形态的地方特色应该包括宋代以前的湖湘文化内容，换言之，我们在思考湖湘文化形态问题之时，不应把先秦至宋的湖湘文化排除在外，这个时期的湖湘文化受楚文化影响较大，其文化形态难以把握。因为，文化是动态的，在漫长的历史进程之中，文化乃至文化形态不可能一成不变而保持其产生形成时的原貌。所以，笔者既不同意把湖湘文化视为楚文化之形态，也不认同湖湘文化是宋代湖湘学派形成以来的学术思想形态。我们应该将湖湘文化分为宋代前、后两个时期予以分别对待。宋代以前基本上属于本土化的南蛮文化形态，宋代以后属于理学化的湖湘文化。这样的认识就兼顾到了湖湘文化形态学的整体性和历时性。

湖湘文化是宋代湖湘学派形成后所出现的颇具湖南地方特色的区域文化，换言之，湖湘文化是楚文化裂变之后在楚地出现的诸多具有地方特色的区域文化之一。众所周知，战国时期的楚国疆域极其广大，包括江苏、浙江、安徽、江西、河南、湖北、湖南等地。当时不但在政治上归于统一，由楚国管辖，在文化上也受以老子、庄子以及屈原的思想为基础的楚文化的支配。这就是湖南与楚文化的渊源的由来，也是有人把楚文化视为湖南地方特色的区域文化的依据。但历史是变动的，楚国灭亡，秦国扫六合一建立统一帝国后，经汉、魏晋、隋、唐、宋诸朝代的历史发展与演进，原支配楚地的文化也发生了裂变，先后出现了不同于楚文化而各自代表一定地域特色的文化，如吴越文化、徽文化、赣文化、中原文化、湖湘文化等。历史表明，包括湖湘文化在内的上述文化形态虽与楚文化有一定联系，但已不是传统意义的楚文化了。如果我们坚守原属楚地的文化仍然是封闭的不变的楚文化，那么我们无法理解在原楚地出现的上述吴越文化、徽文化、中原文化、湖湘文化等各具地方特色的文化形态。由此可见，以湖南是原楚地为据而否认湖湘文化是具湖南地方特色的区域文化是难以成立的。

为什么湖湘文化是宋代湖湘学派形成后所出现的颇具湖南地方特色的区域文化呢？众所周知，任何一种文化形态都是建立在一定的哲学理论体系基础上的，举凡一种文化的出现都要以哲学变革为先导。楚文化之所以是楚文化，就在于楚地产生了老子、庄子、屈原等思想家，形成了以老庄为代表的哲学体系，楚文化便是由此哲学体系辐射和扩散的成果，老子和庄子被奉为楚文化的代表与奠基人。

检视历史，南宋时期，湖南出现了以胡宏和张栻为代表的哲学流派即湖湘学派。这是湖南有史以来的第一个颇具地方特色的哲学学派。以“性”为宇宙本体的湖湘学派，既与程朱理学流派有别，也与陆九渊心学派相异，并与张载的气本论理学不同，在理学中独树一帜，当时有“湖湘学最盛”之称。随着湖湘哲学学派的出现，湖南文化由此进入了大的发展时期，学术上呈现了空前的繁荣，最能显现当时湖南文化和学术发展的标志是，作为湖湘学派重要研究基地的岳麓书院，名声大振，为天下四大书院之首，成为全国最重要的教育中心之一。又因岳麓书院是湖湘学派的基地，故成为全国学术的重镇，为世人关注的全国的重要学术中心。不仅如此，对湖湘文化有创始之功的胡宏和张栻，备受史家称道，尊胡宏“卒开湖湘之学统”，把张栻与中原文献之学的代表吕祖谦与理学集大成者朱熹齐名，尊为“东南三贤”。《宋元学案》特辑有“五峰（胡宏）学案”“南轩学案”“岳麓诸儒学案”等，以昌明湖湘学之盛。张栻亦被《宋史》列入远比《儒林传》地位高的《道学传》，被南宋理宗皇帝诏封华阳伯，从祀孔庙。以上所列史迹都真实记录了南宋时期湖南文化发展的繁荣景象，记录了湖湘哲学学派对湖南文化发展所作的重大贡献，也反映了楚文化在湖南裂变的情景。

以胡宏、张栻为代表的湖湘哲学体系的确立，为南宋时期湖南新文化形态即湖湘文化体系的形成奠定了理论基础，不仅为此文化体系的建构提供了新的世界观和方法论，赋予了人们创造新文化的灵魂和智慧，同时也规定了湖湘文化的特质和价值。我们完全可以说，南宋时期湖南哲学学派，诱发了湖南文化的大变动，从而在此变动中产生了一种颇具湖南地方特色的新的文化形态即湖湘文化。历史已表明，没有胡宏、张栻性本论哲学体系，就不可能有南宋时期湖南文化大发展，不可能有别于传统楚文化的湖湘文化形态的出现。反过来说，在宋代之前，由于湖南未出现相对独立的哲学学派，所以它不能形成自己独立的文化体系，换言之，它只能属于楚文化的范畴。这是我们对湖湘文化这一概念的基本认识。

为什么湖湘哲学在理学中独树一帜呢？就在于它提出“性”是宇宙的本性，直言之，宇宙本体既不是“理”，也不是“心”或者“气”，而是“性”。胡宏说：“性，天下之大本也。”① 又说“非性无物”②。张栻秉承师说，指出“天下之言理者，性也”。③ 张栻认为无“性”则无“理”。“性”才是世界的本体或者说是本源，世界万事万物都于“性”，是“性”所派生，“性”是世界所有一切事物总根源，世界一切事物受其支配。何谓“性”呢？概言之，“性”是对人的实体的抽象。具体言之，“性”既是对人生命体的物质存在形式的抽象，也是对人有意识活动的精神存在形式的抽象，“性”涵盖人的精神和人的生命体存在即物性的双重属性。以“性”为宇宙本体在其理论上的意义极为明显，这给人在世界上的

① 胡宏. 胡宏集［M］. 吴仁华，校. 北京：中华书局，1987：328.
② 同①22.
③ 张栻. 张栻全集［M］. 杨世文，王蓉贵，点校. 长春：长春书社，1999：432.

一个明确定位，即肯定了人在世界上的主宰地位。回溯历史，人和人类在世界上究竟处于一种什么样的地位，人类与自然万物之间存在一种什么样的关系，这是思想家和哲人最关注的一个问题。如果对人类在世界上的地位一无所知，人要走向自立无法实现，人永远也无法摆脱从动物界分离出来的所具有的那种直接性和本能性，由此人的尊严和价值也无从谈起。人文精神体系建构便失去了基本的理论前提。正是因为如此，所以从先秦时期开始，思想家对人在世界上的地位进行了多方论证。他们认为人和人类不是一般的生命体，人是世界上的一种特殊生命体。他们有时称之为宇宙的精华，有时称之为天地之灵秀。儒家把人与天地并列，称天、地、人为“三材”，认为人具有天地一样的崇高和伟大，人的存在具有世界上其他物类不可比拟和取代的普遍意义和价值。道家也认为世界除了天地之外，人是最伟大的。老子说：“道大、天大、地大，人亦大，域中有四大，而人居其一焉。”[①] 在先秦以后，关于人在世界中定位的论述不绝如缕。汉代大儒董仲舒认为在天地之中，人最为显贵。他说：“人之超然于万物之上，而最为天下贵也。”[②] 董仲舒认为天地间虽存在着万物，但这都只不过是为人所设，“天地之生万物也，以养人，故其可食者以养身体，其可威者以为容服，礼之所为兴也”[③]。在董仲舒看来，“天地之精，所以生物者，莫贵于人；人受命乎天也，故超然有以倚”[④]。类似把人置于世界显贵地位的认识，几乎历代哲人均如此。宋代理学家几乎都一致认为，人是万物之灵、天地之精、五行之秀，如北宋理学家周敦颐说：“乾道成男，坤道成女；二气交感，化生万物，万物生生，而变化无穷焉。

① 陈才俊. 道德经全集［M］. 陈阳，张晓华，注译. 北京：海潮出版社，2006：116.

② 董仲舒. 春秋繁露：天地阴阳［M］. 北京：学苑出版社，2003：376.

③ 董仲舒. 春秋繁露：服制像［M］. 北京：学苑出版社，2003：133.

④ 董仲舒. 春秋繁露：人副天数［M］. 北京：学苑出版社，2003：282.

惟人也，得其秀而最灵。”① 总之，历代思想家和哲人都认为，人在世界上居于一种特殊地位，不能把人当作物类看待，不能把人当作一般生命体看待；人应从世界定位中把握自己，不能与物相混同，更不能受其他物类所支配；人应该自重，维护自己的自立地位；人应该自尊，维护其自己独有的尊严和价值。以上是我们先人对人在世界上定位的一个明确认识，表现了先人们对人的价值和人生意义关注的人文精神。

但是先人们的对人地位认识带有直观性，对应于直观而得，他们在把人与世界其他物类的比较观察中，确实感到人与其他物类有特别的地方，不能与物混同看待，所谓人为万物之灵和天地之精，便是从此直观中得到的认识。另外，儒家如孟子确实也企图从理论上划分人与禽兽、人与其他物类的本质区别，但他把这种区别归之道德属性有无，人之所以为人，人之所以不能看作一般生命体，就在于人具有道德的属性。孔子的“仁者人也”的命题，也是从道德属性上定义人。总之，先人们虽然意识到了人在宇宙中的特殊地位，但他们没有从哲学本体论高度定位人。人在宇宙的定位论述虽源远流长，但直到南宋时期湖湘性本论哲学才给人的定位以一个具有哲学高度的理论解析。

以胡宏与张栻为代表的湖湘学派在先人认识的基础上把人在世界定位的论证提升到了更高的理论层次，提高到了哲学本体的高度论证，由直观进入到哲学的思辨。提出“性”是宇宙本体，这是把宇宙人化了，凸显了人在宇宙中的主宰地位。如果说先人把人与天地并列，构成以人与天地相合的“天人合一”的理论形式，那么以“性”为宇宙本体则对天人关系作了新的定位，天人关系不是并列的关系，人在此关系中居于支配的地位。与此联系的“天人合一”

① 周敦颐．太极图说：易说［M］//张周志．中国哲学原典导读．北京：中央编译出版社，2015：326.

也不是以人与天相结合的理论形式，而倒过来变成了天与人相结合，实质上可表述为“人天合一”的理论形式。通过哲学思辨，把先秦以来从直观和道德属性论述人在世界上的定位，提升到了哲学本体的最高理论层次，为确立人在世界上的主宰性地位提供了理论上的依据，这是在中国思想史上首次把人在世界上的主宰性作出了富有真实理论意义的说明。虽然这并不是宇宙体和人在世界上的地位科学的、唯物的揭示和说明，但在理论上并不失其意义。首先，性本论是对程朱理学扼杀的主动精神的反动，程朱理学认为“理”是宇宙的本体，世界一切受“理”的绝对支配，人只能服从于相似于神的绝对精神的“理”，受“理”的绝对支配，失去了人的自立、自主的能动精神。湖湘学派奉行的性本论则与此不同，提出以“性”为宇宙本体，肯定了人在宇宙中居于主宰地位，人既不受神的安排，也不受其物类的支配。在湖湘学派看来，世界由人统治，世界也可以由人改变其面貌，自然和社会面貌取决于人的主观能力精神的发挥，人的能动性作用被湖湘学派提到了无以复加的程度。地位意味着责任，既然人居于世界的主宰地位，那么人就应该肩负着与此地位相称的责任与义务，人应该以敢作敢为的姿态立于世界，要有敢为人先的创造精神。由此敢为天下先的思想得以萌发并成为湖湘文化的基本精神。这说明，湖湘文化敢为天下先的基本精神是有理论上的依据，也有近千年湖南历史发展事实的证明，理论和实际都表明，敢为天下先的湖湘文化精神，这既非是臆造，也非是赶时髦的空话和套话。

上述性本论的哲学也铸造了湖湘文化的包容精神，培育了湖湘文化范围天地的伟大胸怀。诚如上述思想家胡宏和张栻提出“性”是兼具人性、物性的最高哲学范畴，“性”既是意识的人的精神存在，“性”也是生命体的物质存在。众所周知，精神乃为人所固有而其他物类不具，因此，称之为精神的人性自然是普遍性的精神存在。那么包含在“性”内的物性是否也具有普遍的意义呢？张栻能把人的生命体的物性包含在性本体之内，无疑，此物性也具有普遍意义了。“性”由此便是包容物质与精神的最高哲学范畴了。宇宙间存在的物质与精神的壁垒、人与物的差别都消融在“性”中了。以此世界观和方法论作指导观察世界，人们必然在思想和文化上有广阔的视野，有开放和包容的心态，从而带来思想和文化的变化。事实也确实如此，在性本论世界观和方法论的指导下和浸润下，湖南文风、学风大变。这种思想文化上的变化，首先是在湖湘学派的基地岳麓书院启动的。岳麓书院虽是南宋时期的学术重镇，是湖湘学的研究重地，但岳麓书院在张栻主持下，对各家各派洞开大门，百家争鸣。在中国历史上首开了学术讨论的先河，如人们熟知的“朱张会讲”。在书院讲坛上，先后由各家学术大师讲学传道。既有与湖湘性本论理学颇存歧见的理学大师朱熹在此开讲传道，也有与理学相对立的事功学派的代表陈傅良讲学授徒。继后至明代又有心学派大师王阳明及其弟子罗洪先、张元忭来岳麓书院宣讲心学。各个学派不存门户之见，相互交融、吸取，突出表现了湖湘文风、学风的开放和包容的风格。即使到清代汉学、宋学形同水火，岳麓书院仍然敞开胸怀，汉、宋包容。开放与包容成为湖湘文风、学风的传统。这既是湖湘文化体系深层结构文化形态即精英文化的表现。同时，在此精英文化的带动和浸润下也成为了整个湖湘文化体系的风格，包容性和开放性是湖湘文化的特质和基本精神，这已为理论和实践所证明的不容置疑的事实。

另外，人们所重视的湖湘文化务实和重致用的基本精神，也可从以“性”为本体的湖湘哲学体系中找到理论上的依据，或者说湖湘哲学为此提供了理论基础。湖湘哲学虽然以“性”为最高的哲学范畴，但这与陆象山的心学派有本质上的区别，最主要的是“性”不像心学派的“心”绝对排斥物的客观存在，“性”不但不排斥物，相反的，“性”中包含着物性，这虽然不是哲学唯物主义，但湖湘性本论哲学毕竟与心学派的心本论有区别，它并不认为“心”

即精神是世界的唯一真实存在。既然“性”包含了物性，这就宣示人们不要在精神上空转，换言之，在精神世界之外还存在物质世界的天地，在最大限度发挥人的主动精神同时，也要顾及客观的实在，要尊重客观，要务实。由此形成了湖湘学派务实和致用学风。

从以上论述我们可以看出，无论是湖湘文化所表现的敢为天下先的精神，或是湖湘文化的包容和开放的精神，或是务实和重致用的精神等等，都说明湖南由楚文化向湖湘文化的变革而最终被湖湘文化取代乃因缘哲学的变革为其先导，这就是说，南宋时期湖南崛起的性本论哲学体系为湖湘的文化体系的形成提供了世界观和方法论的指导，为它铸造了灵魂，提供了理论基础。如果我们今天对社会主义文化形态是马克思主义哲学的指导和辐射的产物而深信不疑，那么湖湘文化体系的奠定则源于湖湘哲学，这无疑再次印证了文化的变革是以哲学变革为先导的历史法则，这不是推论，这是历史的客观的事实。历史已表明，没有南宋时期以胡宏、张栻为代表湖湘哲学的崛起，不可能有湖湘文化取代楚文化之变革。在此，我们似乎可以得出如下结论：（1）湖湘文化作为具有湖南地方特色的一种区域文化有其特定的时空，具体而言，在时间上限定在南宋时期及其以后千年发展，也就是说在此湖湘哲学出现以前，湖南受楚文化的支配，不曾有湖南地方特色的区域文化即湖湘文化。与此相联系的湖湘文化在空间上限于三湘领域，不代表湖南地域以外的广大楚地的文化。（2）湖湘文化是对楚文化的改造和提升，因此，楚文化是湖湘文化的重要源头，但湖湘文化不等于楚文化，这是两种不同质的文化形态，不能混淆。有人以湖南曾是屈原和贾谊活动之地，有“屈贾之乡”之称，就把湖湘文化等同于楚文化，这不仅在理论上说不过去，也不符合自宋代以后湖南历史发展的事实。（3）性本论哲学虽为张栻的老师胡宏首提，但对此哲学的发展和光大则是学生张栻。张栻在岳麓书院营造了湖湘学派的基地，培养大批湖湘学子，培育新一代的湖湘学风和文风，以致湖湘文化的体系最终得以形成和确立。①

二、湖湘文化的结构与功能

（一）地域文化的结构与功能

文化是由诸多要素构成的，如象征符号、价值观念、语言文字、规范体系和制度文明等，这些要素之间的相互联系、相互作用、相互制约的方式及其组合形态称为文化的结构。那么，怎样理解地域文化的结构呢？按照文化人类学有关原理，我们同样可以把地域文化的结构分为三个层次，即文化特质、文化结丛、文化模式。“文化特质（cultural trait），是组成文化的基本要素或最小单位。一个社会的文化内容就是各种文化特质的总和。文化特质可以表现为物质文化的形式，也可以表现为非物质文化的形式。文化结丛，亦称文化特质丛，指因功能上相互联系而组合成的一组文化特质。这种相关的文化特质整合成一个功能单位，它往往与人们的某种特定活动有关。各种文化特质在功能上与别的文化特质有某种联系或构成一套活动，以一定方式结合起来。文化特质与文化结丛构成了文化的基本内容。文化模式是一个社会中所有文化内容，包括文化特质与文化结丛组合在一起的特殊形式和结构。这种形式往往表现了一种社会文化的特殊性。研究文化模式可以获得对于社会文化的总体认识，只有这样，才能认识到一个社会或民族文化的优点与缺点，才能进行文化比较。”②

文化与人、文化与社会、文化与自然环境处在经常的联系之中，而在这些相互联系和相互作用中表现出来的特性和能力就是文化的功能。地域文化的功能同其他文化的功能一样，具体表现为认同功能、规范功能、整合功能、涵化功能。认同功能是指在不同地

① 参阅陈谷嘉. 论湖湘文化是具湖南地方特色的文化形态［J］. 湖湘论坛，2008（6）.

② 朱力，等. 社会学原理［M］. 北京：社会科学文献出版社，2003：10—11.

区和群体之间，文化表现出来的内在本质区别。规范功能是指使社会有了系统的行为规范、文化集合，解释着一个社会的全部价值观和规范体系。整合功能是社会团结的重要基础，使得社会形成一个整体。涵化功能是指个人社会化过程，是学习和运用文化的过程。

（二）湖湘文化的结构

作为地域文化，湖湘文化亦可以从湖湘文化特质、湖湘文化丛、湖湘文化模式三个层次进行探究，从而深入认识和把握湖湘文化。湖湘文化特质，将在下文重点讨论，这里主要讨论湖湘文化丛和湖湘文化模式。

就湖湘文化丛而言，因为湖湘文化的纷繁复杂和丰富多彩，其文化丛大致可以分为湖湘文统、湖湘学统、湖湘书院教育、湖湘民俗、湖湘艺术、湖湘人文景观等。限于本节篇幅，这里主要讨论前三项湖湘文化丛的有关问题。

首先，湖湘文统就是湖湘地域的文学传统，其中最重要的是屈原精神，屈原精神成就了湖湘文学，在历史上，这种文学传承至今依然绵延不绝，绽放出耀眼的光芒。众所周知，屈原不仅仅是中国古典文学的奠基人，同时，由于屈原晚年流放于沅湘之地，其许多代表作品均创作于沅湘，加之屈原又是自沉于湖南的汨罗江，其文体与文气深刻地影响了以后湖南之地的文人及其作品，所以，屈原又是湖湘文学的奠基人，湖湘文统的开创者。屈原在湖湘奠定的这一文统核心内涵，“应该是辞章背后的血性人格，体现为一种狂奔浪涌的情感，一种自然天成的质性，一种性情一体的精神气质，也就是人们常说的‘文气’”。[①] 屈原的《九歌》《九章》《离骚》等作品，那深沉的忧伤、哀怨、沉痛、眷恋的复杂情感，并没有因此导向意志的消沉与人生的虚无，而表现出对自己人格的坚守与意志的果决，他反复吟道：“哀吾生之无乐兮，幽独处乎山中。吾不能

① 朱汉民. 湖湘文化通史：导论：第一册［M］. 长沙：岳麓书社，2015：38.

变心而从俗兮，固将愁苦而终穷。……与前世而皆然兮，吾又何怨乎今之人！余将董道而不豫兮，固将重昏而终身。”[1] 表达的是一种血性意志和坚强生命。屈原的《悲回风》表达了他“誓死而必无生之想者”，但是他在决于一死之时，“乃豫想其浩然之气，不随生死为聚散，……盖忠贞纯一之志气，与天地合德，鬼神效灵者，可以自信”。[2] 这是一种情性与天道相通的人格理想的完成，一种具有崇高审美境界的人文信仰的实现。这也是屈原所创立的湖湘文统的最高表现。

中国文学史家对屈原作品的文学价值给予了特别的评价，他们认为，屈原在湖湘之地创作的诗歌，“把诗性文明的开拓伸展到当时还处在原始洪荒的江南湖湘，既把中原文明的历史理性精神渗透到南方神话巫风的想象之中，又从南方神奇多情的想象里拓展了中原典雅节制的诗学世界，从而为中国诗性文明的伟大博大和辉煌提供了一个与《诗经》同等重要的源头”[3]。屈原所创立的湖湘文统由两个途径得到赓续而香火不断，一是流寓文学对湖湘文统的建构，二是本土文人作品受屈骚影响对湖湘文统的建构。

其次，湖湘学统就是从两宋湖湘学派创立以来的学术传统，是湖湘地方性知识传统的象征符号，也就是来自周敦颐、胡宏父子、张栻、王夫之、魏源、曾国藩、郭嵩焘、谭嗣同等学者的知识学问，即湘学。湖湘学者不仅仅是有着一系列相同的学术宗旨、知识兴趣，同时，这一学术旨趣又成为贯穿他们学术思想的学术传统，即学统。其具体表现是道、治、学三者的有机结合的学问宗旨和知识兴趣。

所谓道就是由柳宗元、周敦颐在董仲舒所建构的儒学基础上创

① 屈原. 九章：涉江［M］//姜亮夫，赵逵夫，郭维森，等. 楚辞. 上海：上海辞书出版社，2004. 138.
② 王夫之. 楚辞通释：九章［M］//船山全书. 长沙：岳麓书社，2011：346.
③ 杨义. 屈原诗学与湖湘文化［J］. 湖南文理学院学报（社会科学版），2006：4.

建的"有关公共福祉、有关整个社会利益的道理或原则"①。如柳宗元反复所讲的"尧舜孔子之道""圣人之道"，周敦颐的对孔颜之乐的个体人格终极关怀的价值追求，还包括胡宏父子、张栻建立的"道""性"为哲学本体的道学学术体系。在此基础上，后来的湖湘学者，无不表现出对儒家之道的坚定信仰和学术追求。明清之际王夫之一方面强调"道"不是凝固不变的，而是随着时间的延伸而发展变化的；另一方面他又强调"道"是实有的，"道"总是在器中体现其作用。道光以后的湘学虽有学派差异，但是不管是今文学派如魏源，还是宋学派如曾国藩，或是汉学派如王先谦，他们在坚定地信仰、执着地追求儒家之道的学术宗旨上，则是完全一致的。

对"治"的崇尚与追求，是湖湘学统的第二大特色。经世致用或通经致用在湖湘学术中特别突出。湖湘学者表现出对政治、对社会治乱兴衰、对民生疾苦的强烈关注和理性思考，那种"居庙堂之高则忧其民，处江湖之远则忧其君"的入世情怀往往溢于言表。胡安国、胡宏尽管隐居湖南衡阳讲学，而其内心深处仍然保留着对经世的关怀，"学圣人之道，得其体，必得其用，有体而无用，与异端何辨？井田、封建、学校、军制，皆圣人竭心思致用之大者也"②。胡宏认为"圣人之道"应该是有体有用的，进而确立其经世致用的学术宗旨，他将与父亲在衡阳的学术、教育活动归结为"经济"的目的，喊出了"为无经济学，万里筑幽栖"③的口号。后来，王夫之虽因民族矛盾而远离政治，其学术关怀依然还是希望总结明王朝灭亡的教训，为汉族复兴的社会现实服务。所以，王夫之所从事的经学、史学、诸子学、文学艺术方面的学术宗旨，都是

① 陈弱水．唐代文士与中国思想的转型［M］．桂林：广西师范大学出版社，2009：254.

② 胡宏．胡宏集：与张敬夫［M］．北京：中华书局，1987：131.

③ 胡宏．胡宏集：书院即事［M］．北京：中华书局，1987：67.

"致治"的实学追求的体现。清代中期乾嘉学兴起，出现"士大夫得肆意稽古，不复视为经世之具，而经史小学专门之业兴焉"[①] 的局面，但是湖湘之地的士大夫仍然将学问与经世致用联系起来。这段时间内产生了有一定影响的学者李文炤、王文清、罗典、严如熤、欧阳厚均等人，他们中虽有崇性理之学、考据之学不同，但是，他们均一致强调明体达用的学术宗旨，对礼乐刑政等各种有关现实政治的学问表现出强烈兴趣。道光以后，湘学的这种经世致用的传统一直保持并不断加强，加之这时期不少湘学人物逐渐步入到政治权力的中心，因此，晚清湘学进一步提升了在全国的重要地位，成为引领全国学术风尚的区域性学统，如魏源"以经术为治术"[②]，曾国藩则在义理、考据、辞章学问之中，特别增加了"经济之学"，并提出"经济者，在孔门为政事之科，前代典礼、政书，及当世掌故皆是也"[③]。曾国藩关于儒学四科的观点，在当时学术界、教育界产生了重大影响。可见，湘学重政治的学术旨趣，成为晚清时期一种显著的区域性的学术风气，并促成了政治、军事人才的大量涌现。

对"学"即对知识的强调，又是湘学学术的一种努力追求，从而将湘学之"道""治""学"三者有机统一起来，并行不悖而相得益彰。在湘学学者群体的学问之中，"求学"与"求道"、"道问学"与"尊德性"是有机统一而贯通的，例如胡安国一方面主张"《春秋》之法，以人合天，不任于天；以义立命，不委于命，而宇宙在其手者也"[④]；另一方面，他又主张"《春秋》经世大典，见诸行事，非空言比"[⑤]。如此，他所阐发的《春秋》义理，既是经

① 王国维．王国维文集：沈乙庵先生七十寿序［M］．北京：北京燕山出版社，1997：475．

② 魏源．魏源集：默觚上［M］．北京：中华书局，1976：24．

③ 曾国藩．曾国藩全集：14［M］．长沙：岳麓书社，1995：442．

④ 胡安国．春秋传：卷二四［M］．长沙：岳麓书社，2011：312—313．

⑤ 脱脱．宋史：卷四三五：胡安国传［M］．北京：中华书局，1977：12913．

邦济世之术，又是天人合一之道。又如在王夫之的庞大的学问体系之中，强调理想的天下应该是道统与治统合一的："儒者之统，与帝王之统并行于天下，而互为兴替。其合也，天下以道而治，道以天子而明；及其衰，而帝王之统绝，儒者犹保其道以孤行而无所待，以人存道，而道可不亡。"[①] 特别是晚清时期的治《春秋》学者王闿运认为，"经学以自治，史学以应世"[②]，在王闿运看来，《春秋》是"经"不是"史"，为孔子所作，是为了因应端正当时混乱的政治环境与社会秩序，故《春秋》确为"圣王之典"，具有拨乱反正功能。在一个"人心乖戾""良法尽敝"的社会环境下，具有拨乱反正功能的《春秋》经，必然成为引导学者通经致用，为学问政的重要典籍。因之，王闿运遍注群经，着意发掘《春秋》之微言大义以裨时政。[③] 还有曾国藩、郭嵩焘、王先谦、皮锡瑞等人的为学都有如此求学为政的学术特色。

因此，在延续 1000 多年的湘学史上，尽管因历史条件不同，每个湘学学者处于不同学术思潮的文化背景，不同的学术师承的知识背景，但都表现出对道、治、学的兼容与贯通，成为湖湘文化最稳固的深层性结构。

第三，湖湘教育的文化结构主要体现在湖湘书院教育。书院是中国古代双轨制教育发展的结果，也是中国传统社会文化发达的具体表现之一。它是中国古代读书人围绕着书，开展包括藏书、读书、教书、讲书、校书、刻书、著书等各种活动，进行文化积累、创造和传承文化教育的组织。书院起于唐代，兴于宋代，历元、明、清而得到大的发展。湖湘地域的书院在千余年的发展中，形成了各种各样的类型，包括家族书院、乡村书院、各级地方书院、教

---

① 王夫之. 读通鉴论［M］//船山全书：第 10 册. 长沙：岳麓书社，2011：568.

② 王闿运. 湘绮楼诗文集［M］. 长沙：岳麓书社，1996：514.

③ 刘少虎. 经学以自治：王闿运春秋学思想研究［M］. 北京：华夏出版社，2007：75.

会书院、少数民族书院等。据考证统计，湖南的书院数量总计 477 所，唐、宋、元、明、清分别为 8、70、21、102、276 所，分居全国的第 2、4、4、6、5 名。[①] 如此众多的书院分布于三湘四水之间，它们作为具有多种功能的文化载体，对湖南文化的形成、发展与繁荣发挥了极其重要的作用。

北宋以前，湖湘地域习惯上被中原视作“南蛮”之区，成为朝廷贬谪罪臣之地。北宋书院的兴起，使湖湘士人获得了文化自信，为湖湘文化的进一步发展奠定了坚实的基础。北宋时期湖南至少有 12 所书院，最著名的有岳麓书院、石鼓书院，以其规制完备而备受世人瞩目，这些书院起着替代官学培养人才的作用，成为各地书院的榜样，引领全国书院的发展。正如马端临所说：“后来所至，书院尤多。而其田土之赐，教养之规，往往过于州县学。盖皆欲仿四书院云。”[②] 当时学者王禹偁在《潭州岳麓山书院记》中所说：“谁谓潇湘？兹为洙泗；谁谓荆蛮？兹为邹鲁。”更有甚者，自此以后，“使里人有必葺之志，学者无将落之忧”[③]，说明书院的兴起和发展促成了湖南坚持兴学的社会风气和与礼乐之邦洙泗、邹鲁一比高下的自信与自豪。

南宋书院与学术的一体化趋势，促成了湖湘学派的出现，而湖湘学派的兴起正是湖湘文化发展史上的一个里程碑。南宋时期湖南地域创修兴复的书院达 44 所。元代著名理学家吴澄在《岳麓书院重修记》中曾以“读书”和“讲道”来区分书院在两宋时期所表现出的不同的社会功用，他说：“开宝之肇创也，盖惟五代乱离之余，学政不修，而湖南僻远之郡，儒风未振，故俾学者于是焉而读书。乾道之重兴也，盖惟州县庠序之教沉迷俗学，而科举利诱之习

---

① 陈谷嘉，邓洪波. 中国书院制度研究［M］. 杭州：浙江教育出版社，1997：354—359.

② 马端临. 文献通考：卷四六：学校考［M］. 万有文库本.

③ 王禹偁. 小畜集：卷 17：潭州岳麓山书院记［M］. 北京：商务印书馆，1937：239.

蛊惑士心，故俾学者于是焉而讲道。”[①]“读书”是指文化知识的学习，是为了改变“儒风未振”的问题，其结果是书院教育功能的强化。“讲道”意在追求真理，在思维里解决舍义求利、士习民风败坏的问题，其结果是书院与学术的结合。南宋时期，“讲道”最具体、最著名的体现就是“朱张会讲”岳麓书院，“朱张会讲”是湖南乃至全国书院和学术发展史上里程碑式的大事，是不同学术流派在书院开展学术交流的典范，是书院与理学的一次完美结合，可以视作书院与学术一体化机制形成的标志，从而推动了湖湘文化甚至中国文化的进步与繁荣。自此以后，元、明、清时期，湖湘地域的书院一直传承这一优良学风，将湖湘文化推向高峰与繁荣。

湖湘文化结构还包括湖湘文化模式的问题。文化模式是特定的社会群体（民族）的文化构成要素与方式，以及由此表现出来的稳定的特征。美国著名文化人类学家本尼迪克特 1934 年出版的《文化模式》一书，拓展了人们文化研究的视野。她认为，每一个民族都有着自己独特的文化，这种文化犹如一个人的思想行为方式，多少具有一致性。每一种文化内部又都有其特殊的目标，而这种目标是其他别的社会所没有的，所以不同的社会有不同的文化模式。这种文化模式可以说明每一个特定的人与其生活于其中的文化之间的关系。[②] 她还认为，“文化模式是一种个体行为，无数微观的个体的文化行为最终组成一个民族的文化模式。人类行为的方式有多种多样的可能，这种可能是无穷的。但是一个部族、一种文化在这样的无穷的可能性里，只能选择其中的一些，而这种选择有自身的社会价值趋向、选择的行为方式，包括对待人之生死、青春期、婚姻的方式，以至在经济、政治、社会交往等领域的各种规矩、习俗，并通过形式化的方式，形成风俗、礼仪，从而结合成一个部落或部

① 陈谷嘉，邓洪波. 中国书院史资料［M］. 杭州：浙江教育出版社，1998：321.

② 露丝·本尼迪克特. 文化模式［M］. 王炜，等译. 北京：社会科学文献出版社，2009：48.

族的文化模式”。[1] 由此看来，文化模式都是一个文化主题，一种主导观念，它把各个分散的文化元素组合起来之后就形成某种文化模式。文化模式有一种“整体属性”和“整体倾向性”，“整体决定着它的部分，不仅决定着这些部分之间的关系，而且也决定着它们真正的本质”。[2] 依此，湖湘文化作为一种有独立特性的区域文化是中华传统文化的重要组成部分，在其发展过程中不断地吸收、融合而变迁、形塑，发展成为一种具有相容相克、极具张力的二重性矛盾文化模式。这一文化模式的具体内容表现为思想上的“开放与保守”、行为上的“尚武与好斗”、性格上的“大度与狭隘”、人格上的“特立独行与非理性”。这四个方面构成了湖湘文化模式的矛盾统一体。

首先，思想上的“开放与保守”。

湖湘文化特别是近代湖湘文化具有鲜明的开放与保守、包容与抗拒并存的二重性特征：一方面，“心忧天下，敢为人先”的爱国情怀和激进气质催生出了不少以开放精神著称于世的湖湘先驱，如湖湘文化兴起的标志性人物周敦颐援佛、道入儒，确立了理学会通诸家的学术取向及基本理论框架。南宋时期，湖湘学派兼收并蓄的主要学风成为湖湘学术的传统。在岳麓书院讲坛上，来自不同地域、不同学派的学者都能够放言高论，传播其学说，显示了湖湘学派的博大胸襟。进入近代后，这种开放精神更发扬光大，如魏源，在朝野上下沉溺于天朝上国的迷梦时，在大多数国人视西方人为夷狄之时，他在《海国图志》中提出了“师夷长技以制夷”的振聋发聩的口号，成为近代中国向西方学习的先驱。又如曾国藩、左宗棠，以经世致用的理念，率先揭开了洋务运动的序幕，创办近代军事工业和民用工业，兴办近代西式教育，选派留学生。他自己也因

① 露丝·本尼迪克特. 文化模式［M］. 王炜，等译. 北京：社会科学文献出版社，2009：3.

② 同①53.

此成为中国早期现代化事业的奠基者。再如郭嵩焘，是晚清第一位走出国门、担任驻外公使的清朝大员。归国后，大胆地提出了学习西方政治制度，要求清政府实行政治改革的主张。在维新运动中，湖南的变法维新在谭嗣同、唐才常、熊希龄等维新志士的倡导和推动下，走在全国的前列，各项改革如火如荼，风生水起，使得湖南成为全国“最富朝气的省份”。另外，在19世纪末20世纪初的留日运动和五四时期的赴法勤工俭学运动中，湖南也是当时全国最活跃的省份之一。这也从某种意义上显示了湖湘文化的开放性特点。

另一方面，由于封闭的地理环境，特别是以复兴儒学为核心的卫道意识又使得湖湘文化具有普遍而强烈的文化保守性。到了近代的某些时候，这种保守性甚至成为有些湖南人墨守成规、抗拒西方外来文化的思想武器。如宋代的胡安国、胡宏、张栻等人注重经世致用，但他们又反对王安石改革，推崇所谓的“三代”王道政治。明末清初的王夫之曾积极投身政治活动，批判程朱陆王学说，主张限制君权，但他又自觉维护封建专制制度和道统权威。到了近代，当国门大开、西学东渐之时，整个湖南更是弥漫着浓烈的保守封闭气息。如长沙被外界称为“铁门之城”，拒绝一切外来事物。又如近代湖南的反洋教排外是当时全国最为激烈的。凡有传教士涉足之处，如湘潭、衡阳、永州、岳州、长沙、常德、武陵、龙阳、石门、桃源、临湘等地，无一例外地发生了焚烧教堂、驱逐教士的反教排外事件。大小教案多达数十起之多，居全国之首位。“反洋教”固然有反对帝国主义侵略的积极意义，但从中西文化交流的角度来看，却也清晰地印证了湖南人强烈的保守排外意识。还有在湖南兴办洋务事业之时，很多人坚决抵制，甚至群起而攻之。如很多地方对所架电线，推倒电杆，毁断电线，致使电讯事务中途夭折，等等。台湾著名学者张朋园对洋务运动时期湖南的保守深有感触，他说：“自鸦片战争至英法联军之役，中国所发生的‘三千年变局’，湖南人是无动于衷的。湖南人的守旧态度，有似一口枯井，外在的激荡，都没有引起些许涟漪。所以当自强运动在沿海地区进展的时候，湖南人仍在酣睡之中。三十余年的自强运动，于湖南人几乎完全是陌生的。”①

其次，行为上的“尚武与好斗”。

湖湘文化起源于上古时期的苗蛮文化，故湖湘文化带有较为浓厚的好勇尚武气习，如“劲悍决烈”“劲直任气”“人性劲悍”“赋性刁悍”“民好斗讼”“任性刚直”“刚劲勇悍”等这样的词汇频频出现在自古代及近代的文献中。其实，这种好勇尚武的气习，一方面体现了湖南人吃得苦、耐得劳、不信邪、不服输、敢出头，乐于奋斗，勇于并敢于牺牲等众多肯定性精神特质，这些精神特质被历代湖湘志士所传承。每当遇到强烈的外部刺激时便喷薄而出，特别是在近代内忧外患日益加剧、中华民族面临亡国灭种危机的紧要关头时，这些精神特质与深沉的忧患意识和历史使命感相结合，使无数湖南志士爆发出无与伦比的巨大力量。也就是说，“好勇尚武”在特定的环境、特定的时代，特别是针对特定的对象时，绝对是一种值得称道的大丈夫品格，它体现的是湖南人不畏强暴，不惧淫威的冲天斗志。也正因为有了这种好勇尚武的精神，历史上的湖南，特别是近百年的湖南才会演绎出“无湘不成军”“中国不可一日无湖南”“湘人不倒，华夏不倾”“若道中华国果亡，除非湖南人尽死”等种种“神话”，也才会催生出一大批诸如左宗棠、谭嗣同、蔡锷、黄兴、宋教仁、陈天华、禹之谟，甚至贺龙、夏明翰等名满华夏的英雄形象，凡此等等，自然都是湖湘人宝贵的精神财富。

然而，物极必反，如果过分注重“尚武好勇”，就会转变为“好斗逞强”而不计后果，就会表现出一系列的如“狭隘”“自负”“蛮干”以及“不讲理”“好冲动”等消极负面的行为冲动。反思湖湘文化，这样一些表现与特点也是显而易见的。例如湘军集团于

① 张朋园. 中国现代化的区域研究 湖南省，1860—1916［M］. 台北“中央研究院”近代史研究所，1983：131.

公于私的个人恩怨与争强好胜行为和在湖南维新变法时期围绕时务学堂有关问题维新派与保守派之间的激烈交恶，都能很好地证明这一点。因此，湖湘文化中的因好勇尚武而演变为的好斗逞强，大大制约了湖湘文化的良性发展和近代化进程。

第三，性格上的“大度与狭隘”。

毋庸讳言，湖南人无论是说话还是做事，给人的印象总是觉得湖南人自信、大气、大度、胸襟开阔，但是有的时候又觉得湖南人特别自负、褊狭、容易走极端。实际上，这就是真实的湖南人或者湖湘文化二重心理特征——大度与狭隘。对此，我们必须实事求是，全面看待，不可偏废。如果只看到其中的任何一方，都是对湖湘文化片面的认识。

湖湘人自古以天下为己任，具有一种大谋大略、大智大勇的浩然气概，具有一种敢担重任、舍我其谁的伟大魄力。这种浩然气概和伟大魄力充分显示了湖湘文化的自信与大度。如屈原的《天问》诗篇，一共 373 句，全篇从天地离分、阴阳变化、日月星辰等自然现象，一直问到神话传说乃至圣贤凶顽和战乱兴衰等历史故事，表现了屈原对某些传统观念的大胆怀疑，以及他追求真理的探索精神，可谓起伏跌宕，大气豪迈。宋代著名学者胡安国提倡“为学则以圣贤自期，为政则当以宰相自任”①，开湖湘学派先河，其首倡之功雄立千秋。而明清之际王夫之的功业“星日昭垂，旷世之师”，更是人所共仰。湖南人这种心系天下、傲视群伦的雄伟气魄绵延荏苒，在近代中国历史上表现得更为明显。鸦片战争期间，屈处乡村僻壤的青年左宗棠虽“身无半亩”，却“心忧天下”，吟出了“书生岂有封侯想，为播天威佐太平”② 的宏伟抱负。维新变法期间，湖南人更是雄心勃勃，敢为天下先，喊出“吾湘变则中国变，吾湘

① 刘爚. 云庄集［M］. 四库全书本.

② 左宗棠. 感事四首［M］//左宗棠全集. 长沙：岳麓书社，1996：459.

存则中国存”[1] 的豪言壮语。蔡锷骑马登岳麓，发出的是“环顾中原谁是主，从容骑马上峰巅”[2] 的豪迈感慨。至于青年毛泽东“问苍茫大地，谁主沉浮”的设问，“自信人生两百年，会当水击三千里”的雄心，“谁敢横刀立马？唯我彭大将军”“一代天骄，成吉思汗，只识弯弓射大雕；数风流人物还看今朝”的壮志，更是尽人皆知，成为湖湘文化自信大气的真实写照。

湖南文化的这种自信、大气一旦任其蔓延和过分演绎，就会转化为它的对立面，即自大、自负，所以湖湘文化又有一种挥之不去的褊狭的文化情结。有学者曾经指出：“湖湘文化的辉煌（主要指近现代）虽然使湖南人产生了以天下为己任、敢为天下先的担待精神，但同时产生了一种舍我其谁、非我莫属的自大的病态人格。”[3] “病态人格”的说法固然值得商榷，但自负、褊狭的心理、行为却不容忽视。

湖南人的自负性格由来已久，“楚狂人”在春秋战国时代就出现了，后来成为李白笔下借景抒怀的素材：“我本楚狂人，凤歌笑孔丘。”[4] 所以，楚人之狂既是孔子对楚人的感性评判，也是后世认同楚人狂狷的明证。古代典籍中关于湖南人自负性格的描述也不少。时至近代，有关湘人自负性格的记载就更多，如咸同年间曾任湖南布政使的四川人李榕说湖南人“气太强”，曾任湖南巡抚的江西人陈宝箴则说湖南人“好胜尚气”。1933 年国立清华大学考察团访湘后提出的报告说：“一入长沙，即深觉湖南之团结力特别坚强，……然同时亦气量褊狭，……吵嘴打架，殆属常事，民风剽悍殆即以此。”“惟其性侠，故能有坚强之反抗力，绝不逆来顺受；惟

① 熊希龄. 湖南时务学堂缘起［N］. 知新报，光绪二十三年九月初一日.
② 刘达武. 蔡松坡先生遗集：之八［M］. 湖南邵阳蔡公遗集编印委员会，1943：33.
③ 田中阳. 论近世湖湘文化精神的负面效应［J］. 求索，2000（6）：114.
④ 李白. 庐山谣寄卢侍御虚舟［M］//李太白集. 安徽巡抚采进本.

其讲求气节，故不能腼颜事仇，而视死如归。‘楚虽三户，亡秦必楚’。盖风气刚强，自古已然，此种精神，如能持久，光荣的将来，非湖南人莫属。”① 张朋园先生把湖南人的性格概括为：“综合言之，湖南人个性坚强，凡事认定一个目标，勇往直前，不计成败，不计利害，不屑更改，是一种‘不信邪’的‘骡子脾气’，在中华民族之中，自成一地区性的性格。此种性格，由来已久，稳定而少变化。”② 只要仔细考察近代湖湘风云人物，敏锐、倔强、劲悍、俭朴则是他们共同的鲜明的性格特征。

第四，人格上的“特立独行与非理性”。

湖湘文化十分重视精神、主观意志的作用，具有一种“特立独行”的不二根性。从积极意义上来看，它使湖湘志士具有“不成功、便成仁”的敢死、牺牲精神，但从消极意义上来看，它却容易导致极端的唯意志主义。

湖湘文化的源头楚文化，就具有“尚力不尚德”“尚力不尚理”的特点。这对后世有着深远的影响。宋代出现的湖湘学派也十分重视精神以及主观意志的能动作用，其创始人胡宏说：“非性无物，非气无形。性，其气之本乎！气之流行，性为之主。性之流行，心为之主。”③ 这种“性本体”论较之宋明理学中推崇的“理本体”论，夸大了行为主体的自觉能动性。张栻甚至把“心”提高到主宰者的地位，认为“心也者，贯万事，统万理而为万物之主宰者也”④。可以说为后来的“阳明心学”奠定了基础。王阳明来湘讲学后，湖南迅疾兴起“楚中王门”，使“心学”在湖南地区有比较大的影响。而“心学”实则将人的主观能动性夸大到了极致。

① 转引杨金鑫. 试论湖南人的性格［J］. 湖南师范大学社会科学学报，1991（6）：32.

② 张朋园. 近代湖南人性格试释［J］. 台北“中央研究院”近代史研究所集刊，1977（6）：147.

③ 胡宏. 胡宏集［M］. 吴仁华，校. 北京：中华书局，1987：22.

④ 张栻. 张栻全集［M］. 杨世文，王蓉贵，点校. 长春：长春出版社，1999：724.

对个人意志的极端强调，对主观能动性的无限夸大，使湖南人说话行事具有一种勇往直前、无所畏惧的精神，即使以付出生命为代价也在所不惜。德国地质学家里希霍芬在19世纪60年代和70年代多次深入中国各地考察地域文化。这位德国学者如此形容湖南人的气质："中国军人主要产生于此。很多官员也出生在湖南。忠实、正直、强烈的自我意识，加上粗犷、反叛心更是该省人民的性格特点。"① 梁启超说："湖南人之长在强而悍"②，宋教仁说："湖南之民族，坚强忍耐，富于敢死排外性质之民族也。"③ 章士钊则说得更为透彻："湖南人有特性，特性者为何？曰：好持其理之所自信，而行其心之所能安；势之顺逆，人之毁誉，不遑顾也。"④

不容否认，湖湘文化和湖南人的这种"独立根性"，表达了一种高扬的主体意识，是对个人精神和意志的尊崇，有值得肯定、值得提倡之处。但换一个角度来看，它很容易导致忽略事物的规律，忽略主、客观环境的影响，喜欢凭意气用事而带有强烈的非理性的态度。前述之"尚力不尚理"，就是说有点不讲道理的味道。也就是当代湖南人常说的"霸蛮"，这些都内含了固执、不讲理、不顾客观规律的意思。这一点在近代无数湖湘名流身上都有所体现。⑤

（三）湖湘文化的功能

按照文化结构功能主义的理论，一种文化有什么样的结构，就会有什么样的功能，文化的功能是由文化结构决定的。英国文化人

---

① 转引何梓林，夏远生．二十世纪湖南人物［M］．长沙：湖南人民出版社，2001：30.

② 梁启超．戊戌政变记：附录二：湖南广东情形［M］//梁启超全集．北京：北京出版社，1999：242.

③ 陈旭麓．宋教仁集 上［M］．北京：中华书局，1981：10.

④ 章士钊．刘霖生先生七十寿序［M］//章士钊全集：第8卷．北京：文汇出版社，2000：67.

⑤ 刘云波．论湖湘性格的二重性［J］．船山学刊，2007（3）.

类学家拉德克利夫-布朗指出：“一切文化现象都具有特定的功能，无论是整个社会还是社会中的某个社区，都是一个功能统一体。”① 马林诺夫斯基也有过类似的论述，他说：“在每种文明中，一切习惯、物质对象、思维和信仰，都起着某种关键作用，有着某些任务要完成，代表着构成运转着的整体的不可分割的部分。”② 可见，文化功能是文化固有之属性。文化功能，又叫文化价值，是指文化对个人（个体）、团体（群体）和社会等不同层面所起的作用。就个人而言，文化起着塑造个人人格，实现社会化的功能；就团体而言，文化起着目标、规范、意见和行为整合的作用；对于整个社会，文化起着社会整合和社会导向的作用，这三个层面的功能是互相联系的。湖湘文化作为一种相对独立存在的历史文化形态而发展至今，自有它的文化功能，不但维系着自身的存在、发展，而且推动了湖湘社会的整体进步，尤其到了近代，影响了整个中国社会的历史进程。湖湘文化这种功能主要体现在认同功能、导向功能、整合功能、教化功能，本书在此主要论述湖湘文化的认同功能和教化功能。

首先，是湖湘文化的认同功能。

文化认同（culturalidentity）是一种群体文化认同的感觉，是一种个体被群体的文化影响的感觉，是对自身文化身份和地位的一种自觉和把握。“文化认同”所回答的是“我们是谁”的问题。亨廷顿（S. P. Huntington，1927—2008）曾指出，不同民族的人们常以对他们来说最有意义的事物来回答“我们是谁”，即用“祖先、宗教、语言、历史、价值、习俗和体制来界定自己”，并以某种象征物作为标志来表示自己的文化认同，如旗帜、十字架、新月形，甚至头盖等等。亨廷顿还认为“文化认同对于大多数人来说是最有

① 转引夏建中．文化人类学理论学派：文化研究的历史［M］．北京：中国人民大学出版社，1997：122.

② 同①130.

意义的东西”。[1] 总之，文化认同是人们在一个民族共同体中长期共同生活所形成的对本民族最有意义的事物的肯定性体认，其核心是对一个民族的基本价值的认同，是凝聚这个民族共同体的精神纽带，是这个民族共同体生命延续的精神基础。因而，文化认同是民族认同、国家认同的重要基础，而且是最深层的基础。在当今经济全球化的时代，作为民族的认同和国家的认同的重要基础的文化认同、价值认同不仅没有失去意义，而且成为综合国力竞争中最重要的软实力。

文化认同主要表现在地理位置、性别、种族、历史、国籍、性别取向、宗教信仰和种族划分等方面。由此，湖湘文化的认同功能可以从不同层面、不同的内容去言说，主要可以从湖湘人的乡邦文化意识和乡土情结中反映出来。例如湖湘学人素有“褒美乡贤”的传统，对乡邦文化有一种弥足珍贵的情感。湖湘文化的乡土情结不仅表现在湖湘子弟对于家乡的热爱，更重要的是对于本区域文化精神的维护和弘扬。自周敦颐以来，胡安国等开创的湖湘学派一脉相承。各个时代的湖湘人士都注重从乡贤先达的思想中挖掘积极进步的内涵，湖湘学派对于楚文化传统的萃取，王夫之对于湖湘学派的传承，嘉道后湘军集团对王船山的刻意弘扬等等，无不表现出湘人对于本区域文化传统的珍惜和钟爱。

很少有一种区域文化的传承系统和文化自觉意识像湖湘文化这样强烈，历代湘人对于乡邦文化的整理情有独钟。明代周圣楷曾遍游楚地名胜遗迹，搜罗古今传人轶事，撰就 45 卷《楚宝》。清康熙年间，廖元度收录明代以前全楚诗，集成 64 卷，后又收清前期楚诗，名《楚风补》。道光年间邓显鹤毕生热心搜集、整理湖南乡邦文献，先后辑《资江耆旧集》《沅湘耆旧集》，校勘《船山遗书》，

---

① 塞缪尔·亨廷顿. 文明的冲突与国际秩序的重建［M］. 周琪，刘绯，等译. 北京：新华出版社，2002：6.

对表彰湖南先贤节烈，激励湖南人的“气节”起了重大作用。同治年间，罗汝怀编辑《湖南文征》，广聚湘人著述，蔚为大观，凡此种种，数不胜数。

湖湘文化的乡土情结和文化自觉还表现在湘人对本区域象征体系的着意构建上，最为明显的就是对于船山之学的承继和崇祀。嘉道时期，船山之学开始受到湘人的重视和推崇。邓显鹤、曾国藩、曾国荃先后主持和资助刊刻《船山遗书》，传播王夫之的思想。湘潭罗正钧作《船山师友记》，清泉王之春编《船山年谱》，一时之间，湖南士绅纷纷以读船山之书，谈船山之学为自豪，使得王夫之的学说风靡湖湘。

邓显鹤等在刊刻王夫之著作时，曾经谋划建立祠堂进行祭祀，未获成功。后来郭嵩焘继承其志，“为建祠南轩祠之旁”，每逢祭期，湖湘士绅都要到祠中行礼致祭，书院讲社等场所同样也少不了对船山的尊崇。从光绪二年（1876）开始，郭嵩焘、孔祥霖、赵启霖还先后上奏折请求将船山从祀文庙，几经波折，直到光绪三十四年（1908）终于得到清政府的允准，历时30余年，几乎与光绪朝相始终。湖南学人有意识地将王夫之与张栻连成一体加以祭祀，强化从屈原、周敦颐、张栻、王船山乃至曾国藩一脉相承的湖南学术传统，完善了本地文化传承谱系，构建起完整的区域文化象征话语体系。

上述湖湘人的乡邦文化意识和乡土文化情结，都可视为湖湘文化认同功能的范畴，都是湖湘文化中最有意义的事情，从中都能寻绎湖湘人的基本价值和精神力量。下面还要重点论述明清时期湖湘文化中对楚文化的自觉意识和湖南独立建省的文化意识，因为二者最能体现湖湘文化的认同功能。

在湖南独立建省之前，湖南地域文化是楚文化的一部分。楚文化相较于湖湘地域确实高度发达，尤以《楚辞》为代表，成为中国文学史上的一座高峰，而相较于中原地域的华夏文明，楚地仍为

“蛮夷”荒僻之区，文化远远不及中原。中间虽有宋代湖湘学派的兴盛和湖湘理学的发达，至明清之际，湖湘人对湖湘地域文化的叙述依然包含在楚文化之内的，始终未能形成以湖南为范围整理文化遗产的意识。换言之，明末清初以前，湖湘意味的楚文化意识没有进入文人士子的文化视野，没有对湖湘文化加以自觉的反思和整理。这种情况的改观，是在明末清初以后，尤其是湖南独立建省以后。湖湘人的楚文化自觉意识主要体现在这个时期周圣楷、廖元度对楚文化本土文献的搜集整理，表彰湖湘地域之内的楚文化。周圣楷搜集地方文献，网罗楚地古今藏书、名人胜事，纂成《楚宝》《楚才奇绝》及《湘水元夷》等书。廖元度收集楚地诗歌，撰成《楚风补》《楚风记》。①

有学者指出：“《楚宝》和《楚风补》的先后面世，表明明清之际楚人地域文化自觉意识的发展。与以往相比，他们更强调楚文化在全国的地位与价值。”② 从文化发生角度而论，两书的付梓，我们不能将其视为纯粹的楚文化整理和表彰楚地先贤，而是湖湘士人通过象征性的楚文化媒介，开始的一种自觉反思自身文化，寻找自身价值与意义的文化事件，是一种湖湘文化认同意识的初显，具有身份认同的意义。因为，在周圣楷看来，先秦诸子之书实际上开始于楚人所作的《鬻子》，《老子》《庄子》更是楚文化的瑰宝，因而孔子在删改《诗经》时保留了许多楚地的诗歌。周圣楷认为，文学上，《楚辞》是后代辞赋之祖；军事上，楚地人是舟师和射法的创造发明者；政治制度上，楚国设立的“令尹”这一职官实际上是后世宰相制的开始。也就是说，楚文化在中国传统文化中具有举足轻重的作用与地位。而廖元度《楚风补》实际上是“拟征楚人之

① 关于周圣楷、廖元度其人其书的介绍，可参阅张晶萍教授所著《近代“湘学观”的形成与嬗变研究》（知识产权出版社 2015 年版）中有关章节内容。

② 张晶萍. 近代“湘学观”的形成与嬗变研究［M］. 北京：知识产权出版社，2015：10.

什，以补楚国之风”[1]，弥补《诗经》中无“楚风”之缺憾，明显是在中国正统的文化谱系中为“楚风”争得一席地位。

随着清初湖南、湖北的分治，湖南人的文化独立意识逐渐增强。清朝雍正二年（1724）清政府设湖南巡抚，“提督军务，兼理粮饷”，自此，湖南成为清朝一个独立的行省。这一年也是湖南、湖北科举分闱之始。故有人说，“湖南之建行省，自分闱始也”[2]，湖南独立举办乡试不仅是湘省行政权力的体现，也为湖南风气大开、人才奋起奠定了基础，特别是增强了湖湘文化的自信和独立意识。所以，它成为湖湘文化发展史上的关键性事件，被誉为湖南建省的标志。对于一个独立的行省而言，仅仅有举办乡试的权力还远远不够，还需争取对湖南历史、地理、文化传统的阐释权和话语权，所以，湖南建省以后的又一重大举措，是编修独立的《湖南通志》。乾隆二十一年（1756）在巡抚陈宏谋的主持之下，湖南开始撰修有史以来的第一部省志，至乾隆二十二年（1757），“分门三十有七，成书一百七十四卷”的《湖南通志》撰成。概而言之，首部《湖南通志》明显突出了湖南省的两个文化特色：“其一，湖南文物声名日新月异，不亚于他省。”“其二，湖南具有独特的人文教化，非他省可以代替。”[3] 显然，《湖南通志》的编写，正式开启了独立解读湖南省山川地理、历史文化的历程，“举九府四州之山川城郭，户口田赋，选举艺文，土俗产物，靡不纲举目张”[4]，“足以绘盛治之规模，而写太平之景象”[5]。所以，当时有人认为《湖南通志》的编写完成于官于民皆有益处，“官斯土则有怀经济因革

① 廖元度．楚风补：征诗小引［M］//楚风补校注．武汉：湖北人民出版社，1998.
② 郭嵩焘．五贤祀碑记［M］//郭嵩焘文集．长沙：岳麓书社，1996：523.
③ 张晶萍．近代“湘学观”的形成与嬗变研究［M］．北京：知识产权出版社，2015：12—13.
④ 杨廷璋．湖南通志序．湖南通志［M］．刻本．1757（乾隆二十二年）.
⑤ 硕色．湖南通志序．湖南通志［M］．刻本．1757（乾隆二十二年）.

损益厘然可守也；生斯地则仰止前贤鼓舞效法勃然兴起也”①。嘉庆二十一年（1816）湖南再度编修《湖南通志》，以完善体例，补充内容。此次编修省志，特别得到了湘籍大臣两江总督陶澍的关注与支持，确定了省志编修的一些基本原则，资料搜集更加全面、合理。可见，乾隆、嘉庆年间，《湖南通志》的编修，是湖南历史上的一件大事。“有省必有志，有志乃成省，省志的修撰过程是对‘省’历史文化认同的过程。它一方面通过全省地方文献的搜集整理，构建出一个有关湖南省历史地理的叙述体系，另一方面也促进了对地方文献的进一步关注，促进了对本省历史文化的认同。”②专门研究地域文化史的程美宝教授是这样认为的，他说：“中国历代编修方志的传统，使得每一个地区都有可能通过地方志的编修，以历史记录和叙述的方式，来表达地方文化意识。自清代以后，地方志大多是在本地地方官员的主持下，荟集本地最有影响的文人，集体编撰。因而，地方志的内容及其表达方式，反映了地方领袖主导的文化观念以及由此建立的历史解释，是当地各种政治和社会势力较量和对话的结果。”③

其次，是湖湘文化的教化功能。

文化的教化功能，又叫文化的涵化功能。文化涵化（acculturation）是一个民族学、文化人类学重要概念，是指由两个或两个以上不同文化体系间持续接触、影响而造成的一方或双方发生的大规模文化变化；处于支配从属地位关系的不同群体，由于长期直接接触而使各自文化发生规模变迁。具体言之，文化涵化有下列特征：涵化多是在外部压力下产生的，如军事征服、殖民入侵等；涵化往

① 陈宏谋. 湖南通志序. 湖南通志［M］. 刻本. 1757（乾隆二十二年）.

② 张晶萍. 近代“湘学观”的形成与嬗变研究［M］. 北京：知识产权出版社，2015：17.

③ 程美宝. 地域文化与国家认同：晚清以来“广东文化”观的形成［M］. 北京：生活·读书·新知三联书店，2006：261.

往意味着许多文化因素的变化；相互接触的群体，总有一个是强大的，处于支配地位，另外的则处于从属地位。湖湘文化在漫长的历史文化变迁过程之中，与其他许多不同形态的文化一样，具有不可或缺的涵化功能，突出的表现为两个方面：一是湖湘文化在历史演进之中的三次重大变迁；二是湖湘文化对湖湘人才造就的教化与影响。

湖湘文化是各种不同文化相互交流和融合的结果。从湖湘文化演变的过程看，它历经了历史上的三次大融合、大变迁：两宋时期，理学思潮兴盛，湖湘学派崛起，古代湖湘文化融合儒释道三家文化的合理内核，创造性地建构了湖湘理学；进入近代，特别是甲午中日战争以后，因受欧风美雨的强势影响，古代湖湘文化转型为近代湖湘文化；新文化运动时期，马克思主义在中国传播，中国共产党的成立，湖湘文化再变为马克思主义文化。从这三次文化大融合、大变迁，足以发现湖湘文化具有强大的文化涵化功能，几乎每次变迁皆能实现自我文化的华丽转身。[①]

湖湘文化涵化功能的另一突出表现是它的教化作用。在鸦片战争以后，近代湖湘人才群体的出现就能够得到很好的说明。近代以前，湖南人物罕见史传；近代以后，“湘籍历史名人、学者、政治家人数之多，近百年一直居各省之冠”[②]。近代湖南人才辈出的具体表现，从鸦片战争到中华人民共和国成立，大体上先后经历了五个时期，产生了五个人才群体[③]。

第一个人才群体出现在鸦片战争前后的清朝嘉庆、道光年间。这是以陶澍、贺长龄、魏源为代表的地主阶级经世派人才群体。第

① 参阅郭辉东. 大融合中崛起的湖湘文化 湖湘文化的源流和特征［J］. 湖湘论坛，1996（2）. 柯闻秀. 湖湘文化的三次大融合及其包容性特征的形成［J］. 株洲师范高等专科学校学报，2006（1）.

② 转引自林增平. 近代湖湘文化试探［J］. 历史研究，1988（4）：4.

③ 周秋光. 湖湘文化的近代转型及其人才群体现象与原因［J］. 湖南社会主义学院学报，2009（2），57—66.

二个人才群体出现在太平天国时期的清朝咸丰、同治年间。这是以曾国藩、左宗棠、彭玉麟、胡林翼、郭嵩焘为代表的湘军人才群体。第三个人才群体出现在清朝光绪年间的维新变法时期。这是以谭嗣同、唐才常、熊希龄为代表的资产阶级维新派人才群体。第四个人才群体出现在清朝光绪末年到民国初年的辛亥革命前后。这是以黄兴、宋教仁、蔡锷等为代表的资产阶级革命派人才群体。第五个人才群体出现在 1919 年五四运动之后的新民主主义革命时期。这是以毛泽东、蔡和森、刘少奇、彭德怀、贺龙等为代表的无产阶级革命派人才群体。

这五个人才群体的形成与壮大，其中一个很重要的原因是湖湘文化自身的教化功能所起作用的结果。湖湘文化在历史传承过程之中，一方面日益丰富与拓展；另一方面又不断地润泽湖湘弟子，为湖南人才的兴起提供了思想基础和精神养料。湖湘文化源自楚文化，历经岁月风雨的洗礼，与时俱变，但其通经致用、经邦济世的传统依然不变。经世致用的传统概而言之，就是强调积极的面世态度，树立治国平天下的志向，研究有关国计民生的实际问题，即学以致用。经世致用的学风从宋代的湖湘学派起开始提倡。胡宏说：“务圣人之道者，必先致知，乃超然有所见，方力行以终之。”① 明末清初，大思想家王夫之崇尚实学，隐居 40 年，著书立说，博采众家之长，将经世致用之学推向极致。但王夫之在世时其学不彰。他卷帙浩繁的著作被尘封了将近百年，直到道光年间，始由新化学者邓显鹤等先后汇刻 24 种，共 157 卷，称《船山遗书》。到太平天国时期，复经曾国藩、曾国荃兄弟广泛收集，在原有基础上扩充汇刻为 62 种，计 298 卷，仍称《船山遗书》，从此王夫之的学说与影响方日渐扩大。嘉、道年间贺长龄、魏源编辑刊行的《皇朝经世文编》也起到了很好的启迪士人注重经世的作用。人称“三湘学人，

① 胡宏. 胡宏集［M］. 吴仁华，校. 北京：中华书局，1987：146.

诵习成风，士皆有用世之志。”① 辛亥时期，革命党人也深受船山之学的影响。杨毓麟在《新湖南》中对王夫之的学术影响做了如下评论：“王船山氏平生所著书，自经义史论以至稗官小说，于种族之戚，家国之痛，呻吟呜咽，举笔不忘，如盲者之思视也，如痿者之思起也，如喑者之思言也，如饮食男女之欲一日不能离于其侧，朝愁暮思，梦寐以之。虽以黄梨洲之刚侠，至其沉酣没溺，持此为第一义谛，为毕生归根立命之所……故种界之悲剧流传于我湖南人之脑蒂者，最为酞深微至。”② 章士钊在《国民日日报》上发表的《王船山史说申义》也称：“船山史学宏论精义，可以振起吾国之国魂者极多，故发愿申说，以告世之不善读船山之书、深辜船山之意者。”③ 由上可见，湖湘文化的历史传承，人文教化，实际上是以经世致用与船山学说作为内容而不断发扬光大、推陈出新的。特别是近代湖湘人才的成长崛起，无疑与此种精神养料的滋润哺育关系甚深。

三、湖湘文化的精神特质

每个社会群体的文化精神都是在这个社会群体长期发展的历史过程中逐渐形成的，因而具有相对的稳定性；同时每个社会群体都要随着时代的发展和社会的变迁而发展变化，从而这个社会群体的文化精神也必然会随着一起发展和变化。随着时代的发展和社会的变迁，一个社会群体的文化精神必然会不断有新的文化因素出现，湖湘文化精神亦是如此。那么，湖湘文化的精神特质究竟有哪些？或者说湖南人究竟有哪些精神特征？对此人们已作过不少的讨论，见仁见智。首先，对学术界关于湖湘文化的特质的探讨作一简要

① 黄濬. 花随人圣庵摭忆［M］. 上海：上海古籍出版社，1983：200.

② 饶怀民. 杨毓麟集［M］. 长沙：岳麓书社，2001：34.

③ 中国人民政治协商会议全国委员会文史资料研究委员会. 辛亥革命回忆录：第1辑［M］. 北京：文史资料出版社，1961：232.

回顾。

（一）学术界的多维探究

对湖湘文化研究用力最多的朱汉民教授综合湖南宋元明清的文化思想、学术风尚、人才特色、教育实践的特点，认为湖湘文化包括下列三大要素：主张躬行实践，强调经世致用，推崇理学。在湖湘文化中，推崇理学、经世致用、道德践履并非只是一些孤立的要素，而是一个相互关联的整体结构。由湖湘文化的整体结构又产生出一些功能方面的基本特征，这些特征将湖湘文化和其他区域文化区别开来。他认为，湖湘文化具有三大基本特征，主要在上述的三大要素的关联中显示出来。第一，因重经世、重践履，推崇理学而不流于空疏或虚诞。第二，因推崇理学，有务实的经世观念，躬行践履而易流于保守。第三，因理学和经世观念的制约，重躬行实践而局限于政治伦理。①

郑大华从五个方面概括了湖湘文化的精神特质：第一，学以致用的经世精神；第二，“敢为天下先”的创新精神；第三，“以天下为己任”的担当精神；第四，“扎硬寨”“打死战”的奋斗精神；第五，“先天下之忧而忧，后天下之乐而乐”的奉献精神。②

丁平一试图从总体上概括湖湘文化的特征，她认为：经过漫长的历史积淀，由近代湖湘士民们陶铸而成的湖湘文化传统即强烈的爱国主义和民族主义精神；求新求变的变革精神；重践履、重实求的经世致用学风；踔厉敢死、勇为天下先的士风民俗。③

彭大成认为湖湘文化的主要特点在于：一是哲理思维与诗人才情的有机统一；二是经世致用的实学思潮与力行践履的道德修养；三是气化日新、自强不息的奋斗精神；四是忧国忧民的知识分子群体参政意识；五是运筹决胜、平治天下的军政谋略。

---

① 朱汉民．湖湘文化的基本要素与特征［J］．湖湘论坛，2000（5）．

② 郑大华．湖湘文化的精神特质［J］．新湘评论，2015（6）．

③ 丁平一．试论湖湘文化的根本特性［J］．求索，1998（5）．

文选德则认为，以麓山文化为集中体现的湖湘文化，在本质上是中国传统的儒、释、道三家文化精髓的结合：山顶，以老庄学说为主体，融合《抱朴子》及历代方家、术士、道人思想之精华，形成了“清静无为”“道法自然”的绝尘、超俗、功成、身退之道家文化；山腰，由达摩东渡而来的佛家思想，经历代高僧智士传承弘扬，形成了“慈悲为怀”“去恶从善”的善良、宽容、奉献、无畏之佛家文化；山脚，以孔子之四书五经为中心，经历代志士的苦心历练，形成了“修齐治平”“敢为人先”的仁礼、忠恕、中庸、向上之儒家文化。而这儒、释、道三家文化，又深深植根于岳麓山中，形成了彰显湖湘文化之“经世、爱国、务实、奋斗”特质的“麓山文化”。①

周秋光在概括湖湘文化的特征时，指出湖湘文化在优良传统方面的特征，主要表现为，“一是湖湘文化的历史源远流长，绵延传承，有一种明显的连续性，文化中的政治意识极为强烈”；“二是湖湘文化中的爱国主义传统尤为突出，历久常新，激励一代又一代三湘儿女奋发图强，报效祖国”；“三是湖湘文化中蕴藏着一种博采众家的开放精神与敢为天下先的独立奋斗与创新精神”。②

王继平认为，湖湘文化的基本精神或基本特点与核心精神或核心特点还是有区别的，所谓核心精神或核心特点，是指渗透于湖湘血液之中的，具有突出性、恒定性，特别是具有普遍性的精神特质。湖湘文化的基本精神或基本特征主要是忧国忧民的爱国主义、敢先天下的创新精神、兼收并蓄的开放精神、无所依傍的独立精神以及经世、务实、奋斗、牺牲、自信等等。③

万里认为，湖湘文化精神的基本来源可从民族文化、学术思想及社会阶级（阶层）分野三个层面进行考察，所以，湖湘文化是一

① 文选德. 麓山文化与湖湘文化［J］. 新湘评论，2007（6）.

② 周秋光. 湖湘文化的个性特征及其缺陷［J］. 船山学刊，2001（4）：50—53.

③ 王继平. 论近代湖湘文化的基本精神［M］//周秋光. 湖湘文化宏观研究. 长沙：湖南师范大学出版社，2001：302，203.

个多层次、多侧面的复杂矛盾、优劣共生的复合体。其内涵是复杂的，有时甚至是矛盾的，如“庙堂与江湖”“粗俗与高贵”“进取与保守”“温情与冷酷”“包容与排斥”“敢为天下先与不当出头鸟”“以天下为己任与自扫门前雪”等对立的东西，都在其中彼消此长而共生共存。“当我们认识到这些以后，就可以理解为何湖湘文化既可以孕育出具有积极进取、敢为天下先精神的人物，又可以孕育出保守落后、愚昧无知的人物来；更可以理解为何在近代以降的中国历史发展进程中湖南人独领风骚，而湖南在各个历史时期包括当代却始终是一个经济相对落后、思想并不解放的地区。”①

刘云波认为，所谓湖湘文化的核心精神，是指渗透于湖湘血液之中，具有突出性、恒定性，特别是具有普遍性的精神特质。他从地域个性、地域抱负和地域意志三个层面将湖湘文化的核心精神概括为三点：舍我其谁的自信品质，心系天下的爱国情怀，百折不挠的奋斗精神。②

唐浩明则从“楚风”“湘学”两个关键词入手，探讨湖湘文化的精神特质，并认为在漫长的历史文明进程中，楚风与湘学共同打造了湖湘文化的精神。大致说来，湘学是其内核，而楚风则是滋养发育这种文化的肥沃土壤。湘学的特色集中地寄寓在悬挂于岳麓书院内的三块名匾中。一为乾隆皇帝所题的“道南正脉”匾。“道南正脉”四个字，说的是地处南方的岳麓书院，所传授的学问是理学的正宗。这四个字，既是乾隆皇帝对湘学的高度评价，也指出了湘学的属性，即湘学乃官方所推崇的主流意识形态中的学问。二是康熙皇帝所题的“学达性天”匾。《论语》说：“下学而上达”，意谓通过求学而领悟高深的道理。这个高深的道理就是理学所研究的理、气、性、命等等，岳麓书院的最高追求就在这里。三为宾步程

① 万里. 略论湖湘文化的定义、内涵精神特质及其现代转换［C］. 湖南省湖湘文化研究会2007年年会论文集，2007：9.

② 刘云波. 论近代湖湘文化的三大核心精神［J］. 湘潮，2007（2）.

所题的“实事求是”匾。它既是书院的学风，更是书院的价值导向，即崇尚务实，注重实践。在这种导向的指引下，湖湘士子普遍把人生价值定位在安邦治国、匡济时艰上。具体地说，湖湘文化的精神特质主要有三个方面的特点：一是无所依傍的独立根性，二是经世致用的功业追求，三是使气轻生的热血性格。①

郭辉东从六个方面概括了湖湘文化的基本特征：一是格物究理，不囿成说；二是经世致用，不喜空谈；三是博采众长，不偏一说；四是重视教育，不偏一方；五是自强不息，不畏强暴；六是主新反旧，不泥于古。②

刘旭在他主编的《湖湘文化概论》一书中，将湖湘文化的基本精神概括为以下四个方面：“淳朴重义”，“勇敢尚武”，“经世致用”，“自强不息”。他还说，湖湘文化具有“独立不羁，遁世不闷”的特殊品格，具体表现为，一是湖湘文化的政治意识极为强烈；二是湖湘文化中的爱国主义传统尤为突出；三是湖湘文化中蕴藏着一种博采众家的开放精神与敢为天下先的独立创新精神。③

综上所述，学术界关于湖湘文化的精神特质的探讨，表现出大同小异的特点，“大同”是各位学者都能紧紧围绕湖湘文化的内容和核心，期待寻找、发掘其最本质、最深层精神特质，以此说明、揭示湖湘文化独特的地域特色和最优秀的文化品质；“小异”是各家观点不尽全面，难以概括湖湘文化精神特质的全貌，有的概括似乎是湖湘文化的特点，出现这种情况的原因主要是研究者立场、角度的不同，或者从广义的湖湘文化，即从整个湖南历史发展过程的文化演变视域来分析概括之，或者从狭义的湖湘文化，即从北宋以来的湖湘学术及其流变来讨论之。当然，这些观点对湖湘文化的深入认识和把握无疑具有启迪作用。在此，笔者吸收以往学术界的研

① 唐浩明．湖湘文化的精神特质［J］．新湘评论，2014（5）．

② 郭辉东．湖湘文化与湖南人才对近现代中国的影响［Z］．湖南名人网．

③ 刘旭．湖湘文化概论［M］．长沙：湖南人民出版社，2000．

究成果，综合各家观点，从广义的湖湘文化视角，试图对湖湘文化的精神特质进行整体把握。

（二）湖湘文化的精神特质

文化特质（Culturaltrait）是指组成文化的最小单位，也称文化元素。由于最小单位的确定是相对的，故文化特质或元素亦有其不确定性。如果将文化特质界定为文化的一个最小的功能单位，把它视为一个较大的文化复合体的基本元素，则只有能够发挥一定文化功能的元素才是文化特质，而组成它的更小的元素就不能视为文化特质。文化特质是研究者抽象出来的概念，它舍弃了组成文化复合体的基本单位的不同性质，没有显示出文化的功能。多数学者认为，一个文化复合体的繁简是由它所包含的文化元素的多少来衡量的，使用文化特质或文化元素概念来分析文化，有利于对文化进行定量分析。由于文化元素的组合不同，从而呈现出不同的文化；有时在这个意义上，也称某种文化为具有不同文化特质的文化。爱默生认为，伟大的灵魂的最大特征就是独立和个性化。用当代学者陈来的话说，文化特质或文化精神是“一个群体不同于其他群体的那些特质的总和”。或者说，“一个族群的精神气质是指他们生活中的一种风气、特征、品性，是其道德与审美的方式和基调，表示着此一族群对他们自己和他们所处世界的根本态度”。[1] 由此可见，我们确定一种文化的特质至少考虑这样几个标准：一是必须是文化复合体中最小单位或基本元素；二是必须是能够发挥一定文化功能的元素；三是必须具有一定的文化独立和个性化。依此，我们综合前述湖湘文化的历史发展过程、形态、类型、结构、功能等，认为湖湘文化的精神特质至少包括以下几个方面的基本元素。

第一，无所依傍、浩然独往的独立根性。

确实，由于独特的自然环境和特殊的历史机缘巧合，使得湖湘

① 陈来. 古代宗教与伦理 儒家思想的根源［M］. 北京：生活·读书·新知三联书店，1996：6—7.

人（文化）具有“强悍”“不畏艰苦”“不怕死”“尚武任侠”等显露于外的性格特点。这种特点实际上就是学界很多人谓之的“蛮”性格。其实，深而究之，深藏在“蛮”字背后的内涵或精神就是湖湘人（文化）所具有的独立不羁、不肯调和、不肯轻易服人、无所依傍、浩然独往的精神特征。

辛亥革命时的湖南志士杨毓麟将这种精神特征概括为“独立根性”四个字，认为这种精神是湖湘文化的“根性”即根本特性。他说：

> 且我湖南有特别独立之根性，……盖前则划以大江、群岭环其左而负其后，湘江与岭外之流同出一源，故风气稍近于云贵，而冒险之性，颇同于粤，于湖北与江西则相似者甚少，盖所受于地理者使然。其岸异之处，颇能自振于他省之外。自濂溪周氏师心独往，以一人之意识，经纬成一学说，遂为两宋道学不祧之祖。胜国以来，船山王氏以其坚贞刻苦之身，进退宋儒，自立宗主；当时阳明学说遍天下，而湘学独奋然自异焉。自是学者被服其成俗。二百年来，大江南北相率为烦琐之经说，而邵阳魏默深治今文《尚书》三家诗，门庭敞然。及今人湘潭王氏之于《公羊》，类能蹂躏数千载大儒之堂牖，而建立一帜。道咸之间，举世以谈洋务为耻，而魏默深首治之；湘阴郭嵩焘远袭船山，近接魏氏，其谈海外政艺时措之宜，能发人之所未见，冒不韪而勿惜。至于直接船山之精神者，尤莫如谭嗣同。无所依傍，浩然独往，不知宇宙之圻埒，何论世法！其爱同胞而惎仇虐，时时迸发于脑筋而不能自已，是何也？曰：独立之根性使然也。故吾湖南人之奴性，虽经十一朝之栽培浸灌，宜若可以深根而固蒂也，然至于今日，几几乎迸裂爆散，有冲决网罗之势。[①]

① 张枬，王忍之．辛亥革命前十年间时论选集：第一卷下册［M］．北京：生活·读书·新知三联书店，1960：617—618.

杨毓麟这里所说的周敦颐“师心独往”，王船山“自立宗主”，王闿运“建立一帜”，魏源“首治之”，郭嵩焘“发人之所未见”，谭嗣同“无所依傍”，都深刻说明了湖湘士民历来就有一种浩然独立、不囿陈见、另辟蹊径的创新精神。这种士风民气使湖湘学者很少有学究气，形成了湖湘文化的奇异色彩。深沉与浪漫、朴实与华美、哲理与想象、苍劲与飘逸总是和谐地统一于一体。这种风气哺育了一代又一代湖湘士民，使湖湘士风民气朴而不失其华，沉而不失其逸，古而不失其新，劲而不失其情。

湖湘文化中的这种“独立根性”当然是由来有自的，杨毓麟虽将其追溯到北宋周敦颐，其实还应远往前溯。冯友兰曾对荆楚人的“独立精神”有过一番议论。他说楚人“有极新之思想”，“不受周之文化之拘束”，并举屈原为例，说明这是一种文化精神的独立性。① 荆楚文化中的这种“独立根性”，并不仅仅体现在屈原这样的文化精英身上，而是处处可见的。荆楚人并不在乎别人称其为“蛮夷”，反而宣称“我蛮夷也”，表示了对中原王朝的蔑视，显示了强烈的自我意识和独立精神；楚人敢于自己称王而不待周王朝的封号，更是自我意识的强烈表现。而楚人这种自我意识强烈的“独立根性”，无疑受到了湖湘大地远古聚居之“九黎”“三苗”精神的浸润和影响。“九黎”“三苗”的这种“独立根性”文化精神，不仅影响了楚人，而且通过楚人的影响，在湖湘这块热土上代代传承，经历数千年的漫长岁月而至今不息。从周敦颐、王夫之、魏源、曾国藩、左宗棠、王闿运，直到毛泽东等等，他们的行事、性格中无不深深浸染着这种“独立根性”精神。所以，钱基博认为，湖湘人“风气自创，能别于中原人物以独立”，“罔不有独立自由之思想，有坚强不磨之气节”②。林语堂也说，湖南人“勇武耐劳

① 冯友兰. 中国哲学史：上册［M］. 北京：中华书局，1984：217.

② 钱基博，李肖聃. 近百年湖南学风 · 湘学略［M］. 长沙：岳麓书社，1985：1.

苦，湘军固已闻名天下，盖为楚国战士之后裔，具有较为可喜之特性”。[①] 杨度所作《湖南少年歌》更是把湖南人的尚武精神和刚劲勇悍的性格特征刻画得细致入微。[②] 显然，这种精神是湖湘文化中的一大宝贵精神财富，在新的历史时期应该不断发扬光大。

第二，刚劲强悍、踔厉敢死的尚武精神。

湖南自古民风强悍，有好武之风，这样的记载，史书上随处可见，《史记》说湖南“民风骠悍”，《隋书》谓其“劲悍决烈”。各地的县志、史书文献中形容湖南人性格之词也多是：“劲直任气”“人性悍直”“其俗好勇”“好武少文”“刚劲勇悍”“好勇尚俭”等等。近代德国地质学家里希霍芬（Ferdinand von Richthofen，1833—1905）19世纪下半叶数次考察中国，曾对中国十数省的不同民族、不同居民的性格特点进行了论述，其中对湖南人的说法就是，“军事精神十分突出”，江西人没有“湖南的那种刚健”，又说“忠实、正直、强烈的自我意识加上粗犷、反抗心更是该省居民的性格特征”。左宗棠对湖南人的自我诠释是：“吾湘之人厌声华，而耐艰苦，数千年古风未改。惟其耐艰苦，故强。惟其朴也，故而鲜通；惟其强也，故执而不达。”[③] 钱基博在《近百年湖南学风》的导言中说，湖南“民性多流于倔强”[④]。总之，这些民风、民气充分体现了湖南人刚劲强悍、踔厉敢死的尚武精神，这种尚武精神更加强化了湖南人的倔强性格，使湖南人更显得刚毅不屈和生气勃勃。

这种尚武精神一旦在国土糟践、朝廷危急、民族矛盾十分尖锐的时期，就彰显出湖湘人崇高的民族气节和不惜赴汤蹈火的精神品质。南宋时期，湖湘士人坚决主张抗金，反对妥协投降。湖湘学派

① 林语堂. 中国人［M］. 郝志东，沈益洪，译. 杭州：浙江人民出版社，1988：4.

② 刘晴波. 杨度集［M］. 长沙：湖南人民出版社，1986：95.

③ 左宗棠. 左宗棠全集：书信一［M］. 长沙：岳麓书社，1996：664.

④ 钱基博，李肖聃. 近百年湖南学风·湘学略［M］. 长沙：岳麓书社，1985：1.

的奠基人胡安国在向宋钦宗所上的《时政论》中就坚决主张抗金，收复失地。胡宏在上高宗书中，对金南侵而朝廷步步退让极为不满，甚至痛斥最高统治者“顾虑畏惧”，群臣“智谋浅短，自度不足以任大事，故欲偷安江左，贪图荣宠，皆为身谋尔”①。同时，湖湘学派的许多师生还以自己的实际行动实践护卫家园的民族情怀，他们直接投身到抗金斗争之中。如胡宏的弟子张栻就曾跟其父亲张浚兴师北伐，张栻在战斗中表现出来的英勇以及抗金爱国的坚定立场和思想，深深影响了湖南士人。南宋末年，蒙古人南下进攻长沙，在湖南安抚使李芾的率领下，长沙军民包括潭州书院、湘西书院、岳麓书院的数百学生义无反顾地投入守城战斗，坚守半年之久，最后矢尽粮绝，李芾和学生及许多官兵都壮烈殉国。

明末清初，清军入中原烧杀掳掠，湖南士民和各书院学生投身于抗清救亡斗争之中。南宋抗金名将吴猎的后裔、岳麓书院山长吴道行眼看明朝大势已去，自己空有报国之志而无力回天，最终绝食死于岳麓山。著名思想家王夫之则在明朝灭亡、清军追剿农民起义军余部和南明政权进入湖南之际，挺身而出，毅然举义兵于衡山，组织抗清斗争，失败后又埋首著述，完成“六经责我开生面”的重任，以寄家国之仇，终身不做清王朝统治下的臣民。

时至近代，这种士风民气，一方面得到了一如既往的传承和更大的发扬。近代湖南士子大都喜尚武任侠，如罗泽南虽是以理学大师著称，却“傥好驰马试剑”，其弟子李续宾也喜“习骑射，挽三石弓”②。谭嗣同也特别喜欢“任侠好事”，“娴技击，长弄弧矢”，且夙有从军志向，曾作诗以铭记他的“少有驰驱志”：“便欲从军弃文事，请缨转战肠堪拖。誓向沙场为鬼雄，庶展怀抱无蹉跎。生

① 脱脱，等. 宋史：儒林五［M］. 北京：中华书局，2000：10069.

② 钱基博，李肖聃. 近百年湖南学风·湘学略［M］. 长沙：岳麓书社，1985：18—19.

平渴慕矍铄翁，马革一语心渐摩。”[①] 湘军的成功带动了湘运之兴，湖南尚武之风为之一振，人人以从军习武为荣，“父兄子弟争荷戈”，“乡间共道从军乐”[②]。从此湖南人与军队结下了不解之缘，以至有“无湘不成军”的俗语流传。杨度曾言：“湘军以百战之余，遍布全国，出湖南之境而适他者，几无一处官场、军队，不有湘人之足迹。盖至此时，而湖南人亦几乎除农业外，惟以做官与当兵二者为生活之途。”[③] 从近代湖南层出不穷的人才群体情况来看，大都是军事和政治人才，且政治人才又都与军事有极大的关系。鸦片战争前后的陶澍、魏源、贺长龄兄弟，都与军事关系甚为密切。以曾国藩、左宗棠、胡林翼为代表的湘军之兴起，使湖南人才达到了最鼎盛的时期，湘军督抚遍天下，位至总兵、道员之列的就更是不计其数。戊戌时期的谭嗣同虽未在军事上有大建树，但尚武精神在他身上表现却是最为突出。唐才常、秦力山、林圭、沈荩、蔡钟浩等组织了自立军起义，体现了湖南人十足的勇武奋斗、不惜牺牲的精神。

另一方面，自古以来的湖湘尚武精神在近代自觉地转化为强烈激越的爱国主义情操和行动。近代中国，随着西方列强侵入，民族矛盾急剧上升，湖湘文化的爱国主义的情操和行动主要体现在三个方面：首先，近代湖南士人几乎都将挽救国家民族的危亡当作自己的神圣职责与使命。其次，近代湖南士人为了挽救国家和民族的危亡，焕发出了一种百折不挠和勇于献身的奋斗精神。再次，近代湖南士人为了最终达到挽救国家民族危亡的目的，注重把抵制外国侵略与学习西方有机结合起来。如魏源，面对清王朝的种种衰世迹象，萌生了变革救世意识，他在《海国图志》中开宗明义地指出该书是“为师夷长技以制夷而作”，他不仅主张将西方长技用于军事，

① 蔡尚思，方行．谭嗣同全集：上册［M］．北京：中华书局，1981：66.
② 刘晴波．杨度集［M］．长沙：湖南人民出版社，1986：94.
③ 同②98.

还主张将之用于国计民生。魏源的思想是洋务运动的理论先驱，曾国藩、左宗棠等湖湘人士接受了“师夷长技以制夷”的思想。在他们的倡导下，中国开始了学习西方科学技术以“求强、求富”的洋务运动。洋务运动的实践，对于抵御西方列强的侵略起了积极作用。特别是左宗棠，不仅是洋务运动的重要人物，而且在他古稀之年还率兵出师新疆，为维护祖国统一、领土完整作出了卓越贡献。甲午战败，天下震动，湖湘志士大批涌现，谭嗣同是这批志士中的杰出代表，他面对着国家“瓜分豆剖”“亡国灭种”的严峻局势，毅然走在国人的前列奋起救国。戊戌政变时，他本可逃过劫难，却甘愿受死，慨然表示：“各国变法，无不从流血而成，今日中国未闻有因变法而流血者，此国之所以不昌也。有之，请从嗣同始！”① 以自己的鲜血唤起民族的觉醒，表现了大义凛然的爱国主义情操。在孙中山领导的资产阶级革命中，湖南的志士无论在理论思想领域，还是在革命斗争实践之中，都涌现出了一批批英雄人物，如宋教仁、黄兴、刘揆一、陈天华、刘道一等。可以说，没有湖湘子弟的参与，就不可能有辛亥革命的成功。五四新文化运动时期，在岳麓书院弟子杨昌济先生经世救国思想的影响下，毛泽东、蔡和森等一批湖南志士又乘时而起，他们创立新民学会，继承湖湘文化“以天下为己任”的爱国主义传统，以“革新学术，砥砺品行，改良人心风俗”② 为宗旨，为新文化运动在湖南传播做出了很大贡献。新民学会会员留法勤工俭学，创办《湘江评论》，不断探寻救国真理，接受了马克思主义，转而以俄为师，把反帝爱国与社会主义和共产主义结合起来，把爱国主义发展到了崭新阶段。

第三，关注现实、体用合一的经世学风。

所谓经世济用，又称通经致用，主张学古通今而致诸用，研究

① 梁启超．戊戌政变记（外一种）［M］//上海：上海古籍出版社，2014：103.

② 中共中央文献研究室．毛泽东年谱（1893—1949）：上卷［M］．北京：中央文献出版社，2002：27.

有用之学解决社会实际问题，即理论与实践结合以经邦济世。这是中国儒家的一种传统学风，湖湘文化更是具有经世致用的突出特征。有学者认为经世致用是中国传统学术的基本精神，不能将它视为湖湘文化精神特点，王兴国先生对此曾有辨析，他说："诚然，经世致用是中国传统学术的重要特征之一，但是它在不同时期和不同地域的表现是有程度不同之区别的。例如清代汉学盛行时，在某些省份经世致用思想是不被重视的，但是在湖南却是始终一贯的，到了近代则在全国处于领先的地位。"①

湖湘文化中经世致用的学风，可以上溯到先秦汉唐时代。战国的屈原，西汉的贾谊，其学问文章与治国安邦的抱负、忧国忧民的胸怀、追求理想的实践浑然一体，他们是湖湘文化中经世致用学风的先行者。东汉的蔡伦发明了造纸，泽被后世；三国的蒋琬，以实干精神而为诸葛亮赏识；唐代的柳宗元、刘禹锡学问高文章好，忧国忧民振时济世，力倡改革遭受贬谪也不改初衷，他们推动了经世致用学风在湖湘文化中的发展。

在宋代胡宏、张栻创立一时称盛的湖湘学派，就以尊奉程朱理学、注重经世致用、包容众家之长、砥砺道德节操的传统学风见称于世。这种传统学风，逐渐衍化成湖湘文化的基因，对其后湖湘文化的演变和近代湖南人才群体的产生有着深刻的影响。湖湘学派开山者胡安国苦治《春秋》数十年，其目的是"康济时艰"；胡宏兄弟继承其父家风，主张从事学术的目的是"明体以达用"，为理学家的经世致用奠定了哲学基础。胡宏就曾明确指出："学圣人之道，得其体，必得其用。有体而无用，与异端何辨？井田、封建、学校、军制，皆圣人竭心思致用之大者也。"② 这里讲的井田、封建、学校、军制，就是古人讲的经世致用内容的一些主要方面。稍后

① 王兴国．略论近代湖湘文化的经世致用特点［J］．湖南大学学报（社会科学版），2004（6）：4．

② 胡宏．胡宏集［M］．吴仁华，点校．北京：中华书局，1987：131．

的张栻更是把“传道以济斯民”作为宗旨贯穿于岳麓书院整个教学活动中。在这种学风的影响下，湖湘学派培养出来的人才，都是具有实干精神的人物，如吴猎、赵方、彭龟年、游九言、游九功等人，他们或成为经邦济世的能员大吏，或成为卫国杀敌的良将英才。

特别是明清之际的王船山，将经世致用作了高度的理论概括，可以说，他的全部学说就是求实的学说，“尽废古今玄妙之说而返之实”，一生治学就强调一个“实”字。他关于“气”的观点、“道器说”以及他的知行观，明显带有唯物论和重实践的倾向，把过去理学家专重空洞的心性探求转向了外在客观物质世界的实践，即把性理哲学和经世致用紧密结合起来，倡导并推动了明末清初实学思潮的发展。自此以后，王船山开创的将理学与经世致用相结合的学风，成为湖湘文化的主旋律，影响了数代湖湘士人学子。道光之后，陶澍、贺长龄兄弟、魏源、曾国藩、左宗棠、胡林翼、黄兴、蔡锷乃至毛泽东为代表的一大批湘籍无产阶级革命家，都无不是受到王船山思想的影响。有学者认为，经世致用之学是中华传统文化走向近代的桥梁，实际上经世致用之学则是发端于湖湘，而影响到全国的。

经世致用之学强调的学术观和人生价值取向，所体现出来的就是务实学、重实践、求实干。所谓务实学，就是不尚空谈，一心一意去做有用的学问，重视国计民生的实际，以解决社会实际问题，追求治国平天下。因此它的最大导向作用，就是使湖湘学子产生了浓郁的忧国忧民的参政意识。如王船山之抗清保明的壮举，陶澍之行改革，魏源之著《皇朝经世文编》，曾国藩、左宗棠等夙以匡时救世为己任。实学之风，在特殊的时代就与爱国主义传统紧密联系在一起。湖湘士人常以生于“屈贾伤心地”而自豪、自勉，他们大都是为民生而忧、为国难而斗，从而走向社会的。所谓重实践，就是注重“知”与“行”相结合，认为实践出真知，要求崇实笃实，提倡力行，躬行实践。如胡宏提倡“行之行之又行之”[①]，张栻认为“致知力行，互相发也”，他说：“要识路途，亲去路口方得，若只端坐于室想象路而曰：吾识之矣，则无是理也。”[②] 王船山则提出了“知行相资以为用”的系统思想，他说：“知行相资以为用，唯其各有致功，而亦各有其效，故相资以互用。则于其相互，益知其必分矣。同者不相为用，资于异者乃和同而起功，此定理也。”[③] 他认为在人们的认识中知与行各有其功效，又必须相互为用，因此，只有知行并进，才能“知同而起功”，这是认识事物的一条定理。从曾国藩到湘军诸将领都以“勇于行事”“顽强力行”而闻名。所谓求实干，就是曾国藩所说的，“实者，不说大话，不好虚名，不行驾空之事，不谈过高之理。如此，可以少正天下浮伪之习。”[④] 毛泽东读曾国藩日记，在这段话的下面作了发挥，写道：“不行架空之事，不谈过高之理，心知不能行，谈之不过动听，不如默尔为愈。”[⑤]

在经世致用学风的熏陶下，除了陶澍、魏源、曾国藩、左宗棠等人之外，近代以降湖南还产生了一大批经邦济世的人物，他们在政治、经济、军事、外交、科学、学术等方面都有不俗的表现，为世人所称道。这种学风还直接影响了近代湖南的资产阶级维新派和资产阶级革命派。到了20世纪初叶，这种学风又为杨昌济等学者继承发扬，并对毛泽东、蔡和森等新一代湖湘文化的代表人物产生了深刻的影响。

第四，实事求是、勤勉笃实的务实作风。

实事求是也是湖湘文化精神的明显特征。“实事求是”一词出

---

① 胡宏．胡宏集：与孙正儒书［M］．北京：中华书局，1997：145.

② 张栻．张栻全集［M］．杨世文，王蓉贵，点校．长春：长春出版社，1999：957.

③ 王夫之．礼记章句：卷三一［M］．长沙，岳麓书社，2011：562—563.

④ 曾国藩．曾国藩全集：日记［M］．长沙：岳麓书社，1996：539.

⑤ 中共中央文献研究室．毛泽东早期文稿：讲堂录［M］．长沙：湖南人民出版社，1990：464.

自《汉书》，班固评价河间献王刘德说：“河间献王德以孝景前二年立，修学好古，实事求是。”唐朝学者颜师古解释“实事求是”曰：“务得事实，每求真是也。今流俗书本云求长长老，以是从人得善书，盖妄加之耳。”① 在湖湘文化的传统中，“实事求是”不仅体现为一种学风，更重要的是，它还与勤勉笃实、注重实践的务实精神结合起来，成为湖南人求学问道、经邦济世的自觉追求。故在岳麓书院讲堂上，一直悬挂着一块“实事求是”匾额，仿佛昭示着湖湘学人不断保持和发扬这一优良传统。

湖湘文化的求真务实精神由荆楚文化发展而来，同时又深受墨家的影响。墨家提出了“有本之者，有源之者，有用之者”② 的三表法，主张认识事物要根据前人的经验，根据“百姓耳目之实”和实践的效果来判断真理是非。墨家这种思想对湘人影响甚大，到宋代周敦颐以后，不仅成为了湖湘学人的哲学观念，并且成为了他们的生活准则。周敦颐《通书》阐述了“诚”的思想，他说：“诚者，圣人之本。‘大哉乾元，万物资始’，诚之源也。”③ 这里所说的“诚”，实际上就是“实事实理”。王夫之继承和发展了周氏“诚”的思想。他认为“诚”就是客观存在，“诚者，实有者也”④；他还认为“诚”就是忠实于客观事物，即“忘乎己而一于理”⑤。这些都是实事求是学风的具体表现。

王夫之之后，湖南学人继续发扬务实求真之风。魏源提出：“以事实程实功，以实功程实事”⑥，他对当时中国事务和世界事务悉心探究，他提出了“师夷长技以制人”的振聋发聩主张，这正是湖湘学人实事求是的最好体现。乾嘉之际江浙一带的考据家如戴震

---

① 班固. 汉书：景十三王传［M］. 北京：中华书局，1962. 2410.

② 张永祥，肖霞. 墨子译注：非命上［M］. 上海：上海古籍出版社，2015：248.

③ 周敦颐. 周子通书：诚上［M］. 上海：上海古籍出版社，2000：2.

④ 王夫之. 尚书引义［M］. 船山全书：第二册. 长沙：岳麓书社，2011：306.

⑤ 王夫之. 俟解［M］. 船山全书：第一二册. 长沙：岳麓书社，2011：491.

⑥ 魏源. 海国图志［M］. 郑州：中州古籍出版社，1999：68.

等人，他们做学问虽讲“实事求是，不偏主一家”[①]，但他们的“实事求是”只是埋头于故纸堆而不问现实，与社会实践是相当隔阂的。曾国藩对这种现象很是不满，他说：

> 近世乾嘉之间，诸儒务为浩博，惠定宇、戴东原之流钩研诂训，本河间献王“实事求是”之旨，薄宋儒为空疏。夫所谓事者，非物乎？是者，非理乎？实事求是，非朱子所称即物穷理乎？薄宋贤为空疏。夫所谓事者，非物乎？是者，非理乎？实事求是，非即朱子所称即物穷理者乎？名目自高，诋毁日月，亦变而蔽者也。别有颜习斋、李恕谷氏之学，忍嗜欲，苦筋骨，力勤于见迹，等于许行之并耕，病宋贤为无用。又一蔽也。矫王氏而不塞其源，是五十步笑百步之类矣；由后之二蔽，排王氏而过于正，是因噎废食之类矣。[②]

曾国藩正是有了这种实事求是的理性认识和自觉追求，并将其贯彻到他的社会实践中去，才取得了那么大的成功。左宗棠一生，前40年孜孜于有关国计民生的实学，后30年则将其所学大展宏图于实践之中。他对实事求是的体会尤为深刻，直到临终他还在遗折中写道：“上下一心，实事求是，则臣虽死之日，犹生之年。”[③]

湖湘文化主张务实践履、倡导实事求是的精神也深深影响了毛泽东。毛泽东的老师杨昌济一向强调知行统一和力行的重要，他主张：“学者务积功于实事。”[④] 毛泽东在形成自己知行观的过程中明显受到老师的影响，这在他的早期文稿中多有体现。他曾在《伦理学》一书的批语中写道：“伦理学之正鹄在实践非在讲求。”[⑤] 他不

① 钱大昕. 潜研堂文集：戴震先生传［M］. 四部丛刊初编集部，上海商务印书馆缩印嘉庆本.

② 曾国藩. 曾国藩全集：诗文［M］. 长沙：岳麓书社，1996：166.

③ 转引杨东梁. 左宗棠评传［M］. 长沙：湖南人民出版社，1985：84.

④ 王兴国. 杨昌济文集［M］. 长沙：湖南教育出版社，1983：14.

⑤ 中共中央文献研究室. 毛泽东早期文稿［M］. 长沙：湖南人民出版社，1990：119.

但刻苦地学习书本知识，还特别重视社会实践，研读社会这本“无字天书”，曾多次与蔡和森等好友“游学”，深入农村了解民间疾苦。毛泽东青年时期形成的这种重力行、重践履的学风，在以后的政治实践中不断得到丰富和发展。他大力倡导理论联系实际的马克思主义学风，在全党确立了“实事求是”的思想路线。实事求是思想路线的形成和确立，既是对重力行、重践履这一文化传统的继承，又是对它的超越。

第五，兼收并蓄、博采众长的创新意识。

湖湘文化中蕴藏着一种兼收并蓄、博采众长的创新精神，湖湘文化之所以能够成为一种独具特色的区域文化，与这种精神是有密切关系的。

在长期的历史发展过程中，湖湘文化兼收并蓄、博采众长的文化融合主要体现在以下四个方面：其一，不同民族文化之间的沟通与融合。如上古时代以舜为代表的华夏文化与三苗文化、先秦时越文化与楚文化以及后来湖南境内汉、苗、瑶、回、土家等民族之间的沟通与融合。其二，不同地域文化之间的沟通与融合。这里所说的不同地域文化之间的沟通与融合，既包括湖南内部不同的地域文化，也包括湖湘文化与中国其他地域文化之间的沟通与融合。其三，不同学派之间的沟通与融合，如法家、道家、儒家以及佛教与道教、宋学与汉学之间的沟通与融合。其四，湖湘文化与外国文化之间的沟通与融合。

兼收并蓄、博采众长才能创新。比如屈原，他的诗歌创作，是中国文学史上的里程碑和高峰，而他最出色的作品则是在湖南完成的。当屈原从湖北来到湖湘大地时，面对的是一种以前从未接触过的几乎全新的异质地域（也可说是民族）文化，他的作品深受这种文化的影响已是研究文学史学者的共识。由此看来，屈原诗歌的伟大成就正是湖湘文化中地域文化和民族文化沟通融合的成果。又比如南宋时期，胡宏、张栻等学者以碧泉书院、岳麓书院为基地著书立说，授徒讲学，形成了盛极一时的湖湘学派。而湖湘学派的一个重要的学风特点就是兼收并蓄。尽管胡宏并非湘人而是闽人，但他和他的父亲胡安国开创了湖湘学派，这与他们能广泛汲取其他理学学派的思想是分不开的。胡宏的学生张栻曾与朱熹、吕祖谦等学者以书信的方式就理学的一些学术问题进行过广泛的讨论，并与朱熹有过著名的“朱张会讲”，开创了不同学派会讲的先河；张栻在本体论、心性论、修养论等许多方面接受吸收了朱熹、吕祖谦等人的观点。后来的岳麓诸儒也不囿于学派门户之见，择善而从，力求兼取众家之长。在岳麓书院讲坛上，来自不同地域、不同学派的学者都能够放言高论，传播其学说。这种状况与当时其他一些学派之间互相排斥、壁垒森严的情形形成了鲜明对比，显示了湖湘文化和湖湘学派的博大胸怀。明清之际王夫之集千古之智，采众家之长，对传统儒学进行了全面的清理总结，还对佛、道两家进行深入考察研究，将各家学说融冶会通，从而别开生面，把湖湘文化乃至整个中国古代哲学推到了一个新的高度。

近代以来，随着湖湘文化向近代的转型，其兼收并蓄、博采众长的创新精神得到了进一步的发扬。如万里所认为的那样：以魏源、曾国藩、郭嵩焘、谭嗣同等为代表的一大批湖湘学人面对危机四伏的社会局面，莫不试图有所作为以拯危局。他们在继承传统文化的同时，清醒地意识到必须超越传统，积极向西方学习，实现国家的近代化。魏源大胆突破“夷夏之防”的传统观念，提出了“师夷长技以制夷”的主张；曾国藩将“师夷”的主张付诸实施，筹办洋务，引进西方先进科学技术；郭嵩焘作为近代中国第一位驻外使节，对西方的历史文化、政治、经济、科学技术进行了深入的考察研究，并且不怕冒天下之大不韪，大力宣扬传播西学，主张学习西方的政治制度以改良现实政治。维新志士谭嗣同则以“通”为思想学术宗旨，熔铸古今，萃取中西，全方位地吸纳中国传统的儒、墨、道各学派及佛学、西学的思想，建构了其《仁学》思想体系。[①]

以毛泽东、蔡和森、刘少奇等为代表的一批现代湖湘文化杰出人物，他们将马克思主义与中国传统文化和社会实践融会贯通，创立了中国革命的理论，从而取得了中国革命的伟大胜利，这更是湖湘文化兼收并蓄、博采众长的创新精神特征的最好体现和伟大成果。

① 万里．略论湖湘文化的定义、内涵精神特质及其现代转换［C］//湖南省湖湘文化研究会2007年年会论文集．2007：9.

第五章

湖湘文化的历史分期及其特征

任何一种文化的形成、发展，或者说消亡，除了有其空间概念以外，也必定有其时间概念，即文化是在一定的时间范围之内发生而存在的，那么，由此而涉及文化形成、发展过程之中的时段性或阶段性。应该说，不同的时代或者不同的阶段，即使是同一种文化，也是有差别的。从本质上来说，认识事物，就是认识事物的差异性。所以，对文化的认识不能离开因时间关系而造成的文化差别。由此可见，文化的历史分期就显得特别重要。正如朱汉民教授所说："故而，表达时空分类的文化区域概念，必须充分考虑某个特定空间范围之内的文化演变、发展的过程，因为在不同的时间段上，这个文化空间具有不同文化特质，又可能分属于不同的文化类型。"①不言而喻，湖湘文化的空间概念较为容易认识，而时间概念或者说湖湘文化的历史分期，也许有些模糊不清。那么，我们究竟怎样认识文化分期的问题？文化分期的主要标准是什么？怎样对湖湘文化发展历程进行分期？这些是湖湘文化研究中必须解决的问题。首先，我们看看在此之前湖湘文化研究中，学者们是怎样划分湖湘文化的历史分期的。

第一节　湖湘文化的历史分期

一、学术界关于湖湘文化的历史分期及评述

关于湖湘文化的历史分期并非是学术界的一个热点。注意到这个问题的到目前为止，只有朱汉民、周秋光、张伟然等近年出版的《中国地域文化通览·湖南卷》和五卷本《湖湘文化通史》中也有体现，兹分述如下。

朱汉民根据湖湘文化的历史演变、基本结构和主要特质几个方

---

① 朱汉民. 地域文化研究中的两个问题［J］. 求索，2006（9）：214.

面，认为湖湘文化在其发展过程中大致经历了四个重要的历史时期。第一期是前湖湘文化阶段；第二期是古代湖湘文化阶段；第三期是近现代湖湘文化阶段；第四期是当代湖湘文化的发展。他还说，“前三个阶段是已经完成并成为历史的文化，而湖湘文化的第四期发展则仅仅是开始，并且还只是一个可能性，要真正完成它，还有待于21世纪几代湖湘人的不懈努力”①。

周秋光探讨了古代湖湘文化的形成和历史演变，将古代湖湘文化分为六个时期。他认为，一是先秦是湖湘文化的源头——楚文化时期；二是秦汉到魏晋是楚文化与中原文化的融合的时期；三是隋唐五代是湖湘文化的酝酿期；四是两宋湖湘学派时期；五是元明时期湖湘文化从低迷到复兴时期；六是清代湖湘文化的空前发展时期。元代是湖湘文化发展的低迷期，到明代才走向复兴，其时移民增长，农业经济获得发展。清代是湖湘文化空前发展的新阶段。造成其空前发展的原因首先是湖南的单独建省，这是发展的先决条件；其次是人口的大幅度增长，这是发展的基本动力；再次是教育的兴盛与两湖乡试的“南北分闱”，这是发展的重要因素。能够体现湖湘文化在清代空前发展的还不仅仅是湖南在清代产生了一批重量级的科举政治人才，而且在思想学术上也有非凡的人物及其建树。②这实际上是依据古代中国王朝更迭的顺序来划分湖湘文化的历史时期。

张伟然从历史地理学的角度，对湖南文化的发展过程进行了论述，认为湖南文化的发展经历了三个阶段：晋代以前，得到持续发展；南朝以后，文化出现倒退；中唐以后，文化发展重新启动，水平越来越高。他说：“如此的文化发展历程，是与湖南的区域开发过程息息相关的。晋代以前，湖南的开发逐步加速；南朝到隋，开

---

① 蔡栋．湖湘文化访谈［M］．长沙：湖南人民出版社，2006：52—53.

② 周秋光．古代湖湘文化的形成与历史演变［J］．湖南社会主义学院学报，2009（1）71—80.

发的势头停滞倒退；中唐以后，开发重新启动。其文化发展完全是这一开发趋势的直接反映。”①这主要是从古代湖湘文化的地理分布角度来划分湖南文化进程的。

2014年中华书局出版的《中国地域文化通览·湖南卷》在论及湖南文化的发展轨迹时，指出湖南文化经历了湖南文化的萌芽；湖南文化的初步发展；湖南文化的进一步发展；“湖湘学派”的形成和湖南文化的基本定型；湖南文化的继续发展与兴盛；近代湖南文化的繁荣。②尽管该书没有明确提出湖湘文化的历史分期，但在“上篇”中的叙述是按照这个时段来表述的。

2015年岳麓书社出版的五卷本《湖湘文化通史》在编写体例方面以时间发展为线索，将湖湘文化的发展历史分别按上古卷（先秦）、中古卷（秦汉至隋唐）、近古卷（宋元明清）、近代上卷（鸦片战争至1919年左右）、近代下卷（1919年左右至1949年）这样几个时段撰写的。显然，这种编纂体例实际上暗含了对湖湘文化的历史分期，即湖湘文化的形成、发展经历五个不同的时期。③

上述几种观点基本上代表了当前学术界对湖湘文化历史分期的看法，应该说，这既反映了湖湘文化历史分期的重要性，引起了学界的关注；也反映了人们对湖湘文化研究进一步深入以及存在的分歧。每种观点与看法，都有一定的学理与事实依据，也有一定的说服力。然而，结合有关文化分期理论，仔细考察湖湘文化的发展历程，尤其是深入探究湖湘文化的本质特征，我们发现上述分期并非没有商榷的余地和完善的地方。如朱汉民的“四期说”是早在2006年的一次访谈中对湖湘文化的历史、现状、未来作出的一个宏观概括。在即兴回答中，他很谦虚地说：“我的想法也是一孔之见。不过，为了表达我对湖湘文化的历史与未来的思考，最近，我

① 张伟然. 湖南文化的发展过程［J］. 中国史研究，1996（2）：136.

② 于来山. 中国地域文化通览：湖南卷［M］. 北京：中华书局，2014：4.

③ 参阅朱汉民. 湖湘文化通史［M］. 长沙：岳麓书社，2015.

在尝试着用一个湖湘文化四期发展的假说来表述这一想法。"①可见，朱汉民"四期说"的目的在于湖湘文化的未来发展，重点并没有放在对湖湘文化的历史分期方面。所以，"四期说"并不代表他对湖湘文化历史分期的真正看法或者全部看法。事实上，在他所发表的学术论文，特别是在他作为总主编的五卷本《湖湘文化通史》第一卷的"导论"中，并没有提到他的"四期说"，而此书编写的体例采用的是"五期说"。"四期说"最大的不足是无法彰显湖湘文化本质属性。周秋光的"六期说"，只是考察了古代湖湘文化的发展历程而没有包括近现代湖湘文化。从其研究的主题和内容而言，他的"六期说"应该是为了文本叙述的方便起见而作的大致划分。在文章中周秋光自然也没有对湖湘文化的历史分期作专门探讨，故我们无法视其为全部湖湘文化历史分期的最后定论。张伟然对古代湖南文化形成、发展的地理学考察，其目的主要是探究湖南文化地理分布的因果关系，并不是从地域文化的角度去揭示湖湘文化的特质、结构及其类型。所以，他的古代湖南文化的分期只能适用于历史地理学的解释范围。《中国地域文化通览·湖南卷》也是把湖湘文化的发展历程分为六个时期，而这六个时期没有具体的对应时间或朝代，因而显得难以把握湖湘文化具体期限，也更难以认识和判断湖湘文化的实质性内涵。

这里值得重点提出来的是五卷本《湖湘文化通史》，尽管书中没有明显论及湖湘文化的历史分期问题，但其编纂体例的时段叙述方法，已经包含了编者对湖湘文化历史分期的看法，反映了本书作者独具匠心的编纂理念，更为重要的是从这个编纂体例的时间序列，能较为清晰地认知湖湘文化发展过程及其特点。但是，如果从湖湘文化的结构和特质来说，《湖湘文化通史》的这种不自觉的自觉分期方法，似乎仍有值得商榷的地方。例如先秦上古时期的湖湘

① 蔡栋. 湖湘文化访谈［M］. 长沙：湖南人民出版社，2006：52.

文化，由于涉及其起源与二元结构的特点，将之笼统称之为“先秦上古时期”似乎有点不合理。事实上，湖湘文化在其发轫或者萌芽之初应该是春秋战国时期以前的史前和夏商西周时期，这个时期基本上是湖湘地域远古时代本土文化，而春秋战国时期主要是荆楚文化。又如宋元明清近古时期与鸦片战争至1919年近代时期的时间断限，也有进一步商榷的余地。

二、湖湘文化历史分期划分的标准探讨

那么，我们到底怎样更好地划分湖湘文化的历史分期，以期更好地认识湖湘文化及其本质特征呢？首先，我们必须确定历史文化分期的依据，即划分历史文化分期的标准是什么？

摩尔根在《古代社会》第一编中，将文化社会学与考古学结合起来，提出了人类历史的三分法，即蒙昧期、野蛮期和文明期。他指出划分每一阶段的具体标志，就是他提出的“发明和发现”，即生产技术和生产工具的发明和发现。在此，摩尔根将生产技术或生产工具发明和发现作为划分人类社会发展阶段的重要标志，古代和现代的每个民族在一般历史进程中的地位，用某种比较客观的尺度来衡量各个民族的历史发展水平，并为不同发展水平的比较提供了可能。历史唯物主义认为，各种经济时代的区别，不在于生产什么，而在于怎样生产，用什么劳动资料生产。摩尔根将生产工具和生产技术作为划分人类社会发展阶段的重要标志，毫无疑问是符合历史唯物主义的观点的。他进一步阐述道：“人类中最先进的一部分，当其处在进步过程的某一阶段时，似乎停步不前，直等到出现某一重大的发明和发现，如饲养家畜或熔化铁矿之类，才产生一股新的、有力的向前迈动的冲动力。”① 恩格斯对摩尔根给予了很高的评价，他认为：“摩尔根是第一个具有专门知识而想给人类的史

① 摩尔根. 古代社会［M］. 杨东莼，马雍，马巨，译. 北京：商务印书馆，1977：35.

前史建立一个确定的系统的人；他所提出的分期法，在没有大量增加的资料认为需要改变以前，无疑依旧是有效的。”①当然，摩尔根在书中还同时指出：“我们如果想找一些衡量进步的标准来标志上述各期的起点，并求其能绝对适用，放之四海而皆准，即使说这不是决不可能，也得说这是很难办到的。就我们当前的目的而言，也没有必要排斥例外的存在。只要能将人类的一些主要部落按其相对进步的程度区分为若干显然有别的社会状态就够了。”②尽管在这里摩尔根强调了他对人类历史分期主要依据于生产技术和生产工具，但是，他也没有否认其他“衡量进步的标准”的存在。况且，他的这个分期理论只能最适用于氏族部落的古代社会。

那么，当人类社会跨入了文明的门槛以后，面对错综复杂的历史情形，其社会文化进程的历史分期还有没有其他“衡量进步的标准”呢？回答当然是肯定的。其实，文化史分期的方法，就按照文化的本质属性来作为分期的依据与标准。文化是什么？这实在是一个众说纷纭的问题。德国哲学家恩斯特·卡西尔曾以文化哲学的角度给文化下过一个经典性的定义。他认为，人是文化的动物。文化是人本质的创造性表现。文化的每一阶段的发展表达了人性自我创造与自我发展的需要。卡西尔这个文化的定义有一点十分重要，就是把文化理解与文化主体——人的理解结合起来，或者说人类文化历史的发展其实就是人性的创造与发展史。从这一定义出发来重新划分文化史，可以在深层次上把文化历史的发展与人的发展联系起来，更能把握住人类文化发展的内在逻辑进程。中国文化的历史发展也是人性的自我创造与自我发展需要的表达。文化的秘密在于人，文化的表现就是人性的表现。因此，卡西尔在《人论》中说：“人的突出特征，人与众不同的标志，既不是他的形而上学本性也不是他的物理本性，而是人的劳作（work）。正是这种劳作，正是

① 马克思，恩格斯. 马克思恩格斯全集：21［M］. 北京：人民出版社，1980：32.
② 摩尔根. 古代社会［M］. 杨东莼，马雍，马巨，译. 北京：商务印书馆，1977：9.

这种人类活动的体系，规定和划定了‘人性’的圆周。语言、神话、宗教、艺术、科学、历史，都是这个圆的组成部分和各个扇面。”① 因此，他提出了自己关于人的理论：“我们应当把人定义为符号的动物（animal symbolicum）来取代把人定义为理性的动物。只有这样，我们才能指明人的独特之处，也才能理解对人开放的新路——通向文化之路。”②这样，一种“人”的哲学一定是这样的一种哲学，它能使得我们洞见这些人类活动的基本结构，同时又能使得我们把这些活动理解为一个有机的整体。

据此，我们完全可以把湖湘文化的历史看作一个自我创造、自我理解的人性的历程，而这个历程之中就需要有清晰的或者说较为鲜明的自我意识的出现。自我意识是对自己身心活动的觉察，即自己对自己的认识，具体包括认识自己的生理状况（如身高、体重、体态等）、心理特征（如兴趣、能力、气质、性格等）以及自己与他人的关系（如自己与周围人们相处的关系、自己在集体中的位置与作用等）。自我意识可分为两个层次：其一，区别于他物的自我意识；其二，作为一个意识主体的自我意识。尤其是意识主体的自我意识显得更为重要，实际上，就是一种文化自觉、文化自信的彰显。正如费孝通先生所说：“文化自觉只是指生活在一定文化中的人对其文化的‘自知之明’，明白它的来历，形成过程，在生活各方面所起的作用，也就是它的意义和所受其他文化的影响及发展的方向……自知之明是为了加强对文化发展的自主能力，取得决定适应新环境时文化选择的自主地位。”③由此可见，湖湘文化进程中的自我意识或者说文化自觉、文化自信就是湖湘地域的广大人民群众自古以来人性的觉醒和对人生意义、人类自我命运的思考和追问。

---

① 恩斯特·卡西尔. 人论［M］. 甘阳，译. 上海：上海译文出版社，2003：107.

② 同①42.

③ 费孝通. 开创学术新风气［M］//费孝通论文化与文化自觉. 北京：群言出版社，2005：216.

这具体表现在湖湘文化的精神层面，尤其是学术思想、宗教艺术等方面。

另外，还需要值得注意的是，由于历史进程的发展与历史进程中文化的发展往往不是同步的，或者文化发展滞后于历史进程的发展，或者超越历史进程的发展，这样的情形在中外历史上都曾出现过。所以，对文化史的分期，就大可不必拘泥于历史进程的阶段性。文化发展自有其内在发展的规律性和必然性，其分期由其自身的特性而决定。惟其如此，方能显示出人类历史的复杂性和多样性。梁启超在探讨中国文化分期时，就考虑到了这个情况，他将中国历史文化分为三个时期，他说：

> 叙述数千年之陈迹，汗漫邈散，而无一纲领以贯之，此著者、读者之所苦也。故时代之区分起焉。中国二十四史，以一朝为一史，即如《通鉴》，号称通史，然其区分时代，以周纪、秦纪、汉纪等名。是由中国前辈之脑识，只见有君主，不见有国民也。西人之著世界史，常分为上世史、中世史、近世史等名。虽然，时代与时代，相续者也，历史者无间断者也。人间社会之事变，必有终始、因果之关系。故于其间若欲划然分一界线，如两国之定界约焉，此实理势之所不许也。故史家惟以权宜之法，就其事变之著大而有影响于社会者，各以己意约举而分之，以便读者。虽曰武断，亦不得已也。
>
> 第一上世史。自黄帝以迄秦之一统，是为中国之中国，即中国民族自发达、自竞争、自团结之时代也。其最主要者，在战胜土著之蛮族，而有力者及其功臣子弟分据各要地，由酋长而变为封建。复次第兼并，力征无已时。卒乃由夏禹涂山之万国，变为周初孟津之八百诸侯，又变而为春秋初年之五十余国，又变而为战国时代之七雄，卒至于一统。此实汉族自经营其内部之事。当时所交涉者，惟苗种诸族类而已。

第二中世史。自秦一统后至清代乾隆之末年，是为亚洲之中国，即中国民族与亚洲各民族交涉繁赜，竞争最烈之时代也。又中央集权之制度日就完整，君主专制政体全盛之时代也。其内部之主要者，由豪族之帝政变为崛起之帝政。其外部之主要者，则匈奴种、西藏种、蒙古种、通古斯种次第错杂，与汉种竞争。而自形质上观之，汉种常失败。自精神上观之，汉种常制胜。及此时代之末年，亚洲各种族渐向于合一之势，为全体一致之运动，以对于外部大别之种族。

或问曰：此中世史之时代，凡亘二千年，不太长乎？曰：中国以地太大、民族太大之故，故其运动进步常甚迟缓。二千年来，未尝受亚洲以外大别种族之刺激，故历久而无大异动也。惟因此时代太长之故，令读者不便，故于其中复分为三小时代焉。俟本篇乃详析之，今不先及。

第三近世史。自乾隆末年以至于今日，是为世界之中国，即中国民族合同全亚洲民族，与西人交涉竞争之时代也。又君主专制政体渐就湮灭，而数千年未经发达之国民立宪政体，将嬗代兴起之时代也。此时代今初萌芽，虽阅时甚短，而其内外之变动，实皆为二千年所未有，故不得不自别为一时代。实则近世史者，不过将来史之楔子而已。①

实际上，梁启超在这里将中国历史文化分为上世史、中世史、近世史三个时期，这三个时期分别对应“中国之中国”“亚洲之中国”“世界之中国”。尽管梁启超的这种划分不见得很正确，但他至少打破了以朝代体系为中心的惯例，充分考虑到了文化本身发展的特点。由是观之，湖湘文化的历史分期也要同样考虑文化与历史进程的复杂性和不同步性。所以，行文至此，我们可以对湖湘文化的历史分期作一个总结性的概括了。

---

① 梁启超．中国史叙论［M］//梁启超全集：第一册．北京：北京出版社，1999：453—454.

三、湖湘文化的历史分期

根据社会历史文化进程划分的自我创造、自我理解或自我意识或文化自觉、文化自信的标准，结合学术界关于湖湘文化的历史分期已经研究的成果，我们将湖湘文化历史的分期进行如下划分：湖湘文化的萌芽期（史前时代至夏商西周）；湖湘文化的形成期（春秋战国至五代十国）；湖湘文化的定型成熟期（两宋至 1840 年鸦片战争）；湖湘文化的转型期（1840 年鸦片战争以后）四个时期。

之所以如此划分，是基于这样一些缘由，分别予以说明。

（一）史前时代至夏商西周：湖湘文化的萌芽期

史前至夏商西周是湖湘文化的萌芽期，时间大概介于约 20 万年前至公元前 8 世纪晚期。这样一个漫长的时期，包括湖湘地域历史上的“史前时期”和“原史时期”。史前时期几乎等同于考古学上的石器时期；原史时期是考古学上的青铜时代，亦即夏商西周时代。此后，湖湘地域进入铁器时代，即从春秋战国时期开始，湖南地域进入了湖南的“历史时期”。[①]也就是说，在春秋战国以前的湖南“史前时期”和“原史时期”作为湖湘文化萌芽的一个整体时期，其主要特征在于湖南境内的“本土文化”特别显著，外来文化，尤其是楚文化、中原文化渗透较少，完全可以视为湖湘文化的“湖南之湖南”时期。此为湖湘文化萌芽期缘由之一也。

其次，这一时期为何没有将先秦时代之春秋战国时期纳入呢？笔者认为，春秋战国时期应该归属于中华民族文化的“历史时期”，而不是“原史时期”。“原史时代（Protohistory）”这一概念的使用出现于 20 世纪的西方史学和考古学界，法国《史前大辞典》一书认为，所谓“原史”或“原始史”的涵义是：“首先具有一种方法论之意义，应用于一些为历史文献所不能确定的文化群体。为了研

① 五卷本《湖湘文化通史》“将湖南自新石器时代末至秦帝国建立前这一时段独立出来并归属于‘原史时期’”，亦即从秦朝开始，湖南进入“历史时期”。参阅朱汉民. 湖湘文化通史：第一册［M］. 长沙：岳麓书社，2015：196—199.

究它们，人们因而使用了此概念：它可以是指那些自身尚未拥有文字、然而却为同时代的其他人群所记述和提及的人群（例如征服前之高卢人，他们为希腊与拉丁作家所记述）；也可以指那些通过后世的口头传说、记忆或者记载而保存下来其历史的人群。在此两种状况下，其研究可以包括考古学资料及间接的文字记载资料两方面。此时期在年代学体系中只具有一个很短暂的时间范围，而且也不精确。"[①] 中国有学者根据西方学者对"原史时代"的定义总结出几条基本原则：一是原史时代是介于史前时代与历史时代的；二是原史时代研究的对象应是一些为历史文献所不能确定或认识不够充分的文化群体；三是由于原史时代当代的文献稀少，考古材料的重要性超过或等于文献材料；四是原史时代的研究工作需要将考古学、人类学、历史学、文字学、器物学等多种学科综合起来。[②] 所以，依据国内外学者的观点，"原史时代"的概念正适合我国历史上的夏商西周时代，而不适合春秋战国时代。事实上，春秋战国时代明显已能被足够的历史文献所确定、所认识。揆诸史实，中国的人文史学传统肇始于西周王室覆灭之"王官之学降于民"，知识拥有者才脱离王室的束缚，逐渐由过去的"巫"史中走出来。晋之《乘》、楚之《梼杌》、鲁之《春秋》，都成于这个时期。今日我们读到的《左氏春秋》，开创编年记事的体例，是中国历史学发展成熟的标志。至此，可供后世学者研究的确实的文献史料开始丰富，文献材料为学者提供了全方位更为丰富的论证材料，考古学成果成为历史文献的一种参照或是补充，而非具有决定性影响的因素，如此才算是进入真正的"历史时期"。李学勤也认为，东周和更早的商和西周不同，已经脱离了这种"原史时期"而跨入真正意义的"历史时期"了。[③]

---

① 刘文锁. 论史前、原史及历史时期的概念［J］. 华夏考古，1998（3）：93.

② 吴晓筠. 中国的"原史时代"［J］. 华夏考古，2005（1）：97.

③ 李学勤. 东周与秦代文明［M］. 北京：文物出版社，1984.

再次，史前至夏商西周之所以被划为湖湘文化萌芽期的重要原因是因为作为人类童年时代的湖湘先民，其自我理解和自我意识也是处于刚刚萌芽状态。而这个时期最能体现湖湘先民自我理解和自我意识的莫过于其原始宗教信仰、图腾崇拜和万物有灵的精神信仰。在人类的童年时期，人们普遍认为：世界上的任何事物，无论人、动物、植物、山川河流、飞禽走兽、奇花异草、祖先之灵，都是具有超自然的力量，人活着的时候有灵魂，死后灵魂不灭。即“万物有灵”论。精神信仰是一种无形的心理文化现象。图腾崇拜乃是笃信人类群体与某一物种（通常为某种特定的动物）之间似乎存在着超自然关系。例如，在今洪江市发现的7800多年前高庙文化遗址的大规模祭祀场所，以及饰有凤鸟、獠牙兽、太阳、形象图案的用于祭祀的“神器”，已充分说明湖南先民产生了原始宗教信仰以及宗教艺术。还有这个时期的远古传说和各种神话，如炎帝、黄帝、蚩尤、舜帝、三苗，等等，都是湖湘先民最初的自我认识和自我意识的萌芽。当然，这种自我认识和自我意识是自发的。只有当湖湘住民成为一个相对独立的主体，包括民族身份和地域空间的自我认同，才会产生文化自觉的集体意识。

（二）春秋战国至五代十国：湖湘文化的形成期

春秋战国至五代十国这个阶段之所以是湖湘文化形成期，主要是因为湖湘文化在自我理解和自我意识方面对理想人格的完善与追求。

首先表现在以楚文化为基调的文化色彩一直影响着这个时期湖湘文化的形成。楚文化是指春秋战国时期楚国的文化，属于周代一种区域文化，并同时包含了当时以方国为基础的其他区域文化。张正明认为：“楚文化是祝融部落集团崇火尊凤的原始农业文化”①，范文澜则认为：“楚文化是以巫文化为主体融合华夏文化的南方文

① 张正明. 楚文化史［M］. 上海：上海人民出版社，1987：11—12.

化。”[①]从春秋时期开始，楚文化源源不断渗入湖湘境内，对湖湘文化的形成起了重大作用。[②]由于楚文化的特殊历史，以及楚文化本身具有的民族意识和巫化现象，使后来在其基础上形成的湖湘文化沾有较为浓厚的祭祀色彩。在以后几千年的文化融合与影响中，楚文化始终巫风盛行，一直保留着独特的个性，而且后来成为构建湖湘文化重要的历史前提和文化资源。更为重要的是，这个时期迁入湖湘境内的楚地住民和中原人，他们与那些还留在湖湘各地的“古越”“荆蛮”等土著住民融合，逐渐形成了湖湘境内新的主体民族——汉族。

其次，以屈贾情结、道家思想、佛家思想之理想人格为追求目标。在湖湘热土上，屈原、贾谊写就了自己最光辉夺目的新体辞赋。数千年来，他们一直是正直的儒家士子争相效仿的榜样，可以说，“屈贾情结”成了“中国历史上入世的知识分子一个文化的幽结”[③]，是中国，尤其是湖南爱国主义传统的滥觞。在历史传承中，“屈贾情结”开始由忧国忧民的高尚情操升华为强国保民、救亡图存的爱国传统，日益深入人心，并“渐次融入汉民族的文化——心理结构，极大地影响着人们的精神状态和行为方式”。[④]而在湖湘文化中，这种情结与湖湘人“坚强不磨之气节”和“行必厉己”的风气融合起来，成为他们“强韧的区域性文化心理凝聚点”。[⑤]

---

① 范文澜. 中国通史简编［M］. 北京：人民出版社，1965：76.

② 关于楚文化何时进入湖湘地域，学术界存在不同的看法。李海勇通过对相关文献和考古材料的考察，认为西周末期楚文化才开始对湖南产生影响；春秋早期楚人才自发地进入湖南，笔者采信此说。参阅李海勇. 湖南早期楚文化的历史地理分析［J］. 中国历史地理论丛，2001（2）.

③ 田中阳. 湖湘文化精神考辨［C］//湖南师范大学文学院. 湖湘文化论集（上）. 长沙：湖南师范大学出版社，2000：87.

④ 郭建勋. 论屈原特殊人格的内涵及其历史影响［C］//湖湘文化论集. 湖南师范大学文学院（上）. 长沙：湖南师范大学出版社，2000：661.

⑤ 田中阳. 湖湘文化精神考辨［C］//湖南师范大学文学院. 湖湘文化论集（上）. 长沙：湖南师范大学出版社，2000：87.

从文化思想来说，这一时期，作为广义荆楚地域文化产物的道家思想文化得到了飞速的发展，形成了有别于先秦道家的“黄（帝）老（子）道”，被学术界称之为“秦汉新道家”。长沙马王堆汉墓出土的帛书中，就有关于黄老道的著作。《黄老帛书》是“因阴阳之大顺，采儒墨之善，撮名法之要”之作。其中的“道”是关于世界之统一性的概念，是贯通于宇宙、世界、社会、人生的统一的根源，是一种本源性存在。帛书为了达到“推天道以明人事”的目的，在道与人理之间架构了一座桥梁“天道”。

三国时期，形成并流行于北方及中原地区的道教以及由印度传入中国的佛教也陆续传入了湖湘，在交流融汇中给湖湘文化带来了新的文化基因，促进了湖湘文化的发展；当然她们在与湖湘文化的互渗中，也获得了新的生机，进而促进了自身的发展，并在此基础上甚至引领着中国道教与佛教的发展潮流。例如，著名道教人物魏华存在南岳隐居修道，传播上清经录，成为道教上清派的宗师，直接促进了中国道教上清派的产生。佛教人物慧思在南岳开法授徒，成为佛教天台宗的先驱。隋唐五代时期，佛教形成了湖南历史上的第一个人才群体，并且多为开宗创派的人物。如净土宗的三祖承远、四祖法照曾在南岳活动过。以佛教禅宗南禅“南岳怀让系”与“青原行思系”为主体所形成的“江（西）湖（南）禅宗网络”以及在此两法系基础上形成的禅宗五宗，即沩仰宗、临济宗、曹洞宗、云门宗和法眼宗，更是对全国乃至海外佛教禅宗的发展产生了重要影响。

隋唐五代，湖南作为一个独立的、具有重要政治战略意义的行政地域概念及人文地理概念，此时已经在人们的头脑中开始形成。这一时期，湖南的精神文化的发展也是令人瞩目的。在文学与艺术方面，有刘蜕、李群玉、胡曾、曹松、释齐己、欧阳询、释怀素等一批知名的湖南籍大家，外省籍则有著名文学家李白、杜甫、柳宗元、刘禹锡、李翱、元结等在湖南也有较多的活动。在哲学、史学、地学等方面也出现了一些有影响的著作，如邓粲的《元明纪》，罗含的《湘中记》《更生论》，欧阳询的《艺文类聚》，欧阳頔的《五代史初要》，覃季子的《覃子史纂》，卢拯的《湘中山水记》，李冲昭的《南岳小录》等等。

如果说在先秦时期湖湘文化是以地域民族文化凸现自身特色，那么，在这一时期，湖南文化则已经开始以地域思想文化特色而崭露头角了。实质上，屈贾情结、道家思想、佛教思想都是怀抱一种悲天悯人的情怀，崇尚自然无为，追求理想人格。理想人格是人生哲学中体现人的价值、完成人生目标的一种任务形象，是一种人生哲学理论宗旨的标志。

（三）两宋至1840年鸦片战争：湖湘文化的定型成熟期

把两宋至1840年鸦片战争时段定为湖湘文化的定型成熟期，是基于宋、元、明、清时期传统湖湘文化的高度发达与完善。

首先，从两宋开始，在湖湘文化中异军突起的湖湘学派及其所构建的湖湘地域化儒学，使湖湘文化在其体系、结构、形态和特质诸方面得到了充分的发展和完善，具备了一种文化形态得以存在的本体化、哲学化、系统化等特征。

两宋时期中国文化重心南移和儒学地域化的发展，还使得湖湘之地的本土文化得以与南下的中原文化相结合，从而形成了近古湖湘文化的独有特质，即以理学为核心，而又传承了上古、中古湖湘文化的优良传统，包括探索宇宙的原道精神、信念执着的性格特征等。理学是儒家思想汲取道教、佛教的有益内容，并注入哲学因素，囊括天人关系而形成的更为理性化、思辨化的思想体系。由于适应了振兴儒学的需要，在出现后很快成为官方学说，在中国思想文化史上占有十分重要的地位。历史上，湖南“北阻大江，南薄五岭，西接黔蜀，群苗所萃”，在宋代以前受中原文化的影响较小。而中国文化重心南移并渗透于湖湘的两宋时期，正是理学文化思潮兴起之际。因此，这一时期构建的湖湘文化新形态，其核心就是理学。

宋代，理学已经大盛于湖南，并形成了以理学为文化教育重心的传统，即湖湘学统。南宋真德秀是这样论述这个问题的：

> 窃惟方今学术源流之盛，未有出湖湘之右者。盖前则有濂溪先生周元公，生于舂陵，以其心悟独得之学，著为《通书》《太极图》，昭示来世，上承孔孟之学，下启河洛之传，中则有胡文定公，以所闻于程氏者，设教衡岳之下，其所为《春秋传》专以息邪说、距诐行、扶皇极、正人心为本。熙宁以后，此学废绝，公书一出，大义复明。其子致堂、五峰二先生，又以得于家庭者，进则施诸用，退则淑其徒，所著《论语详说》《读史》《知言》等书，皆有益于后学。近则有南轩先生张宣公寓于兹土，晦庵先生朱文公又尝临镇焉。二先生之学，源流实出于一，而其所以发明究极者，又皆集诸老之大成，理义之秘，至是无复余蕴。此邦之士，登门墙承謦欬者甚众，故人材辈出，有非他郡国所可及。今二先生虽远，所著之书具存，皆学者所当加意。而南轩之《论孟说》，晦庵之《大学、中庸章句》《或问》《论孟集注》，则于学者为尤切，譬之菽粟布帛，不容以一日去者也。①

在真德秀看来，南宋后期盛于全国的湖湘学派，以人才辈出、“有非他郡国所可及”而著称，而考其学术源流，则由前期的周敦颐（元公），中经胡安国（文定公）、胡寅（致堂）、胡宏（五峰）父子，近则张栻（宣公）、朱熹（文公），构成一个完整的学统。

宋代的理学思潮是一种自下而上的学术文化思潮，它不是通过中央或地方官学，而是主要通过地方书院来开展学术研究与传播，在当时形成了一个个具有各自学术传统、思想特色的地域学派。以周敦颐开其端、胡氏父子继其统、张栻弘其势的湖湘学派，除了尊奉理学外，在发展壮大的过程中，还形成了践履务实、经世致用、

① 真德秀. 真西山文集［M］//文渊阁四库全书：第1178册. 北京：商务印书馆，2006：452.

兼容并蓄的稳定学风。他们创办书院，讲学传道，使得理学的价值观念、思维方式不仅渗透到政治、伦理、教育等作为意识形态的文化领域内，而且还影响到社会风俗、习惯和社会心理。近代湖湘文化推崇理学、强调经世致用、主张躬行实践等三大要素，都与湖湘学派的学术传统有密切关系。而在湖湘文化中，推崇理学、经世致用、道德践履是一个相互关联的整体结构，由这一整体结构又产生出一些功能方面的基本特征，正是这些特征将湖湘文化和其他区域文化区别开来。①

其次，在湖湘学派不复存在的元、明、清时期，湖湘学者所创立的岳麓诸书院一直兴学不辍。湖湘学派的学术思想、学风特色等亦通过书院办学而沉淀下来，继续影响着湖南学术思想和文化教育的发展。湖湘地区以理学为核心的文化传统，在元、明、清一直延续下来。明末清初的王船山就是一位鼓吹道统、推崇心性修养的理学家，在清初几位大思想家中，他的理学思想最突出，这也使得他的实学倾向显得相对保守。在乾嘉汉学风行天下时，“湖湘尤依先正传述，以义理、经济为精闳，见有言字体、音义者，恒戒以逐末遗本。传教生徒，辄屏去汉唐诸儒书，务以程朱为宗。”② 这就是说，当“汉学风靡一时”、普天下皆以考据为尚之际，“湖湘学子大都犹专己守残，与湖外风气若不相涉”③。晚清出自岳麓书院的陶澍、贺长龄、贺熙龄、曾国藩、左宗棠等人谨守理学传统，后来留学西方多年的杨昌济仍推崇理学，都体现出湖湘文化传统的内容主要是湖湘学派所奠定的理学型文化。

综上所述，无论是在学统四起的宋代，还是在学旨各异的明、清时期，湖湘学术都能以其独特的学术个性独步学林，并在湖湘文

---

① 朱汉民. 湖湘学派与湖湘文化［M］. 湖南大学出版社，2010：458—459.

② 朱东安. 曾国藩传［M］. 天津：百花洲文艺出版社，2001：5.

③ 湖南省文献委员会. 湖南文献汇编：第二辑［N］. 湖南省文献委员会，1949：111.

化史上产生了深远的影响。宋、元、明、清时期湖湘学术的影响力可以从以下两个方面进行考察：一方面，宋、元、明、清时期湖湘学术为后世留下了体系完备的理学思想、体大思精的经史之作以及脍炙人口的文学作品，这些都为近代湘学的兴起与建构提供了直接的思想资料；另一方面，宋、元、明、清的湖湘学术在其自身演进的脉络中，逐渐形成了独特鲜明的学术品质。这种情况一直维持到鸦片战争之国门洞开后湖湘文化与西学接轨之时。

（四）1840 年鸦片战争以后：湖湘文化的转型期

湖湘文化从传统走向近代，实现近代化转型是从鸦片战争开始起步的。这个过程首先是从魏源撰写《海国图志》，主张“师夷之长技以制夷”开始的，后经过曾国藩、左宗棠、郭嵩焘等推动的“中学为体，西学为用”思想指导下的洋务运动，再到谭嗣同、唐才常、熊希龄、樊锥等主张民主、民权的制度创新的维新变法，一直到黄兴、宋教仁、陈天华、杨毓麟等主张民主共和，发动和参与辛亥革命，乃至于到新文化运动。所以，这样一个文化近代化转型的过程，基本与近代中国的历史进程是一致的。不过，湖湘文化的近代化与当时整个中国的近代化之发展程度、快慢节奏也是不同步的。也就是说，鸦片战争后，近代中国社会及近代中国文化逐步开始走向近代化，影响及于全国，湖湘文化也在缓慢地变化着，出现了开眼看世界的一些学者和官员，尽管这种变化相当迟缓，甚至还带有浓厚的抵触情绪。而至甲午中日战争后，湖湘文化的开放、激进的精神喷薄而出，其近代化的步伐迅速走在全国前列。究其原因，主要是由于中国幅员辽阔，东西、南北跨度较大，很大程度上影响了文化发展的不平衡性。有人曾把鸦片战争以后中国社会在西方文化的影响下所发生的变化分为三个阶段：“在鸦片战争后的二十年，变化仅限于东南沿海五口；第二次鸦片战争后三十年，变化扩大到南北沿海及长江一线；中日甲午战争以后，变化才逐步向内地城镇推进。而广大的内地农村，则到本世纪（指 20 世纪——引者注）三十代还没有根本的变化”[1]。湖南属于内陆省份，交通不便，自然相对保守。故张朋园在研究湖南早期近代化转型问题时说：“甲午之战失败以后，湖南率先发动新政，湖南省的现代化从此开始。”[2] 具体说是在甲午战争后的湖南维新运动中，湖南才一反甲午战争前的那种守旧排外的心志，对于西方文化开始真切认知并主动接受，进行了各项近代资本主义文化的模仿和创制。

为什么直到甲午战争后，传统的湖湘文化迅速走上近代化的道路？这是新的时势和环境造成的。甲午战争以日本完胜、中国完败告终，却将中国从睡梦中唤醒。梁启超在反思甲午中日战争时，曾有这样一段痛彻心扉的总结，他说：

唤起吾国四千年之大梦，实自甲午一役始也。吾国之大患，由国家视其民为奴隶，积之既久，民之自视亦如奴隶焉。彼奴隶者苟抗颜而干预主人之家事，主人必艴然而怒，非摈斥则谴责耳，故奴隶于主人之事，罕有关心者，非其性然也，势使然也。吾国之人视国事若于己无与焉，虽经国耻历国难，而漠然不以动其心者，非其性然也，势使然也。且其地太辽阔，而道路不通，彼此隔绝，异省之民，罕有交通之，事其相视若异国焉。各不相知，各不相关，诚有如小说家所记巨鲸之体，广袤数里，渔人断其背而穴焉。寝处于是，炊爨于是，而巨鲸渺然不之知也，故非受巨创负深痛，固不足以震动之。昔日本当安政间，受浦贺米舰一言之挫辱，而国民蜂起，遂成维新。吾国则一经庚申圆明园之变，再经甲申马江之变，而十八行省之民，犹不知痛痒，未尝稍改其顽固嚣张之习，直待台湾既割，二百兆之偿款既输，而鼾睡之声，乃渐惊起，此亦事之无如何者也。[3]

---

① 周振鹤. 中国历史文化区域研究［M］. 上海：复旦大学出版社，1997：373.

② 张朋园. 湖南现代化的早期进展（1860—1916）［M］. 长沙：岳麓书社，2002：132.

③ 梁启超. 戊戌政变记：附录一：改革起原［M］//梁启超全集. 北京：北京出版社，1999：234.

在这里，尽管梁启超论述的是甲午战争后整个中国变化的情形，但湖南的这种变化则是首当其冲了。甲午中日战争，作为天朝上国的中国居然被蕞尔之日本打败了，尤其是湘抚吴大澂还亲率了一批湖湘子弟参与对日作战。昔日不可一世的湘军，居然不堪一击，这对于曾经拥有光荣过往的湖南人来说，是一股强烈的刺激与羞辱。如果说过去的湖南人曾因为湘军所带来的荣耀而自我陶醉，以至于守旧排外，那么这种荣耀一经扫地，湖南人就在心理上失去了平衡。谭嗣同说："湘军与日本战，大溃于牛庄，湖南人始转侧豁悟，其虚骄不可向迩之气，亦顿馁矣"①。虚骄之气既灭，虚衷受益才有可能。当时湖南人多以日本做榜样。日本所以打败中国，是因学习西方有成效，因此湖南人也就对于"西学"产生兴趣。谭嗣同的前后变化很可以说明这点。1895 年，他写给欧阳中鹄的信中说："平日于中外事虽稍稍究心，终不能得其要领。经此创巨痛深，乃始屏弃一切，专精致思。""详考数十年之世变，而切究其事理，远验之故籍，近咨之深识之士。不敢专己而非人，不能讳短而疾长，不敢徇一孔之见而封于旧说，不敢不舍己从人取于人以为善。设身处境，机牙百出。因有见于大化之所趋，风气之所溺，非守文因旧所能挽回者，不恤首发大难，画此尽变西法之策。"② 所谓"舍己从人取于人"，所谓"画此尽变西法之策"，表现出一种异于甲午战争前的崭新姿态。甲午战争后，一大批湖南人，就是抱着这种姿态，从传统文化的氛围中挣脱出来，在陈宝箴、江标、徐仁铸、黄遵宪等湘省官吏的支持下，在梁启超等几位康门弟子的帮助下，发起了一场轰轰烈烈的湖南维新运动，从而将湖湘文化推向近代化的进程。所以，这里主要论述甲午中日战争后，湖湘文化近代转型的趋势及其情形。

湖湘文化走向近代化，首先表现为传统的观念形态发生变革。

① 蔡尚思，方行．谭嗣同全集［M］．北京：中华书局，1981：168.
② 同①.

为了破除甲午战前湖南守旧排外的格局，湖南维新派采取了如下措施：

一是“开民智”与“倡西学”。湖湘维新派人士严厉批判了顽固守旧派，邵阳人樊锥写成《发锢》一文，抨击顽固派“不揽星球，则曰世界之宏”①。告诫守旧人士在中国之外，尚有一个浩渺无垠的宇宙，宇宙中有无数星球，而地球“仅据其一”，这“其一”之中，又有万国万教相列，“相犄相角，相抵相吞”，“宗旨岔出，言论横塞”。世界既如此之大，万国万教相列如此之多，又何可“唯我独尊”？针对守旧者将儒家文化奉为至高无上的“天理”，把西方文化视作非天理的异端邪说，樊锥驳斥说：“以天之理，不以是者理，非者不理也。世界之是非，皆理也。”“自然之性，欧亚相合，乌得以我独有天，彼独无天乎？又乌得以我之天独是，彼之天独不是乎？”他认为“天理”并非儒家所独有，天理即世界之公理！“天之于生，无非一也，一也者，公理焉；公理也者，平等焉。”故西方文化应与中国文化平等相视。所谓“一人孤生不成其为人，一国孤据不成其为国，一洲孤立不成其为地球，一筋一血一丝一络不成其为身，故一教不成其为世界也”②。

二是宣传“西政”之民主、平等学说。湖南维新运动中，尽管有人依然奉行“中体西用”论调，可是一些激进的维新人士，则旗帜鲜明地从“西艺”层面升华到了“西政”的高度。谭嗣同是其中突出的一员。他指责主张“西艺”者，是对西方“政令法度之美备曾未梦见”，认为中国变法应当从学习西方的政令法度入手，这就需要改变中国的“体”，即封建的君主专制和纲常名教。他指责封建君主为“窃国大盗”，指责三纲五常是“惨祸烈毒”。③ 在批判的同时，维新人士大力倡导西方的平等思想与民权学说。谭嗣同

① 樊锥. 发痼篇［N］. 湘报，1898-4-19（38）.

② 同①.

③ 蔡尚思，方行. 谭嗣同全集［M］. 北京：中华书局，1981：340.

认为封建社会颠倒了君民关系，应当是“民本君末”，“君权民授”，“主权在民”。他说：“五伦中于人生最无弊而有益”者，只有朋友一伦。“所以者何？一曰平等，二曰自由，三曰节宣惟意。总括其义，曰不失自主之权而已矣。”[①] 梁启超在时务学堂面对青年学子的讲学中，更是大张其说。他们将封建文化的“体”批驳得体无完肤，成了传统文化的叛逆者。甚至他们中的个别人士，还主张全盘西化。樊锥有“革从前，搜索无剩，唯泰西是效”的言论[②]；易鼐有“改正朔，易服色，一切制度悉从泰西”的主张[③]。由此可见，封建的伦理观在他们思想上已发生变革，继之由资产阶级的民主平等观所取代。正因为这样，才招致守旧人士，也包括停留在中体西用层次上的一批人的反对。湖南维新运动中所发生的一场斗争，史学界称之为新旧之争，便是由此而生的。[④] 在这场斗争中，以谭嗣同、唐才常、熊希龄为代表的激进的维新派面对以王先谦、叶德辉为首的反对派的猖狂进攻，毫不退却，生死以斗，甚至以“杀身灭族”相劝勉，充分表现出一种冲决罗网的献身精神。总之，甲午战争后经过维新派的积极宣传和努力，人们的思想都在不同程度、不同层次上与传统的观念发生了变革和离异，这种变革、离异，成为湖湘文化走向近代化的重要标志。

其次，维新派以变革后的新思想和新形式，开创了湖湘文化近代化建设的新局面。这种新局面的开创具体表现在如下五个方面：

一是开设学堂。几乎所有的维新派，都提出了废科举、兴学校的要求。湖南时务学堂的设立，成为湖南省第一所近代化学校。课程设置除了经史，增设了不少西学课目，如格算、公法、外国史志

① 谭嗣同. 谭嗣同全集［M］. 蔡尚思，方行. 北京：中华书局，1981：349—350.
② 樊锥. 开诚篇［N］. 湘报，1898-4-2（24）.
③ 易鼐. 中国宜以弱为强［N］. 湘报，1898-3-29（20）.
④ 郑大华. 湖南时务学堂研究［M］. 北京：民主与建设出版社，2015：176—260.

等。省城还设立了近代化的专门学堂——武备学堂，采用西法培养新式军官。全省各地都纷纷改变旧的教育体制，标志着湖南近代教育的开始。

二是举办学会。省城设立南学会，成为湘省“开民智”的领导中心。遇有地方重大事情，均由此会讨论，提出办法，供省当局采纳。南学会定期开讲学术、政教、天文、舆地，听讲者可自由发问辩难，为人们提供了思想与言论交流的场地。全省各地不仅有南学会分会，还设立了其他各种学会，如校经学会、明达学会、致用学会、延年会、群萌学会、任学会、湖南不缠足会、三江学会、兴算学会、法律学会、公法学会、质学会、戒鸦片烟学会等等。各学会开展各项活动，移风易俗，蔚成一种新的社会风尚。其中尤以湖南不缠足会与长沙延年会成绩显著。不缠足会旨在破除妇女缠足陋习。它的入会章程规定：“凡入会人所生女子不得缠足”，“所生男子不得娶缠足之女”。谭嗣同撰《湖南不缠足会嫁娶章程》还规定：“凡同会皆可互通婚姻……总以简省为宜，女家不得丝毫需索聘礼。”[①] 当时报名参加不缠足会者达一千数百人之多。总会在长沙设立，衡山、新化等地还设立分会。延年会则以树新风、除旧俗为主旨。它的章程规定：无故不得请客，贺节贺喜及虚文酬答一律免除，严格遵守工作作息时间，办事讲求效率，并每天做体操。[②]

三是推行市政管理措施。为维护社会秩序和治安，湖南设立了保卫局，这实际上是中国最早的警察机构。它以“去民害、卫民生、检非违、索罪犯”为职责。[③] 除通缉罪犯，还清扫街道卫生，维持市内交通。保卫局附设有迁善所，职责是收容和改造社会不法之徒，如骗、盗及流氓斗殴等，组织他们学习织布、缝纫、刻字、弹棉、制鞋等项技艺，使之被释放之后，能有一正当职业谋生，不

① 谭嗣同. 湖南不缠足会嫁娶章程［N］. 湘报，1898-4-9（30）.
② 谭嗣同. 湖南延年会章程［N］. 湘报，1898-3-10（1）.
③ 黄遵宪. 湖南保卫局章程［N］. 湘报，1898-4-9（30）.

再危害社会。

四是建立各项近代文化设施。为开风气、拓见闻，省城开办《湘学报》与《湘报》。这是湖南最早的近代杂志和日报。它们开设各项专栏，有奏疏、电旨、公牍、论说、省内外新闻、商务、杂事、外国时事等。甚至还刊载每天市场商情、物价及各类广告，成为传递信息、沟通人们思想的重要工具，也成为宣传资本主义新文化与批判封建主义旧文化的阵地。当时，《湘报》上出现了一些用白话体写作的文章和诗歌，如皮嘉祐的《平等歌》《醒世歌》；吴獬的《大家想想歌》等，语言通俗活泼，开创了文学的新形式，还出现了一些新史学以及运用西方自然科学解释天文、地理的文章。《湘报》当时已经采用了最新的机器活字印刷技术，报纸日出一张。湖南近代的新闻、出版、印刷事业由此开创。南学会还设有藏书楼，也开湖南近代图书馆事业之先河。

五是开办近代新式企业。包括设矿务局，用机器和新法开采各种矿藏；设和丰火柴公司，提供人们日常必需的用具；设宝善成制造公司，开办机器制造业；设小型发电厂，使长沙有了电灯照明；设电报局，架湘鄂间电线，使湖南有了电信业。又开办湘鄂间的轮船营运，还筹建鄂汉铁路。

总之，甲午战争后的湖南，无论是物质文化、制度文化，还是社会心理文化，都发生了前所未有的变化，这种变化是湖湘文化走向近代化的另一个更为重要的标志。

第二节　湖湘文化萌芽期的特征（史前至夏商西周）

文化是由人创造的，也可以说，有了人类，便有了人类的文化。据考古发掘，湖湘地域境内最早的人类活动出现于10万年至20多万年前，即中更新世的后期。湖湘地域的先民同各地各民族的先民们一样，曾经历了漫长的原始时代，创造了丰富的旧石器文化和新石器文化，并且于旧石器时代末和新石器时代之初，即距今1万年至八九千年前，率先发明了人工种植稻谷。这是湖湘地域历史的开端，也就是湖南文化的最早萌发的源头。

当华夏文明进入到夏、商、西周时期后，湖湘地域还是属于可以成为“先楚”的时代，即人类的文明还没有光顾湖湘地域，主要是因为楚国尚未兴起，中原华夏文化没有传播南下。此时，虽在史书上，湖湘地域属于《禹贡》“九州”的荆州之域，中原的华夏族势力也时常进入，但这一地区大体仍处于“蛮夷”聚居的“要服”和“荒服”之列。在这1000多年间，一方面，湖湘境内各族群学会了制造和使用青铜器，从新石器时代过渡到了金属器时代；另一方面，从湖湘境内各族先民的主体部分看，在楚国兴起及其势力进入之前，湖湘还处于原始时代末期和原始氏族社会缓慢解体的阶段，与中原地区的发展存在明显差异。

一、湖湘文化萌芽期的历史线索

在20世纪80年代末以前，学术界一直认为湖湘地域人类活动和“史前”历史的开端是在湖湘境内发现的最早新石器文化遗址的年代，即距今1万年前左右。后经考古学家和历史学家的努力，在湖湘地域境内发掘出大量旧石器时代的遗址及其地下文物，经考证这些遗址的年代大约在10万年至20万年前，也就是说在大约10万年到20万年前的旧石器时代，湖湘境内已经有了最原始的居民存在和活动，湖湘史前历史可以追溯到旧石器时代。1987年5月，在全省文物普查中，首先在新晃县发现旧石器地点多处，并挖掘出土旧石器20余件。同年相继在怀化、芷江、辰溪、黔阳、澧县、石门、津市、临澧、桑植、安化、浏阳等地，发现旧石器地点数十处。至今在全省范围之内，已发现旧石器文化遗址达百处，出土的旧石器标本数以千计。分布地域以澧水和沅水流域为主，其次为湘水、资水流域，从底层关系判断，这些遗址年代的上限在 10 万年至 20 万年前以上，下限不晚于 1 万年前。最具有代表性的旧石器文化遗址就有：芷江县小河口旧石器遗址，距今约 5 万年到 1 万年；“石门人”和石门燕儿洞旧石器遗址，距今约 5 万年至 1 万年；澧县鸡公垱旧石器遗址，地质年代约为晚更新世的早期，距今约 10 万年；浏阳市永安镇旧石器文化遗存，距今约 20 万年至 15 万年，甚至可能更早一些。

距今 1 万年左右，湖湘地域的先民开始进入新石器时代。据现有的考古资料，湖南境内新石器时代的文化遗址已发现有 900 多处，几乎分布在全省范围之内。这些文化遗址主要包括新石器早期的道县玉蟾岩遗址文化、澧县彭头山文化、石门皂市下层文化、洪江市（原黔阳县）高庙文化遗址、澧县八十垱聚落文化遗址；新石器中期的大溪文化阶段和屈家岭文化阶段各遗址：澧县梦溪三元宫遗址、澧县城头山遗址、长沙南托大塘遗址、澧县宋家台遗址、湘乡岱子坪遗址、怀化高坎垅遗址等；新石器晚期的安乡划城岗遗址晚期文化遗存、华容车轱山晚期文化遗存、湘乡岱子坪二、三期文化遗址、安仁南平何古山文化遗址、靖州篷坡文化遗址等 100 多处。另外，与中原地区有了一定的联系，可以从上古传说中的炎帝南徙葬于鄗县和舜帝南巡葬于九嶷山的故事中得到有力的证明。

夏商西周时期，湖湘地区的历史文化在史前原始文化的基础上继续孕育并有了中原文明的些许渗透。在夏王朝存在的时期，中原几位著名的氏族部落首领，如尧、舜、禹，都与湖南有着或多或少的联系。尤其是舜，更是死于湖南、葬于宁远县的九嶷山——这是传世唯一可靠的舜帝墓葬。此外，湖南湘潭的韶山，相传也与舜帝有着联系，即谓舜南巡时，曾经奏韶乐于此，因而得名。这表明，在夏王朝建立前后，华夏中原地区与荆楚地域之间已经有了文化的互动交流，从而带动湖南境内的氏族部落逐渐进入阶级社会。

约在公元前 16 世纪建立于中原的殷商王朝，势力接近或进入湖湘境内，与湖湘地域有了直接的联系。这在20世纪30年代以来在宁乡出土的大量殷商时期的青铜器，如青铜大铙、人面纹方鼎、四羊方尊等历史文物中得到确证。当然，这些文物既与出土于中原地区的样式形制风格接近，又具有自身独特的地域特色，而且有些器物比中原所出土者样式更为精美、形制更为庞大。

周王朝建立后，与南方联系日益增多。很多古籍如《竹书纪年》《诗经》等记载了周王朝征伐荆蛮的战争。相传周昭王曾经南巡来到湖南长沙与湘潭之间的昭山，盘桓多日，后殁入山下深潭，故潭名“昭潭”，山名“昭山”。此外，各地出土了数量更多的周代陶器和青铜器，除了能够证实湖湘本土先民与周王朝存在着密切的交流外，也表明湖南的本土文化有了更大发展。

二、湖湘文化萌芽期的特征

根据上述湖湘地区史前时期、远古传说时期和夏、商、西周时期的考古发掘与历史记载，综合后来人们的研究成果，我们认为，在这样一个漫长的时间之内，就其历史发展过程来说，是湖湘文化的孕育、萌芽期，具有与中原文化发展的完整性与不同步性、文化起源的二元性和文化内容的区域性。

第一，湖湘文化具有与中原文化发展的完整性与不同步性。这是从湖湘文化历史进程来说的，其完整性是指湖湘文化同中原史前文化的历史进程一样，经历旧石器时代、新石器时代、铜石器并用时代。人类史前时代一般分为旧石器时代、新石器时代、铜石器并用时代，其划分依据是生产工具性质种类的不同。旧石器时代是以使用打制石器为标志的人类物质文化发展阶段，从距今约250万年前开始，延续到距今1万年左右止；新石器时代是以使用磨制石器为标志的人类物质文化发展阶段，从距今约1.8万年前开始，结束时间从距今5000多年至2000多年不等；铜石器并用时代是以铜器、石器并用为标志的人类物质文化阶段，也是史前文化的最后一个阶段，大约是前3500年至前2000年左右。随后人类就进入了由铁器、文字、城邦而决定的文明时代。上述三个人类史前文化时代，在湖南地域都已出现，这就是湖湘本土文化最早、最直接的说明，也是湖湘文化成为地域文化类型最早的渊源。

其不同步性是指湖湘文化的历史进程与中原史前文化进程是不吻合的，存在明显的差异性，因为湖湘地域的旧石器时期，从现有的考古发掘判断，只能上溯到 10 万年至 20 万年以前左右，例如，1987 年发掘的澧县鸡公垱旧石器遗址，地质年代约为晚更新世的早期，文化时代属于旧石器时代中期，距今约 10 万年；1991 年 8 月发掘，浏阳市永安镇旧石器文化遗存，地质年代属于中更新世晚期或晚更新世早期，其相对年代距今 20 万年至 15 万年。而中原原始文化的上限时间，现在的考古发现已经断定在 70 万年以前。其间时间差距这么大，除了湖南地域的考古发掘外，这与湖南地域原始人类的出现及其早期活动有极大的关系，所以，湖南原始文化的旧石器时代无疑要晚于中原地区。除此之外，湖南地域的史前文化的第三个阶段即铜石器并用的时代，要比中原史前文化时代结束晚一些，大约晚了 600 年。有人根据湖南境内，相当于商代早期的皂市文化和铜鼓山一期遗存中出土有少量青铜器、铜渣及熔炉遗迹以及湖南东部地区商代晚期的费家河文化也发现过少量铜渣、青铜工具、武器等，判断湖南在商代早期或晚期就有了高度发达的青铜冶炼而进入文明时代。我们认为，仅仅靠这几处青铜文化遗址就认定在殷商时期湖南就有了发达的青铜文明是难以令人信服的。所以，“根据‘青铜时代’的定义和张光直对‘青铜时代’的论述，①这些

①《中国大百科全书·考古学》指出，青铜时代是“以青铜作为制造工具、用具和武器的重要原料的人类物质文化发展阶段”（中国大百科全书编委会. 中国大百科全书：考古学［C］. 北京：中国大百科全书出版社，1986：399.）。张光直《中国青铜时代》一书中也明确指出：“我们所谓中国青铜时代，是指青铜器在考古记录中有显著的重要性的时期而言的。而辨识那‘显著的重要性’的根据，是我们所发现器物的种类和数量，使我们对青铜器的制作和使用在中国人的生活中占有中心地位这件事实，不容置疑。”（张光直. 中国青铜时代［M］. 北京：生活·读书·新知三联书店，1983：1—2.）

只能视为湖南青铜文明的萌芽而非青铜时代，而且湖南青铜器的萌芽也是受中原商文化的影响出现的。因此，湖南进入青铜时代当自西周时期（约前1000年）开始，较中原地区晚600年以上。而西部地区进入青铜时代是在楚人进入该地之后，时间最早不早于春秋”①。

由是观之，湖湘地域萌芽期表现出来的历史进程特点，无论是其完整性还是其不同步性，依据人类文化学原理来分析，是文化发展的普遍性与特殊性、不平衡性、差异性在湖湘地域史前文化中的反映。

第二，从湖湘文化起源来看，具有明显的本土文化和中原文化的二元结构特点。湖湘史前和原史时代的本土文化是原创性的，从北方南下而来的中原文化是渗透性的，二者共同构成了湖湘文化的最初形态。由于考古材料及相关研究成果的缺失和差异，目前我们还无法完善和明晰湖南先秦文化东西二元结构的全部内容和具体细节，但从总体上看，这种特征是客观存在的。

就湖湘本土文化而言，湖南新石器时代文化遗址的基本特征是出现了经二次加工的磨制石器和陶器，产生了原始农业和家畜饲养业。其发展的状况表明湖南在新石器时代的中晚期已开始摆脱原始的采集和渔猎经济，进入到古代的农业文明。例如1995年发掘的道县玉蟾岩文化遗址，被列为全国十大考古发现之一。其出土遗物中发现有稻谷遗存，经专家鉴定为人工栽培稻种，尚保留了野生稻、籼稻及粳稻的综合特征。这是目前世界上发现的最早的人工栽培水稻标本，刷新了人类最早栽培水稻的历史纪录，可视为湖南和中国南方稻作农业最初的发端。从社会组织看，氏族部落制度可能产生，人们以氏族或大家族为单位聚住，开始形成人数较多的稳定聚落。又如龙山文化时期，湖湘的先民们的社会基本单位，已由父

① 朱汉民. 湖湘文化通史：第一册［M］. 长沙：岳麓书社，2015：207.

系家族和父系大家族，逐步走向一夫一妻制的小家庭过渡；从发掘的墓葬随葬品数量来看，这一时期已经有了私有财产，贫富分化继续发展。值得一提的是这个时期湖湘先民已经有了原始宗教信仰和原始艺术的萌芽，如洪江市（原黔阳县）高庙文化遗址，年代约为7800—6800年，陶器装饰是高庙文化最突出的特征之一。在部分陶器上戳印的凤鸟纹和兽面纹，其凹下的图案部分被填涂上朱红色或黑色的矿物颜料。有一件白陶簋的外底还彩绘有太阳的图案。这应是当时人类用于宗教礼仪活动的“艺术神器”。[①]有学者认为，这种宗教信仰和宗教艺术，对后来中国古代文明产生了深远的影响，“发展成为日后多源一体的中国古代文明的共同精神支柱——龙凤信仰和肇始于观象授时的八卦宇宙观”[②]。在夏商周时期，湖湘文化的这种本土性、原创性不断加强，其特性日益显示。

就这个时期中原文化南下对湖湘文化的渗透而言，一方面表现为在历史传说时期（英雄时代）中原部落与湖湘地区的联系、战争，如夏王朝建立之前的几位著名的氏族部落首领尧、舜、禹，都与湖南有着或多或少的联系。殷商时期，据《竹书纪年》等古籍记载，商王朝在征伐荆蛮的战争中，其军事及政治势力一度接近或进入湖南，这表明殷商的政治经济文化已经影响了湖湘大地。另一方面是中原青铜器在湖湘地域的传播，如1959年从湖南宁乡老粮仓师古寨同时出土了五件商代青铜大铙。1983年又在宁乡发现的象纹青铜大铙，是我国目前所见最大的商代铜铙。后来又陆续出土铜铙近20件，比举世闻名的于湖北出土的曾侯乙编钟还要早1000余年。此外，在宁乡县黄材炭河里遗址出土了大量青铜器，其中的“人面纹方鼎”，四方形、立耳、深腹、柱足，四面皆以人面孔为纹样，在现在可见的商周器物中尚属孤例。20世纪30年代在宁乡出

① 伍新福. 湖南通史：古代卷［M］. 长沙：湖南人民出版社，2008：4—8.
② 贺刚. 高庙遗址的发掘与相关问题的初步研究［J］. 湖南省博物馆馆刊，2005（2）：124.

土的“四羊方尊”造型独特，漆黑光亮，以四只立体山羊构成，整体纹饰繁复细腻，巧妙精致，有强烈的立体感，采用分铸法制造，为国内绝无仅有的珍品。所有这些表明，华夏中原地区与荆楚、湖湘地域之间已经有了文化的互动交流，从而带动湖南境内的氏族部落逐渐进入阶级社会。正如中原文化传到荆楚地域后形成了较为强势的荆楚文化，尔后荆楚文化又不断影响湖湘地域并日益发展。

第三，湖南史前时期和原史时代文化形态为后来地域性的湖湘文化形态形成奠定了较为坚实的基础。每一种各具特色文化的形成、发展、壮大，从来不是空穴来风，自有它的历史渊源和本土特色。如果一种地域文化离开了其地域特色和本土特色，也就无所谓地域性了，更谈不上形成一种独立存在而被大家认可的地域文化。湖湘文化在历史的流变及其发展中，之所以后来建构为一种具有自强不息、坚忍不磨、无所依傍、浩然独往、实事求是、勤勉笃实、经世致用以及敢为天下先的文化品格和气质，这与湖湘先民在湖湘这块土地上筚路蓝缕、开莽辟榛、筑路兴室、艰苦劳作而顽强征服恶劣自然环境的勇气与斗志是分不开的，从这些文化品格和文化气质之中，直到今天我们依然可见那刀耕火种、茹毛饮血的生活场景。

第三节　湖湘文化的形成期及其特征（春秋战国至五代十国）

湖湘文化的形成期主要包括三个阶段，即春秋战国时期之湖湘文化的初步形成阶段；秦汉时期之湖湘文化的进一步形成阶段；魏晋隋唐五代时期之湖湘文化的初步发展阶段。尽管每个阶段湖湘文化发展的自我理解和自我意识有所差异，但是总的来说，湖湘文化还是处于一个内部不断调适机制与吸收外部文化因素的成长过程之中。

一、湖湘文化形成期的历史线索

（一）春秋战国时期：湖湘文化的初步形成阶段

春秋战国时期，湖湘地域缓慢地跨入了文明的门槛，迎来了文明初曙，主要体现在湖湘先民使用了铁器并掌握了一定的冶铁技术。那么，为什么湖湘地区从铜石器并用的时代——夏商西周一结束就很快进入了铁器使用的时代呢？我们知道，春秋晚期以后，中原地区铁器制造逐渐普遍，冶铸技术也有很大提高，正式进入了铁器时代。而湖南是伴随着春秋五霸之一楚国楚文化大规模南下突然进入铁器时代的，湖湘本地没有经历过铁器的起源阶段。所以说，湖南的铁器文明是舶来品。湖湘地域铁器文明的到来，主要原因在于这时候楚文化对湖湘地域的强势植入而给湖湘文化带来的突飞猛进的进步。楚文化中相对先进的生产工具和生产技术，使得湖南地区的农业、林业、牧副业、手工制造业和商业等都有了一定的进步和发展。

所以，春秋战国时期，楚文化的这种强势植入与湖南的土著民族共同创造了辉煌灿烂的物质文化，也创造了新兴的封建制度文化与充满着神奇色彩的精神文化。楚国在春秋时代已是较早实行封建郡县制的国家。征服湖南的土著民族后，即在湖南设县任尹，封君封邑。无论郡县或者封邑，都必须向楚王室缴纳贡赋。对原居住湖南各地或新迁入的楚人或巴人，都一律按土地征收实物地租与田赋。

文字是文明的要素和标志之一。春秋以前，湖南的土著居民还不曾掌握和使用文字。楚人入湘后，湖南土著居民便普遍地学习由楚国输入的文字。与此同时，楚人给湖南带来了中原的文献典籍并传播了当时北方较为先进的礼仪习尚及其文化思想。刻在青铜器上和书写在简牍与帛书上的文献典籍在湖南广为流传。其礼仪习尚主要是江北的生活习惯与民俗风情。

在思想文化方面，楚文化中占重点地位的五行、阴阳术数和老庄逍遥避世的思想于湖湘地域表现较为充分。阴阳五行学说认为天干地支、四季年月之间存在着某种内在而神秘的联系，它影响着人们的生死、婚丧、仕途升迁、战争胜败等一切世俗事务。由此，湖湘地域亦盛行占卜术。子弹库楚墓帛书中就有“卜问吉凶”之语，并详细叙述了一岁中灾异的趋避、祭祀的禁忌，表明当时的人们以封筮来卜问神灵有关生老病死、婚丧、战争等现实生活行为的吉凶。春秋战国之前，湖湘本土居民大都信奉原始宗教，崇拜多种祖先之神和自然之神，楚文化南下后又带来了楚人的宗教信仰和神话传说，两者互相融合影响，构成了春秋战国时期湖湘地域的宗教与神话。当时的人们普遍相信有一个与人间现实世界相对应的天上神仙世界和阴间鬼灵世界。依据长沙楚墓出土的帛书及屈原在湘所作的楚辞，可以得知湖湘先民一是信奉自然神，如日神东君、云神云中君、风神飞廉、雨师薄号、水神河伯、东皇太一、山神、湘君、湘夫人等，其中湘君、湘夫人是湘人特有的信仰；二是信奉英雄神，他们是族神、祖先神的升华，最突出的为伏羲和女娲，他们是天地万物之神，又是补天的英雄和确定岁时的神，还有炎帝和祝融。传说炎帝即神农氏，是中华先祖之一。他教人耕作百谷，并精通医药，相传在湖湘地区采药时误食断肠草而亡，“葬于长沙茶乡之尾”；祝融是传说中的火神。楚人尚火，自认是火神的嫡嗣，所以在神话体系中祝融的地位也很高。相传祝融死葬衡山，故衡山最高峰名祝融峰。此外，湖湘先民信仰的还有帝俊，是制定日月运行的神；以及管日之神，襄助其父祝融“授民以时”的共工氏等。

总之，我们可以得知，由于楚文化的南下入湘，湖湘地域的文化呈现出与先前不可同日而语的驳杂态势，无论是工艺美术、音乐文学，还是哲学、宗教意识都有显著发展。

（二）秦汉时期：湖湘文化的进一步形成阶段

秦汉时期，随着国家统一局面的出现和不断强化，封建王朝加强了对湖湘地域的行政管辖，秦朝设置所涉及的湖湘地域主要有长沙郡（苍梧郡）、黔中郡（洞庭郡），两汉则有武陵郡、长沙郡、零陵郡、桂阳郡，使湖湘地域迅速融入中原华夏系统之中。秦汉时期，湖南境内的人口在原有的基础上快速增长。据载，至东汉永和五年（140）时，湖湘地域人口增长到 281 万。随着北方和中原人口的大量引入，湖湘人口的民族成分也发生了较大的变动，民族融合进一步加强，这样湖湘境内的土著居民、中原人、楚人便构成了湖南境内新的主体民族——汉族。

在民族融合的同时，湖南境内的楚文化与新进入的中原文化融合，在原有的基础上继续向前发展，形成新的具有楚文化特色的汉文化。在物质文化方面，秦汉时期铁器、牛耕的普遍应用，湖湘地域的农业、手工制造业、交通运输业水平赶上甚至超过了较为发达的中原地区，如马王堆出土的轻薄素纱禅衣重 49 克，其经纬丝纤度已达到与近代缫出的最精细的纤度相当的程度。商品流通中使用的货币除“五铢”铜钱等之外，还出现了铁钱币。

制度文化也日趋完备，秦统一后的郡县制、修驰道、统一的币制与度量衡制等大一统措施都在湖南得到施行，尤其是在东汉时期，朝廷对于湖南境内的诸“蛮夷”采取了一系列招抚和羁縻的措施。精神文化也日益丰富而多样，如黄老之学在当时的湖南已十分流行。长沙马王堆出土的汉墓中发现一大批医学帛书和两部我国至今能见到的最早的天文学专著，还有三幅古地图，说明当时湖南的医学、天文与地理学已有一定程度的发展。医学的发展大概与东汉名医张仲景在长沙担任过太守不无关系。文学艺术上，有长沙王太傅贾谊所作的《吊屈原赋》《鹏鸟赋》，在中国赋史上极具地位。长沙马王堆汉墓出土的墓葬中，还有大批的帛画与古乐器，也反映出当时湖南在艺术上的突出成就。并且东汉时湖南耒阳人蔡伦发明了造纸术，为世界文明作出了贡献。

秦汉时期湖湘地域科学技术已初显端倪，其成绩主要表现在天文历法、医学、舆地学和农学四个方面。在天文学方面，如长沙马王堆三号汉墓出土的《五星占》和《天文气象杂占》两部天文学方面的帛书是我国迄今所能见到最早的天文学著作，也代表了这个时期湖湘天文学的最高成就。

在医学方面，出现了中国中医学、中药学的许多著作，尤其是中医经络学、脉络学的发展有了一定的水平，如《却谷食气》《五十二病方》《杂疗方》《胎产术》《杂禁方》。这些著作有些尽管难以断定是湖湘医家所撰，却在临床运用的过程中，糅杂进了一些湖湘本土的临床经验，对湖湘地区的医学发展产生过重要作用。更为突出的是，曾经在汉末建安年间担任过长沙太守的张机（张仲景）所撰之《伤寒杂病论》，以讲究辨证论治而成为中国古代四大经典医学著作之一，被称为中国医学方书的鼻祖；张仲景也由此被尊称为“医圣”，其医学理论吸收了湖湘地域某些医学成就应该是可定的。

舆地之学即地理学也为秦汉湖湘文化增添了色彩。马王堆三号汉墓出土的三幅古地图，即《城邑图》《长沙国南部地形》与《长沙国南部驻军图》，是世界上现存最早、具有实用价值的彩色地图，在我国地图学史上占有重要地位，具有重要的科学价值，代表了湖湘舆地学的最高水平。

另外，湖湘地域的农学一直保持远古时代华夏远祖炎帝神农氏在湖湘地域传说的遗风，探索农耕生产生活的经验，如长沙马王堆出土的《相马经》，大约是战国晚期楚国人的著作，传抄至汉代仍在使用，是我国现存最早的有关畜牧业的专著。

（三）魏晋隋唐五代时期：湖湘文化的初步发展阶段

魏晋隋唐五代时期，湖湘文化的发展并非相对于全国或中原文化而言，而是相较于秦汉时期的湖湘文化提出的。这个时期虽然有魏晋和五代两个阶段的国家分裂、混乱的局面，但此种情形造成的不利影响，主要存在于中原地区，湖湘地域相对较为稳定，文化发展不被中断而得以延续。当然，其中的隋唐时期因国家统一、政治清明、经济发达，湖湘文化自然相应发展。这就是魏晋隋唐五代时期，湖湘文化发展的主要原因。其具体表现主要体现在物质文化和精神文化领域，尤其是在思想文化方面得到了长足的发展。

物质文化领域主要是经济继续发展而相对活跃。例如在魏晋时期，尽管人口减少，但生产力和生产技术仍有缓慢进步，社会经济得以继续发展。农业上，随着耕地拓垦，水田灌溉面积扩大，以及牛耕的进一步推广，生产技术不断改进和提高，使得粮食作物有了很大程度的增产，湖南在当时已开始成为全国大米的重要产地和供应地。三国时，“长沙好米”已是名声在外。农业的发展带动了工商业的繁荣，以粮食为原料的酿酒业在湖南特别兴盛发达。独具特色的青瓷制造业和麻纺织业、造纸业、造船业以及金属制造业都有长进。各种产品的增多使得商业流通领域也十分活跃。特别是受这个时期世家豪族为代表的封建大土地所有制和封建的庄园经济的影响，湖南地区也同样出现了一批世家豪族，他们通过各种手段，广占田地，私募佃客、部曲，过着骄奢淫逸的生活。隋唐时期，由于政府实行租庸调制和两税法，带来了农民生产积极性和人口的增加。据载湖南境内的人口在唐贞观至开元年间，已达 123 万余人。隋唐五代时期湖南各地兴修和扩建了许多水利灌溉工程，多数地区的水稻已实行一年二熟制。粮食作物除种水稻，还种小麦与粟、黍等。经济作物有桑、苎麻、茶叶和棉花。手工业方面，以前的青瓷烧制工艺已发展到釉下彩烧制工艺。长沙铜官窑的釉下彩瓷器已能代表当时国内瓷器生产的最高水平。其他手工业如纺织业，也由以前的麻纺为主变为丝纺与棉纺并举了。此外传统的有色金属矿产的开采和冶炼，除了金、银、铜，还有朱砂和银。这个时期，湖南的商业贸易出现了新的发展趋势，畅销的农副产品有大米、瓷器与茶叶。长沙铜官窑的釉下彩瓷器不仅行销于国内的通都大埠，而且远销朝鲜、日本、印度和东南亚地区，甚至远达北非和南非。茶叶主要是销往北方各省，据载每年上交的茶税以百万计，可推知其销售额是相当大的，很可能湖南茶已压倒了江淮茶和福建茶，垄断了北方市场。

精神文化领域随着经济的发展而进步，首先，哲学思想的兴盛。魏晋南北朝时期的清谈玄学之风在湖南也盛极一时。湖南当时颇有名气的清谈家和玄学家有泉陵（今零陵）人刘先，长沙人虞授、邓粲，武陵人潘京、伍朝、龚玄之等。他们都崇尚“老庄”，提倡“安于陋巷”“避世山林”“终身隐而不仕”。东晋耒阳人罗含所著《更生论》是湖南最早的哲学著作。其次，宗教思想的发达。由于崇尚“老庄”和清谈玄学之风的盛行，与之相近的道教在湖南得到广泛的传播。道教的主要据点在南岳衡山。衡山的祝融峰有南岳观，西晋太康八年（287）所建。在其他地方的著名道观有巴陵的青霞观，醴陵的登真观等。佛教传入湖南也在魏晋之际。湖南最早的一座佛教寺庙为麓山寺，建于西晋初年。稍后又有巴陵君山寺、圆通寺、桃源净照寺、衡阳上圆清寺、衡山衡岳寺、攸县证果寺等一批佛教寺庙的出现。再次，文化学术较前大为改观。三国时湖南的著名文士有蒸阳（今衡阳）人刘巴、湘乡人蒋琬和长沙人桓阶。并且刘巴做过蜀国的尚书令，蒋琬做过蜀国的尚书郎与大将军，可以说是当时中央一级的官吏。湖南人最早崭露头角，参与中央国家的政治生活，在东汉时有耒阳人蔡伦（任中常侍）、桂阳人胡腾（任窦武之佐治属官）、泉陵（今零陵）人蒋晋（任尚书郎）和刘优（任尚书右仆射），到魏晋时期则为刘巴与蒋琬。到南朝时，湖南文学上的杰出人物有澧州人阴铿与车胤。此外，邓粲还是东晋时著名的史学家，罗含既是哲学家又是地学家。南朝时著名的地学家尚有武陵人黄闵与伍安贫。而唐朝时期，湖湘文化改观的突出表现之一是湖南的第一个进士是长沙人刘蜕于唐宣宗大中四年（850）所中，号称“破天荒”。在文学方面，唐朝中期以后，湖湘地域出现了李群玉、李宣古、刘蜕、胡曾、怀素、齐己等诗人、作家。五代时马殷据湖南，其势力曾一度扩展到沅水、澧水流域，文化更有发展，在长沙聚集了一批文人，属湖南籍或定居湖南的有邓洵美、韦鼎、狄焕、廖昌图、廖凝等人。这些人的成就虽然不高，却形成了一种声势，对振起湖南地区的文风起了重要作用。从中唐到五代，湖南还先后出现了石鼓、岳麓两书院，是见诸记载的中国书院之始，更开创了湖湘以重教育著称的先河。[①]此外，湖南在唐代出现了全国第一流的大书法家欧阳询、欧阳通父子及怀素，他们三人都是长沙人。欧氏父子的“欧体”与怀素的“狂草”比湖南的诗文创作在全国更有地位和影响。

然而，我们估量唐后期湖南文化的发展也不宜过高。因为与当时的中原文化相较，湖南仍然还是地位低下的。在中原人的眼里，湖南当时还是一个未完全汉化的地方。例如，湖南的文化学术从秦汉到魏晋，虽然较之以前有了进步，但是在全国范围内估量，其总体水平还不高。据有关学者统计，西汉出书 282 种，湖南仅 1 种；《汉书》所载士人 510 名，无一出于湖南；西汉私家教授和五经博士人数湖南均为零。东汉出书 568 种，湖南仅 2 种；《后汉书》列传中士人 990 人，湖南仅 4 人；东汉私家教授 213 名，湖南仅有 1 人，五经博士人数仍为零；东汉三公九卿 302 人，湖南仅有三公 2 人。三国时期，《三国志》列传中士人 625 人，湖南仅 9 人。西晋出书 649 种，湖南仅 1 种；将相大臣和辟雍学士人数均为零；《晋书》列传中士人中湖南亦仅 16 人。南朝时期《宋书》《齐书》《梁书》所含列传人物中，湖南人物分别只有 1 个，《陈书》中也只有 2 个，《隋书》中竟然为零。[②]究其原因，正如中唐张谓所撰《长沙风土碑铭》之序云：“郡邻江湖，大抵卑湿，修短疵疠，未违天常，而云家有重膇之人，乡无颁白之老，谈者之过也。地边岭瘴，大抵炎热，寒暑晦明，未愆时序，而云秋有爀曦之日，冬无凛冽之气，

① 马积高. 漫论湖湘文化［J］. 湖湘论坛，1996（6）.

② 张伟然. 湖南文化的发展过程［J］. 中国史研究，1996（2）：133—134.

传者之差也。”[①]这样一个“风俗夷僚”“蛮越杂处”的“卑湿”“炎热”之地，在当时普遍为安置贬官谪吏的去处。如王昌龄被贬龙标（今黔阳），刘禹锡被贬朗州（今常德），褚遂良被贬潭州（今长沙），赵冬曦、张说被贬岳州，令狐楚被贬衡州，元结、吕温被贬道州，戎昱被贬辰州等等。当然，也有视湖南为“清绝地”而前来漂泊游览者，如韩愈、李白和杜甫，他们也在湖南一些地方留下了活动的足迹及诗篇。

二、湖湘文化形成期的特征

如上所述，春秋战国至五代十国时期，湖湘文化大致经历了春秋战国时期的初步形成、秦汉时期的进一步形成、魏晋隋唐五代时期初步发展三个阶段，每个阶段出现了一些较为明显的文化亮点，为后来湖湘文化的成熟定型奠定了基础，提供了蕴涵精、气、神的文化内涵和多姿多彩的文化形式，与此同时，也为中华文化的不断融合、创新带来了文化养料，是中华文化发展史上的一个重要环节。此种情形可以从以下特征反映出来。

第一，文化门类齐全、文化形式多样而粗具湖湘地域的文化规模。

地域文化是从文化的广义性角度来说的，广义的文化就决定了文化既是无所不包又是多种多样的。文化的这种丰富性和多样性自然决定了文化的整体性及其发展程度。春秋战国至隋唐五代十国时期，民族融合加强、中原文化渗透、生产力水平较之以往大大进步、经济日益发展，再加上湖湘民众勤劳勇敢、积极进取的精神，湖湘文化也随之发展并粗具地域文化的规模。如上所述，这个时期的湖湘文化，尽管比不上中原地区，但包括物质文化、制度文化、行为文化、精神文化在内的文化门类较为齐全，包括天文历法、医

① 张伟然．湖南文化的发展过程［J］．中国史研究，1996（2）：134.

学、舆地学、农学、史学、文学、教育、哲学、宗教等在内的文化形式多样性是显而易见的。后来，在宋元明清时期，湖湘文化发展的成熟与定型都是在这个基础上形成而继续发展的。

第二，湖湘文化的地域性初显端倪。

一种独具特色、独立存在的文化形态的形成和成熟，不是一日之功、一蹴而就的，必须经过长期的历史孕育、壮大而逐步形成，必须具有悠久的历史积淀和文化传承。这样，才能显示出文化的历史性、地域性。我们也可以将春秋战国、秦汉至魏晋隋唐五代时期视为湖湘文化的积淀时期，那么，湖湘文化的地域性特色在此时期也是曙光初露。如此情形可以从这个时期的医学、文学和宗教最能得到说明。例如医学领域的长沙马王堆三号汉墓出土的很多医学著作，其内容具有明显的湖湘地域文化特征，《却谷食气》即是荆楚地区自先秦便早已有之的食气养生方法；《五十二病方》《杂疗方》中有许多疾病为荆楚之地方病状，所记载的药物也有许多为荆楚地区的特产；《胎产术》与《杂禁方》中所述禁咒之术也有明显的荆楚特征。因此，这些著作尽管难以断定是湖湘医家所撰，却在临床运用的过程中，糅杂进了一些湖湘本土的临床经验，对湖湘地区的医学发展产生过重要作用。又如在文学领域，三国时期，蒋琬、刘巴、桓阶、周不疑等一批湖湘本土文人涌现出来。南朝时期的阴铿则以风格清新、格律工稳的五言诗为唐代律诗的形成奠定了基础。唐代五代时期，湖湘文学进入较为繁荣阶段，出现了李群玉、刘蜕、胡曾等一些重要的本土作家，马楚政权所培植出来的“天策府诗人”兴起了湖南诗歌创作的风气。流风所及，以隐居文人廖凝、廖融兄弟等为核心的“衡山诗人”群体便应运而生。另外，以宗教为载体的湖湘文学形式也异军突起，一批禅宗僧人以诗偈的形式阐扬禅理教义，抒发禅修心得，不止有着深刻的宗教思想内涵，也以其风格各异，格律严谨，不事雕饰，通俗浅白的口语、俚语入诗，并促进了这个时期诗歌技巧的发展。其代表人物有齐己、虚中、栖蟾、文喜、乾康、玄泰等，他们形成了一个湖湘诗僧群体。再如唐代湖湘著名道教宗师司马承祯擅书画，谐音律，通医药。他吸收儒家的正心诚意和佛教的止观禅定学说，以老庄思想为本，融合而成道教修真理论，所撰《坐忘论》《天隐子》等书，既在后世道教由外丹转向内丹的进程中发挥了重要的理论作用，又对后世宋代理学家“主静去欲”思想的形成影响极大。还有唐代隐居于南岳华盖峰的著名道士徐灵府所撰《通玄真经注》，为现存最早对《文子》的注疏，对道教思想乃至对中国哲学思想的研究均有重要价值。唐末五代时的道士谭峭的《化书》，以老庄思想为基础，兼容了儒家学说，是道教思想史上的重要著作。可见，这个时期，湖湘文化带有较为明显的湖南本土气息，所以，至两宋时期以理学为核心内容的湖湘学派的形成与发达渊源有自、水到渠成。

第四节　湖湘文化的定型期及其特征（两宋至1840年鸦片战争）

两宋时期湖湘学派的形成及其儒学地域化——湖湘理学的高度发达与完备，最终使湖湘地域经几千年氤氲化育而成的湖湘文化瓜熟蒂落，基本定型，其最突出的表现形式是庞大的地域学派群体、发达而深刻的本体论理学体系、完备而严谨的书院教育。这一盛况空前的学术传统至元、明、清时代虽经曲折却最后得以发展并臻于完备，并成就了晚清时期湖湘文化经世致用的践履功夫，成为令世人瞩目的文化形态。至此，湖湘文化基本成熟。所以，这个时期是湖湘文化的定型成熟期。

一、湖湘文化定型期的历史线索

两宋元明清时期是湖湘文化的成熟、定型期，其成熟主要是因为在这个时期湖湘文化创立了自己独特的文化核心体系——湖湘理学。湖湘文化不但有了自己文化建构的哲学思想，而且有了深厚的文化内涵，作为一种不同于其他文化的地域文化形态，在湖湘历史发展中稳定而长久地存在、延续和不断发展。正是这样一种独具魅力、底蕴深厚的湖湘理学思想，对湖湘文化的价值取向、思维模式、行为方式、审美情趣有着极其深远的影响。其定型主要是因为湖湘文化自此有了较为完整的文化体系、稳定的文化传承学派和鲜明的文化特质，地域特色得以大为彰显。当然，湖湘文化这个过程的实现也是漫长而曲折的，大致经历了两宋湖湘理学的突显及其发达的基本定型阶段、元明湖湘理学低迷与复兴的沉淀阶段、清代湖湘理学经世致用的极致发挥阶段。

两宋时期是湖湘文化基本定型的时期，主要在于湖湘理学的突显及其发达。两宋时期，湖南的交通、政治、经济地位及形势在全国而言，大为改观，为湖湘文化的发展提供了良好的自然环境和社会环境。政治上，北宋王朝在960年建立后不久，为了加强君主专制统治和实现对全国的统一，消灭了包括湖南“马楚”在内的地方割据政权，并着力经营南方，如宋神宗在位期间，湖南新置新化、安化两县，史称“开梅山”。经济上，由于大量移民进入湖南，人口快速增长，加上耕地面积的扩大和水利工程的大规模兴修以及生产技术的进步，湖南的农业、手工业、商业得到了前所未有的发展。另外，两宋时期，湖南交通大为改善，使湖南加强了与全国各地的联系。可见，两宋时期，湖南的政治、经济良好局面的出现，为湖湘文化的发展奠定了基础。故湖湘理学在此背景下异军突起，出现了儒、释、道“三教合一”的理学中的重要学派——湖湘学派。

宋代理学的开山之祖周敦颐是北宋湖南营道（今道县）人，他的《太极图说》与《通书》奠定了宋明理学的基本规模。原籍福建、流寓而定居湖南的胡安国、胡寅、胡宏父子，还有原籍四川、随父主政湖南尔后一心致力于湖湘书院教育的张栻，开创了以“经世致用”为核心理念、以理学为基本内容、以兼收并蓄综合创新为学术特征，并致力于民族精神的“湖湘学派”。湖湘学派的这些特征，为往后湖南文化的发展确立了基本框架。

元明时期，湖湘文化尤其是湖湘理学从低迷走向复兴，处在文化发展的沉淀时期，为清代湖湘文化的发展积聚能量。因为元朝建立后，蒙古游牧民族的铁蹄南下，长驱直入，对中原文化包括湖湘文化造成了极大破坏。加之这一时期，民族矛盾、阶级矛盾和文化冲突都非常激烈，导致整个社会的发展极不稳定。直到元世祖后期及成宗、仁宗年间，才开始注意吏治，与民休息，劝课农桑，并相应地采取一系列政策和措施，恢复和发展农业、手工业与商业，从而使社会经济重又向前发展。据记载元代湖南地区重建、增修和迁建的路（州）、县学宫计达 21 所，并且还重建了在南宋年间毁于兵火的长沙岳麓书院，维持了衡州的石鼓书院。元代湖南地区重建与修复的书院有 8 所，约占全国总数的 16%。元代的科举考试总共有 20 余次，湖南地区乡试中式者 271 人，成进士者 143 人，入选为官者 86 人。其入仕的比例在全国占 8%。官位最高的是浏阳的欧阳玄，曾授湖广省右丞。湖南在元代的著名学者和专家有诗人、史学家欧阳玄，诗人李祁、胡天游，词曲家冯子振，民歌创作家陈泰，史学家陈仁子，经学家杨车舟，汤弥昌，理学家欧阳龙生，佛学家李道纯，蔡栖云，道学家徐渊，画家冷谦，医学家曾世荣等。此外，元时湖南著名的宗教界佛、道人物有王真人、妙铄、戴永坚、杨道圆等。

明王朝建立后，由于采取恢复和鼓励发展农业生产的政策，又由于江西移民和北方居民进入湖南，农业生产和人口数量得以恢复。当时广为流传的“湖广熟，天下足”谚语，充分说明了湖南地区农业的发展水平和粮食生产的巨大增加。至于人口数量的恢复，也有史籍记载，据谭其骧先生依据地方志资料统计：宋朝起迁入宝庆府和靖州、湘阴的氏族共 704 族，土著只有 9 族，外来移民知原籍者 517 族，不知原籍者 63 族，不明者 115 族，其中由江西迁入者 324 族，占知籍总数的 62.7%。[①]另据民国《沅陵县志》，也称其境内居民“十之九皆江西人”。由上可见，湖南居民的族源与血缘，在明朝中晚期又进行了一次较大规模的更新。不过明代湖南人口的数量，却比前朝减少了许多。据不完全统计，湖南在明万历六年（1578）7 个府 8 个州（不包括湘西南的 18 个土司）的人口大约只有 191 万。

明代湖湘文化的恢复和继续发展，首先表现为对学校教育和书院教育的重视。如元末被兵燹损坏的学宫和书院在明代都陆续地得到恢复，并且还兴建了不少新的学宫和书院。特别是书院，在嘉靖年间兴建最多，有 25 所。书院教育的发展促进了人才的兴盛。明代举行的会试 82 场，湖南进士题名者计达 541 人。与前代相比，明代湖南的人才格局已有新的突破，用晚清湖南经学家皮锡瑞的话说是“骎骎始盛”。其时可称道的文学人物，在明前期有文学家、诗人刘三吾、夏原吉、王伟；在明中后期有李东阳、何孟春、杨一清、邓庠、黄学谦、郭都贤等。可称道的经学家有罗敦仁、罗喻义父子、王介之（王夫之长兄）、曾朝节等；史学家有周圣楷、谭希恩、唐寅、严首升、孙宜等；地学家有黎淳、陈论、魏焕、杨佩、吴道行等。值得一提的还有明正德二年（1507），对程朱理学持批判态度的“阳明学”创始人王守仁贬谪贵阳时途经湖南，曾应邀在湖南醴陵的靖兴寺、泗州寺和岳麓书院讲过学。其后，王派弟子季本、罗洪先、张元忭、邹元标亦在湖南大倡其师门之说，有力地推动了王学在湖南的传播。王学在湖南传播的结果是与湖湘学融合，最终使得湖湘学和王学都得到了改造。同时，王学在湖南的传播对于后来王夫之学术思想的形成也有一定的影响。

① 谭其骧．湖南人由来考［J］．方志月刊，1933（9）．

但是同样也不能对明代湖湘文化的发展程度估量过高。明代湖南在国内的排名其实仍然还是十分落后的。与邻近的江西和湖北比较：一部《明史》列传中的人物，江西385人，湖北157人，而湖南只有63人。黄宗羲《明儒学案》中有专传及附载的重要人物：江西55人，湖北5人，湖南仅2人。又钱谦益的《列朝诗集小传》中的人物，江西102人，湖北26人，湖南才15人。①

清代是湖湘文化空前发展的新阶段，特别是湖湘理学之经世致用思想在这个时期得到了充分发挥。首先是湖南人才群体的兴起。大约从嘉庆朝开始，湖南参加乡、会试的中试人数，较之前代有明显的增加。据载清朝自顺治九年（1652）开科至道光二十年（1840）凡75榜，湖南成进士者达441人，中举者则达数千人。其中，不乏官至总督、尚书、大学士的，这无疑是清代湖湘文化的一道风景线。可以说，超过以往历朝历代的人才数量和质量之总和。

其次是湖湘思想学术上的杰出人物及建树。谈论清代湖湘文化，一定先要谈明末清初的大思想家王夫之。王夫之，湖南衡阳人，他与顾炎武、黄宗羲并称明清之际思想界“三大家”，著有《周易外传》《黄书》《尚书引义》《永历实录》《春秋世论》《噩梦》《读通鉴论》《宋论》等书。王夫之的学问博大精深，对中国文化传统中的经、史、百家之学以及释、道之学，都有研究并吸取，可以说是中国思想史上的一位巨人，更是湖湘文化史上无人可比的一位全人，完全可以成为湖湘文化的象征性符号。他治学领域极广，经学、史学、文学、诸子百家、名物训诂、典制沿革均着意研究，兼及天文、历法、数学，详慎搜阅，参驳古今，旨在探寻“上下古今兴亡得失之故，制作轻重之原”，以便经世致用。他学术成就宏富，尤以哲学、史学、文学最为卓著。在哲学上，继承和发展张载的“气化”论，对宋明理学做了批判性的总结，提出“虚

① 马积高：明清时期湘、鄂、赣文化的比较与清后期湖湘文化勃兴的原因［M］//周秋光. 湖湘文化宏观研究. 长沙：湖南师范大学出版社，2001：226.

空即气，气则动者也”“气者，理之依也”“天下惟器而已矣。通者器之道，器者不可谓之道之器也”等命题。在史学上，反对“泥古过高而菲薄方今”的复古思想，主张“所贵乎史者，述往以为来者师也”；继承和发展唐代学者柳宗元重“势”的思想，提出“理势合一”的历史进化论，认为“势既然而不得不然，则即此为理矣”；主张“重民”，提出“举天而属之民”的见解；一反宋明理学“存天理，去人欲”之说，认为“私欲之中，天理所寓”，据此抨击明代政治弊端，反对豪强兼并土地，提出“平天下者，均天下而已”的主张。在文学上，他擅诗文，工词曲，评选历代诗文十余种，议论每多独到之处。生平著述极富，多至百余种，四百余卷，惜生前未得刊行，渐至散失。王夫之真正可以说是学究天人，其思辨之周密，可谓超越前人，并时无两。在他之前，湖湘子弟所推崇的先贤是周敦颐；在他之后，自从道光年间他的著作由新化邓显鹤为之刊布流传，于是他便取代了周敦颐，成为湖南人所崇拜的新的精神偶像。他的出现，不只是结束了过去那种空疏的高谈性理不切实际的学风，更主要的是开创了一种将理学与经世相结合的新的学风。于是，湖湘文化便因王夫之而发扬光大。

除王夫之外，清季道光以后，湖湘文化的杰出代表比比皆是，如首倡经世致用的有安化人陶澍，由崇尚理学而倡导经世致用的先有善化人贺长龄兄弟，继有湘乡人曾国藩等人，由今文经学家而倡导经世致用的有邵阳人魏源……总之，由于学风的转变，道光以后，湖湘文化可谓极盛一时。代表湖湘文化这种盛况空前的思想家、政治家、军事家、学者、作家成批涌现。如经学家李文炤、王文清、罗典、车无咎、王元复、段起玲、杨可震、孙占鳌；文学家、诗人陈鹏年、张九钺、唐仲冕、吴檀、欧阳辂、郭步蕴；史学家黄本骥、王万澍、邓显鹤；地学家严如熤、戴冠、邓可策、夏大观；书画家髡残、易祖拭；医学家周学霆、常朝宣、陈贤书、张莅、马眉、曹崧、杨盛芝；天文学家许伯政、吴家庆、黎光秘、谭学元、黄渌等等。谭其骧研究湖南历史文化后发现："清季以来，湖南人才辈出，功业之盛，举世无出其右。"①这种现象的成因，究其思想渊源，都与王夫之有着不可分割的联系。当然，也有其深刻的历史和社会原因。

首先，湖南的单独建省，这是湖湘文化空前发展的先决条件。湖南在清代单独建省，成为一个省级行政区划，从康熙三年（1664）开始，清政府将偏沅巡抚移驻长沙，与驻武昌的湖广巡抚划分辖区；到雍正二年（1724），湖南开闱举行乡试，偏沅巡抚也改称湖南巡抚，雍正三年（1725），湖南开始设立提督学政，标志着湖南正式建省。新设的湖南省区共有七府（长沙、衡州、永州、宝庆、岳州、常德、辰州）二州（郴州、靖州）二个军民宣慰使司（永顺、保靖州），共辖六州五十七县，又18个土司。②与过去相比，它不再依附于湖北了，这就使湖南有可能形成自己的政治、经济、文化重心和规模，从而为湖湘文化的进一步发展创造条件。

其次，湖南人口的大幅度增长，这是湖湘文化空前发展的基本动力。大约从乾隆中叶起，湖南的人口便突发式地增长。据统计，乾隆十一年（1746），湖南人口急剧增至1354万人，至道光二十年（1840）鸦片战前，更增长为1989万人。与明代的人口数相比，300年间增长了10倍。③人口的增长，自然要促进经济的建设与开发。大批移民的进入，实际上最大限度地开垦了湖南的荒地，使耕地面积显著扩大。据统计康熙二十四年（1685）湖南还只有13万余顷耕地，雍正二年（1724）即达30多万顷。乾隆三十一年（1766），更增至31.3万余顷。耕地面积的扩大，加上注重兴修水利，注重耕作方法的改进，推广双季稻，提高单位面积产量，又种植各种经济作物，诸如花生、红薯、玉米、棉花、苎麻、烟叶等

① 谭其骧．中国内地移民史——湖南篇［J］．史学年报，1932（4）：58.
② 参见刘泱泱．近代湖南社会变迁［M］．长沙：湖南人民出版社，1998.
③ 同①.

等，使得清代湖南的农业生产发展超过了此前任何一个朝代。其他如手工业、矿冶业与商业以及交通，也都有相应的发展。并且在一些手工业部门，如岳阳地区的棉布生产行业，还出现了包买商，显示出资本主义萌芽的某些征候。

再次是教育的兴盛与两湖乡试的“南北分闱”，这是湖湘文化空前发展的重要因素。清代比明代更重教育，除恢复清初被兵燹的各地学宫和书院外，在康熙至嘉庆年间，又在全省各地新创建了71所书院。并且湖南在各府州县还广设义学，作为初级教育的场所。这些义学，每州每县少则一所，多则十余所。同时遍及少数民族地区，使教育的发展出现了前所未有的兴盛局面。还有两湖乡试的“南北分闱”，对湖湘文化的发展同样起了重要的促进作用。在此之前，湖南与湖北因同属一省，科举考试的乡试是实行两湖合闱。自康熙三年（1664）清政府将偏沅巡抚移驻长沙后，湖南的历任巡抚赵申乔、潘宗洛、李发甲及布政使宋致等人多次奏请“南北分闱”，终于被清朝采纳，于偏沅巡抚改称湖南巡抚的这一年，即雍正二年（1724）在长沙设试院，是年第一次单独举行了湖南乡试，按朝廷议定分配给湖南乡试的中式名额，正取49名，副榜9名，又武举25名。[①]自此以后，湖南人才辈出，于斯为盛。

二、湖湘文化定型期的特征

承上所述，宋元明清时期是湖湘文化发展史上非常重要的时期，因为在宋代之前，湖湘文化还往往被视为荆楚文化的一部分，抑或具有浓厚的荆楚文化意味，没有自己独特文化品格，尤其是在精神文化的诸多领域，湖湘地区的精神文化产品的数量、所达到的高度、所产生的影响，与中华大地上其他地域文化相比较，并无突出的表现。但到宋、元、明、清时期，湖湘文化确立了以湖湘理学

① 参见彭大成. 清朝两湖“南北分闱”与湖南人才之兴起［J］. 船山学刊，1996（2）.

为基本主题的精神内核，形成了自身鲜明的特色，并在当时及以后对中国文化格局产生了深远的影响。其基本特征可以归结为以下几个方面。

第一，兼采众家之长而尤具湖湘意蕴的理学特色。

一种文化形态的形塑与构建，总是以海纳百川式的姿态，融合诸多文化式样而完成的，湖湘文化自不例外。而这一兼收并蓄的特征，在宋元明清的思想文化，尤其是理学思想领域，显得非常明显。

宋代周敦颐是湖湘文化史上的重要人物。为了回应佛道之学的外在挑战，挽救和更新传统儒学，他完成了《太极图说》《通书》等著作，建构了颇为完整的理学体系，对儒学加以发扬并注入新的生机。周敦颐在理学理论体系的创建过程中，立足儒学而广泛吸收佛、道之学的思想养分和理论思维成果，其思想体系从理论构架到概念范畴、命题，都有对佛道之学的改造、利用，显示出有容乃大的文化品性。

《太极图说》通过对《太极图》的解说，提出了无极、太极、五行、中正、人极、诚、神、几、刚善、柔善等一系列范畴，成为往后宋明理学所研究和应用的一些基本概念，因此周敦颐被学术界尊为“理学开山”，同时为湖湘文化奠定了坚实的哲学基础。周敦颐对儒家哲学思想的最大贡献，就是运用《太极图说》构建了一个在儒家学说发展过程中前所未有的宇宙生成模式。首先是他的“太极而无极”学说，这里的“太极”就是讲的“其大无外，其小无内”的意思，而“无极”是指宇宙最初有一种无方所、无形象的状态，类似于老子所说的“混沌”“惚恍”状态。朱熹认为，无极和太极是一个同实而异名的东西，它们都是“理”。王夫之则认为，无极或太极是“气”。可见，周敦颐之“太极而无极”指的就是宇宙本原的问题。其次是“阴阳动静”。周敦颐的《太极图》中的阴阳说的就是阳中有阴，阴中有阳；亦即动中有静，静中有动。说明事物的阴与阳（类似于矛盾）是太极自身发展过程的产物，正是通过阴阳的动静，推动了宇宙的不断发展变化。第三是“五行之生也，各一其性”。这是说明金木水火土这些最基本的物质元素，是由阴阳变化而产生的，而这五个元素的出现，表明宇宙的发展进入了一个比较高级的程度。第四是“乾道成男，坤道成女”。这是说明阴阳以及金木水火土五行之精气与无极的真元，通过“妙合”而凝结，便产生了各种各样的生物。而各种生物的产生，又是通过乾坤、雌雄，即阴阳对立双方的交感配合的结果。第五是“万物化生”。这说明的是“万物生生，而变化无穷焉。惟人也，得其秀而最灵”。也就是说，人是生物界发展到一定程度之后的产物。自从人类出现之后，就逐步产生了“人极”。所谓“人极”就是做人的最高标准。这种“人极”是“圣人与天地合其德”的产物，即人类在长期与自然界交往过程中，认识和把握自然、社会规律的结果。由此可见，周敦颐构建他的宇宙发展模式的最终目的，就是要为儒家的伦理学说提供一个扎实可靠的哲学基础，从而能够与佛道的思想体系相抗衡。足见周敦颐思想受佛道及其他思想的影响。

胡宏、张栻等的学术旨趣融合会通了诸家的合理成分得以发扬光大。他们以碧泉书院、城南书院、岳麓书院为基地著书立说，收徒讲学，形成宋代学术史上极盛一时的湖湘学派。他们的学风兼收并蓄，张栻曾与朱熹长期书信往返并两度晤面，讨论学术，在本体论、心性修养论等许多方面接受吸收了朱熹的观点。后来的岳麓诸儒也往往不囿于学派门户之见，择善而从，力求取众家之长。当时岳麓书院的讲坛上往往是来自不同地域、不同学派的学者都能够放言高论，自由传播其学说。如朱熹及陈傅良等曾经登岳麓讲席，为湖湘弟子所向慕、拥戴，这与当时一些学派之间相互排斥、壁垒森严的情形形成了鲜明的对比，显示了湖湘学派的博大胸襟。

王夫之思想理论以理学家的性理哲学为核心。他自称是继张载之绝学，对程、朱等人之说有批评，亦多有所继承；对陆、王之学批判极严然亦有吸取，同时也吸收佛理之学的精华。故他可谓是对全部理学遗产都作了批判性的总结和继承，并在许多方面作了重要发展的一人。如在人性论方面他提出并论证了“寓于欲中”“理欲皆自然”的命题得出了“性者生理也”的结论；在知行观上，认为二者“相资互用”，不可分离，尤其突出了“行”在认识中的主导作用，摒弃批判了程、朱“知先行后”与陆、王“知行合一”的思想；在治学思想上，把性理哲学的探讨和经世致用结合起来，将理学的基本范畴加以新的阐发，使之适应并推动了明末清初实学思潮的发展，为经世致用提供了理论根据。

（二）倡导知行合一而重经世致用的践履精神

宋元明清湖湘文化另一重要特点是崇尚实学，提倡力行，知行并重，以达到经世致用的目的。一方面，湖湘学者重视理论探讨与建构，对宇宙的大本大源问题，对道德心性问题都有浓厚的兴趣，进行了深入的思考，也取得了辉煌的成就。另一方面，也是湖湘学者更为关心的问题，并不是停留于玄奥抽象的理论探讨，而是特别关心社会现实问题，将理论探讨与社会实践结合起来，以理论为治理社会、重建社会秩序的指导。

周敦颐之所以被后世尊为宋明理学的开山祖师，主要是因为其对理学的基本理论问题进行了探讨，建立了理学的基本理论框架，将儒学的理论思维水平推进到了一个新的高度。然而，周敦颐的理论探讨总是围绕北宋时代的现实主题进行的，是为了经世致用、有用于世。周敦颐所建构的理论体系既包含宇宙论、人性论，也包括了道德修养论及社会政治思想，其宇宙论、人性论的最终落脚点仍在于道德价值体系的重建与实现修齐治平的社会理想。张栻对“太极”“中和”“已发未发”等当时最前沿、最核心的问题进行了深入探究，使湖湘学派“在当时为最盛”。他的理论思考吸引了著名理学家朱熹不远千里，从福建武夷山来到长沙，与他一起探讨、论辩。但张栻的理论探讨旨在经世致用，知是为了行，他阐发“知行互发”的主张说：“致知力行，互相发也。盖致知以达其行，而力行以精其知。”① 这一知行观，也是对其自身学术宗旨的高度总结。

王夫之集千古之智而又别开生面，对宋明理学乃至整个儒学进行了颇为全面的清理、总结，建构了内容丰富而又精致细密的思想体系。他对儒学中一系列问题的深入探讨，将中国古代哲学推进到了新的高度。王夫之对天道、心性的理论思考，建立在反思历史与当时社会危机的基础之上，旨在为治国平天下的现实活动提供指导原则和理论基础。王夫之谈到知行关系时说：“行可兼知，而知不可兼行……君子之学，未尝离行以为知也必矣。”② 经世致用、力行实践是其理论建构的归宿。

（三）注重开拓创新而敢于担当的时代使命感

宋元明清时期，湖南处于南北文化交会之地，南传的中原文化与湖南本土文化的激荡融合，产生出了新的文化形态、新的思想观念和价值取向。受此影响，宋元明清湖湘文化也呈现出注重创新的特色。周敦颐立足儒学而融合佛道之学的思想资料，为儒学确立了一条由宇宙论而人性论、道德论，由天道而人道的理论建构模式，使儒学得以更新，被称为“理学开山”；王夫之以“六经责我开生面”的责任感与使命感，对宋明理学乃至整个中国传统文化进行全面的清理与总结，其思想理论体系在多方面有所创发，达到了中国古代理论思维的新高度。王夫之还在理论上为湖湘文化的创新精神进行论证。他说：“造化日新而不用其故”③，宇宙万物日新月异，新新不已，人们不应循故袭常。人性本身也不是先天固定、一成不变的，它是通过后天努力而不断生成、不断建构的，故“性日生日成”“习与性成”。这就需要人们在日常活动中不拘一格，不断创造，在各种践履活动中成就自己。

---

① 张栻. 张栻全集：送钟尉序［M］. 长春：长春出版社，1999：772.

② 王夫之. 尚书引义［M］//船山全书：第二册. 长沙：岳麓书社，2011：314.

③ 王夫之. 张子正蒙注［M］//船山全书：第一二册. 长沙：岳麓书社，2011：22.

勇于开拓也是宋元明清湖南文化的重要特征。据有关学者研究，湖南在元末明初、明末清初有大量移民迁入，甚至到清代的乾嘉之际，湖南全省移民已经占到人口总数的九成以上。一般而言，移民在生理素质、心理素质方面强于土著，都具有不同程度的开拓意识、进取心和创业精神。[①] 移民的大量涌入，改变了湖湘地区人口的构成，也提高了湖湘地区人口的素质。更为重要的是，移民所具有的强烈的开拓意识也由此注入湖湘文化，在经过长时间的积淀之后，成为湖湘文化精神的重要特质。这种开拓意识的具体体现，就是不安于现状、不贪图安逸、不为困难险阻所屈服、敢于向未知的领域迈进。这种精神延续到近现代，进一步焕发出奇异的光彩。在近现代众多湖湘士人身上，我们可以看到这种勇于开拓、勇于进取精神的进一步弘扬。

值得注意的是，地域文化的特征往往是一种“组合结构”，它由多个不同方面的具体内容组合而成，其中每一方面的内容可能并不是某一地域文化所独具的。某个方面的特质，并不具有排他性，其他地域文化也完全可能具有相同的特质。但是以多个不同方面的组合结构，就能比较准确地对地域文化的特征进行描述。上面谈到几个方面的特征，无论是兼容会通、兼收并蓄，还是致知力行、知行并重，抑或注重创新、勇于开拓，都不是宋、元、明、清时期湖湘文化所独具的特征，但这几个方面内容的组合，就可以使宋元明清湖湘文化的基本特征得以呈现。

关于湖湘文化的近代转型的历史线索及其特征，在接下来的第六章加以重点阐释。

---

① 参见林增平．近代湖湘文化试探［J］．历史研究，1988（4）．

第六章

近代湖湘文化研究中的若干理论问题（上）

近代中国社会变迁是一个十分复杂的过程，这是中国亘古未有的巨变。这一巨变起因于西方的冲击“是‘天朝意象’的世界观的彻底破碎；是以儒家思想为基底的‘价值系统’的根本震裂；是传统的思想与结构的大规模的解组。……科学与技能侵入及随之而来的工业化、都市化、大众传播的发展，尤其对传统构成了真正不流血的巨大的革命。这一革命促使中国从传统社会走上了‘转型期’社会。”① 尽管在明朝中后期中国传统社会已经产生了资本主义萌芽，孕育了新的经济因素和新的生产关系，但是传统中国还没来得及像西方许多国家那样由“社会自身力量产生的内部创新”，而逐渐通过变革来实现从传统向近代转型的时候，刚刚完成了工业革命的西方列强便迫不及待地用武力打开了中国的大门，扼杀了中国社会自主更新的发展道路和方向。于是在西方资本主义的刺激和作用下，中国被迫卷入了资本主义世界体系之中，成为了资本主义列强倾销商品和掠夺原材料的理想之地，中国社会在近代骤然发生了断层式的巨大变化，于是传统中国社会自觉或不自觉地被裹挟着快速走上了近代化转型的道路。在这纷纭复杂的近代社会变迁大潮中，湖南因地处内陆、交通不便、信息闭塞和经济落后等原因，故而受到外界的影响在一定时期里要比沿海及通商口岸城市小一些。但在近代中国社会变迁大势的影响下，湖南终究无法回避近代社会变迁和文化转型的问题，传统湖湘文化在西方文化和其他外来文化的冲击之下，在湖湘文化内在“趋势更新”和“经世致用”理念的鞭策之下，在几代湖湘人的共同努力之下，历经近百年，最终实现了从传统向近代的转型，发展演变成为了我们今天所看到的模样。

① 金耀基. 从传统到现代［M］. 北京：中国人民大学出版社，1999：62—64.

第一节　近代社会变迁与湖湘文化的近代转型

湖南地处中国内陆，山高地阻，交通闭塞，外界的信息传入十分缓慢，长期以来维持着一个相对封闭的农耕社会状态。即便是鸦片战争爆发后数十年间，湖南受外界的影响都很少，依旧持续着家庭手工业和农业相结合的小农经济生活方式，其他的经营方式和经济因素都不太发达。这种状态可能与湖南的传统习俗有关，“其人先世，率守耕读，不但仕宦稀少，而经商服贾以至外省者亦不数见”[①]，时至晚清很多地方都还是“向无富商大贾，民间较论贫富，率以租谷多少为等差”[②]。与沿海及江南其他省份相比，湖南的经济发展、文明开化程度都要迟缓很多。随着西方列强不断加大对中国的侵略，资本主义逐渐渗入湖南，新的经济因素和生产、生活方式对古老的湖湘大地产生了不小的刺激，古老的湖湘社会和湖湘文化被迫发生了诸多改变，开始了从传统向近代的社会变迁和文化转型。

什么是社会变迁和文化转型？目前学术界并没有一个统一的认识。这里主要采纳的是郑大华的意见。他在《社会结构变迁与近代文化转型》一书中指出，我们要搞清什么是社会变迁和文化转型，就应该首先搞清楚什么是社会与中国传统社会和什么是文化与中国传统文化。什么是社会？学术界的理解历来有歧义，根据马克思主义的观点，社会是人们相互交往的产物，“是一切社会关系的总和”[③]，人们在物质生产过程中形成了他们之间的关系。“社会”是

① 钱基博，李肖聃．近百年湖南学风·湘学略［M］．长沙：岳麓书社，1985：41.

② 王安定．湘军记［M］．长沙：岳麓书社，1983：248.

③ 马克思，恩格斯．马克思恩格斯全集：第46卷（上）［M］．北京：人民出版社，1979：220.

一个结构性的组织系统，因而认识社会必须从剖析其结构入手。依照不同的方法，它大致可以分为经济结构、阶级结构、各种法律制度尤其是国家的政治制度和社会结构等方面。这几个方面相互依赖、相互作用，共同组成一个“社会”形态。中国传统社会就是中国古代不同历史时期的人们在物质资料生产过程中结成的、具有某种基本特质的各种相互关系的有机统一体及其过程。分析古代的经济结构、阶级结构、各种法律制度尤其是国家的政治制度和社会结构，可以认识中国传统社会的基本形貌和特征：

首先，从经济结构看，中国传统社会以一家一户为生产单位的自给自足的小农经济为其主要特征。小农经济是中国传统农业文明社会的经济主体，工商业始终只是农业的补充和依附。“重本抑末”“重农抑商”是中国传统社会里历代统治者经世不易的基本国策。

其次，从阶级结构看，在传统的以一家一户为生产单位的自给自足的小农经济或自然经济基础上产生的只能是（或主要是）地主与农民两大阶级，在中国的传统社会中，地主阶级是统治阶级，农民阶级是被统治阶级，作为主要的生产资料——土地的所有者，地主阶级主要是通过地租的形式对农民进行剥削的。再次，从各种法律制度尤其是国家的政治制度看，建立在小农经济基础上的中国传统社会的政治制度是高度集权的封建专制制度。因为在传统农耕社会里，分散、弱小的小农经济需高度集中统一的国家力量提供必要的扶持，否则，任何天灾人祸都会给弱小的自然经济以沉重打击，进而动摇封建专制国家的社会经济基础。就此而言，封建专制统治的确立和加强，是中国传统农业社会的特点决定的，是传统小农经济生产方式的内在要求，借用马克思的话说：“小农的政治影响表现为行政权力支配社会。”① 建立在小农经济基础上的封建专制制度的残暴和沉重剥削，以及儒学独尊的思想钳制，不仅在社会政

① 马克思，恩格斯．马克思恩格斯选集：第1卷［M］．北京：人民出版社，1972：693.

治、经济生活中长期压制、扼杀新兴的社会力量，而且连思想观念上的不同学说也总被视为“异端邪说”而加以摧残。

最后，从社会结构看，中国传统社会中人与人的社会关系的缔结是以血缘宗法关系为纽带结合而成的。中国古代社会在由原始社会向奴隶制社会的转型过程中，氏族血缘关系同私有制相结合，演变为奴隶制下新的社会关系的黏合剂。原始社会末期的父权制血缘财产继承关系演变为奴隶制下的血缘亲疏关系。在进入奴隶制阶段社会后，血缘关系照样成为缔结社会关系的纽带，血缘亲疏差序成为阶级统治者分配权力和财富等社会资源的基本尺码，成为区分君臣、父子、夫妇等社会等级秩序的宗法原则的基础。家大立族，聚族成“国”，“国”是家的扩大，于是家“国”同构，以血缘宗法关系为纽带的宗法社会便形成了。到了封建社会，这种血缘宗法关系又成为封建专制政治体制的社会基础，得到了封建专制政治体制的强化。在中国传统农耕社会里，血缘宗法关系是小农经济十分低下的生产力水平下家族财富积累和继承的根本保证，而家族财富的积累又是个人生计保障的最后防线，所以，血缘宗法关系越紧密，家族的向心力越强；血缘宗法关系网结越多，家族越大；家族越大，个人越有安全感。这种生存法则，决定了在血缘宗法社会里，家族、宗族高于一切，“家长”至高无上，群体先于个体。表现在传统文化中就是群体本位特质。

所谓近代社会变迁，也就是从上述传统社会的经济结构、阶级结构、各种法律制度尤其是国家的政治制度和社会结构向近代社会的经济结构、阶级结构、各种法律制度尤其是国家的政治制度和社会结构的转变。在这四个方面的变迁或转变中，最先发生变迁或转变的是经济结构，主要表现为旧的经济因素——以一家一户为生产单位的自给自足的小农经济或自然经济——的逐渐衰败、减少和新的经济因素——近代资本主义的工商业经济——的产生并不断发展壮大。经济结构的变迁，必然要引起阶级结构的变迁，产生于旧的经济因素之上的旧的阶级——封建地主阶级——将渐次退出历史舞台，而产生于新的经济因素之上的新的阶级——中国民族资产阶级和后来的无产阶级——则将取代旧的阶级成为历史舞台的主角。随着经济结构和阶级结构的变迁，建立在旧的经济基础之上的、以维护旧的统治阶级的利益为目的各种旧的法律制度尤其是国家的政治制度——封建专制制度——势必受到人们越来越多的批判（包括批判的武器和武器的批判）而最终被废止或推翻，建立在新的经济基础之上的、以维护新的阶级利益的各种法律制度尤其是国家的政治制度——资产阶级的民主制度——则将逐步地建立起来，尽管其建立的过程非常曲折、复杂和艰难。上述经济结构、阶级结构和各种法律制度尤其是政治制度的变迁或转变，又必然要引起社会结构的变迁或转变，具有近代意义的职业功能结构逐渐取代了传统的以士、农、工、商组成的“四民社会”的身份等级结构，在宗法关系的基础上所形成的家族、宗族制度以及以血缘、地缘和业缘为纽带而产生的各种社会团体或组织（如会馆、行会、帮会等）或发生解体和蜕变，或为新的社会团体或组织（如政党、商会、学会等）所取代，人们开始从各种人身依附中解放出来而成了真正意义上的独立的个人。

和我们讨论社会变迁首先要讨论什么是社会和传统社会一样，我们要讨论文化转型也应先搞清什么是文化和传统文化。人类有各种不同的文化，各种文化之间存在着这样那样的差异。造成各种文化差异的原因，从根本上讲是由于各自赖以生长和发展的社会历史土壤不同。就中国的传统文化而言，它孕育、生长和扎根于漫长的农耕文化社会的历史土壤中，传统社会的历史特点赋予了它的基本特质。这是因为文化的形成和变迁离不开特定的社会经济基础。正如马克思说的，“物质生活的生产方式制约着整个社会生活、政治生活和精神生活的过程”①。一定的社会生产方式决定着特定的社会文化。因此，我们要认识中国传统文化及其特质，就必须从分析中国传统社会的历史特点入手。如前所述，中国的传统社会是以一家一户为生产单位的自给自足的小农经济或自然经济为基础的农业社会。在这个社会形态中，生产力水平低下，人们社会活动的范围狭小、封闭，血缘和地缘等共性纽带把人们联结成不同形式的人群共同体，家国同构的社会组织体系形成了宗法一体的社会控制权力体系，在此基础上形成了与传统的农业社会相适应的传统文化及其特质。

如果说社会变迁指的是社会从传统向近代的转变，它主要包括经济结构、阶级结构、各种法律制度尤其是国家的政治制度和社会结构的变迁，那么，文化转型指的则是文化从传统向近代的变化。其内容主要包括三个方面：一是构成要素的变化，除了原有的中国的传统文化外，新的西方的近代文化以及其他地区和国家的文化开始在中国出现，并经过与中国传统文化的碰撞、交流与融合，逐渐成了中国近代文化的一部分。二是部门文化的变化，这又包括两方面的内容，一方面，一些传统的部门和学科或不能适应社会现代化的需要而逐渐衰落，或接受西方近代文化的影响，变革原有部门和学科的内容和体系，从而向现代部门和学科转化；另一方面，西方的一些新部门和新学科开始传入中国，并最终得到确立和发展，从而极大地丰富了中国近代文化的部门和学科体系。三是价值观念的变化，诸如纲常名教、专制独裁、男尊女卑、夷夏之辩、重农抑商、“天不变、道也不变”等一些旧的价值观念受到冲击或否定，并逐渐为民主、自由、平等、博爱、重商、进步等一些新的价值观念所取代，民主与科学开始成为中国近代文化最核心和最基本的价值观念。和社会变迁首先发生的是经济结构的变迁一样，在文化转

① 马克思，恩格斯．马克思恩格斯选集：第2卷［M］．北京：人民出版社，1972：82.

型的这三个方面的变化中，首先发生变化的是构成要素的变化。而与传统文化冲突最多、其变化的过程最为曲折、反复和艰难的是价值观念的变化。价值观念的变化，既是近代文化不同于古代或中古文化的一个根本点，也是衡量文化的近代转型是否发生和完成的一个重要指标。[①]

鸦片战争后，清王朝由一个完全独立的封建社会逐渐沦为半殖民地半封建社会，与之相伴而来的是中国社会经济结构、阶级构成、各种法律制度尤其是国家的政治制度和社会结构以及思想文化也相应地发生了不同程度的变化。湖南在这个过程中自然也不能幸免，传统的湖湘社会和湖湘文化也被迫走上了变迁和转型的道路。这是近代中国历史发展的必然趋势，谁也无法阻挡。不过社会变迁和文化转型是一个持续动态的过程，既有突变，也有量变。为了便于探究，本章选取了中国近代社会变迁的几个节点来阐述近代社会变迁与湖湘文化转型之间的互动。一是嘉道之际晚清社会走向衰败，是湖湘文化迈向近代转型的历史起点；二是鸦片战争和太平天国运动的爆发，促使湘军崛起，湖湘文化的近代转型获得了初步发展；三是维新运动和清末新政，使湖湘文化的近代转型得到进一步的发展；四是辛亥革命以后，湖湘文化与近代接轨更加紧密，获得了长足发展；五是在新文化运动和五四运动的推动下，近代湖湘文化体系基本上形成了。

一、近代中国发生的重大事件对湖湘文化近代转型的影响

首先，嘉道之际的衰败和鸦片战争的爆发，促使湖湘经世学派崛起，为湖湘文化的近代转型奠定了思想文化方面的基础。

清嘉庆、道光皇帝统治之际，整个社会呈现出了一派破败的末世景象，用“危机四伏，悲风骤至”再恰当不过。及至清道光皇帝

---

① 郑大华，彭平一. 社会结构变迁与近代文化转型［M］. 成都：四川人民出版社，2008：15—21.

统治晚期更是爆发了震惊世界的中英鸦片战争，自此以后，中国传统社会的发展轨迹被完全打断了，被迫卷入了资本主义世界体系，也被裹挟着开始了近代化发展的历程。关于中西方文明之间的论争、碰撞、沟通和融合逐渐成为了近代中国无法回避的事实，“这个时代的中心问题在政治思想领域表现为古今中西之争，其内容就是如何向西方学习，并且对自己的传统进行反省，以寻求救国救民的真理，以便引导我们这个民族走向自由解放道路。这一政治思想领域中关于古今中西的论争，是中国人民反帝反封建的现实斗争的反映”①。

鸦片战争以后，清政府被迫签订了中国近代史上第一个不平等条约——《南京条约》及其附属条约（《五口通商章程》和《五口通商附粘善后条款》）。这些条约规定：（1）清政府开放广州、厦门、福州、宁波、上海五处为通商口岸，允许英国人携其眷属在此居住，英国可以派驻领事、管事等官员驻扎在通商口岸，“专理商贾事宜，与各该地方官公文往来”。（2）为了方便英国商人修理船只和存守所用物料，清政府将香港割让给英国，由英国“常远据守主掌，任便立法治理”。（3）清政府赔偿英国在战争期间的各种损失共计2100万元，分四年还清，“倘有按期未能交足之数，则酌定每年百圆加息五圆”。（4）废除“公行”制度，允许英国人在各通商口岸可以自由贸易。（5）中国抽收取进出口货的税率由中英共同议定，中国不得随意变更。（6）规定“英人华民交涉词讼，其英人如何科罪，由英国议定章程、法律，发给管事官照办”。中国政府无权处理。（7）中国“有新恩施及各国，亦应准英人一体均沾”。这些规定极大地损害了中国的主权和利益，给中国的社会与经济发展产生了深远的影响，中国开始从独立自主的传统封建社会一步一步沦为半殖民地半封建社会。传统的政治和经济体制不断受

① 冯契．中国近代哲学史：上册［M］．上海：上海人民出版社，1989：5.

到冲击和破坏，但客观上又促使中国加快了社会变迁和文化转型的步伐。

在内忧外患的双重压力之下，晚清社会的一批开明官绅开始积极寻找匡救时弊的良策，表现在思想文化方面的变化就是，鼎盛一时的考据学遭到了摒弃，理学经世思潮得到了复兴。兴起的经世致用思潮中，湘籍人士占了很大的比例，他们对晚清学术风气的改变起到了很重要的作用，诸如严如熤、陶澍、贺长龄、贺熙龄、李星沅、黄冕、魏源、汤鹏、邓显鹤等汇集成了近代湖湘文化中的第一个知识群体。不仅开创了近代湖南经世的学风，而且对近代中国学术界、思想界甚至政坛都产生了不小的影响。例如，严如熤长期在陕南地区任职，在应对流民泛滥、教民起义和少数民族地区治理问题上，具有十分丰富的经验。陶澍是清后期杰出的政治家，任江苏巡抚、两江总督兼两淮盐政时，在漕运、盐政和水利等方面厉行改革，成效显著，多次受到道光皇帝的嘉奖和召见，湖湘士子对其十分仰慕，堪称清嘉道之际湖湘经世派的领袖。贺长龄为官多年，对晚清社会了解比较透彻，对时局的认识也颇有见地，他十分强调做官和治学都要脚踏实地为国为民。主持编撰的《皇朝经世文编》对近代学术风气的转变产生了十分深远影响。陶、贺二人堪称当时湘籍学者的表率，“嘉道之时，留心时政之士夫，以湖南为最盛，政治学说亦倡导于湖南，所谓首倡《经世文编》之贺长龄，亦善化人。而澍以学问为实行，尤为湖南政治家之巨擘”①。同时期湖南还产生了一位享誉后世的启蒙思想家——魏源，他称得上是“近代史上第一个正式主张向西方学习的政治思想家”②，其著述《海国图志》是中国最早系统介绍世界各国地理历史的专著。

湖湘经世实学在嘉道时期的兴盛，源于多种因素，除了晚清社

① 孟森. 明清史讲义：下册［M］. 北京：中华书局，1981：618.

② 曹聚仁. 中国学术思想史随笔［M］. 北京：生活·读书·新知三联书店，1986：324.

会衰败的局势促使经世学兴起外，湖湘地区特有的人文环境、地域特色和历史渊源，也为经世实学的兴起提供了丰富的养料和肥沃的土壤。“在晚清中国的近代化转型进程中，湖湘文化表现得富有生气、朝气蓬勃，传统的实学精神因其思想的内在理路而成为近代文化转型逻辑的、历史的依据与起点。”[①] 在湖湘文化传统经世理念的影响下，嘉道之际湖南不仅形成了人数众多的经世派知识群体，而且受晚清社会时局变化的影响，湖湘经世派在学术思想和见解主张方面开始超越传统的经世实学，具有了近代化的特征，这一点在魏源的身上表现尤为明显。魏源的《海国图志》和“师夷长技以制夷”的主张明显突破了传统夷夏大防的界限，具有了近代思想文化启蒙的因子。他讲社会问题的关注重点“从国内问题转到中国和外国的关系问题上去，‘创榛劈莽，前驱先路’，开创了研究‘夷情’、研究洋务、研究西学为特色的时代新文化”[②]。将西学纳入中国传统文化的研究范畴，这是中国学术和文化从传统向近代转型的重要标志。王国维评价清代的学术是“国初之学大，乾嘉之学精，道咸以降之学新”[③]。这“新”指的就是西方文明的传入，以及中西文明的碰撞、沟通和融合，中国的传统学术在社会变迁的大潮驱使下，发生了质的变化，产生了新元素、新学风。所以“嘉道之际复兴的经世思潮使中国传统思想具备了向近代转型的可能性，而发生于此时的鸦片战争，又给经世思潮注入了新的内容，从而使这种可能性成为现实性。正是在嘉道年间，中国传统思想开始迈出了向近代转型的第一步，并对近代中国的社会变迁和文化转型产生过重大而深远的影响”[④]。湖南虽地处内陆，经济欠发达，但因为拥有

① 朱汉民. 论湖湘实学传统的近代转型［J］. 船山学刊，2006（3）：26.

② 丁伟志，陈崧. 中西体用之间［M］. 北京：中国社会科学出版社，1995：16.

③ 王国维. 沈乙庵先生七十寿序［M］//观堂集林. 上海：上海古籍出版社，1983：26.

④ 郑大华，彭平一. 社会结构变迁与近代文化转型［M］. 成都：四川人民出版社，2008：96—97.

了这么一批对时事观察敏锐的经世派思想家，湖湘文化还是紧跟着中国社会变迁的步伐而步入了近代转型的轨道。从这一点上说，将湖湘文化转型的历史起点定在嘉道之际应该是说得过去的。

其次，太平天国起义的爆发，促使湘军集团巍然崛起，曾国藩、左宗棠、郭嵩焘等湘军将领在咸同之际的湖湘文化转型中起到了先锋骨干作用。

曾国藩为首的湘军将领被看作是湖湘文化乃至中国传统文化中向近代化转型的先行者，他们既继承了陶澍等湘籍经世前辈的务实学风，又在此基础上有了更加深入的发展和超越。他们还将魏源的“师夷长技以制夷”理念落实到实践中，演绎为“师夷长技以自强”，直接推动了洋务运动的发展。作为近代湖湘文化中最重要的知识群体之一，他们对近代湖湘文化的转型起到了很大的促进作用。这个群体的形成很大程度上要归因于晚清最大的一次农民起义——太平天国，太平天国起义来势凶猛，清政府江南半壁河山大有沦陷之势，在万般无奈之下，清同治皇帝下令允许地方官绅创办团练，配合清军共同镇压太平天国。此正所谓“时势造英雄”，在这一契机之下，湖南的官绅积极响应号召，迅速团结起来，这一群有着共同目标的人走到了一起，书写了湖南乃至晚清政局辉煌的一页。从清道光三十年（1850），太平天国运动在广西兴起，至清同治三年（1864）被镇压，这场运动历时 14 年之久。在这期间太平军席卷了广西、湖南、江西、湖北、安徽和江苏等多省，造成了清咸同时期最为严重的国内社会危机。湖南与广西相邻，首先受到了巨大的冲击。湘军在曾国藩捍卫儒学道统口号的召唤下与太平天国起义军进行了数十年的殊死战斗，直至最终剿灭了起义军。崛起的湘军对湖南乃至晚清社会都产生了十分重要的影响，大批湖南民众加入湘军，推动了湖南社会尚武的风气。而且大批的湘军将领、士兵通过军功转型为地方乡绅和朝廷官吏，不仅扩大了湖南中小地主阶层的势力，而且增强了湖南在清朝政局中的地位，湖南由以往的内陆落后封闭省份，一跃而为国之重镇。据《湘军兵志》记载，在各级湘军将领 182 人中，官至总督、巡抚的有 26 人，其他文职在布政使、按察使，武职在提督上下的有 143 人。[①] 可谓“湘军之声誉，东至东海，南逾岭南，西辟回部，西南震苗疆，至今尚炙手可热，三湘民族之有大影响于全国”[②]。

湘军集团兴起以后，不仅对晚清和湖南的政局产生了不小的影响，而且还在某种程度上成为了推动中国近代化发展的动力，他们是中国近代较早将学习西方先进技术即器物落到实处的群体。曾国藩很早就洞察到了清朝兵制的弊端，在湘军的建制和管理方面做了大刀阔斧的改革，既积极学习传统兵制中的优秀之处，也开放式地吸取西方先进的军事技术。湘军除了组建有陆军、水师、马队等传统的部队外，还增设了炮兵、工兵等技术兵种，基本上实现了多兵种协同作战，可以说湘军已经初步具备了近代化部队的雏形。在镇压太平天国的过程中，湘军各部队购买了大量的西洋来复枪和先进火炮，极大地提高了湘军的作战能力。与此同时，清咸丰十一年（1861）曾国藩又创建了安庆内军械所，专门生产近代军事器械，供湘军、淮军使用，以后左宗棠、李鸿章等进一步推广建立近代化军事企业，湘军开创了中国军队兵器装备的近代化变革先河。曾国藩、胡林翼等还以理学家的身份对中国传统兵学重新进行了诠释，促进了兵学与儒学的融合，这对传统文化和湖湘文化都是有益的改造，他们从历史及实践中总结出的经验和教训，对后世也富有借鉴意义。辛亥革命时期，蔡锷就对曾国藩、胡林翼的军事思想十分钦佩，特地编辑《曾胡治兵语录》，用此训练云南新军，厉兵秣马，驱逐列强。1924 年蒋介石又将此书作为黄埔军校教材，1943 年八路军《军政杂志》也出版了《增补曾胡治兵语录白话句解》。

---

① 罗尔纲. 湘军兵志［M］. 北京：中华书局，1984：115.

② 梁启超. 中国地理大势论［M］//梁启超全集：第 2 册. 北京：北京出版社，1999：938.

湘军的崛起还推动了湖南经济发展的多元化，对湖湘文化的转型是有力的补充。湖南是湘军的重要后方基地，地方政府担负起了筹措军饷和军需物质等方面的重任，大量军火、军需、军饷的需求刺激了湖南工商业的繁荣，也打破了湖南封闭单一的小农经济结构，培植了近代经济发展的新元素。与军事相关的火药局、煤铁矿开采业、造船业、钢铁冶炼作坊、棉纺织业等行业此时在湖南都得到了发展的机会和平台，其生产潜力得以释放。湖南也涌现出了一批依附湘军起家的商人，他们利用湖南本土资源，或为湘军提供军需物质，或提供后勤运输保障，随着湘军势力的扩展，这些湘籍商人不仅在湖南力量大增，而且他们还利用与湘军将领的乡土关系，还把业务扩展到了其他省。同治年间湖南崛起的朱昌琳、魏鹤林、凌堂卿、朱紫桂等，都是拥资巨万，富甲一方的巨贾，作为湖南新兴的社会力量，他们为湖南甲午战争后近代资本主义的兴起奠定了坚实基础。

然而历史有时候又呈现出二元悖论的现象，湘军崛起，改变了湖南碌碌无为的状况，使湖南成为了举国瞩目的省份。一部分湘军将士通过不断扩展的战争加深了对中西方文明的了解，思想上趋向于开明化，成为了晚清近代化发展的重要推手。但绝大部分的中下级将士坚持以卫道为己任，他们固执地维护起传统的伦理纲常秩序，湖南的保守意识进一步被强化，他们还团结起来共同抵触和排斥近代化在湖南的发展，一时间湖南守旧和排外的名声又传了开去。“由湘军将士转化而来的这一士绅阶层的保守的价值取向，并不限于他们中的个人的活动与行为，他们作为一个群体而给予湖南士人的影响更为巨大。”① 在守旧之风的笼罩下，鸦片战争爆发以后的近半个世纪里，大部分湖南人的物质生活变化很小，或者说根本就没有变化，他们继续延续着中国数千年来的传统生活方式，近

① 王继平. 湘军集团与晚清湖南［M］. 北京：中国社会科学出版社，2002：137.

代化程度极低。直到甲午战争以前，“湖南人的守旧态度，有似一口枯井，外在的激荡，没有引起些许涟漪。所以当自强在沿海地区进展的时候，湖南人仍在酣睡之中。三十余年的自强运动，于湖南人几乎完全是陌生的”①。这种状况直到甲午战争后才有了较大变化。这也从另外一面看出，在中国近代社会变迁的大潮中，湖湘文化近代转型的路是曲折而又漫长的。

第三，甲午战争后，湖南成为了维新变法和清末新政中最积极的省份之一，湖湘文化近代转型的步伐进一步加快。

正如梁启超所说：“吾国四千余年大梦之唤醒，实自甲午战败割台湾偿二百兆以后始也。”② 甲午战争可以说是传统中国和近代中国之间明显的分水岭，从列强的侵华特征、中国社会的主要矛盾变化以及经济结构和阶级关系变动等各个方面来看，战后都产生了深刻的变化。战前列强对华侵略以掠夺原材料和倾销商品为主，产品的销售主要局限在通商口岸，对中国社会的整体影响较小。战后列强利用强大资本对中国进行投资或贷款，在中国开设工厂，利用中国廉价的原材料和劳动力，剥削中国，争做中国的债主，疯狂抢夺修筑铁路、开采矿产和开办银行的权力，大大加深了中国半殖民地化的程度。随着列强侵略的加剧，中国的自然经济进一步走向解体，民族资本主义经济得到了初步发展，民族资产阶级的队伍也得到了壮大，为以后维新变法的兴起提供了经济和组织基础。战争的失败还宣告了洋务运动的彻底破产，使先进的国人认识到单纯学习器物的缺陷，从而转向对西方政治制度的探索，激发了中国政治变革思潮的到来。

战争的失败令中国社会震惊不已，痛定思痛之后，一大批的官绅开始觉醒和反思中国的时局和现状，救亡图存成为了19世纪末

① 张朋园. 中国现代化的区域研究 湖南省，1860-1916［M］. 台北：“中央研究院”近代史研究所，1983：131.

② 梁启超. 戊戌政变记［M］//梁启超全集：第1册. 北京：北京出版社，1999：181.

中国最大的政治议题，无论是达官贵胄，还是贩夫走卒，大家对时局都表现出了从未有过的关注和热忱，这种巨大的社会心理变化，也对中国传统思想观念的转变产生了深刻的影响，维新变法运动就是在这样深刻的背景之下出现的。维新派倡导的变法呼声振聋发聩，提出了“法者，天下之公器也；变者，天下之公理也。大地既通，万国蒸蒸，日趋于上，大势相迫，非可阏制。变亦变，不变亦变；变而变者，变之权让诸己，可以保国，可以保种，可以保教；不变而变者，变之权操诸人，束缚之，驰骤之。呜呼，则非吾之所敢言矣”①。“维新派通过向西方资本主义国家寻找真理，传播了资产阶级自然科学和文化，形成了崭新的资产阶级启蒙思潮，形成了‘新学’对‘旧学’、‘西学’对‘中学’、‘学校’对‘科举’的尖锐斗争。……在斗争中形成了近代史上一次伟大的思想解放运动……对我国整个民族的觉醒，具有不可低估的进步作用。”② 作为近代中国第一次资产阶级性质的改良运动，它不仅是先进的中国人变革社会制度的初步尝试，更是近代中国第一次伟大的思想解放潮流，对近代社会进程的发展起到了重要的推动作用，遗憾的是变法因慈禧太后为首的顽固派扼杀而流于失败。

但是世界潮流浩浩荡荡，顽固派的阻挠并不能停止中国近代化前进的步伐。在义和团运动和八国联军侵华的双重打击之下，慈禧为首的清政府当权派终于认识到“欲救残局，惟有变法”，主动提出了改革内政和变法的设想。清光绪二十七年（1901）逃亡到西安的慈禧太后以光绪皇帝的名义颁布“上谕”，要求督抚以上大臣就朝章国政、吏治民生、学校科举、军制财政等问题详细议奏“各举所知，各抒所见”③。同年 4 月 21 日，又下令成立了“督办政务

① 梁启超. 论不变法之害［M］//梁启超全集：第 1 册. 北京：北京出版社，1999：14.

② 萧萐父，李锦全. 中国哲学史：下卷［M］. 北京：人民出版社，1983：328.

③ 朱寿朋. 光绪朝东华录：四［M］. 北京：中华书局，1958：4602.

处”，作为筹划“新政”的专门指导机构，该机构由庆亲王奕劻负责，任李鸿章、荣禄、昆冈、王文韶、鹿传霖等为督办政务大臣，刘坤一、张之洞（后又增加袁世凯）等为参与政务大臣，总揽一切“新政”事宜。同年 8 月 20 日，清政府又以西太后名义颁布“懿旨”决心变法，由此，清政府开始了长达十年之久的“新政”时期。“新政”的实际进程大体上可以分为前五年和后五年两个阶段。第一阶段主要集中在官制、经济、军事和教育四个方面的改革，提出了整顿吏治、兴办实业、训练新军和提倡新学等改革内容。第二个阶段主要是巩固和发展第一个阶段的改革成果，突出的亮点是进行宪政的准备工作。清光绪三十二年（1906）清政府颁布了《预备仿行宪政上谕》，将新政改革进一步深化。在清政府当权派的倡导和推动之下，清末新政轰轰烈烈地在中国大地上开始了。这是清政府第一次主动全面地学习西方，不论结果如何，它对中国近代社会的发展都产生了十分深远的影响。尤其是其推行的官制改革，更是开启了中国国家行政体制由传统向近代转型的序幕，政治制度的转型是社会变迁的重要内容之一，清政府倡导的这场改革运动最后以失败而告终。

维新变法和新政对湖湘文化的转型尤为深刻，湘军在甲午战争中的溃败直接打击了湖南的守旧之风，尤其是依靠军功起家的乡绅阶层，更是在湖南逐渐失去影响。因为“自吴中丞狼狈牛庄之后，介胄之夫，稍稍知旧法之不能用，而向之读书谈忠愤，攘臂诟詈，弋乡愿名者，则亦开通其耳目，充其智识，皤然求之中西图籍，一洗其从前虚骄之气，雍雍彬彬，怀瑾握瑜，庠序之气，靡然向风矣”①。甲午一役扫除了湘人的虚骄之气，促使他们开始更多地反躬自省和主动学习西学，想寻找新的方法强化湖南乃至湖湘文化在全国的核心地位。于是在维新运动和清末新政的刺激下，湖南成为

① 唐才常. 辨惑下［M］//湖南哲学社会科学研究所. 唐才常集. 北京：中华书局，1980：170.

了维新变法时期“全国最富朝气的一省”[1]。无论是倡导西学的谭嗣同、唐才常，还是固守传统的王先谦、叶德辉，他们在面对维新变法和新政时，都表现出了积极务实的态度。湖南能够在维新变法中异军突起与当时湖南地方官吏们积极支持密不可分，这其中以巡抚陈宝箴和学政江标的贡献尤为突出。光绪二十一年（1895）陈宝箴任湖南巡抚，他以“变法开新”为己任，积极推行新政。在他的支持和鼓励下，光绪二十二年（1896）湘籍士绅在王先谦的带领下创办宝善成机器制造公司，光绪二十三年（1897）熊希龄创建了时务学堂，开启了湖南近代教育的先河。光绪二十三年（1897）谭嗣同成立了南学会，“做亡后之图，思保湖南之独立，使南中国可以不亡”。其救亡图存的目的十分明显。清光绪十九年（1893）江标任湖南学政，上任伊始即以开化湖南风气为己任，他主持整顿了校经书院，增设史地、算学等近代知识学科。光绪二十四年（1898）江标又与熊希龄、唐才常等一起创刊《湘学新报》。在这些开明官吏的支持之下，湖南培养了一大批维新人才，以扫湖南往日的守旧风气，对于湖南近代学风的开化起了积极的作用。

维新变法和新政对传播西学，革除陋习起到了很大的作用，许多湘籍志士积极运用西方民主思想猛烈抨击专制思想和纲常名教，挑战各种权威和流俗。谭嗣同就犀利地抨击君主专制说：“故常以为两千年来之政，秦政也，皆大盗也；二千年来之学，荀学也，皆乡愿也。唯大盗利用乡愿，唯乡愿工媚大盗。”[2] 这两者相互勾结致使中国社会两千多年来一直被专制和独裁所笼罩。他呼吁中国要重新建立一种平等的君民关系，赋予人们“共举”“共废”的权力。为了培养具有维新思想的新式青年，清光绪二十一年（1895）谭嗣同、唐才常和他们的老师欧阳中鹄在浏阳建立了算学馆，讲授

---

① 范文澜. 中国近代史：上册·第一分册［M］. 北京：人民出版社，1953：313.

② 谭嗣同. 仁学［M］//蔡尚思，方行. 谭嗣同全集. 北京：中华书局，1998：337.

“声、光、化、电”等近代自然科学知识，试图通过宣传近代文明，改变湖南人的落后观念。算学馆章程明确称：“本馆之设，原以培植人材，期臻远大，并非为诸生谋食计。”这是中国近代史上兴起的第一个科学技术团体，对宣传西方科学知识和启迪民智具有十分重要的作用。光绪二十四年（1898）黄遵宪、熊希龄、谭嗣同又发起成立了湖南不缠足会，痛斥缠足恶习，力争改革旧俗，谭嗣同特地创作了《湖南不缠足嫁娶章程十条》宣传“缠足之风本非人情所乐，徒以习尚既久。苟不如此，即难以择婚”“凡入会人所生女子不得缠足”“凡入会人所生男子，不得娶缠足之女”，[①] 黄遵宪还通谕各府、厅、州、县一体张贴劝禁幼女缠足的布告，经过不断宣传，不缠足会在湖南许多地方都设立了分会，产生了很大的影响。维新变法期间，湖南成立了很多具有新时代气息的学会组织，例如延年会、校经学会、保湘会、学战会、公法学会等，据统计，从甲午战争后至戊戌年，全国各地的学会计 64 个，而湖南一省就占了 19 个，在全国为学会最多的一省，委实令人瞩目。[②] 众多的学会对开民智、开绅智都起到了很好的作用，学会为湖南维新变法培养了不少骨干力量，对湖南各地社会风气的转变有提挈改造之功，为建立一个文明的湖南社会奠定了基础。

第四，辛亥革命爆发后，中国结束了两千多年的封建帝制，为近代湖湘文化的全面发展创造了条件。

辛亥革命爆发以后，湖南有志之士和民众投入新社会建设的热情高涨，共和意识、民族自决理念、宪政思想、女权主义等近代西方资产阶级政治学说和思想在湖湘大地绚丽开放，有力地改造和丰富了传统湖湘文化。民国以后湖南社会发生的突出变化是湖南人参政议政的热情被点燃了。传统湖湘文化里原本就有浓厚的经世理

① 谭嗣同. 湖南不缠足嫁娶章程十条［M］//蔡尚思，方行. 谭嗣同全集. 北京：中华书局，1998：396.

② 周秋光. 熊希龄传［M］. 北京：华文出版社，2006：107.

念，湘籍学子在湖湘文化的熏陶之下，也一直都很重视社会实践、关注民生疾苦。共和制给国人带来了全新的体验，新的国家观念和国民意识改变了人们以往避讳政治、不谈国事的态度，极大地调动了人们参政议政热情。湘人是辛亥革命运动的积极参与者和中坚骨干力量，“辛亥革命首倡者是孙中山及其所创立的兴中会，而继起响应者，当首推黄兴和他所组织的华兴会。1905 年夏，孙中山在日本领衔组成同盟会，据考订，参加 7 月 30 日筹备会的共 79 人，居首位的是湖南籍志士，计 20 人，次为湖北，19 人，再次为广东，16 人，以下为广西、安徽等省籍人士”①。湖南著名的辛亥革命志士有黄兴、宋教仁、蔡锷、陈天华、刘揆一、杨毓麟、焦达峰、禹之谟、毕永年、秦力山等，举不胜举。杨毓麟最早明确地提出反对“帝国主义”口号，其反帝爱国思想集中体现在清光绪二十八年（1902）所写《新湖南》一书中。在书中他呼吁高扬民族主义大旗拯救日渐萎靡的国家和人民，说：“故欲横遏此帝国主义之潮流者，非以民族主义筑坚墉以捍之，则如泛挑梗于洪涛之上而已矣。夫胡越之人，不能相为忻戚，天性然也。故民族主义者，生人之公理也，天下之正义也。有阻遏此主义使不得达者，卧薪尝胆，炊矛折剑，冀得一当而已矣，公理然也，正义然也。欲起国民之痿痹者，此其一事矣。”② 陈天华在反清排满、建立民主共和政体、造就近代新国民等一系列问题上提出的见解和主张在当时达到了前所未有的高度，对于近代民主革命高潮的到来起到极大的推动作用，其著作有《猛回头》《警世钟》等。蔡锷虽英年早逝，但他一生注意辨别政治风云，积极投身民主革命运动。他算得上是第一个提出以“军国民主义”抵御列强入侵、拯救中国主张的有识之士，说：“居今日而不以军国民主义普及四万万，则中国其真亡矣。”他还提出了尚武精神、增强国民体魄、“陶铸国魂”、整军经武、全民皆兵

① 郭汉民. 同盟会“非团体联合”史实考［J］. 湖北社会科学，1987（6）：38.
② 杨毓麟. 新湖南［M］//饶怀民. 杨毓麟集. 长沙：岳麓书社，2001：51.

等许多有益的建议和主张，他的救国主张，与单纯依靠改革军制以求强兵御侮的思想相比，视野更广阔、更深远。在军事理论和战争实践方面蔡锷都作出了突出的贡献。特别是在护国战争中，他抱病参战，喉症久病不医，病情加剧以致不能发音，只能以笔代口处理军务，但他仍身先士卒，指挥军队顶住了袁世凯优势兵力的进攻，最终取得战争的胜利，他将湘人临危不惧的血性精神和以天下为己任的爱国情怀发挥到了极致，为世人所敬仰。

这些人中除了部分为缔造共和献出了宝贵的生命之外，其他的人在民国成立以后，更积极地投入到民主政治的建设中。如黄兴任陆军部部长在临时政府中居各部之上，同时又兼参谋总长，可谓是位高权重。而且由于孙中山长期在海外奔波，而黄兴在国内主持同盟会并领导革命，实战经验更加丰富的缘故，南京临时政府初创期间，遇到军国大事，人们都还习惯于找黄兴汇报和商量，“诸事由克强作主”“虽无内阁（总理）之名，实各部之领袖也”①，人们常常将黄兴与孙中山一起并称“孙黄”。但黄兴从不居功自傲，自始至终捍卫孙中山的领袖地位。最早在同盟会成立大会上黄兴考虑到革命党人来自不同的地域，担心出现纰漏，提出了“孙中山先生为本党总理不必经过选举手续”的倡议，后来在同盟会成员章太炎、陶成章等人屡次掀起倒孙风潮的危难时刻，黄兴充分利用自己与他人的友好关系，“驰函劝顾大局”，维护孙中山的形象和领导地位。武昌革命胜利以后，革命党人一致推举他就任临时大总统，但他执意婉拒，翘首等待孙中山从海外归来。很多人对他的做法不理解，他就常常以太平天国后期的内讧，导致天京变乱，最后促使起义功亏一篑的教训告诫周围的人，要求大家共同团结在孙中山先生的周围，一起努力建设中华民国。这种顾全大局，牺牲小我的精神感染了其他的革命党人，大家纷纷放下成见和小我，积极共谋中华民族

① 胡汉民．胡汉民自传［M］//丘权正，杜春和．辛亥革命史料选辑：上册．长沙：湖南人民出版社，1981：220.

的前途和发展。无怪乎像章太炎这样自负的人都称赞黄兴说："无公乃无民国，有史必有斯人。"宋教仁在革命取得成功以后，也亲自参与了民国政体的顶层设计，并为维护共和政体作出了不懈的努力，乃至献出了宝贵的生命。民国成立后，宋教仁担任了法制局长，在他的组织下起草了《中华民国临时政府组织法》（后更名为《中华民国临时组织法草案》，可以说临时政府的多项法规、法律均浸透了他的智慧和心血，这对推动中国近代的法制建设进程起到了重要的作用，也是转型中的近代湖湘文化在法治领域所取得的重要成果。在同盟会成员中，宋教仁是少有的反对牺牲部分国家利益去换取列强对中国革命支持的人，这与许多同盟会成员甚至包括孙中山在内对列强抱有幻想和妥协的态度比起来，在这方面宋教仁显得更加的务实和睿智。

湖南是辛亥革命发动的重要地区，革命成功以后，湖南人投入新政权建设的热情更高。除了前面提到的革命志士，湖南的妇女、学生等社会群体也积极地投入到了革命运动中来，他们对推动近代湖湘文化的发展也做出了不小的贡献。例如唐群英、林宗素、张汉英等女权主义者1912年在南京联合筹组中华民国"女子参政同盟会"，"要求中央政府给还女子参政权"，拉开了湖南女子参政运动的序幕。以后唐群英以发展女子教育为己任，相继在长沙创办了《女权日报》、女子法政学校、女子美术学校等，通过提倡教育、普及知识的方式大力促进了湖南女子解放运动的发展。另外湖南的学生运动也很热烈，湖南青年学生长期受湖湘文化的熏陶，他们在高度的民族责任感的感召下，对国家时局时刻充满了关注。1915年袁世凯为复辟帝制，与日本勾结欲签订丧权辱国的"二十一条"，国内人民掀起"认捐救国储金运动"，抵制袁世凯的卖国行径。湖南民众也积极响应认捐救国，其中以学生的反响最为激烈，波及了全省的高初小各级学校，不仅参加认捐的学生人数众多，而且部分学生情绪激昂，大有誓死报国之气概。湘籍志士和民众在辛亥革命中的卓越贡献可以说是其他省无法比拟的，他们以自己的行动和实践，很好地诠释并丰富了近代湖湘文化的内涵，成为鼓舞其他后来者继续为中华民族的复兴而奋发前进的动力。

第五，五四新文化运动以后，近代湖湘文化新体系初步形成。

新文化运动和五四运动对传统湖湘文化也造成了很大的冲击，湖南掀起了猛烈的批判旧文学、旧道德，提倡民主科学的新风尚，而且湘籍有识之士还将近代西方工业文明的精髓和马克思主义思想融入湖湘文化，直接推动了近代湖湘文化体系的最终确立。20世纪初期中国进入近代化学习的第三个阶段，即从学习政治制度层面向学习思想文化层面转化。这种状况的出现主要是辛亥革命虽然推翻了清王朝，但袁世凯窃取了辛亥革命的果实，使得中国社会仍然处在混乱无序和备受列强欺凌的局面，真正的民主共和并没有在中国出现。为此新兴知识分子们开始不断反思和寻找解决的办法，他们倡导必须从思想文化上猛烈地冲击封建思想和封建意识，大力宣传和普及自由、平等、民主等思想，这样中国才有可能实现真正的民主共和国政体。1915年陈独秀在上海创办《青年杂志》标志着新文化运动的开始，随后蔡元培、胡适、李大钊、鲁迅、钱玄同、刘半农、易白沙等一大批接受了西方教育的知识分子相继成为了新文化运动的主将，他们针对北洋政府的独裁统治和“尊孔复古”的逆流，发起了“反传统、反孔教、反方言”的思想文化革新运动，中国近代史上一次轰轰烈烈的向传统思想、道德、文化宣战的思想文化启蒙运动就此拉开了序幕。1916年，《青年杂志》出版第二卷第一期时，更名为《新青年》，添加一个“新”字，使其宣传民主、科学，造就新青年的主旨一目了然，而且“新青年”也开始从政治观点、学术思想、伦理道德、文学艺术等方面向封建复古势力进行猛烈的抨击，提出了改造旧世界建设新社会的宏伟目标和远大理想。新文化运动是中国近代化发展趋势的必然结果，也是中国近代化运动的重要阶段。新文化运动倡导者们以西方进化论为理论武器，将自由、民主、科学、人权等西方价值观念全面引入中国，向封建主义发起了猛烈进攻。他们认为只有“民主”和“科学”这两位先生才能拯救中国于水深火热之中，“我们现在认定，只有这两位先生可以救治中国政治上、道德上、学术上、思想上一切的黑暗”[①]。随着民主和科学思想的广泛传播，新文化运动倡导者们认识到在中国阻碍民主和科学思想传播的最大障碍就是以儒学为核心的封建思想文化和纲常伦教，他们认为国人普遍存在的各种病态心理和性格问题，很大程度上是在孔教和封建纲常的熏陶和影响下形成的。因此“要拥护那德先生，便不得不反对孔教、礼法、贞节、旧伦理、旧政治。要拥护赛先生，便不得不反对旧艺术、旧宗教。要拥护德先生又要拥护赛先生，便不得不反对国粹和旧文学”[②]。为了激励人们积极拥护民主和科学，新文化运动倡导打碎一切旧传统、旧道德，因为只有通过这样全面地反对封建传统思想文化体系，重建新的价值体系和道德体系，才能建立真正的民主共和国。于是新文化运动对中国传统文化的核心——儒家学说进行了全面的批判，也对统治中国数千年的传统礼教发起了激烈的进攻，这对启迪民智，推动现代科学在中国的发展，为以后马克思主义在中国的传播和五四运动的爆发都起到了思想奠基的作用，可以说新文化运动将近代中国文化的转型向前推进了一大步。

新文化运动期间，湖南在提倡新文学、新道德，改革旧式婚丧习俗、宗法制度等方面都取得了可喜的成绩。易白沙 1915 年率先在《新青年》上发表《孔子平议》等文章，成为第一个站出来批评孔子及儒学、倡导新文学革命的先锋，吹响了新文化运动中反孔的号角。易白沙坚决反对封建文化的专制主义作风，主张在文化上要自由讨论、百家争鸣，提出了“盖真理以辩论而明，学术由竞争

① 陈独秀. 本志罪案之答辩书［M］//独秀文存. 合肥：安徽人民出版社，1987：242.

② 同①.

而进也”① 的新文化观点。他在《新青年》杂志上发表的一系列文章在当时起到了振聋发聩的作用，不仅有力地促进了湖南知识界的思想解放，而且对五四新文化运动更是产生了极其深远的影响。

杨昌济也是在湖南推动新文化运动首屈一指的人物，作为近代知名的伦理学家和教育家，杨昌济一直在长沙不遗余力地宣传自由、平等、博爱等西方民主思想。他就宗法制对近代社会发展产生的阻碍和危害作用予以了犀利的评判：“家庭制度是封建君主统治赖以存在的组织基础，而家族主义又是族权、夫权和家长制赖以存在的精神支柱。”② 他还将批判的矛头直指“三纲五常”这一封建礼教的核心，说：“中国三纲之说，严责卑幼而薄责尊长，实酿暴虐残忍之风。君子之为教也，与父言慈，与子言孝。卑幼者自由之意志，独立之人格，尊长者固不可蔑视之。人有自重知耻之心，乃能以进德修业相尚，过度之压制，固非训育者之所宜也。”③ 他在《新青年》上发表过《治生篇》《结婚篇》等文，为刚刚兴起的新文化运动摇旗呐喊，推波助澜。杨昌济的新思想直接影响了他的众多学生，如毛泽东、蔡和森等，人们称他是“新民学会的精神导师”。杨昌济执教的湖南省立第一师范学校是湖南传播新文化运动的重要阵地之一，杨昌济、易白沙、徐特立等都在此执教过。毛泽东回忆当年在校情景说：“有很长一段时间，每天除了上课、阅报之外，看书，看《新青年》；谈话，谈《新青年》；思考，也思考《新青年》上提出的问题。”④ 他甚至“反复阅读，并摘抄某些文章中的精辟段落”，《新青年》对加速湖南青年学子的思想转变起到了很大的作用。在此风气激励之下，湖南各界人士加快了追求个性

① 易白沙. 孔子平议（上）[J]. 新青年，1916，6（1）.

② 刘泱泱. 湖南通史：近代卷［M］. 长沙：湖南出版社，1994：799.

③ 王兴国. 杨昌济文集［M］. 长沙：湖南教育出版社，1983：71.

④ 周世钊. 湘江的怒吼——五四前后毛泽东同志在湖南的革命活动［M］//中国革命博物馆湖南省博物馆. 新民学会资料. 北京：人民出版社，1980：392.

解放和人生真理的步伐，也加快了宣传“社会改造”“思想革命”“妇女解放”“民族自决”等进步思想的力度。同年6月，由湖南教育界著名人士陈夙芳、徐特立、朱剑凡、杨树达、汤松、蔡湘、钟国陶、李云杭等发起成立了健学会。“以输入世界新思潮，共同研究，择要传播为宗旨”，研究范围涉及哲学、教育学、心理学、伦理学、文学、美学、社会学、经济学等范畴，倡导“富于研究的精神，学问上之互助，自由讨论学术，不尚虚文客气，以诚实为主”，要求打破传统的“师说”“道统”“宗派”这些思想界的强权，开创思想自由、言论自由和学术自由的新文化氛围。[①] 毛泽东称赞健学会的出现，犹如“东方的曙光”“空谷的足音”打破了“女性纤纤暮气沉沉的湖南”。

新文化运动期间湖南进步人士对传统礼教和封建纲常对国人的摧残、禁锢表达出了比以往更强烈的愤怒，改革旧式婚丧习俗、宗法制度、迷信观念等封建伦理道德体系的呼声在湖南越来越高。1919年湖南长沙的女孩赵五贞因反对父母包办婚姻无果，于是采取了极端的方式抗拒包办婚姻，在婚礼举行的当天自杀身亡。事件发生以后，湖南舆论对传统婚姻家庭制度的批判达到了高潮。毛泽东连续在《大公报》和《女界钟》上发表了数十篇文章，猛烈抨击和揭露旧式婚姻家庭的实质和陋习，大力宣扬婚姻自由和男女平等等新式家庭理念。以后“湖南女子开始冲破了旧礼教的封锁线，纷纷要求入学，要求有选择配偶的自由，因此女学校逐渐有所发展，而自由结婚也不是家长所能阻止的了”[②]。1920年长沙女青年李欣淑为反抗包办婚姻，毅然离家并登报言志说：“我于今决计尊

① 毛泽东. 健学会之成立及其进行［M］//中共中央文献研究室，中共湖南省委《毛泽东早期文稿》编辑组. 毛泽东早期文稿. 长沙：湖南出版社，1990：368.

② 陶菊隐. 长沙响应起义见闻［M］//辛亥革命回忆录：第2集. 北京：中华书局，1962：195.

重我个人的人格，积极地同环境奋斗，向光明的人生大道前进!”① 这种毅然决然的态度和勇气，在湖南掀起了轩然大波，极大地鼓舞了青年学子和受迫害女性。李欣淑的行为和声明比赵五贞自杀事件产生的影响更深远、更积极一些。1921 年，长沙女界联合会明确提出“须取得‘婚姻自决权’，破除专制的陋习”“男子须实行一夫一妻制”。② 随后越来越多的湖南进步人士参与到宣传改革传统习俗、倡导新式生活的运动中，各种新思潮和新观念不断在湖南这块古老的土地上传播开来。如“五四”期间，湖南学界就主张“取消忠、孝、节、烈四个根深蒂固的信条，一件一件地改造起来”③。这一时期湖南旧式的家族、宗族组织也开始加快向近代转型的步伐。如湘潭易氏宗族族规提出了“礼仪随时世而变迁，今之礼，非古之礼也”，并制定了对适于时代发展的新的宗族礼制，规定庆典、祀典、婚礼、丧礼、聘问、公宴礼式及交际宴会采用脱帽鞠躬礼，废除传统三跪九拜之礼。④

从总体上看民国初年，湖南民众价值观念、生活习俗和礼仪交往的变化明显急骤由传统向近代，由守旧往相对开放的方向过渡。这些变化反映了湖南人民思想文化观念的趋时更新，对近代湖湘文化转型具有重要的历史意义。但由于湖南各地经济发展不平衡现象严重，城市居民容易接受新事物、新风尚，而交通闭塞、经济落后的山区和农村，与外界的接触不多，许多居民还是按照传统的方式生活，这也从另一个方面说明湖南民众的价值观念和思想文化的近

① 长沙第一个积极奋斗的——李欣淑女士［N］. 大公报，1920-2-27. 转引自近代史研究，1998（6）：200.

② 湖南女子之五权运动［N］. 民国日报，1921-1-27. 转引自近代史研究，1998（6）：200.

③ 百杭. 我对于忠孝节烈的一个小批评［N］. 大公报. 1919-12-13. 转引自周秋光，张少利，许德雅，等. 湖南社会史：二［M］. 长沙：湖南人民出版社，2013：1468.

④ 民国湘潭易氏四修支谱. 转引自周秋光，张少利，许德雅，等. 湖南社会史：二［M］. 长沙：湖南人民出版社，2013：1060.

代转型历程更加曲折和艰难。

新文化运动后期受俄国十月革命的影响，湖南一批先进知识分子的视野大开，他们开始把眼光放到了以马克思列宁主义为指导的俄国革命上，探索新的思想和方法，来解决中国社会的种种问题。中国共产党成立以后，湖南民主革命运动在毛泽东等共产党员的组织之下，进一步向纵深发展。在思想解放方面，毛泽东首先把目光放在了宗法制度上，他说："政权、族权、神权、夫权，代表了全部封建宗法的思想和制度，是束缚中国人民特别是农民的四条极大的绳索。"①他不仅从理论上剖析了宗法制对近代中国社会发展的危害，而且积极在湖南组织农民开展轰轰烈烈的农民革命运动，直接对宗法制度予以了致命的打击。1926—1927 年，在毛泽东等共产党员的领导和发动下，湖南发展成为了全国农民运动的中心。农民运动对宗法制度最直接的解构就是成立新的基层社会组织——农民协会，取代旧式宗族对地方的管理。到 1927 年 1 月底湖南农民协会会员发展到 200 万人，能直接领导的群众达 1000 万人，差不多占湖南农民总数的二分之一。长沙、湘潭、湘乡、湘阴、宁乡、平江、醴陵、浏阳、衡山、衡阳、耒阳、安化、郴县等地，几乎全体农民都加入农会。② "农会作为农民横向的平等联合的组织，削弱了从前纵向的等级制的宗法结构。"③农会协会的成立，极大地冲击了农村传统的宗法结构和宗族关系，使宗族的凝聚力和控制力明显减弱。于是以宗法制为核心的传统伦理道德体系在湖南农村开始全面受到了清理，这对于加快湖南农村的近代村社建设起到了很重要的作用。

二、近代中国经济结构的变迁对湖湘文化近代转型的影响

其一，鸦片战争爆发以后，资本主义经济不断渗入湖南，湖南

---

① 毛泽东. 湖南农民运动考察报告［M］//毛泽东选集：第 1 卷. 北京：人民出版社，1991：31.

② 宋斐夫. 湖南通史：现代卷［M］. 长沙：湖南出版社，1994：156.

③ 严昌洪. 中国近代风俗史［M］. 杭州：浙江人民出版社，1992：311.

传统的以自然经济为主导的农耕生活模式逐渐被打破了。

实际上鸦片战争以前，湖南的经济发展中就已经存在有新的经济因素，可以说“湖南经济也正处在向商品经济潜变的时期”[①]。这种经济的潜变体现在民风上是重农抑商的现象减弱了，人们对经商开始持认可和肯定的态度。“在昔务本业，轻末富，贸迁者寡；今则人多负贩货殖，学习技艺者，骚紧日盛。”[②] 同时粮食商品化的现象也在不断增加，根据《清实录》记载，湖南稻米输出涉及14个省区之多，诸如江苏、浙江、安徽、福建、广东、广西、贵州、江西、四川、河南、陕西、山西、甘肃及京城，都与湖南形成了以粮食供求为主的经济联系。[③] 经济的潜变在手工业发展上也有体现，湘潭的苎麻生产，“俱岁三州，每亩可数十斤，贩贸南省，获利甚饶”[④]。常德的土丝生产，也是“悉供商贩”[⑤]。另外湖南的矿山开采业粗具规模，雇佣工人一般均在数十人或百人以上。[⑥] 鸦片战争之前清朝对外贸易仅开放广州一口通商，内地和西方的货物进出，都只能经过广州进行贸易往来，“这样就形成了‘广州—内地—广州’这样一个经济流动线路。湖南正处于商货北上南下的要道之上，西方的洋货或内地的商品多少影响了湖南的经济和社会”[⑦]。此时自然经济在湖南虽然牢牢地占据主导地位，但商品经济在湖南一直都还是有发展的平台和空间，可以看出湖南社会经济本身已经具有向近代社会发展的某些趋势。随着中国近代化趋势的

① 林增平，范忠程. 湖南近现代史（1840—1949）［M］. 长沙：湖南师范大学出版社，1999：7.

② 桂东县志：风俗：卷二［M］. 刻本. 1759（乾隆二十四年）.

③ 梅莉，张国维，晏昌贵. 两湖平原开发探源［M］. 南昌：江西教育出版社，1995：151.

④ 张云璈. 清嘉庆湘潭县志：卷39［M］. 刻本. 1818（嘉庆二十三年）.

⑤ 陈楷礼. 清嘉庆常德府志：卷18［M］. 刻本. 1813（嘉庆十八年）.

⑥ 同①9.

⑦ 刘云波，李斌. 湖南经济通史：近代卷［M］. 长沙：湖南人民出版社，2013：23.

加强，这种趋势也会愈来愈强，湖南向近代社会转型的步伐也会越迈越大。

鸦片战争以后，中国被迫卷入了资本主义世界市场体系，成为了列强的原料产地和商品销售市场。西方各国的资本家认为中国的大门被打开了，赚钱盈利的大好时机来到了，“一想到和三万万或四万万人进行贸易，大家好像全都发了疯似的”①。获得特权的西方列强开始向中国大量倾销商品，大量洋货经由通商口岸城市转运至内地，对传统自给自足的经济体制和生活习俗都产生了不小的冲击。大工业机器生产出的产品，不仅美观、实用而且价格适宜，传统的手工业商品遭遇到了强劲的对手。及至第二次鸦片战争后清政府被迫又开放了营口、烟台、汕头、天津、汉口、九江、南京等十多处通商口岸城市，于是更多的西方工业产品诸如洋纱、洋布、煤油、钢铁等如潮水般地涌入中国，沿海和通商口岸城市的封建自然经济开始逐步走向解体。据包世臣记载，清道光二十六年（1846）“松、太利在棉花梭布，较稻田倍蓰，虽横暴尚可支持。近日洋布大行，价才当梭布三分之一；吾村专以纺织为业，近闻已无纱可纺，松太布市，消减大半。去年棉花客大都折本，则木棉亦不可恃”②。松江、太仓地区是清朝纺织业最发达地区，随着上海的开埠，外国的棉纱、棉布不断输入进来，对这些地区的纺织业造成了严重的破坏，传统的耕织结合的经济模式也开始出现裂缝了。耕与织的分离不仅加速了以耕织结合为基本特征的传统自然经济解体的过程，同时也有力地促进了中国城乡商品经济的发展。

鸦片战争后湖南经济结构产生的显著变化是商品经济的活跃和近代商业模式的出现。湖南地处内陆受到的影响明显弱于沿海和通

① 严中平. 中国近代经济史（1840—1894）：上册［M］. 北京：人民出版社，1989：329.

② 包世臣. 郡县农政：农二杂著［M］. 王毓瑚，点校. 北京：农业出版社，1962：81.

商口岸，但西方势力利用各种途径不断地撬动湖南的大门，代表西方文明的物质诸如宗教、医疗、教育、工业产品、交通运输工具等渐次渗透进湖南。“清道光二十年（1840）以后，外国煤油输入，马灯随之销入湖南。”[①] 鸦片战争以后，依据《天津条约》和《北京条约》允许外国人在通商口岸游历、经商和传教的规定，天主教也开始向湖南进行宗教渗透，据记载至19世纪70年代，湖南的天主教徒发展到了2200人。[②] 鸦片战争后十年间湖南最受影响的是棉纺织业，湖南的棉纺织业遍及城乡各地，产品丰富多样。其中以岳州、平江、常德、益阳、长沙等地尤为著名。但是洋纱比湖南的土纱细一些，织出的布质地也柔软些，洋纱、洋布输入湖南后，土布的产量明显锐减，销路变差。“自外洋贸内地，彼布盛行，都布亦因之滞销。庄客来收，抑其价钱，复多杂以滥恶。巴陵之利源日就涸矣！”[③] 另外湖南作为一口通商时期商路中转站的地位和重要性，在鸦片战争以后也发生了很大变化。鸦片战争以后，上海的对外贸易额呈明显的上升趋势，对外贸易中心从广州移到了上海，沿海贸易飞速发展起来。原来依靠中转进出口贸易而兴盛的内河和沿江城市渐趋走向了衰落。湖南湘潭、郴州等地经济萎缩和萧条的现象尤为严重。鸦片战争前湘潭是湖南最大的转口贸易城市，鸦片战争后多个通商口岸的开放，使得途经湘潭转运的货物日趋减少，“从前海禁方严，番舶无埠，南洋、五岭之珍产，必道吾埠，然后施及各省。维时湘潭帆樯鳞萃，繁盛甲于东南，相传有‘小江南’之目。厥后轮船、租界曼延沿边，商旅就彼轻捷，厌此艰滞，而吾湘口岸，始日衰耗”[④]。郴州的衰落亦是如此。商路中转站的衰落，使

① 湖南省地方志编纂委员会. 湖南省志：工业矿业志 轻工业志 纺织工业［M］. 长沙：湖南人民出版社，1989：363.

② 张朋园. 中国现代化的区域研究 湖南省，1860－1916［M］. 台北：“中央研究院”近代史研究所，1983：96.

③ 巴陵县志：舆地志七［M］. 刻本. 1891（光绪十七年）.

④ 蔡尚思，方行. 谭嗣同全集［M］. 北京：中华书局，1981：424.

一直依赖转运货物为营生的挑脚夫、排夫、船工以及搬运工等失去了就业的机会，这些城市里的其他手工业、商业等也受到了很大的冲击，失业、破产或转入其他行业的事情在这些城市里频繁出现，这不仅加剧了当地的社会矛盾，也对湖南的经济和社会秩序产生了一定的影响。鸦片战争后湖南地区农民斗争不断发生，会党活动频繁，经世人士增多等社会变化，一定程度上都与近代湖南社会的变迁有着密切的联系。

其二，甲午战争以后，受清政府政策和西方资本输出等因素的影响，湖南近代经济获得了进一步发展的空间。

甲午战争以后，清政府为了扩大税源，放宽了民间开办工厂的限制，并主动开放了一批城市加强与外界的通商。湖南有五处地方被辟为通商口岸，加大了湖南与外界的联系，也促进了湖南近代化的发展。甲午战争后湖南在经济方面的发展较以往有了更多的变化，近代化的步伐迈得更大了。

首先表现在清政府自行开放湖南多处为商埠，促使湖南在物质生活方面发生了较大的变化。甲午战争以前，湖南民众的物质生活近代化程度是很低的，绝大部分地区居民还是延续传统生活方式，几乎没有变化。以服饰为例，“鸦片战争后的半个世纪内……湖南几乎仍是死水一潭”①。甲午战争后湖南人的排外情绪明显减退，湘人在衣食住行等日常生活方面开始呈现出与往日不同的样子，近代化的色彩逐渐变浓。清光绪二十五年（1899），岳州率先开埠，大量的洋纱、洋布等西方工业产品从岳州进入湖南，随后清政府又开放了长沙、湘潭、常德等地通商，大量的洋货开始进入湖南，出现了“岳、常、醴等处织布之户，近来全系参用洋纱”，“眼下欲求一匹真土纱土布，几如披沙拣金”。② 受开埠的影响，岳州洋布、

① 刘泱泱．近代湖南社会变迁［M］．长沙：湖南人民出版社，1998：342.

② 光绪二十九年岳州口华洋贸易情形论略［M］//湖南历史资料：1979（1）．长沙：湖南人民出版社，1980：196.

洋纱输入量大增，据统计1900—1904年短短五年间增长了近69倍。长沙开埠后，输入量更大，据记载从1904—1911年输入的洋纱值共382.89万关平两，年均达47.86万关平两。[①] 洋布洋纱对湖南本土的布料造成了冲击，传统纺织业呈现出了萎缩的趋向。开埠后各种西式食物也传入了进来，湖南出现了经营西食的酒楼，这不仅丰富了湖南饮食的种类，也开启了近代湖南民众饮食结构的变化之路。皮锡瑞就在日记中记载湖南官绅宴客，开始采用西式宴席："赴公度廉访席……席属番菜，无大味，洋酒亦不醉人。"[②] 同时西式建筑也开始出现在了开埠城市，如城陵矶海关开放后，"经过三年修建，先后建成三栋楼房……都是西式二层，结构坚固，富丽堂皇"[③]。出行的交通工具方面也发生了很大的变化，"湖南近代交通肇始于内河航运业"[④]，清光绪二十二年（1896）维新派人士熊希龄、蒋德钧迈出了湖南近代交通的第一步，筹建了"鄂湘善后轮船局"，从上海购买了数艘小火轮，定期航行于长沙、湘潭、常德、岳州、沙市和汉口六地。航运业的发展为民众的出行提供了方便，增强了湖南与外界的沟通和交流，而且为大宗物资的运输也节约了时间和成本，有力地促进了经济的发展。

其次大批传教士、洋商纷纷进入湖南，各国政府和外国公司也相继在湘设置驻外机构，进一步推动了湖南社会的近代变迁。晚清时期最早进入湖南的外国人是传教士，从清同治元年（1862）传教士在衡州建立了第一座教堂起，此后几十年间传教士不断深入湖南各地建立教堂、育婴堂、医院和学堂等机构，至"宣统年间，湖南

① 湖南省：贸易志 贸易综述 商业［M］. 长沙：湖南人民出版社，1990：226.
② 皮锡瑞. 师伏堂未刊日记［J］. 湖南历史资料，1959（1）：119—120.
③ 董舜卿. 城陵矶海关忆述［M］//湖南文史资料选辑：24. 长沙：湖南人民出版社，1981：87.
④ 刘泱泱. 湖南通史：近代卷［M］. 长沙：湖南出版社，1994：384.

全省几乎每一个角落都有传教士的足迹”[①]。传教士不仅把西方宗教文明输入湖南，而且也把西方物质文化及生活方式带入了湖南，对湖南长久以来形成的固定思维和生活习惯都造成了一定的冲击。顽固守旧的湖南地方乡绅将西方文明视为洪水猛兽，从维护传统文化和儒学道统的角度出发，号召广大民众“崇正黜邪，反教卫道”。而一部分思想开明的湘人在亲眼目睹或亲身体验了西方物质文明的先进性以后，则萌生了学习和仿效的念头，传统社会的价值理念和世界认识观被西方物质文明撕开了一道道口子。甲午战争后，进入湖南的外国人骤增，为了满足外国人生活和工作的需要，西式餐饮、商店、建筑、医院、学校、教堂等各种与之相配套的物质文化和设施设备都大量地在湖南涌现出来。许多外国大公司诸如英国的太古洋行、怡和洋行，美国的美孚煤油公司，日本的和井洋行、山本洋行等凭借雄厚的经济实力不断扩大在湖南的商品销售。[②] 工业社会的各种产品几乎都可以在湖南市场上买到，从纺织品、五金制品、电器材料、化工业品、医药用品甚至到枪支弹药一应俱全，无所不有，这些西方物质的输入，直接刺激了晚清湖南物质生活的近代化变迁。不过值得注意的是，西方物质用品虽然不断输入湖南，但是其消费群体主要还是局限于外国人和社会上层人士，就广大中下层社会民众而言，受经济收入的限制，他们的消费仅仅是便宜的洋纱、洋布、火柴等基本生活日用品。尽管消费群体有限，但西方先进实用的物质产品进入湖南，还是便利了民众的生活，而且也拓宽了人们的视野，一些传统的生活陋习和保守的观念逐步得到了改变，湖南的近代社会发展进程向前迈出了一大步。

其三，辛亥革命胜利以后，湖南近代经济迎来了发展的春天，民国政府鼓励发展资本主义经济，“实业救国”思潮在湖南蓬勃发

① 张朋园. 湖南现代化的早期进展（1860—1916）［M］. 长沙：岳麓书社，2002：115.

② 杨世骥. 辛亥革命前后湖南史事［M］. 长沙：湖南人民出版社，1982：25.

展起来。

1912 年中华民国成立，国人莫不欢欣鼓舞，人们对新的国家和新的生活充满了憧憬，《申报》1912 年元旦发表的一篇《新祝词》文章中以一连串“新”字吸人眼球，形象地表达了人们对新国家、新国民及美好未来的憧憬和期盼，“我四万万同胞如新婴儿新出于母胎，从今日起为新国民，道德一新、学术一新、冠裳一新，前途种种新事业，胥吾新国民之新责任也”[①]。中华民国以实体的形式矗立在国人的视野里，这对中国社会摆脱传统的封建思想意识形态的束缚起到了很大的促进作用。结束了数千年封建君主专制统治的中国，迎来了近代化发展的春天，湖南也不例外。“民主共和”和“实业救国”成为了当时最响亮的口号。中华民国临时政府也顺应了民众的爱国热忱和发展经济的需要，积极鼓励人们发展经济建设国家。孙中山就说：“现在民国大局已定，亟当振兴实业，改良商货，方于国计民生有所裨益。”[②] 以后他又多次重申“此后社会当以工商实业为竞点，为新中国开一新局面。至于政权，皆以服务视之为要领”[③]。南京临时政府设立了实业部，颁布了一系列鼓励和保护工商业发展的章程和条例，以立法的形式提高了民族资产阶级的地位，鼓舞了国民兴办实业的热情，对民族资本主义经济的进一步发展起了很大的推动作用。据当时农商部统计，辛亥革命前 8 年间，全国共设厂 6393 家，而民国建立后，3 年内建厂 3669 家，年设厂率大大超过了晚清时期。1912 年至 1918 年 6 年之中投资总额达 1.4 亿多元，比甲午战争后到辛亥革命 16 年间的投

---

① 钝根. 自由谈 游戏文章 新祝词［N］. 申报，1912-1-1（2）. 转引自赵立彬. 改元升旗：南京临时政府新国家外观的确立与反响［J］. 河南大学学报，2012（3）：87.

② 孙中山. 批叶绍奎等呈［M］//孙中山全集：第 2 卷. 北京：中华书局，1982：158.

③ 孙中山. 致民国军政府电［M］//孙中山全集：第 1 卷. 北京：中华书局，1981：547.

资总和还多3000多万元。[①]

受新政府的鼓舞，湖南各界大力发展资本主义工商业，对建立和健全湖南近代工业体系起到了很大的促进作用，也促使了资本主义经济比重在湖南经济结构中逐渐增加。资本主义工业化在湖南的开展，不仅改变了湖南经济结构，也对阶级构成和其他社会生活产生了深刻的影响，有力地推动了湖南社会变迁的步伐和文化转型。民国期间，封建半封建的农业经济在湖南仍然占据重要的地位，但资本主义经济也获得了长足发展。民国创立之前，湖南资金雄厚、规模较大的民族企业很少，其数量远远落后于周围各省。民国之初，湖南铆足了干劲发展经济，总督谭延闿更是豪言："希冀洞庭以内月发起无数公司，洞庭以外日发起无数公司。"[②] 在地方政府声势浩大的产业革命动员之下，湖南许多有产者开始投入到创办新式工矿企业的潮流中，一场发展实业、振兴经济的近代化运动在湖南轰轰烈烈地拉开了序幕。据当时英国驻长沙的理事基尔斯对长沙商务记载说"自从辛亥革命以来，发起工厂企业得到很大动力，几乎每天都有新公司注册，其最大的目的是尽可能使湖南在工业上不仅不依赖外国，而且不依赖其他省份"[③]。在新政权和新措施的刺激下，湖南各界人士意气风发、大展宏图，强省建省的愿望高涨。1914—1918年第一次世界大战期间，由于帝国主义各国忙于战争，无暇东顾，暂时放松了对中国的经济侵略，客观上为中国民族工业的发展提供了一个有利的外部环境，民族资本主义迎来了发展的"短暂春天"，湖南经济发展也获利不少。以矿产业为例，战争加剧了对军火原材料（锑、锌、锡、铅、锰等矿山）的需求，在此期间湖南的矿业出口急剧增长。成立于清光绪三十四年（1908）的华昌

① 李文海．辛亥革命与中国共产党［N］．光明日报，2011-9-19（1）．

② 谭延闿．与黄兴等发起洞庭制革股份有限公司招股广告［M］//谭延闿集．长沙：湖南人民出版社，2013：871．

③ 汪敬虞．中国近代工业史资料：第2辑［M］．北京：科学出版社，1957：850．

炼锑公司，“一战”期间因为锑价猛涨，公司盈利丰厚，业务盛极一时，员工最多时近万人，成为了湖南最大的民营企业。据统计，1918 年湖南省产锑 1018 万吨，占全国锑产量的 90%，占世界锑产量的 80%，湖南仅从事锑业开采、冶炼和销售的人数就达到了 16 万人，冷水江的锡矿山被誉为“世界锑都”。[①] 采矿业的发展也相应地牵动了其他工商交通运输等行业的发展，湖南民族资本主义出现了一个短暂的腾飞期。然好景不长，1918 年大战结束之际，帝国主义经济势力卷土重来，民族工业迅速走向萧条，原来顺应战争开设的工厂大部分都濒临破产。即便是像华昌炼锑公司这样的大公司也难逃厄运，于 1921 年倒闭。除了面临外国资本的挤压，雪上加霜的是，中华民国政府在袁世凯去世以后，陷入了军阀割据的混战局面，长期的战乱纷争，使湖南的资本主义经济只能在曲折中缓慢前行。

辛亥革命以后，民族资本主义经济获得了发展的空间，但是传统的农耕经济模式则受到了猛烈冲击。农村传统的社会秩序和经济体系都备受打击。这些打击表现在很多方面，例如，农业商品化程度越来越高，传统行业面临巨大的挑战。部分适应近代化发展需求的行业得到发展，另外一些传统轻工业则出现了低落和萎缩现象，甚至一些农村副业还濒临破产崩溃的边缘。诸如湖南的陶瓷业、土布、土靛蓝、土烟等生产行业受工业化产品的冲击，基本上就处在滞销或停产状态。辛亥革命推翻了清王朝，结束了封建帝制，但对中国半殖民地半封建的社会经济基础触动却是有限的。民国以后，湖南农村仍然是传统的封建土地所有制占主导地位。受中国传统观念的影响，一些资本家、官僚、商人甚至军阀在积累了资本或获取了权利以后都纷纷涌向了农村，加剧了对农村土地的兼并和掠夺，导致农民失去土地的现象十分严重，湖南破产的农民沦为佃农的数

① 中共湖南省委党研究室. 中国共产党湖南历史（1920—1949）［M］. 长沙：湖南人民出版社，2008：15.

量居全国最高。据1917年和1919年北京政府农商部两次统计，湖南佃农和半佃农在农村户口中约占80%，是全国最多的，其中佃农69.9%，自耕农兼佃农10%，佃农比例比相邻的湖北、江西和广东诸省要高很多。[①] 沦为佃农后，生产的绝大部分要作为地租交给地主，余下的部分根本不能维持全家人的温饱，湖南农民的生存比民国前愈加困难。另外，北洋军阀统治期间，政局动荡，战争频繁，地方政府的军政费用开支庞大，不断加重对农民的剥削，导致湖南各地的农民怨声载道、苦不堪言。湖南的每一任执政长官都绞尽脑汁地向农民征收各种名目的捐税，以赵恒惕任省长时期（1920年11月—1926年3月）来看，为弥补军政开支缺口，他下令全省强收田赋和预征田赋，除每年征收田赋正供360万元外，加收“军事特捐”“亩捐”等各种附加1000万元以上，约超过正供两倍。如宁乡每两正供附加学捐、团防捐、路捐、农林保管共4元，各都自治费1至2元不等。其中湘阴每两正供连带附加共9元，宜章白沙团每两正供附加24元，黄沙团竟高达36元。[②] 这些田赋和附加名义上是向地主征收的，但都被地主以各种名目和形式转嫁到了佃农的头上，广大佃农可以说是不堪重负、怨声载道。不过从另一方面看，农村经济的凋敝和破产，使广大农民从土地的束缚中脱离出来，又进一步加剧了农村社会结构和社会秩序的崩溃。大量失去土地的农民，无法维持生计，开始离开故土，进入城市谋生，这些人又转化成为了城市的贫民和工人阶级。大量的农民进入城镇，无疑会加强城乡之间的联系，也加快了中国的城市化进程。

总之伴随着清王朝的瓦解和中华民国政府的建立，近代湖南政治、经济、思想文化的民主化发展进程都得到了大大加快。

① 转引自周秋光，张少利，许德雅，等. 湖南社会史［M］. 长沙：湖南人民出版社，2013：1017.

② 中国社会科学院经济研究所中国现代经济史组. 第一、二次国内革命战争时期土地斗争史料选编［M］. 北京：人民出版社，1981：77.

三、近代中国阶级结构的变迁对湖湘文化近代转型的影响

经济结构的新变化，也引起了传统社会阶级结构的改变。除了地主和农民这两个主要的阶级构成要素外，近代中国出现了新式商人、买办资本家、工人阶级等新的阶级成分。湖南社会阶级构成发生比较明显的变化是在甲午战争后，随着晚清社会的巨变和商品经济的发展，湖南产生了许多新的社会群体，打破了传统的士农工商社会结构，社会构成表现出了从传统向近代转型的趋势。甲午战争后，清政府放宽限制，民族资本主义获得了发展的机会，民族资产阶级的力量也进一步得到壮大。据统计 1895—1911 年，湖南创办了 183 家近代企业。① 至 1916 年，成千上万的农民投入到矿厂参加生产，大矿厂的职工不计，仅就小型八千个矿厂，每厂平均在二十人左右，估计当时全省至少有矿工十六万人，加上其他产业工人，湖南工人一度增至二十余万人。② 近代化企业数量的不断增加对近代湖南经济的发展产生了不容忽视的作用，一方面资本主义经济的发展，极大地冲击了湖南传统的经济模式，促使自然经济进一步走向解体；另一方面新产生的资本家和工人两个新的社会群体，也改变了湖南近代社会的阶级结构。新式经济的发展不仅为湖南物质生活的变迁提供了基础，同时也加速了湖南民族资产阶级、无产阶级、市民阶层、资产阶级维新群体和革命群体等的形成。这些团体对维新变法、自立军起义和新政在湖南的发展都起到了很大的推动作用，这一阶段湖南人在物质生活、思想观念和社会习俗等方面也都发生了急剧变化，对湖湘文化的近代转型和湖南社会的变迁起到了十分重要的作用。以维新派为例，湖湘维新派是一个人数众多的知识群体，包括谭嗣同、唐才常、樊锥、熊希龄、皮锡瑞、张百熙、欧阳中鹄、易鼐等湘籍维新志士和以湖南巡抚陈宝箴、江标、

① 傅志明. 清末湖南资本主义的发展和辛亥革命 [J]. 求索，1983 (3)：98—106.

② 湖南省地方志编纂委员会. 湖南省志：湖南近百年大事纪述 [M]. 长沙：湖南人民出版社，1979：354.

王闿运、王先谦等为首的开明官绅。他们都积极投入到兴办新式学校、创立报社、开设工厂等活动中，“士绅之办学务者，锐意猛进，振奋无前”①。除了新式教育，这一时期湖南还兴办了湘善记丰火柴公司、宝善成机器制造公司、鄂善后轮船局等一批近代企业，而且还积极参与修筑铁路、架设电线、开采矿产等近代化建设。维新变法在本质上是一场思想启蒙运动，创立学会、社团和报刊组织是维新活动的重要表现，湖南在此期间成立了湘学会、南学会、公法学会和延年会等十几个学会组织，其中以南学会的影响最大，清光绪二十四年（1898）在巡抚陈宝箴的支持下谭嗣同、熊希龄等维新人士在长沙创立了南学会，“专以开浚知识，恢张能力，拓充公益为主义”②。以至于皮锡瑞赞叹道：“近日湖南风气又为各省之最，是由地气变得益盛，亦由乡先贤之善变也。”③ 唐才常也自豪地宣称：“振支那者惟湖南，士民勃勃有生气，而可侠可仁者惟湖南。”④

除了产生新的阶层，湖南旧式乡绅阶层也开始出现裂变。湘军在甲午战争中的惨败彻底击溃了湖南保守顽固的士绅阶层的虚骄之气，湖南士绅由此产生了分化，部分士绅和知识分子开始自觉地反省，积极分析失败的原因和寻找自强的方法。面对 19 世纪末 20 世纪初内外交困的严重危机局面，湖湘文化中经世理念、热血情怀和担当精神又复活了。尽管后来以慈禧为首的顽固派发动政变扼杀了维新变法，但中国社会向前发展的历史潮流却是不可逆转的，数年以后，清政府又主动推行新政，而且比维新变法时期的改革方案更详备、更深远，对开启民智、改变社会风尚起到了重要的作用。湖南积极参与的态度赋予了维新变法和清末新政以社会实践的意义，

---

① 湖南巡抚陆奏筹办湘省学堂情形折［J］．东方杂志（第 2 年第 1 号），光绪三十一年正月二十五日．

② 南学会大概章程十二条［M］//湘报．北京：中华书局，2006：268．

③ 皮锡瑞．师伏堂日记［M］．北京：国家图书馆出版社，2009：105．

④ 唐才常．论兴亚义会［M］//湖南哲学社会科学研究所．唐才常集．北京：中华书局，1980：178．

使湖南一改封闭落后的面貌，成为“最富朝气的一省”。梁启超更是将中国振兴的希望寄托在湖南人身上，他赞扬湖南杰出人士可以与推动日本明治维新的改革前驱相媲美，说：“湖南天下之中，而人才之渊薮也。其学者有畏斋、船山之遗风；其任侠尚气，与日本萨摩、长门藩士相仿佛。其乡先辈若魏默深、郭筠仙、曾劼刚诸先生，为中土言西学者所自出焉。两岁以来，官与绅一气，士与民一心，百废具举，异于他日，其可以强天下而保中国者，莫湘人若也。”①

再者，甲午战争后，随着民族危机的加深和西方文明的进一步传播，湘省产生了许多新的知识群体。受甲午战争惨败的刺激，湖南出现了留学热潮，大批学子怀抱救亡图存的理念前往日本或欧美各国，积极学习西方先进的救国之道，湖南成为全国留学生人数最多的省份之一，“湘省学生之趋势，号称有志者，辄思出洋，故游学之风称盛”②。这些深受西方民主思想影响的留学生学成回国以后，聚集在一起形成了具有近代化思想文化背景的新知识群体。许多人以湖南为阵地和大本营，或倡言实业兴国，或建言宪政自治，或积极投身革命排满运动，湖南成为了 20 世纪初中国思想最活跃的地区之一，亦成为了辛亥革命发动的重要地区。这种现象的出现与湖湘文化传统里经世致用的理念和“以天下为己任”的宋儒精神以及“敢为天下先”的开拓精神有着密切的关系，无论是谭嗣同、唐才常、陈天华、杨毓麟、禹之谟等表现出来的勇于献身的血性，还是黄兴、宋教仁、蔡锷、樊锥、毕永年等展现出的百折不挠的斗志，都离不开湖湘传统文化对他们的培养和熏陶。在这些湘籍精英的身上普遍表现出了令人钦佩的进取精神、首创精神、独立根性和悲天悯人的爱国情结，而这些品质正是湖湘文化重要的特质在他们

① 梁启超. 南学会叙［M］//梁启超全集：第 1 册. 北京：北京出版社，1999：139.

② 转引自周秋光，张少利，许德雅，等. 湖南社会史［M］. 长沙：湖南人民出版社，2013：731.

身上的体现。也正是在这种思想文化和精神的感召下，湖南知识精英群体总是站在了时代的最前列，从鸦片战争后地主阶级抵抗派提出“师夷长技以制夷”，到洋务派提出的“师夷长技以自强”，再到维新变法呼吁的“救亡图存”，再到以后革命派鼓吹的“反清排满”，历次社会变革中，湘人都是擎起大旗的先锋和斗士。在历经了近代纷纭复杂的社会变迁以后，这些湘籍精英们用他们的学术思想、见解主张或社会实践更深入地诠释和丰富了湖湘文化，他们将湖湘文化中的优良特质即以天下为己任的爱国情怀、愈挫愈勇的豪杰气质、矢志不渝的信念追求、视死如归的劲悍血性、经世致用的务实精神在近代社会救亡图存的道路上演绎得可歌可泣，成为了鼓舞后来者继续奋发前进的巨大力量，在他们的努力推动之下，湖南社会的近代化转型速度也更快了。

及至五四运动期间，湖南还出现了一大批向马克思主义者过渡的激进知识分子，毛泽东、蔡和森、萧子升等是这批人的代表。他们发起成立了新民学会，成员还包括李维汉、何叔衡、谢觉哉、罗章龙、向警予、杨开慧、蔡畅、夏曦、萧三、郭亮等。新民学会是当时中国最早建立的革命性最强、组织最严密的革命团体，其成员虽然都是湖南人，但它的影响早已远远超出湖南。学会创建之初以“革新学术，砥砺品行，改良人心风俗为宗旨”[①]，后来受马克思主义和俄国十月革命的影响，以“改造中国与世界”[②]为宗旨，这是学会在政治思想上的一大跃进。学会组织和领导了湖南轰轰烈烈的驱逐军阀张敬尧运动，将北洋军阀皖系亲日派头目段祺瑞的走狗张敬尧赶出了湖南。后又发起了湖南自治运动，毛泽东、彭璜、何叔衡等组织了湖南改造促进会，发表了《湖南改造之主张》，提出“废督裁军”“建设民治”等倡议和主张。通过不断的革命斗争实践和对马克思主义的深入学习，毛泽东和新民学会的绝大多数会员

---

① 中国革命博物馆．新民学会资料［M］．北京：人民出版社，1980：28.

② 宋斐夫．新民学会［M］．长沙：湖南人民出版社，1980：75.

都认识到，改造中国与世界，只有“学习俄国十月革命才有用（才能成功）”，毛泽东明确说：“俄罗斯打倒贵族，驱逐富人，劳农两界合立了委办政府，红旗军东驰西突，扫荡了多少敌人，协约国为之改容，全世界为之震动。”① “唯有步俄国和匈牙利的后尘，实行社会主义大革命。”② 这表明毛泽东等新民学会的成员在寻找改造中国和世界的道路及方法上已经发生了质的转变，他们第一次尝试用马克思主义世界观去分析和思考解决中国的各种社会问题，这也就预示着他们开始从激进的民主主义革命者向马克思主义者转变。这为湖南共产主义小组的成立奠定了思想上和组织上的基础，也为中国共产党第一次全国代表会议的召开储备了力量。从此湖南的革命面貌，乃至全国的革命面貌因为共产党的诞生而焕然一新。

四、近代社会变迁影响之下湖湘文化近代转型的其他表现

在政治体制、经济结构和阶级结构发生变化的同时，新的文化因素自然也在湖南出现了。诸如近代出版机构、报刊、图书馆、教会学校、医院等文化设施相继在湖南的一些城市里创建起来。这些新鲜事物在中国的出现，最早开始于通商口岸和租界，1843 年近代第一家使用铅字模和新式印机的印刷所——墨海书馆在上海成立，1847 年传教士在上海徐家汇建立了“天主堂藏书楼”，创刊于 1850 年的《字林西报》，是在中国出版时间最长、发行最广、影响最大的一份外文报纸。1839 年，美国传教士布朗在澳门创办了第一所教会学堂——马礼逊学堂；1844 年，英国传教士阿尔德赛在宁波开办了近代中国第一所女子教会学校。另外一些新要素，还包括教堂、医院和西方的一些休闲娱乐场所诸如俱乐部、跳舞厅、健

① 毛泽东. 民众的大联合［M］//中共中央文献研究室，中共湖南省委《毛泽东早期文稿》编辑组. 毛泽东早期文稿. 长沙：湖南人民出版社，2008：356.

② 毛泽东. 德意志人沉痛的签约［M］//中共中央文献研究室，中共湖南省委《毛泽东早期文稿》编辑组. 毛泽东早期文稿. 长沙：湖南人民出版社，2008：317.

身房、溜冰场、现代剧院等。这些西方的新鲜事物出现以后，最开始受到影响的中国居民仅局限在通商口岸的一少部分，对传统的生活方式和一元文化结构的冲击还不大。但伴随着西方列强不断加深对中国的侵略，至 19 世纪末 20 世纪初西人的足迹几乎遍布整个中国，由此中国的政治制度、经济结构、阶级构成和文化因素等各方面都被迫产生了新的变化，而且中国人的生活习惯、思维方式、人际交往等非物质性方面也不可逆转地跟着发生了变化。湖南固守了许久的农耕文明的生活方式最终也不敌浩浩荡荡的社会发展潮流，工业文明的浪潮不断席卷之下，使湖湘文化在自觉与不自觉间都开始了近代的演变和转型。除了上面提到的变化外，湖南在传统教育、社会习俗和价值观念等非物质文明方面的近代转型也十分明显。

甲午战争后湖南传统教育有了初步的变革，也兴起了新式教育。传统教育的近代化发轫于时任湖南学政的江标，他以“变士风，开辟新治为己任”①，首先在生员的岁试中，改变命题方式和命题范围，其考题设置范围不再局限于狭窄的四书五经内，而是包括经学、史学、掌故、舆地、算学、词章六类，任人择报，以验平时读书之效，广励诸生。② 改变科举取士的方式是一个十分大胆的举措，但也是改革传统教育最好和最直接的办法。“年余，士习丕变，争自濯磨”③，部分湖南学子开始在治学上不再囿于八股时文，而务求通达致用，湖南学风为之一变。接着江标又以整顿湘水校经书院为契机，引领传统书院向近代新式学校过渡。清光绪二十三年（1897）江标上奏朝廷请求改革校经书院，提出书院的发展方向是“先自推广季课，捐廉给奖，并于书院隙地建造书楼，广购经籍，

---

① 钱仪吉. 清代碑传全集［M］. 上海：上海古籍出版社，1987：1315.

② 江标. 湖南学政奏报全省岁科两试完竣情形折［J］. 湘学新报：第一册. 影印本. 台北：华文书局，1966：47.

③ 唐才常. 前四品京堂湖南学政江君传［M］//湖南哲学社会科学研究所. 唐才常集. 北京：中华书局，1982：195.

并添置天文、舆地测量诸仪，光、化、矿、电试验各器，俾诸生于考古之外，兼可知今。且拟添设算学、舆地、方言学会，兼立《湘学新报》，专述各处艺学，开人智识，恪遵二十二年七月初三日总理各国事务衙门奏定新章，推广新学”[①]。校经书院的改革对湖南传统书院教育改革起到了很大的推动作用，巡抚陈宝箴称赞江标对校经书院的改革说：“前学宪江于校经堂创开学会，为士子群聚讲习，以期开拓心胸，研求实学，造成远大之器用。”[②] 随后湖南许多书院纷纷学习和效仿校经书院进行革新，传统教育渐趋衰落。维新变法期间影响较大的新式教育社团是谭嗣同创办的浏阳算学社。浏阳算学社虽然不是完备建制的学校，但其带来的维新气象为湖南书院和学校改革提供了可资借鉴的经验及动力。唐才常称赞算学社说：“湘省直中国之萌芽，浏阳直湘省之萌芽，算学又萌芽之萌芽耳。”[③] 虽有溢美之嫌，但算学社的开创之功是不可埋没的。紧跟其后东山精舍的创办和岳麓书院改章将湖南传统教育改革推向了高潮，东山精舍被称为是“甲午战后湖南建立的带有救亡图存性质的新式学校”[④]。而王先谦主持的岳麓书院改章则标志着中国传统书院教育实实在在地融入了近代化新式学校的行列，清光绪二十三年（1897），岳麓书院先后颁布了《月课改章手谕》《岳麓书院新定译学会课程》，对教学内容、考试方式、招生办法和师资等多个方面都进行了深入的改革。“岳麓书院称名最古，向为人才荟萃之区，所宜首订章程，创开风气。”[⑤] 岳麓书院是湖南的最高等学府，它的改革对湖南教育事业的影响是不言而喻的，不仅推动了湖南高等

---

① 湖南学政江标奏推广书院章程［M］//陈谷嘉，邓洪波. 中国书院史资料：下册.杭州：浙江教育出版社，1998：1995.

② 抚部院陈批［N］. 湘报（第五十八号）影印版. 北京：中华书局，2006：496.

③ 唐才常. 浏阳兴算记［M］//湖南哲学社会科学研究所. 唐才常集. 北京：中华书局，1982：160.

④ 转引自冯象钦. 湖南教育史［M］. 长沙：岳麓书社，2002：116.

⑤ 转引自陈谷嘉，邓洪波. 中国书院史资料［M］. 杭州：浙江教育出版社，1998：2015.

教育的近代化转型，而且对新式教育在湖南的推广起到了极其重要的意义。湖南近代完全意义上的第一所新式学校是时务学堂，这所学校存在时间虽然不足两年，但它新的教育体制、教育目的和教学内容都开启了湖南近代教育的先河，毛泽东评价它说："湖南之有学校，应推原戊戌春季的时务学堂。时务以短促的寿命，却养成了若干勇敢有为的青年。"① 由此湖南教育正式走上了近代化发展的轨道。清政府推行新政期间，湖南在改革高等教育的同时，还积极推进了新式基础教育的创办，各种公立、私立和教会创办的中小学校相继出现，据统计，1907 年，湖南有中学堂 39 所，学生 3220 人；1908 年，有中学堂 42 所，学生 3734 人；1909 年，有中学堂 47 所，学生 3992 人。② 由此湖南基本上形成了较为完备的基础教育办学体系。这对培养近代化人才，推动湖湘文化近代转型起到了十分重要的作用。

在湖湘文化近代转型过程中，社会习俗和价值观念的近代转型是最复杂和曲折的。湖南是一个少数民族杂居的地区，湖湘文化也是具有浓郁地域特色的文化体系，它既是精神的物化产物，也是一种生活方式。对广大的湖南民众来说，湖湘文化更多地是以风俗民情的方式体现在宗教信仰、婚丧嫁娶、宗族关系和人际交往等日常生活细节中。这些观念和习俗都是经过长期的历史发展过程积淀下来的，又通过姻亲关系、家庭生活、宗族管理、民俗节日等各种方式深入到了每一个湖南人的血液、思想和生活中，改变起来确实比较困难。在湖湘文化近代转型的过程中，价值观念和生活习俗的变化是最缓慢、最曲折的，但它们恰恰又是社会进步的重要标志之一。普通民众的价值观念和生活习俗主要是在家族和宗族的管理之

① 毛泽东．本会总记［M］//中共中央文献研究室，中共湖南省委《毛泽东早期文稿》编辑组．毛泽东早期文稿．长沙：湖南人民出版社，2008：577.

② 朱有瓛．各省中学及学生统计表［M］//中国近代学制史料：第二辑下册．上海：华东师范大学出版社，1989：490.

下培养和形成的，带有很浓郁的地域和家族式色彩。众所周知，传统社会是一个以小农经济占主导地位的农业社会，以血缘关系为纽带的宗法关系在社会管理中十分重要，家与国同一结构是宗法社会最鲜明的特征，这一特点在中国封建社会被长期保留下来，可以说“家是小国，国是大家”。宗族在维护、宣传封建伦理和礼法上具有独特的功能，它比政府强制性的赤裸裸灌输显得更加有效和管摄人心。宗族在一定程度上可以承担部分地方行政功能，在维护地方稳定和封建秩序方面起到有效的补充作用。它们主要依托于道德去组织和管理族群，承担了农村社会中的教化、救济、赡养、维稳等重要的社会保障体系功能。例如教化族人、调节家庭纠纷，甚至在遭受外来侵扰的时候组织乡兵自保等。因此无论在政治上还是经济上，家族和宗族都是封建社会最基本、最核心的社会组织。近代湖南各地家族、宗族组织走向衰落是多方面原因造成的，一方面外来的资本主义经济和文化对湖南传统社会造成了不小的冲击，西方文明的生活方式和管理体系都与传统社会的模式截然不同，在大工厂和现代企业经营模式的冲击之下，湖南各地的家族和家庭必然面临着改变。另一方面近代中国复杂的社会变迁也促使湖南城乡各地宗法关系不断发生变化。中华民国成立以后，宗法制失去了政治保障，更加速了其走向解体。另外随着农村经济结构的变化，大批失去土地的农民，离开故乡，进入城市谋生，家族和宗族的凝聚力和向心力变得越来越弱。有许多人甚至脱离了农村的宗族管理体系，在城市里定居下来。他们通过职业关系和居住地的属地关系与周边的人群重新形成了新的社会关系及新的社会组织结构，这对数千年来维系传统社会的宗法制是一个猛烈的冲击。第三个原因，近代湖南参与政治运动的热情不断高涨，大批接受了新知识、新思想的年轻人对传统的宗族式专制、守旧的做法表示出了极度的不满和愤怒，他们勇敢地走上了与旧式家庭决裂的道路，大胆抨击旧文化、旧传统，追求新生活，拥抱新世界。

综上所述，在近代纷纭复杂的社会变迁形式下，湖湘文化也经历了曲折的发展演变，这个过程虽然是十分漫长和艰难的，其中还充满了反复和激烈的斗争，但广大湖南民众还是顺应了时代的发展，在追求自由、民主的近代化道路上不断探索和创新，积极促成新知识、新思想、新科技与湖湘文化的沟通和融合，积极为构建新的湖湘文化体系而努力。

五、湖湘文化的近代转型对近代中国社会变迁的作用和影响

对于文化和政治、经济的关系，毛泽东曾经作了一个精辟的描述，说："一定的文化（当作观念形态的文化）是一定社会的政治和经济的反映，又给予伟大影响和作用于一定社会的政治和经济；而经济是基础，政治则是经济的集中的表现。"① 可见思想文化的发展与整个社会的发展有着十分紧密的关系，思想文化可以以精神、信仰和道德伦理等非物质的形式存在，在社会的发展进程中起着隐性的作用。它也可以以生活习俗、风土人情、宗族姻亲关系等物化的形式出现，在维系家族稳定、社会和谐甚至统治秩序方面起着至关重要的作用。湖湘文化作为一种独特的地域学术形态，是经过漫长的发展、演化，经过无数湖湘学子的努力才最终形成的一个相对稳定的文化结构体系。湖湘文化具有许多优良的品质和特征，诸如：推崇理学，强调经世致用，主张兼容并蓄，提倡敢为天下先，以天下为己任等。长期受湖湘文化熏陶的湖南人，在这些核心精神和理念的感召下，汇聚和团结在一起。面对在近代中国纷纭复杂的社会变迁形势，湘籍有志之士不仅完成了对湖湘文化的传承和改造，还积极地为近代中国的发展变化做出了卓越的贡献，有力地推动了中国的近代化进程。具体来看湖湘文化的近代转型对中国社会的变迁所产生的作用和影响有以下几个方面：

① 毛泽东选集：第二卷［M］. 北京：人民出版社，1991：663—664.

第一，湖湘文化中的民族主义和家国情怀对近代中国社会变迁的影响。

湖湘文化中蕴含了深厚的民族主义精神和爱国主义思想，较早可以追溯到战国时期的三闾大夫屈原，近一点也有宋代岳麓书院诸生舍生取义英勇抗击元兵的事迹，其中明末清初湖南大儒王夫之的民族主义思想对近代中国社会变迁更是产生了重要影响。柳亚子称“湖南者，民族主义之产地也。……明既亡矣，王船山著书立说，乃力陈夷夏之防，为世昭鉴”①。王夫之的民族主义思想早在维新变法期间就对梁启超、谭嗣同、唐才常等产生过重要的影响。梁启超曾经将王船山《黄书》《读通鉴论》《宋论》等著作中与启发民权有关的见解抄录下来，达二三十条之多。他认为清王朝的高压专制统治，压抑和打击了中国国民的自立精神，使之“不免萎缩了几分”。就是要用王夫之、顾炎武、黄宗羲等明末清初启蒙思想家的思想来激起近代国人的民族精神和民主精神，激励他们积极支持维新变法，可以说“晚明遗老像顾亭林、黄梨洲、王船山、张苍水这一班人，把一种极深刻的民族观念传给后辈，二百多年，未尝断绝。……所以多年来磅礴郁积的民族精神，尽情发露，排满革命，成为全国人信仰之中坚。那性质不但是政治的，简直成为宗教的了”②。谭嗣同也说：“唐虞以后无可观之政，三代以下无可读之书，更以论国初三大儒，惟国初船山先生，纯是兴民权之微旨，次则黄梨洲《明夷待访录》，亦具此义。”③ 唐才常的民族主义思想更是直接来源于王夫之，他宣称：“讵以诸夏之大，人民之众，神明之胄，礼乐之邦，文酣武嬉，蚩蚩无睹，方领矩步，奄奄欲绝，低

① 柳亚子. 湘狱：中国灭亡小史［M］//柳亚子选集：上册. 北京：人民出版社，1989：13.

② 梁启超. 辛亥革命之意义与十年双十节之乐观［M］//梁启超全集：第6册. 北京：北京出版社，1999：3380.

③ 谭嗣同. 上欧阳中鹄［M］//蔡尚思，方行. 谭嗣同全集. 北京：中华书局，1998：464.

首腥羶，自甘奴隶，至于此极！……国于天地，必有与立，非我种类，其心必异。”①

辛亥革命期间，革命派为了达到激发国民革命排满的情绪，他们极力标榜华夏裔胄、炎黄子孙的血脉和身份，积极弘扬传统的夷夏大防和种族革命思想。王夫之学说中的种族民族主义思想，亦即“华夷之辨”观念和“非我族类，其心必异”主张被他们发挥到了极致，他们重新诠释了顾、黄、王等明末大儒的思想，使之成为了近代政治思想之滥觞。章太炎就说：“王而农著书，一意以攘胡为本。”俨然将王夫之描绘为“民族主义之师”，称“清之际，卓然能兴起顽懦，以成光复之绩者，独赖而农一家言而已”②。王夫之民族主义思想在辛亥革命知识分子中影响十分深远，诸如蔡锷、邓实、刘师培、黄节、杨毓麟、杨昌济、章士钊等都曾经深受其影响。刘师培不仅模仿王夫之的《黄书》创造了《攘书》，其意即在宣传反清排满，阐述“垂攘狄经，寓保种之义，排满之志”③，还高度称赞王夫之的夷夏大防主张，说：“王船山先生有言，夷狄之于中国，厥类也，中国不自畛绝夷则地裂矣。大哉言乎！可谓识华夷之别矣。”④ 章士钊对王夫之的民族主义思想也推崇备至，称赞说：“船山之史说宏论精义，可以振起吾国之国魂者极多。故发愿申说，以告世之不善读船山之书，深辜船山之意者。”⑤ 章士钊还著有《王船山史说申义》专门以船山学中蕴含的种族革命思想为其文章的思想核心展开阐述，文中大量引用了王夫之原文，旨在昌明排满革命思想，阐述夷夏之辨和弘扬国魂、国粹之义。在每段引文

① 唐才常．正气会序［M］//湖南哲学社会科学研究所．唐才常集．北京：中华书局，1982：197—198.

② 章太炎．重刊船山遗书序［M］//船山全书：第一六册．长沙：岳麓书社，2011：441.

③ 刘师培．与端方书［M］//刘申书遗书补遗．扬州：广陵书社，2008：110.

④ 刘师培．攘书［M］//刘申书遗书．南京：凤凰出版社，1997：632.

⑤ 章士钊．王船山史说申义［M］//船山全书：第一六册．长沙：岳麓书社，2011：827.

后面他都加了按语，并评价说“亡国多才，自古已然。王船山者，亡国之一国民也，故其言皆亡国之音，所说多亡国之惨，今绎其义，可得而言”。章氏甚至不无溢美地说：“辛亥革命以前，船山之说大张，不数年而清室以亡。”① 杨昌济也明确肯定了王夫之的民族思想说：“船山一生卓绝之处，在于主张民族主义，以汉族之受制于外来之民族为深耻极痛，此是船山之大节，吾辈所当知也。”②欧阳祖经注解《黄书》在序中说：“近数十年来，仁人志士，赴义若渴，视死如归，以肇造我民国，盖亦明末诸遗老之精神旁皇沦洽之所致。”③ 戴传贤《重刊船山遗书序》也说：“自明之亡，爱民忧国之士，发愤为学，欲以继往开来之业，成继绝举废之功，船山先生其最者也。”表彰王夫之学术精义，以及“评佛学，评西洋天文数学诸作”，为“中华固有民族文明”，且有“超越世界学术之志”。④ 高旭也评价其著述是“最怜遁世遗民，字字伤心故国”⑤，可见辛亥革命志士们几乎都把王夫之作为中华民族人格象征加以褒扬，将王夫之的民族主义思想演绎成了有力的反清斗争武器，有力地推动近代中国轰轰烈烈的资产阶级革命运动。

除了王夫之的民族主义思想对近代社会产生了重要影响，湖湘文化中关注民生、心忧天下的爱国情怀也对近代社会的发展变迁起到了很大的推动作用。湖湘文化的核心就是宋明理学，因此一直以来湖南人都十分推崇宋儒所倡导的关怀社会、心忧天下、“民胞物

---

① 章士钊. 疏《黄帝魂》［M］//船山全书：第一六册. 长沙：岳麓书社，2011：830.

② 杨昌济. 世界主义与国家主义［M］//船山全书：第一六册. 长沙：岳麓书社，2011：816.

③ 欧阳祖经. 王船山黄书注［M］//船山全书：第一六册. 长沙：岳麓书社，2011：444.

④ 戴传贤. 重刊船山遗书序［M］//船山全书：第一六册. 长沙：岳麓书社，2011：442.

⑤ 高旭. 十大家祠选题词［M］//高旭集. 北京：社会科学文献出版社，2003：568.

与”的价值理念和家国情怀。正是这种精神和情怀促使他们走到了中国近代历史舞台的前沿，不断积极寻求各式各样的救国方案和道路，力图实现中华民族的独立自强。湖湘文化在近代的崛起首先要归功于曾国藩领导的湘军集团所取得的赫赫战功，他从传统文化里“家国同构”的理念出发，积极鼓舞湘军投入到剿灭太平天国的斗争中去。将湘军与太平天国之间的战争，上升为维护儒学道统和国家统治的双重保卫战，曾国藩以“书生用民兵以立武勋，自古以来未尝有也”①，创造了中国军事史上的奇迹，对湖南和近代中国社会的发展都产生了深远影响，它彻底地激发了湖南人在近代投身政治的热情。维新变法中，谭嗣同将自己的生死置之度外，时刻担忧的是国家和民族的前途。他以大无畏的精神和态度，勇往直前，誓死要冲破一切罗网。政变发生后，他拒绝逃亡，从容就义，以“我以我血荐轩辕”的豪杰气概展现了踔厉敢死、刚劲笃实的爱国情怀。谭嗣同这种愿以颈血刷污政、视死如归的献身精神激励着湖湘志士相继走上救亡图存的道路。以后唐才常、禹之谟、杨毓麟、姚宏业、刘道一、宋教仁、黄公略、蔡申熙、段德昌、左权等一大批湘籍志士在辛亥革命、新民主主义革命中英勇地献出了自己宝贵的生命。正如黄兴所说，他们“所死之情形虽异，所死之目的则无不同”，都是为了“破坏黑暗专制，跻我五族同胞于平等之地位而已”。“我湖南死事者，不知凡几”，但“我同乡之士，本爱湖南之热忱，为国家谋幸福，则非独湖南之幸，亦中国之幸”②。可以说以天下为己任的爱国情怀已经嵌入到了一代代湖南人的心中，他们前赴后继壮烈牺牲的事迹也鼓舞和感染了更多的国人。陈独秀赞誉湖南人的爱国热情说：“湖南人底精神是什么？‘若道中华国果亡，除非湖南人尽死。’无论杨度为人如何，却不能以人废言。湖南人

① 罗尔纲. 湘军兵志［M］. 北京：中华书局，1984：1.

② 黄兴. 在北京湖南同乡会欢迎会上的演讲［M］//黄兴集. 北京：中华书局，1981：264.

这种奋斗精神，却不是杨度说大话，确实可以拿历史证明的。”[1]可见，近代湖南人的民族主义和爱国精神是举国公认的，它已经转化成为了近代湖湘文化的优良特质之一。

第二，湖湘文化中“辅世以长民”的经世理念对近代中国变迁的影响。

经世致用的学术风格是湖湘文化重要的精神特质之一，无论是作为理学开山鼻祖的周敦颐，还是湖湘学派的创始人胡安国，他们在治学中都强调学问要关乎国计民生，要有务实精神。以后湖湘学子将这一学风很好地传承了下来，尤其是王夫之更是将此发扬光大。“为生民立极，为天地立心，而辅世长民，一本修己者，莫如周敦颐之于宋，其次王夫之之于明”[2] 这种推崇义理、重视经世的学风，对近代湖湘文化的发展和近代中国社会变迁都产生了不小的影响。钱基博对湖湘文化中经世致用的学风给予了高度评价，说：“余著《近百年湖南学风》，而表以十七人。其人有文人、学者、循吏、良相、名将，不一其人，而同归于好学深思；其事涉教育、政治、军谋、外交、欧化，不一其术，而莫非以辅世长民。时限以百年，而上下五千年之演变，缩映于此百年之内；人限于湖南，而纵横九万里之纷纭，导演于若而人之手。其人为天下士，为事亦天下事。傥读吾书而通其意，斯为政不厉民以自养，而论事不生心以害政。张皇湖南，而不为湖南，为天下；诵说先贤，而不为先贤，为今人。”[3]《近百年湖南学风》是钱基博 1943 年冬天在湖南兰田镇（今涟源市城关）李园创作的。从 1938 年开始他在湖南兰田前国立师范学院任教，前后长达八年，其间他借阅了大量湖南先贤的文集，收集了详实的资料，虽然他只记述了 17 个湖南学者，诸如汤鹏、魏源、罗泽南、李续宾、王鑫、胡林翼、曾国藩、左宗棠、

① 陈独秀. 陈独秀文章选编：上册 [M]. 北京：三联书店，1984：480.
② 钱基博，李肖聃. 近百年湖南学风·湘学略 [M]. 长沙：岳麓书社，1985：1.
③ 同②104.

刘蓉、郭嵩焘、王闿运、阎镇珩、邹代钧、罗正钧、谭嗣同、蔡锷、章士钊。但这些人基本上囊括了湖南近百年具有强烈经世理念的各个时期的人才群体，确实具有很强的代表性。他将这17个人分为8组进行了较详细的分析，发现“通经欲以致用，文章蕲于经国”① 是这些人共同具有的特质，这些人“孜矻所学，上说下教，锲而不舍，终身以之，则固辅世以长民，同归而殊途”②。钱氏是江苏籍人，近代著名的古文学家和教育家，他对近代湖南学风的分析和描述相对是比较客观的，现代学者探究和分析湖湘文化及湖南人才群体还常借鉴他的这本著述。

湖湘文化中根基深厚的经世传统，铸就了近代湖南众多的经邦济世人才，他们在中国近代化发展的进程中和中华民族复兴大业上都做出了卓越的贡献。例如嘉道之际以陶澍、贺长龄、魏源、汤鹏等为代表的人才群体，他们不仅继承了湖湘学派治学“通经学古而致诸用”③ 的学风，而且还将这一理念很好地运用到了社会实践中，在改革漕运、盐政，整顿吏治等方面都取得了不菲的成绩，受到了当时社会各界的称颂，对政界和学界都产生了不小的影响。众所周知，嘉道以后清王朝日趋衰败，官吏们结党营私、唯利是图的现象普遍存在，社会沉疴日渐深重，湘籍知识群体在一定程度上起到了净化吏治的作用。“陶澍最大的贡献是把经世思想付诸实践，把经世思想与经世业绩统一起来。这使他成为当时经世派的领袖，也使他成为古代经世派发展的里程碑式的人物。”④ 贺长龄组织编写《皇朝经世文编》，此书一经问世，便获得了众多的赞誉和好评，学术界更是以它的出版为晚清经世思潮兴起的标志。后人评议说：“湘军虽起自曾、左，而砥砺贤才，则始自贺耦耕、陶文毅、林文

① 钱基博，李肖聃．近百年湖南学风·湘学略［M］．长沙：岳麓书社，1985：54.
② 同①66.
③ 陶澍．尊经书院课艺序［M］//陶澍集．长沙：岳麓书社，1998：100.
④ 陈蒲清．陶澍传［M］．长沙：岳麓书社，2011：92.

忠等相互提倡。耦耕刊《经世文编》一书，三湘学人，诵习成风，士皆有用世之志。”① 以后除了有多种刊本反复印刷外，各种续编本也层出不穷。据不完全统计，至民国初年，就有20多种续编本。著名的有张鹏飞的《皇朝经世文编补》、饶玉成的《皇朝经世文续集》、葛士濬的《皇朝经世文续编》、何良栋的《皇朝经世文四编》等。② 这一时期魏源的思想和著作甚至对东亚诸国都产生了深远的影响，他编撰的《海国图志》，系统地介绍了英、美、俄、法等几十个国家和各大洲的历史沿革及国家变迁，既拓宽了国人的视野，又纠正了长期以来国人对世界的诸多荒谬认知。“《海国图志》是中国最早系统介绍世界各国地理历史的专著，对千百年来以中国为‘天下’、为世界中心的传统观念是一个极大的冲击，深刻影响了中国士大夫的世界观。”③ 紧接着咸同年间兴起的以曾国藩、左宗棠、郭嵩焘、胡林翼、刘蓉、罗泽南、江忠源、李续宜等为代表的知识群体，进一步将这种经世理念发扬光大。这群文弱的书生投笔从戎，与太平天国周旋十余年，直至最终成功镇压太平天国起义。他们以实际行动极大地震撼了晚清政坛，令国人对湖南刮目相看，也彻底改变了湖南在全国政治格局中的地位和印象，由此“清季以来，湖南人才辈出，功业之盛，举世无出其右”④。可以说“湘军的崛起乃是以曾国藩为中心的一批湖南理学经世派士人为挽救封建末世、中兴清王朝、实现经邦济世的宏愿而特起乡间，建立和发展起来的”⑤。

维新变法期间，以谭嗣同、唐才常、熊希龄、樊锥、林圭等为代表的湘籍维新人士和陈宝箴、江标、王闿运等为代表的开明官

① 黄濬. 花随人圣庵摭忆［M］. 北京：中华书局，2008：200.

② 朱汉民. 湖湘文化通史：第四册［M］. 长沙：岳麓书社，2015：607—608.

③ 周谷城. 中国学术名著提要：政治法律卷［M］. 上海：复旦大学出版社，1996：476.

④ 谭其骧. 中国内地移民史：湖南篇［J］. 史学年报，1932，1（4）.

⑤ 方克立. 湘学史：第2册［M］. 长沙：湖南人民出版社，2008：655.

绅，将湖南发展成为了全国少数几个积极支持维新变法的省份。在甲午战争惨败的教训下，他们清醒地认识到要实现救亡图存，“惟变法可以救之”①，他们突破了“中体西用”的藩篱，提出不仅要学习“声、光、化、电、格算之述作，农、矿、工、商、史律之纪载”② 等器物层面的东西，更加要学习“宪法官制”“法度政令”、议院国会等深层次政治制度方面的东西。于是传统的经世致用理念开始与西方文化深度融合，不仅推动了维新运动的开展，而且也为湖湘文化的近代转型创造了条件。再以后辛亥革命时期以黄兴、宋教仁、陈天华等为代表的资产阶级革命人才群体和五四新文化运动时期以毛泽东、蔡和森、何叔衡等为代表的共产主义者，更进一步地继承和发扬了湖湘文化注重实践，关注民生的经世理念，并将此演绎为实事求是、为人民服务的作风，在推动中国近代社会变迁的道路上都做出了卓越的贡献。

第三，敢为天下先的首创精神对近代中国社会变迁的影响。

身处在瞬息万变的近代社会中，湖湘文化中敢为人先的开创精神，也对近代中国社会变迁产生了十分重要的影响。从鸦片战争爆发至五四新文化运动前后，近八十年的时间里，先进的中国人在向西方学习的艰难历程中，大致经历了三个阶段，即从器物层面到制度层面再到思想文化层面，在这个由表及里、由浅入深的学习和认识西方文明的过程里，湘籍志士一直都走在了全国的前列。

近代湖南人的首创精神是有目共睹的，魏源是“近代史上第一个正式主张向西方学习的政治思想家”③，受好友林则徐的委托，他编撰了《海国图志》，这是当时介绍西方历史和地理最详实的专著。序言中明确阐述了编撰此书的目的：“是书何以作？曰：为以

① 谭嗣同. 仁学：三十四［M］//谭嗣同集. 长沙：岳麓书社，2012：364.

② 梁启超. 湖南时务学堂学约［M］//梁启超全集：第 1 册. 北京：北京出版社，1999：108.

③ 曹聚仁. 中国学术思想史随笔［M］. 北京：三联书店，1986：324.

夷攻夷而作，为以夷款夷而作，为师夷长技以制夷而作。”① 书中不仅详细记载了西方各国的情况，还首次从救亡图存的角度上强调了研究世界史地的必要性，以后“师夷长技以制夷”成为了激励中国几代人最响亮的口号。“尽管魏源对欧美各国的介绍还是初步的、肤浅的，还有许多不够准确甚至错误的地方，但他所开启的‘西学东渐’过程，从此把欧风美雨引进到中国。从中国近代一直到现在还在继续进行的中西文化大交流从此揭开了序幕②”。钱基博更是高度评价了魏源对近代社会的启蒙作用，说：“时异势迁，生百年以后之今日，而籀源之所以为言，则有建诸天地而不悖，百世以俟天挺伟人而不惑者。”③ 魏源的创新精神和开放的学习态度被湘籍后学曾国藩、左宗棠、郭嵩焘等进一步发扬光大。曾国藩是晚清高级官吏中思想比较开明的官员，他认识到要挽救日趋衰败的清王朝，必须要接受和学习西方的先进技术，说：“目前资夷力以助剿济运，得纾一时之忧；将来师夷智以造炮制船，尤可期永远之利。”④ 清咸丰十一年（1861），他设立安庆内军械所，开始“制造洋枪洋炮，广储军实”⑤，这是中国近代最早创办的军工厂，揭开了洋务自强运动的序幕。清同治四年（1865）又是在他的大力支持下，近代著名的科学家徐寿和华蘅芳，才成功制造了中国第一艘自制蒸汽机轮船——黄鹄号，与西方的轮船相比，虽然还存在着巨大的差距，但这种首创精神却是值得肯定的。同年，他又与李鸿章在上海创办了洋务运动时期最大的企业——江南机器制造总局。清同治十年（1871），又和李鸿章屡次联合上奏朝廷，最终促成了晚清派遣幼童赴美留学事宜，清政府第一次以官方的名义派遣学生留

① 魏源．海国图志原叙［M］//魏源全集：第四册．长沙：岳麓书社，2004：1.
② 彭大成．中西冲突交融中的湖湘文化：下卷［M］．长沙：湖南人民出版社，2010：1028.
③ 钱基博，李肖聃．近百年湖南学风·湘学略［M］．长沙：岳麓书社，1985：13.
④ 朱东安．曾国藩文选［M］．天津：百花文艺出版社，2006：163.
⑤ 黎庶昌．曾国藩年谱［M］．长沙：岳麓书社，1986：14.

洋，这对中国近代社会产生的影响是十分深远的，按规定清政府“每年以三十名为率，四年计一百二十名，分年搭船赴洋在外国肄习，十五年后按年分起挨次回华。计回华之日，各幼童不过三十岁上下，年力方强，正可及时报效”①。从清同治十一年至清光绪六年（1872—1880），清政府先后分四批共选派了120名儿童赴美国学习，其中有许多学生先后进入了哈佛、耶鲁、哥伦比亚、麻省理工等著名学府深造，通过学习，这批人中很多都成长为当时的杰出人才，中国铁路工程开拓者詹天佑即是其中一位，其他的如唐绍仪、蔡廷干、梁诚、梁如浩、唐国安、蔡绍基、周寿臣、欧阳庚等都为中国近代社会的发展做出了贡献。

左宗棠也是具有创新意识的朝廷大员，同样也是晚清洋务运动在地方的主要倡导者和领导者。清同治五年（1866）他在福州马尾创建了中国第一个近代化的造船厂——福州船政局，后来船政局又设立了船政学堂，邓世昌、林泰曾、林永升等晚清著名的海军将领都毕业于该学堂，福州船政局和船政学堂的设立，不仅开创了中国近代化造船业的先河，为中国培养了第一批具有专业造船知识技术人才，而且还培养了大批谙识现代海洋技术和作战技术的军事人才，直接推动了晚清近代海军的建立，也有力地推动了中国海军的近代化。清光绪六年（1880），他又在甘肃创办了兰州织呢局，这是中国近代第一个机械纺织工厂，虽然工厂存在时间不长，但是这是我国传统纺织业里最早采用机器设备的纺织厂，称得上是中国近代毛纺织业的开端，其历史意义不容忽视。另外还有，郭嵩焘率先明确指出西方国家的强大并非是依靠单纯的器物，强调要全面学习西方文明，说：“西洋立国，有本有末。其本在朝廷政教，其末在商贾。造船制器，相辅以益其强，又末中之一节也。”② 这比洋务

① 曾国藩. 拟选聪颖子弟赴泰西各国肄业折［M］//曾国藩全集：奏稿. 长沙：岳麓书社，1995：7332、7333.

② 郭嵩焘. 致李傅相［M］//郭嵩焘奏稿. 长沙：岳麓书社，1983：345.

运动倡导的“中体西用”理念具有更前瞻的眼光，可惜曲高和寡，不为世人所识。再有刘坤一倡导的东南互保运动和《江楚会奏变法三折》在近代史上也具有很重要的创新意义。东南互保运动是中国近代外交史上的一个创举，“南省的自保，对于后日议和，以及索还东北，在外交上增强不少力量”①。《江楚会奏变法三折》是刘坤一联合张之洞为清末新政的实施提供的建设性意见，清政府基本上采纳了他们在奏折中提出的建议和实施方案。

湘籍人士的首创精神和开明学习态度对近代社会变迁的推动作用还体现在更多的维新派、革命派和共产党员等新兴知识群体身上。杨毓麟在《新湖南》中提到“我湖南有特别独立之根性”，即“其岸异之处，颇能自振于他省之外”。这种“特别独立之根性”，实际上就是一种敢为天下先的奋斗精神和创新精神。② 正是这种有别于他省而浩然独立存在的思变求新、锐意进取的精神，造就了近代湖南人才济济的局面。谭嗣同在维新变法失败之时，慷慨陈词：“各国变法，无不从流血而成，今日中国未闻有因变法而流血者，此国之所以不昌也。有之，请自嗣同始！”这种视死如归、为变法不惜牺牲生命的革命首创精神不仅极大地震撼了国人麻木的灵魂，更是激励着更多的爱国志士走上了振兴中华的道路。有“革命军中马前卒”之称的辛亥革命烈士邹容就深深地受到谭嗣同的影响，他将谭嗣同的遗像挂在书桌旁，并题诗：“赫赫谭君故，湖湘志气衰。惟冀后来者，继起志勿灰。”③ 陈天华也称赞谭嗣同是“轰轰烈烈为国流血的大豪杰”④。以至于黄兴自豪地说：“中国革命，湖南最先。”杨度更是骄傲地宣称：“中国如今是希腊，湖南当作斯巴达。

① 王尔敏. 拳变时期的南省自保［C］//中华文化复兴运动推行委员会. 中国近代现代史论集：第十三编庚子拳乱. 台北：“商务印书馆”，1965：165.

② 王兴国. 敢为人先：湖南人的精神［M］//蔡栋. 湖湘文化访谈. 长沙：湖南人民出版社，2005：7.

③ 邹容. 邹容文集［M］. 重庆：重庆出版社，1983：36.

④ 刘晴波，彭国兴. 陈天华集［M］. 长沙：湖南人民出版社，2008：263.

中国将为德意志，湖南当作普鲁士。诸君诸君慎如此，莫言事急空流涕。若道中华国果亡，除非湖南人尽死。”① 新文化运动中，率先吹起反孔号角的也是湖南人——著名学者易白沙，他先后在《新青年》杂志上发表了一系列文章宣传民主和科学，“成为新文化运动中著名的反封建斗士、公开点名批评孔子的第一人”②。再一次展现出湖南人敢为人先的历史首创精神。陈独秀也专门著文讴歌湖南人的奋斗精神和创新精神，而且还希望更多“可敬可爱的湖南青年人”积极发挥先辈的精神，为创造一个新的湖南乃至新的中国而奋斗。他在文中呼吁“我们欢迎湖南人底精神，是欢迎他们的奋斗精神，欢迎他们奋斗造桥的精神，欢迎他们造的桥，比王船山、曾国藩、罗泽南、黄克强、蔡松坡所造的还要雄大精美得多”③。于是以毛泽东为代表的一批湘籍爱国知识青年确如陈独秀所期盼的那样，实实在在地接续了先辈们的开创精神和奋斗精神，并且创造出了更加宏伟精美的“桥”，并带领中国人民走上了国家独立和民族复兴的康庄大道。毛泽东在革命早期也明确提出，要“充分发挥湖南人之精神，造一种湖南文明于湖南领域以内”④。在五四新文化运动的影响下，以毛泽东为代表的湘籍热血青年成立了当时全国革命性最强的进步团体——新民学会。在新民学会的大力倡导之下，湖南人民掀起了轰轰烈烈的“驱张运动”，最终张敬尧灰溜溜地离开了湖南，新民学会后来又在湖南首倡湘省自治运动和组织湘籍青年前往法国勤工俭学，短短时间里新民学会就发展成为了湖南反帝反封的核心革命阵地，在全国都产生了很大的影响。以后以毛泽东

① 刘晴波. 杨度集［M］. 长沙：湖南人民出版社，1986：95.

② 彭大成. 中西冲突交融中的湖湘文化：下卷［M］. 长沙：湖南人民出版社，2010：719.

③ 陈独秀. 欢迎湖南人底精神［M］//独秀文存. 合肥：安徽人民出版社，1987：651.

④ 中共中央文献研究室，中共湖南省委《毛泽东早期文稿》编辑组. 毛泽东早期文稿［M］. 长沙：湖南人民出版社，2008：440.

为首的共产党人在新民主主义革命和新中国建设的伟大征途上更是进一步发扬光大了湖湘文化中的敢为人先精神，创造了一个个奇迹，直至最终结束了中国近代一百多年的屈辱历史，实现了中华民族的真正独立。

综上所述可以看出湖湘文化优良的特质在近代培养和熏陶了一代又一代的湖南人，他们从三湘大地出发，奔向了近代中国广阔的大舞台，为实现民族复兴大业和推动近代中国社会的发展变迁，努力拼搏，即使牺牲生命也在所不惜。在这场拯救中华民族的斗争中，湖南人书写了辉煌壮丽的篇章，对近代中国社会发展做出了卓越贡献。纵观近代湖湘文化对近代中国社会变迁的重要和影响，近代湖南人担此殊荣恰如其分。

第二节　近代湖湘文化的主体是精英还是大众

在近代湖湘文化发展变迁的过程中，精英人士和普通民众都做出了重要的贡献。精英人士是近代湖湘文化发展变迁的主要推动者和核心力量，他们在湖湘文化转型的过程中起着时代引领和价值导向的作用。不过广大普通民众的力量也不容忽视，因为湖湘文化首先是根植于湖湘大地上的地域文化，它的形成和发展绝对离不开广大湖南民众的辛勤劳作和大力支持，因为普通民众的生产活动是人们从事政治、科学、文化、艺术等一切社会活动的基础。下面我们具体分析精英和民众对近代湖湘文化发展所起的作用。

一、精英对近代湖湘文化发展的作用及影响

“精英”一词最早出现在 17 世纪的法国，意指“精选出来的少数”或“优秀人物”。精英理论认为，社会的统治者是社会的少数，但他们在智力、性格、能力、财产等诸多方面超过大多数被统

治者，对社会的发展有着极其重要的影响和作用，是社会的精英。其中极少数的政治精英代表着“为社会规定有价值的权力性分配（或强制性决定），并且予以实施的行为或互动行为”①。因此他们不仅掌握着社会政治生活的重大决策权，而且他们的政治态度、言行还会对社会政治发展方向和前景产生重要影响。有政治精英，也就还有经济精英、文化精英等概念的区分，总体来看，精英首先是对某一小撮人的总称，他们以一定的方式生存在社会中，受到一定的社会关系的制约，其行为方式、见解主张和创造成果等亦必打上阶级的烙印，因为“人的本质并不是单个人所有的抽象物，在其现实性上，它是一切社会关系的总和”②。因此，精英还是一个历史的范畴，不同的时代，不同的社会形态下，人们对精英的认识和理解肯定会有差异。例如三国时期魏国刘劭在《人物志》中说：“夫草之精秀者为英，兽之特群者为雄。故人之文武茂异，取名于此。是故聪明秀出谓之英，胆力过人谓之雄，此其大体之别名也。”③现代学者则认为“精英”是指身居高位，占据着超乎一般水平的社会资源的人，或者是教育程度或文化素质较高的少数知识分子或文化人。简单说社会精英至少应该是能够给一个民族、一个国家带来希望，创造文明并造福于民的群体，他们应该是推动社会发展的正能量。

传统中国社会里政府官吏是最大的精英群体，他们承担着管理国家和地方社会事务的重任，在社会上具有强大的影响力，对社会的发展方向也起着决定性的作用。只不过中央政府任命的地方官员人数在总量上还是十分有限，要实行对地方的有效管理存在的困难还是不少的，尤其是少数优秀的地方官员要有所作为，就必须依赖

① 托马斯·R·代伊. 理解公共政策［M］. 北京：中国人民大学出版社，2011：32.
② 马克思，恩格斯. 马克思恩格斯选集：第1卷［M］. 北京：人民出版社，1972：18.
③ 刘劭. 人物志［M］. 上海：上海古籍出版社，2006：100.

地方乡绅的大力支持才会取得很好的效果，因为“中央所派遣的官员到知县为止，不再下去了。自上向下的单轨只筑到县衙门就停了，并不到每家人家大门前或大门之内的”①。在衙门和民众之间的这段距离，就由地方绅士来担负桥梁沟通的作用，所以地方乡绅也是传统社会里精英阶层不可或缺的重要组成部分，而且很多优秀的官吏和人才都是从这个阶层中脱颖而出的，可以说“在过去的一千年，士绅越来越多地主宰了中国人的生活，以致一些社会学家称中国为士绅之国”②。进入近代以后，传统社会的统治秩序和统治制度都被打破了，西方列强裹挟着强大的军事、经济势力以及先进的思想文化进入中国，中国社会被迫发生了质的变化。在这个变化的过程中湖南也不能幸免，因此近代湖湘精英的概念与传统文化里所讲的精英会有很大的不同，除了官员和乡绅，精英人士涉及的范畴会更广泛。大体来说，促进近代湖湘文化发展的精英涵盖了政治、经济、军事、思想、文化、艺术和科技等许多领域的杰出人才，这是一个人数众多、涉及多个社会阶层的人才群体的总称。

笔者参照近代湖南的发展历程，将精英分为传统精英和近代知识精英两类。前一类包括晚清至近代以来湖南地区产生的优秀的地方官吏，开明的士绅，传统文化里杰出的文学家、思想家、艺术家和手艺精湛的工匠技师等，后一类则指甲午战争以后，深受西方文明的影响而成长起来的具有近代化气息的知识群体，这个群体主要由留学生、倡导实业救国的企业家、具有爱国热情的青年学生以及接受了西方文明的传统士绅等组成。这两类精英人群之间没有绝对的界限和隔阂，他们彼此之间的沟通、交流和转化比较频繁，有许多新式知识分子出生和成长于传统家庭，长期接受湖湘文化的浸染和熏陶，直至其成年后才开始接受西方文明转型为新时代的精英，这样的人才在湖南乃至近代中国社会比比皆是。也有一些湖湘精英

① 费孝通. 乡土中国 生育制度 乡土重建［M］. 北京：商务印书馆，2015：381.
② 费正清. 美国与中国［M］. 北京：世界知识出版社，1999：32.

在一定的时期里对湖湘文化的发展做出了杰出的贡献，但是随着时代的发展，他可能又故步自封最终落后于新时代的发展潮流，甚至被时代所淘汰者也大有人在。所以我们对精英的诠释和探究精英对近代湖湘文化发展的作用及贡献都必须置于历史的场景中，实事求是地看待。

精英对湖湘文化发展的作用主要体现在如下几个方面：一是精英是湖南少有的掌握文化的知识阶层，他们不仅掌控了对国家和地方政策的解读，还负责在政府和民众之间起到桥梁沟通作用，尤其是皇权不能到达的乡村，地方精英和乡绅扮演了基层社会控制主体的角色，因此民众无形中对他们就充满了信任、依赖和敬畏。而且精英人才是各行各业的佼佼者，他们基本上掌握了湖湘文化和湖南行政事务的话语权及支配权，对湖湘文化和湖南地区的发展都起到了核心领导作用。以左宗棠为例，他三次赴京会试，均不及第，但其志向和才华还是得到了当时许多名流显宦的赏识和推崇。太平天国兴起以后，湖南局势紧张，左宗棠获得了湖南先后两任巡抚张亮基和骆秉章对他的信任，将全部军事悉数托付给他。左宗棠也不负众望，不但使湖南军政形势转危为安，出省作战连连奏捷，其他各项工作也取得显著成效。他“以一幕客，隐操湖南全省大政，于是一意以策应湘军为己任，筹兵治饷不遗余力”[①]。得到重用以后，他又将身边的朋友诸如郭崑焘、刘蓉等湘籍士绅引荐给湖南巡抚，于是以左宗棠为核心在湖南形成了一个地方绅士精英群体，他们积极地参与到地方行政事务的管理中。左宗棠离开湖南以后，郭崑焘也受到历任巡抚的倚重，长达20多年。地方精英和乡绅们大多在地方上具有一定的声望，他们熟悉湖南本土情况，洞察民情，办事效率也高，他们参与地方事务，有效地提高了清政府对民众的管理和控制。巡抚骆秉章仅抽厘金一事就深有感触，绅士在地方管理中

---

① 罗尔纲. 湘军新志［M］//民国丛书：第5编：第31辑. 上海：上海书店，1996：72.

具有不可替代的作用，他如是说：“抽捐之法，用地方官不如用委员，用委员不如用绅士，盖情形洞悉，则处置自能合宜，耳目较亲，则利病易于上达。”① 二是精英人士自觉地担负起了湖湘文化传播和守道救时的责任，他们普遍具有强烈的社会责任感和使命感。湖湘文化长期的浸染和熏陶培养了他们优良的学行和情操，他们是湖南人的榜样和骄傲，是湖湘文化的引领者，一定程度上决定着湖湘文化的发展方向。而且精英还通过各种方式对民众进行引导、规劝，积极地将国家和地方政府倡导的主流伦理道德、价值观念和行为规范等意识形态渗透到民众的生活中，这对维护国家统一和地方稳定起到了重要的作用。以湘军集团为例，在镇压了太平天国以后，绝大部分的湘军将士回归了湖南，他们自觉地担负起了维护湖南地方秩序和弘扬湖湘文化的重任，积极致力于修复被战火焚毁的书院和学校，刊刻经典古籍。曾国藩、曾国荃两兄弟倡导在湘乡兴建了宾兴堂和东皋书院，胡林翼在益阳建立了箴言书院，杨载福在乾州厅捐修文庙书院，其他如长沙求忠书院、攸县东山书院、宁乡玉潭书院、常德朗江书院、衡阳船山书院等在创建和修缮的过程中，也都不同程度地获得了湘军将领的捐助。大批书院的修葺和建立对深入传播湖湘文化和发展地方教育事业起到了十分重要的作用。另外湘军集团还热衷于重修地方志，设立忠烈祠、忠义局、褒忠局，对在战争中殉难的湘军将士进行褒扬，宣传他们的事迹。这对于宣扬和强化封建的忠孝节义思想、纲常伦理道德及教化百姓起到了很好的效果。湘军集团的这些做法对传统湖湘文化的传承、湖南地方传统秩序的恢复及稳定都起到了不错的作用。

依据历史发展阶段，我们将从清嘉庆道光年间开始到五四新文化运动期间，近代湖湘文化史上出现的人才归类为五个大的群体。它们分别是：嘉道之际以陶澍、贺长龄、魏源、汤鹏等为代表的经

---

① 杨奕青，唐增烈. 湖南地方志中的太平天国史料［M］. 长沙：岳麓书社，1983：14.

世人才群体，咸同之际以曾国藩、左宗棠、郭嵩焘、刘坤一等为代表的湘军集团人才群体，戊戌变法期间以谭嗣同、唐才常、熊希龄、樊锥等为代表的人才群体，辛亥革命期间以黄兴、宋教仁、蔡锷、陈天华等为代表的人才群体，五四新文化运动期间以毛泽东、蔡和森、何叔衡、李达等为代表的人才群体，前三个群体主要以传统精英为主，后两个群体则以近代知识精英为主要骨干力量。每一个群体都是人才荟萃，豪杰辈出，这些人才涉及政治、经济、军事、思想文化和艺术等各个行业，社会精英们的学术思想、见解主张、实践活动和创造成果都是近代湖湘文化的重要组成部分，在某种程度上他们也成为了近代湖湘文化的“符号”和精神象征，共同为近代湖湘文化的繁荣兴盛做出了卓越的贡献。下面我们纵观湖南近百年发展史，具体来看看精英人士对湖湘文化近代转型的作用和影响：

清中期以前，湖南经济文化落后于周边各省，在全国的地位很低，影响也微不足道，当时“湖南人物，罕见史传，三国时如蒋琬者，只一二人。唐开科三百年，长沙刘蜕始举进士，时谓之破天荒。至元欧阳原功，明刘三吾、刘大夏、李东阳、杨嗣宗诸人，骎骎始盛”①。据有关统计，鸦片战争之前，二十四史及其他重要的人物志书、辞典所载，湖南的人物占全国总数在百分之一以内。②人才匮乏，文化偏低的结构，直接影响了湖湘文化的创新和活力，也成为制约湖湘文化发展的瓶颈和障碍，湖南的形象和名片也就变得十分的模糊，这种状况直接导致了湖湘文化在全国的地位长期处于边缘状态，这种被忽视的状况得以改观就起源于嘉道之际湖湘经世实学人才群体的兴起。陶澍举起了湖湘经世人才崛起的大旗，“嘉道以后，留心时政之士夫，以湖南为最盛，政治学说亦倡导于湖南，所谓首倡《经世文编》之贺长龄亦善化人，而澍以学问为实

① 皮锡瑞. 师伏堂未刊日记［J］. 湖南历史资料，1959（1）：105.
② 陶用舒. 近代湖南人才群体研究［M］. 长沙：岳麓书社，2000：5—6.

行，尤为湖南政治家之巨擘”[1]。贺长龄主持编辑的《皇朝经世文编》可以说是泽被后世，“自贺耦耕先生用前明陈卧子之例，辑《皇朝经世文编》，数十年来，风行海内。凡讲求经济者，无不奉此书为矩矱，几于家有其书”[2]。而魏源不仅深深影响了近代湖湘文化的发展方向，而且对近代中国社会的变迁都产生了不容小觑的作用，“《海国图志》之论，实支配百年来之人心，直至今日犹未脱离净尽，则其在中国历史上关系不得谓细也”[3]。及至曾国藩为代表的湘军人才群体出现，则近代湖湘文化更是获得了发展的春天，湖湘文化的地域文化特色得到了进一步的强化，“湘军的崛起乃是以曾国藩为中心的一批湖南理学经世派士人为挽救封建末世、中兴清王朝、实现经邦济世的宏愿而特起乡闾，建立和发展起来的。湘军人物的这种经世致用的学术旨趣、改革政治的经世之志，正是嘉道之际湖南经世学风的自然延续，也是湖湘理学濡染的结果。就直接的学术渊源而论，二者之间也存在着师承关系”[4]。随着湘军剿灭了太平天国，创建了赫赫战功，湖南成为了全国瞩目的地方，湖湘文化一跃成为了显学。湘军不仅将湖南人劲悍霸蛮的个性和勇于拼搏的精神充分表现出来，而且还进一步诠释了湖湘文化里传统的经邦济世学风，为晚清“同治中兴”局面的出现做出了巨大贡献。在与太平天国起义军交战的十余年时间里，曾国藩等湘军将领深刻地认识到了西方军事器械的巨大威力和先进性，他们开始主动积极地学习西方先进技术，有力地推动了洋务运动在中国各地的开展。在曾国藩、左宗棠等人的大力宣传和实践之下，一部分湘军将领也逐渐走上了学习西学的道路，这极大地增强了近代湘人的对外开放

① 孟森. 明清史讲义：下册［M］. 北京：中华书局，1981：618.

② 俞樾. 皇朝经世文续编序［M］//近代中国史料丛刊：第75辑. 台北：文海出版社，1973：1.

③ 梁启超. 中国近三百年学术史［M］//饮冰室合集：第10册. 北京：中华书局，1989：323.

④ 方克立. 湘学史：第2册［M］. 长沙：湖南人民出版社，2008：655.

意识，拓宽了湘人认识世界的视野，这对湖湘文化向近代化的转型产生了很大的推动作用。维新变法期间，谭嗣同愿以颈血刷污政，慷慨赴死以后，湖南在近代又涌现出了一大批为国捐躯的先烈，他们为了实现中华民族的独立自强而英勇牺牲的精神在全国产生了巨大的影响，为后人树立了一座座不朽的丰碑。谭嗣同慷慨陈词："各国变法，无不从流血而成，今日中国未闻有因变法而流血者，此国之所以不昌也。有之，请自嗣同始！"① 至今读来仍令人生无限强烈的崇敬之情。以后唐才常、马益福、禹之谟、陈天华、杨毓麟、姚宏业、宋教仁等湘籍辛亥革命志士无不效仿其"流血救民"的壮举，极大地张扬了湖湘文化里卓厉敢死的精神和劲悍血性。至五四新文化运动期间湖南产生了更多的新型知识分子和社会精英，他们更是以饱满的爱国热情和大无畏的革命精神投入到轰轰烈烈的新民主主义革命斗争中，毛泽东、刘少奇、蔡和森、何叔衡、任弼时、彭德怀、贺龙等湘籍领袖坚持将马克思主义的普遍原理与中国革命的实际紧密联合，寻找到了符合中国国情的革命方法和道路；李达、翦伯赞、吕振羽、周谷城、金岳霖等湘籍学者也积极运用唯物主义辩证法重新诠释中国历史和哲学，构建新的人文学术基本格局。其他诸如丁玲、谢冰莹、欧阳予倩、田汉、周立波等在文化领域，杨树达、陈鼎忠、曾运乾、马宗霍、刘大年等在经学和诸子学领域，杨昌济、徐特立、朱剑凡、周世钊、胡元倓等在教育领域，王超尘、王憨山、聂南溪、杨应修、周昭怡等在书画领域，艾国祥、陈能宽、陈耀祖、方智远、何继善等在自然科学领域都颇有建树，他们大大丰富和深化了湖湘文化的内涵。

上述提及的精英还只是涉及近代湖南精英人士群体的一部分，仅仅是每个人才群体的代表而已。精英群体具有广阔的知识基础和敏锐的洞察力，他们对社会时局的变化和时代的变迁能够有异于常

① 梁启超. 谭嗣同传［M］//蔡尚思，方行. 谭嗣同全集. 北京：中华书局，1981：546.

人的深切感受，也更能触摸到跳动的时代脉搏，因此精英人士可以说是直接影响了近代湖湘文化的发展。

二、大众对近代湖湘文化发展的作用及影响

精英是文化的主要创造者和传承者，这是毋庸置疑的。不过如果我们仅仅只是关注部分社会精英对文化所做的事情和贡献，湖湘文化的发展就会失去活力和生命，尤其是对思想史的发展而言，如果只是关注精英人士，“思想的历史也就自然成了思想家的博物馆，陈列着他们的照片。一半仿佛编花名册，把已经逝去的天才的生平与著作一一登录在案，一半仿佛挂光荣榜，论功行赏或评功摆好”①。尽管在现实社会中，精英人士和权贵们基本上操纵着湖南的地方政治权力体系和现实生活秩序，掌控着社会的话语权和支配权，但真实的湖湘文化并非简单地由精英人士的思想或经典所构成，湖湘大地上数以千万计的普通民众也是湖湘文化产生的重要源泉。湖湘文化是中华文化体系中重要的区域文化之一，具有悠久的历史，撇开远古神话不说，从湖南出土的文物和考古遗址可以证明，新石器时代湖南地区的先民就已经创立了比较发达的农业文明，以后历经夏商周、秦汉、隋唐及元明清诸朝代的发展演变，这样积淀了数千年才终于形成了博大精深、体系完备的湖湘文化。这样一个涉及整个湖南地区，历史悠久、源远流长、涵盖宽广、内容宏大的文化体系，绝非某一个或几个精英群体或知识阶层人士就可以完成的，这绝对需要历代湖湘人民辛勤耕耘、共同努力，集合众人的智慧方能达到。

具体到普通民众的情况来看，传统封建社会里绝大多数的民众没有受教育的权利，他们的文化素养普遍偏低，也基本上是处在被支配地位，普通民众对文化的接受和传播采取的方式和精英人士也

① 葛兆光. 中国思想史导论［M］. 上海：复旦大学出版社，2007：9.

存在着很大的差异性。他们主要通过与生活、劳动密切联系的各种社会活动和生产方式实现对文化的理解和传承，诸如观看娱乐性演出中的潜移默化（如宗教的仪式法会、商业集市中的演剧说唱）、一般性教育中的直接指示（如私塾、小学、父母与亲友的教导对经典的世俗化演绎）、大众阅读（如小说、选本、善书以及口头文学）等等，[①] 通过这些途径民众加深了对传统思想文化的了解和认识，并且有选择性地接受和传承了传统思想文化。这些被接受和传承下来的文化以后又与普通民众的生活息息相关，并且被广大民众世代传承下来，从而演绎成为了传统文化最坚实的基础和文化底色。湖湘文化中也有许多丰富多彩的内容是由广大民众传承和沿袭下来的。湖南民众对文化发展的作用和影响具体来看主要集中在如下几个方面：

首先，湖湘文化不仅仅是一部分精英人士创造出来的精英文化，它更是根植于湖湘大地上的无数民众通过不断的辛勤劳作而创造的具有浓郁地域色彩的文化体系，湖湘民众对文化的形成和发展起到了很大的推动作用。湖湘民众那些看似普通平常的生活方式诸如：衣食住行、婚丧嫁娶、娱乐休闲、宗教信仰等不成文的社会习惯，有时候比国家法律、地方法规甚至精英的训导更能征服和教化民众，它们对近代湖湘文化的形成和发展同样起着重要的作用。因为这些传统的习俗是湖南民众在长期的生活中约定俗成、代代相传的社会惯例，类似于不成文的习惯法，有些习俗和惯例甚至写进了宗族的制度中用来教导和约束家族成员的行为。传统和信仰的力量，再加上邻里和家庭成员的感情因素，促使这些社会习俗逐渐深入到了人的思想和内心深处，甚至伴随着个人终身。例如宗教对普通民众和社会精英都起到了精神慰藉的作用，“不但可以在变幻无常的生活环境中给人以心理的支撑和精神上的慰藉，使之归附在现

---

① 葛兆光. 中国思想史导论［M］. 上海：复旦大学出版社，2007：15.

行社会的目标上，为之提供认同因素，而且还可以通过维护社会控制，强化现行社会价值和目标，提供克服罪恶感和异化的手段，来加强社会的秩序与稳定”[①]。又如屈原创作的《九歌》《离骚》明显受到了沅湘民俗文化的影响，“《九歌者》，屈原之所作也。昔楚国南郢之邑，沅湘之间，其俗信鬼而好祠。其祠必作歌乐鼓舞以乐诸神，屈原放逐，窜伏其域，怀忧苦毒，愁思沸郁。出见俗人祭祀之礼，歌舞之乐，其词鄙陋，因以作《九歌》之曲”[②]。又如地方上的婚丧嫁娶等各种习俗对维护封建礼制和等级制度也同样起着很重要的作用，“湘俗敦尚礼教，必六礼备而后夫妇之道成”[③]，如有违背，便会受到责备和非议，甚至宗族的惩罚。还有湖南淳朴的民风对湖湘文化注重实践、提倡实事求是的务实精神的形成也起到了很大的促进作用，湘籍民众面对穷山恶水勤恳扎实的苦干精神和倔强精神，又培养了湖湘文化中独立果敢的大无畏品质。

其次，广阔的湖湘大地和湖南民众不仅为湖湘文化的产生和发展提供了丰富的养料和肥沃的土壤，也是众多精英人士成长的摇篮，他们和精英一起共同创造了灿烂的湖湘文化。因为精英首先也是人，而且是社会的人，“人的本质并不是单个人所有的抽象物，在其现实性上，是一切关系的总和”[④]。许多湘籍精英也是从这种普通家庭成长起来的，童年的生活环境和生活方式对他的人生和学术思想必然会产生深远的影响。尤其是像湖南这种保留了十分浓厚的传统文化特色的地区，以家族血缘关系为纽带组织严密的家庭和宗族组织在湖南各地普遍存在。传统社会里，家庭和家族承担了国家

---

① 托马斯·奥戴. 宗教社会学［M］. 刘润忠，译. 北京：中国社会科学出版社，1990：1.

② 王逸. 楚辞章句［M］//文津阁四库全书：第 1066 册. 北京：商务印书馆，2006：16.

③ 转引自周秋光，张少利，许德雅，等. 湖南社会史［M］. 长沙：湖南人民出版社，2013：951.

④ 马克思，恩格斯. 马克思恩格斯选集：第 1 卷［M］. 北京：人民出版社，1997：18.

最基本的社会组织功能，“中国社会中家族团体是各种制度搭配的中心，无论经济、宗教、政治、教育等制度，均以家族团体为主，而结合在一起”①。儒家文化将家庭、家族和国家紧密地联系在一起，形成了“家国同构”的社会政治模式。所以，传统中国人的生活基本上是脱离不了家庭和宗族管理的，即便是社会精英亦是如此。他们“生活的全部领域，包括武装组织，中国社会都被结成亲属关系网，这种关系网从农村扩展到邻近的村庄，扩展到市镇，扩展到县城”②。传统中国社会正是通过家庭和宗族组织这样的管理体系，将宗法关系和社会组织关系等密切地结合起来，既弥补了中央对地方管理体系中存在的漏洞和缺陷，又进一步加强了地方传统习俗和思想文化的维护和巩固。在这样家庭和家族环境下成长起来的具有强烈家族责任感的人，才有可能产生对天下苍生的责任感和使命感，也才有可能以天下为己任，而只有具备了这样的家国情怀的人也才称得上是精英，近代湘籍精英例如曾国藩、左宗棠、谭嗣同、黄兴、宋教仁、朱剑凡、毛泽东、蔡和森、刘少奇等无一不是具有强烈家国情怀的有识之士。而且近代的湖湘精英们一方面继承了湖湘文化传统（这既包含了精英文化传统，也包含了民俗文化传统），另一方面还紧跟时代潮流，不断学习和吸收新的文化观念、学术思想和科学技术，积极地推动湖湘文化的近代转型，将创新性和传统性有机地结合在一起，彰显了湖湘文化蓬勃的生命力。

再者，近代湖湘民众受复杂多变的社会时局影响，纷纷投入到激烈的社会变革中，既推动了近代湖南社会的变迁，又丰富和发展了近代湖湘文化的内涵。以曾国藩创立的湘军来看，湘军的兵源基本上来自湖南农村，据估计湘军的人数最多时高达30多万，而湖南作为湘军的大本营和基地，在湘军与太平天国交战的十余年间，参与其后

① 费孝通．皇权与绅权［M］．上海：上海书店，1991：108.

② 孔飞力．中华帝国的叛乱及敌人——1796—1864年的军事化与社会结构［M］．谢亮生，等译．北京：中国社会科学出版社，1990：67.

勤、补给和配合作战的人更是不计其数。经过激烈战火的历练，这些朴实的山民逐渐转变成了训练有素、骁勇善战的士兵。谁也不曾料到这些从湖南偏远山村里走出来的农民，竟然创造了中国古代军事史上的一大奇迹，完成了镇压太平天国的任务，直接挽救了濒临崩溃的晚清王朝。湖南瞬间成为了全国瞩目的地方，湖湘文化也一跃而为显学，众多湘籍官吏更是跻身政坛，社会上流传着“中兴名将，什九湖湘”和“无湘不成军”的俗语。湖南出现的这些巨变固然与曾国藩等湘军将领的个人才华和智慧分不开，但这种局面的出现，根本上还是几十万湖湘子弟数十年浴血奋战、顽强拼搏的结果。在随后的几十年里湘军享誉大江南北，湖湘地域的知名度也不断得到提升。追溯近代湘人尚武的风气和投身政治运动的热情实源于此，以后的甲午战争、维新变法、辛亥革命、五四新文化运动中屡屡可以看见湖南人的身影，也就不足为奇了。湖南民众对湖湘文化和湖南近代社会发展产生直接影响的第二个突出事件就是反洋务和反洋教运动，只不过这次产生的却是不良影响，如“焚毁上林寺”事件、澧州“反洋线”事件和“反洋教”事件，湖南民众这种集体对西方文明采取抵制和排斥的态度，在湖南形成了浩大的声势，造成了不小的影响，致使湖南民众保守和排外的恶名远扬省外，也进一步阻碍了新技术、新知识在湖南的传播，滞缓了湖南向近代化发展的步伐，对近代湖湘文化的转型产生了极其恶劣的负面影响。湖南民众参与度最高，对近代湖湘文化发展用力最猛的事情当属农民运动。1927 年毛泽东为此专门考察了湘潭、湘乡、衡山、醴陵和长沙等五个地区的农民运动，创作了《湖南农民运动考察报告》，他从湖南轰轰烈烈的农民运动中充分估计出了农民在中国民主革命中的伟大作用，说：“孙中山先生致力国民革命凡四十年，所要做而没有做到的事，农民在几个月内做到了。这是四十年乃至几千年未曾成就过的奇勋。”① 刘少奇也说：“中国的

① 毛泽东. 湖南农民运动考察报告［M］//毛泽东选集：第一卷. 北京：人民出版社，1966：16.

国民革命，一定要社会各阶级民众一致来参加，建立各阶级的联合战线，才可成功。”① 他们都认识到了中国农村所蕴藏的巨大革命力量，将在国民革命中起到重要作用。大革命期间，湖南成为工农运动的中心，到1926年上半年有组织的农民约20万人，9月底便增至40万。11月全省75个县中有55个县建立县农协或筹备处，会员136.77万人。1927年1月农协会员更激增至200万人，能直接领导的群众达1000万人，差不多占湖南农民总数的二分之一。② “其发展之速，会员人数之众，都为全国各省之冠。”③ 在农会组织的发起和倡导之下，农民开始真正地觉醒，“农会作为农民横向的平等联合的组织，削弱了从前纵向的等级制的宗法结构”④，成为农民争取自由平等，解放自我迈出的关键性一大步。以后，以毛泽东为代表的共产党第一代领导群体坚持走农村包围城市，武装夺取政权革命道路，最终实现了中国的独立自强，湖南声势浩大的农民运动为这条有中国特色革命道路的探索和启发提供了丰富的经验。

单个的民众力量可能是有限的，甚至是微不足道的，但是澎湃的江河不也是由涓涓细流汇聚而成的？我们不能忽视民众的力量，尤其是觉醒以后的民众更是具有不可限量的动力和创造激情。近代湖南民众参与了各式各样的运动和斗争，它们集中体现出了湖南民众的文化观念和文化意识，纵观它们的演变历史就是一部鲜活的内容丰富的湖湘社会史，毫无疑问民众创造的历史也应该属于湖湘文化的重要组成部分。

---

① 刘少奇. 廖仲恺先生与工农政策［M］//刘少奇选集：上卷. 北京：人民出版社，1981：4.

② 周秋光，张少利，许德雅，等. 湖南社会史［M］. 长沙：湖南人民出版社，2013：1063.

③ 范忠程. 大革命时期湖南农民运动再思考［J］. 湖南师范大学社会科学学报，2002（5）：84.

④ 严昌洪. 中国近代社会风俗史［M］. 杭州：浙江人民出版社，1992：311.

三、精英与大众的合力推动了湖湘文化的近代转型

综合上述两种情况来看，在湖湘文化发展的历史长河中，推动湖湘文化进步的主体到底是谁？是精英人士，还是普通民众？这个颇具争议的话题在学术界已经存在了很久。结合湖湘文化的发展状况来看，我们反对“一言可以兴邦，一言可以丧邦”的精英主义史观，提倡客观认识精英人士在湖湘文化发展和转型过程中做出的重要作用及杰出贡献。实事求是地说在认识、反映和改造客观世界时，社会精英具有比普通民众更强的革旧树新的创造性特质和更敏锐的触觉感悟时局的变迁，因而他们的号召和领导作用，对社会的变迁和文化的发展都会起到较大的推动作用。精英人士和普通民众对湖湘文化的作用和贡献是互为表里，交相辉映的，精英人士对湖南社会的发展起到了很好的领导和推动作用，但是离开了广大湖南民众的支持，他们很可能就一事无成，如果和人民群众对抗，走向人民的对立面，则更会成为历史的罪人，受到无情的嘲讽和鞭挞。

社会学这样认为：“社会是人们在特定的物质资料生产的基础上相互交往、共同劳动而形成的各种关系的有机统一。”[①] 社会确实是一个复杂的体系，社会中的各个部分和各种现象都不可能孤立地存在，它们彼此之间相互联系、相互作用、相互依存，共同构成了我们这个联系紧密的人类社会。精英和民众的关系亦是如此，他们都扎根于湖湘大地，受湖湘文化的长期熏陶和浸染，彼此之间一直有着密切的联系，在湖湘文化发展的历史进程中也一直是相辅相成的。精英把控了时代的主流，对维护社会稳定和传承文化具有历史的使命感，对教化和引导民众也具有不可推卸的责任。反之精英的思想理念、见解主张也需要接受社会实践的检验，并得到广大民众的认可和支持，才能成为真正有效地推动社会发展的动力。精英与民众的沟通和融合在湖南很早就出现了，从儒学在湖南的本土化

① 谷中原. 社会学理论基础［M］. 长沙：中南大学出版社，2004：37.

就可以看出来，为了在湖南推崇和建构儒学的正统地位，代表精英文化的官方和儒家士大夫们，积极“强化了对合乎主流文化观念的祭祀，大量修建神农炎帝、舜帝、屈原、贾谊、柳宗元等儒家圣王、圣贤的祠庙，以取代楚蛮宗教习俗中的鬼神系统。但是，他们在炎帝陵、舜帝陵、湘妃祠、南岳祠、屈子祠、贾太傅祠的祠祭仪式及活动中，又大量吸收了本土的民间宗教、楚蛮习俗。这又充分体现出湖南精英文化与民俗文化之间的融合”①。

近代湖南无论精英还是普通民众对救亡图存、民族复兴和文化传承等关乎国家独立、民族自决的问题都表现出了异于他省的高度热忱，这明显是受传统湖湘文化特质的浸染。湘籍精英和民众之间存在着许多共同的心理素质和精神特质，他们完全可以走向融合，共同形成一股更为强大的力量，来引领湖湘文化的近代转型，甚至引领近代中国的社会革命。在精英人士和普通民众的共同努力之下，近代湖南地区的政治制度、经济结构、社会构成、思想文化等发生了较大变化，而且湖南人的思维方式、艺术风格、生活习俗等亦产生不小的改变。这股合力共同创造了近代丰富多姿的湖湘文化体系，也共同推动了湖南地区的社会变革和社会发展。下面仅仅从精英人士和湖湘民众在近代化转型过程中坚持湖湘文化发展的主体性地位一事，就可见正是这股合力的作用，才促成了湖湘文化的成功转型。

近代湖湘文化是传统湖湘文化的延续和发展，但 19 世纪中叶以后，随着近代中国社会被迫走上开放之路，原来与湖湘文化相对应的封闭社会环境被打破了，西方的政治理念、经济因素、宗教信仰和思想学说等不断涌入湖南，致使湖湘文化遭遇了前所未有的危机和挑战。在近代化大潮浩浩荡荡的趋势之下，湘人的思想意识、价值观念以及对事物的判断分析都产生了异于传统方式的变化，而

① 朱汉民. 湖南区域文化概念的演化［J］. 湖南社会科学，2013（2）：249.

且这种变化不断加强。尤其是五四新文化运动期间，主张彻底否定传统文化，全面肯定西方文化的呼声甚为高涨，新文化先锋们在民主科学的旗帜号召之下，认为西方文明是一种全球性、普遍性的先进文明，没有完成近代化进程的文化都被视为是落后的文化，应该遭到摒弃。在这一倡导全盘西化的轰轰烈烈的思想解放运动冲击之下，湖湘文化的地域特色和文化特质自然也受到了很大的冲击和质疑。在此关键时刻，近代已经成为了中华文化核心区域的湖湘文化在湘籍精英人士和广大湖南民众的引领之下，既没有顽固地排斥和拒绝西方文明，也没有被全面西化的观念导入误区，他们一起既坚持了湖湘文化发展的主体性，又以理性的态度去从事近代文化建设。

杨昌济就指出："夫一国有一国之民族精神，犹一人有一人之个性也。一国之文明，不能全体移植于他国。"① 杨昌济是近代湖南享誉国内的著名教育家，是近代湖南倡导积极引进西方文化，推动湖湘文化近代化的思想开明人士。他曾留学日本、英国，知道学习西方文明对中国近代社会发展有着十分重要的作用，"夫科学为白人所发明，彼既着我先鞭，吾辈自不得不师其长技。留学外国者，固负有输入文明指导社会之义务"②。但另一方面他又十分强调保持中华文化的主体性地位，他如是说："且夫学问非必悉求之于他国也。吾国有固有之文明，经、史、子、集义蕴闳深，正如遍地宝藏，万年采掘而曾无尽时，前此之所以未能大放光明者，尚为诰取之之法耳。今以新时代之眼光，研究吾国之旧学，其所发明，盖有非前代之人所能梦见者。"③ 杨昌济的见解是深邃的，他主张中华文明的近代化发展应该与中华文化的主体性重建相结合，保留文化的民族性和独立性是十分关键的事情。杨昌济曾经求学于湖湘

① 杨昌济. 劝学篇［M］//杨昌济集：第一册. 长沙：湖南教育出版社，2008：73.
② 同①.
③ 同①76.

文化的重镇岳麓书院，后来又任教于湖南第一师范学校，他不仅深受湖湘文化传统的影响，更是对湖湘文化的传承有着深厚的使命感。他培养了毛泽东、蔡和森、萧子升等一大批杰出的湘籍人才，他的文化理念也深深地影响着他的这些学生。

实际上在湖南持这种观点的学者还是很多的，从魏源著《海国图志》倡导“师夷长技以制夷”开始，湖南产生了一大批积极学习西方文明的知识分子，例如曾国藩、左宗棠、郭嵩焘等致力于对西方科学技术的引进与学习，谭嗣同呼吁要“冲破一切罗网”，宋教仁倡导效仿西方实行宪政。这些湘籍精英人士虽然对学习西方表现出了浓厚的兴趣，但他们无一例外地都没有主张彻底的全盘西化，他们的内心仍然信仰的是中华文化的核心价值，憧憬的还是实现中华文化在近代的主体性重建，从而让中华民族实现真正的独立自由。即便是激进派如谭嗣同、陈天华、易白沙等也没有丧失对中华文化主体性的信念，他们犀利地批判中华传统文化，只不过是想促使更多的国人反思和觉醒，希望中华文化能够浴火重生。正如杨昌济期望的那样“吾人能输入西洋之文明以自益，后输出吾国之文明以益天下”。在对待湖湘文化上他们的态度亦是如此，既想尽快实行湖湘文化的近代转型，但又对保持湖湘文化的独立性而煞费苦心。社会精英的这些思想和主张能够得到实现，也需要感谢广大的湖南民众。每一种思想学说和见解主张都需要在社会现实中经得实践的检验，才能成为真正有用的理论。湖南民众积极配合了近代湘籍知识群体倡导的这种文化主体性理念，在近代参与的各式各样运动和革命，都彰显了湖湘文化的特色和湖南人的主人翁精神。无论是曾国藩创立的“以书生训山农”模式，谭嗣同倡导的维新变法，还是黄兴、宋教仁号召的革命排满运动，抑或是毛泽东提出的工农武装割据理论，每一次运动背后都有湖南民众的大力支持。正因为上下齐心，才成就了湖湘文化在近代居中华文化的核心地位，在近代化的舞台上精英和广大的民众一起书写了湖南灿烂光辉的历史。

第三节　近代湖湘文化创新与发展的动力

近代湖湘文化是湖湘文化发展的历史长河中最灿烂辉煌的一页，在纷纭复杂的社会变迁大潮中，近代湖湘文化的演变和发展主要置于两个基础上，一是要置于近代中国社会发展变化的大趋势，湖湘文化作为中华文明的重要组成部分，它的发展必然与中华文化的发展密切联系在一起，与中华民族的发展休戚与共。二是置于湖湘人民基于自己的切身利益对发展文化的需要，彼此声气相通，心心相连。推动其绚丽发展的动力当然是多方面的，既有传统湖湘文化内在动力的触动，也受到了西方文明和其他外来文明的影响，是一个内外合力作用的结果。这些合力主要包括国家和地方政府对文化发展的政策与措施，文化精英的创造和推动、社会民众的支持和传播以及外来文明的冲击及融合等。下面我们从内外两个方面来探讨湖湘文化在近代蓬勃发展的原因。

一、推动近代湖湘文化发展的动力主要来自湖湘文化体系内部

余英时曾经说过："面对西方文化的挑战，中国文化自不能不进行调整和更新，但是调整和更新的动力必须来自中国文化系统的内部。易言之，此文化系统将因吸收外来的新因子而变化，却不能为另一系统（西方）所完全取代。"① 明确地指出中国文化在近代发展的动力主要还是来自于中国传统文化体系本身，西学和其他外来文明的输入对中国文化的近代转型可以起到促进作用，但是起决定作用的还是中国文化内部必须要具有一定的促使文化向近代转型和发展的条件，如果中国文化本身缺乏这种转化的土壤，那么近代

① 余英时. 钱穆与现代中国学术：钱穆与新儒家［M］. 桂林：广西师范大学出版社，2006：35.

化也只会是空中楼阁。湖湘文化在近代的蓬勃发展首先也是得益于其文化内部本身所具有的一些进步因素为文化转型奠定了基础：

一是清初“南北分闱”为近代湖湘文化的发展和近代湖南人才群体的兴盛创造了条件。湖南在元、明都不是一个独立的省级行政单位，它隶属于湖广行省，省会设在武昌，乡试（即录取举人的考试）自然也在武昌举行。清康熙三年（1664）湖南才独立设为省份，但清政府仍沿袭惯例，要求湖南士子还是赴武昌参加乡试。但波涛汹涌的八百里洞庭湖是横亘在湖南学子面前的一道天险，而这又是当时湖南到达武昌唯一的交通线，洞庭湖凶险的天气及恶浪对湖南学子是一个十分严峻的考验。恶劣的天气有时会耽误学子的考试时间，令其无法如期赴考，更有甚者还会导致船毁人亡，殒命于洞庭湖，这种情况导致的最直接后果就是严重打击了湖南学子到武昌应试的积极性，每次湖南参加乡试的人数远远少于湖北，而获取功名的就更是寥寥无几。以至于“南北合闱，湖南士子，惮泛重湖，赴试者少，获隽亦难。有一年仅有一人中试，当时巡抚特加宠异，赠以‘一鹗横秋’之匾。风气闭塞，人才寥落，可想而知”①。据记载，从顺治到康熙的 78 年南北合闱中，湖南所取中的举人只有 326 名。这就直接导致湖南进京考试获得功名的人数还会更少，从顺治九年（1652）至十八年（1661）的 10 年间，湖南考取的进士只有 23 人，而从康熙三年（1664）至六十年（1721）的 58 年间，湖南考取的进士也仅有 42 名。② 人才是文化的主要创造者和传承者，人才寥落是很难创造出辉煌的文化的。虽然说考取了功名的人，并不一定都是精英或人才，但是在人才选拔方式比较单一的封建社会，科举考试无疑是重要的发现人才的手段。湖湘文化在明清时期的边缘化一定程度上还是要归咎于科举考试人才选拔得太少，导致湖湘地方文化建设缺少推手。这种状况在雍正年间得到了改

① 杨昌济. 杨昌济集［M］. 长沙：湖南教育出版社，2008：233.

② 朱汉民. 湖湘文化通史［M］. 长沙：岳麓书社，2015：12.

观，在多方努力之下，雍正二年（1724），湖南、湖北开始分开举行乡试，从此以后湖南参加乡试和会试的人数逐渐增多，获得功名的人数也越来越多。近代教育学家杨昌济就认为南北分闱对近代湖湘学风和近代湖湘人才兴盛起到了重要的作用，说："及南北分闱，湘省士风，云兴雷奋，咸同以还，人才辈出，为各省所难能，古来所未有，此分闱之效也。"① 综上所述可见，近代湖南人才鼎盛"南北分闱"应居首功，这是湖南近代文化史上具有里程碑意义的事件，对推动湖南文化教育事业的发展起着至关重要的作用。

二是湖湘文化内在的优秀文化传统和精神气质也是推动湖湘文化近代转型的重要内在因子。湖湘文化的理学传统、思变因素和经世致用理念等优秀文化概念是推动湖湘文化转型的内在动力之一，湖湘文化里蕴含的一些优良精神特质诸如以天下为己任、民族主义、敢为天下先、大无畏的献身精神、强烈的家国情怀等也对湖湘文化的近代转型产生重要的作用。湖湘文化自南宋以后独树一帜被称为湖湘学派以来，推崇理学和倡导经世致用是其鲜明的地域文化特征之一。理学的开山鼻祖周敦颐是湖南人，"为理学之开山，万流景仰，人伦楷模，风声所树，岂徒一乡一邑之光哉"②！他不仅奠定了宋明理学的哲学基础，而且也为湖湘文化的发展开创了先河，后世的湖湘学风基本上不离其左右，以后胡安国、胡寅、胡宏、张栻等无数湖湘学子不断完善和发扬正学，湖湘儒雅之风，蒸蒸日上。即便是清初学术界唯汉学马首是瞻之时，但湖湘学者在学经的同时，仍然执着地坚持义理之学和经世学风。这种对传统学风和文风的坚持及传承正是湖湘文化保持地域文化特色的重要保证。胡安国在创立湖湘学派时就将治学要为社会现实服务的理念灌输到了学术研究中，强调治学要将儒家义理之学和通经致用密切结合，才是真正有用之学。至明末清初王夫之进一步继承和完善了湖湘文

① 杨昌济. 杨昌济集［M］. 长沙：湖南教育出版社，2008：233.
② 钱基博. 近百年湖南学风［M］. 北京：中国人民大学出版社，2010：3.

化里的许多优良特质，无论是“言天者征于人，言心者征于事，言古者征于今”的为学之道，还是“明人道以为实学，欲尽废古今虚妙之说而返之实”① 的实学精神，抑或是求变革新的“日新”思想和今胜于昔的进化理论等，无一不是湖湘文化精髓的体现。他的学术思想和高尚品质尤其受到晚清及近代湖湘学子的青睐，谭嗣同褒扬他是“文至唐已少替，宋后几绝。国朝衡阳王子，膺五百之运，发斯道之光，出其绪余，犹当空绝千古”②。可见传统文化的优良特质为近代湖湘文化的发展提供了肥沃的土壤和养料，探究近代湖南所形成的五大知识群体，可以发现他们在教育背景或学术渊源里都深受湖湘传统文化的浸染和熏陶，可以说他们无一例外都继承和发扬了湖湘文化的某些优良特质。这些优良特质培养出了各知识群体们关注国计民生、果敢思变和勇于拼搏的精神，促使他们在近代中国历史舞台上恣意书写了辉煌的人生篇章。

再者推动近代湖湘文化发展的内部动力还包括前面提到的社会精英人士和广大民众，他们对湖湘文化的发展和传播也起到了很大的推动作用，前面已经阐释，此处不再赘述。

二、 西方文化和其他外来文化对近代湖湘文化发展的促进作用

文化交流是推动人类社会前进的重要动力之一，而且文化一旦产生，交流是必然的事情，没有文化的沟通和交流，就很难有文化的向前发展。明末的“海禁”及清朝的“闭关锁国”政策导致的恶果都明确地说明了放弃与外界的沟通和交流，只会导致落后和挨打。季羡林曾经就文化交流阐述说：“文化交流无所不在，无时不

① 王敔. 姜斋公行述［M］//王夫之. 船山全书：第一六册. 长沙：岳麓书社，2011：81.

② 谭嗣同. 论艺绝句六篇［M］//蔡尚思，方行. 谭嗣同全集. 北京：中华书局，1998：77.

在。世界民族，不论大小，不论新旧，都创造了自己的文化。中国几千年的历史告诉了我们一个经验或者规律：国力强大的朝代，比如汉唐，敢于接受外来的事物，从而丰富了自己的文化；国力衰微的朝代，胆子就小，自己文化的发展也受到了影响。”[①] 中华文化在很长的一段时间里保持了文化先进性的地位，成为了东亚乃至世界仰慕的对象，而且数千年来中华文化生生不息，它在发展的过程中已经形成了一套完整的文化特色和体系，其民族性十分明显。但是步入近代，中华文化自身发展和完善的系统被西方文明和外来文明打破了，新的文化因子不断渗透进传统文化的体系内，传统的世界价值观、道德伦理观、社会等级秩序和社会习俗等都不可避免地产生了变化，与西方文明和其他外来文明的沟通、交流已经成为中华文化在近代发展过程中的必然之势，作为中华文化的重要组成部分的各地域文化也势必同样受到外来文明的碰撞和冲击，思虑外来文化对中华文化的重要影响也成为了近代社会的一个焦点话题。

关于西方文化对传统文化发展起到的冲击和促进作用，萧一山认为西方列强的入侵刺激了晚清经世致用思潮的复活，客观上对中国近代社会变迁起到了促进作用，“帝国主义者凶焰方张，志士扼腕切齿，引为奇耻大辱，思所以自湔拔，于是经世致用之思想复活”[②]。持这一观点的还有钱穆，他说“道咸同光，此际也，建州治权已腐败不可收拾，而西力东渐，海氛日恶，学者怵于内忧外患，经籍考据不足安定其心神，而经世致用之志复切，乃相率竞及于理学家言，几几乎若将为有清一代理学之复兴”[③]。可见西方列强用坚船利炮裹挟先进的文明撞开了古老中国沉重而深锁的大门，传统文化厚重的帷幕被撕开了一道道口子，近代化的曙光开始一丝

① 季羡林. 学海泛槎［M］. 太原：山西人民出版社，2000：186.

② 萧一山. 清代通史：第4册［M］. 上海：华东师范大学出版社，2006：308.

③ 钱穆. 清儒学案序［M］//中国学术思想史论丛：第8册. 台北：东大图书公司，1980：366.

丝地渗入进来。在外力的作用下，中国近代变迁的步伐开始被迫加快了，只是对于晚清及近代中国来说，西方列强和西方文明都具有双重身份，他们既是明火执仗的强盗和入侵者，又是先进生产力、先进文化的代表。一方面他们用武力征服中国，强迫中国签订了一系列不平等条约，并大肆侵夺中国的原材料和占领中国市场，将中国一步步拖入半殖民地半封建的深渊；另一方面他们又带来了一种完全异于中国传统社会的生活方式和文化体系，让新奇的近代工业文明如万花筒般呈现在国人的眼前。于是近代中国文化体系在外力的作用下开始呈现出光怪陆离的景象，质疑传统、否定传统的行为时有发生，而维护传统、固守旧习的行为也屡屡出现，呼吁冲破罗网、打破传统的人在近代化面前看到了黎明的曙光，传统权贵和遗老遗少们则在近代社会面前遭遇了更多的困惑和窘境。

从人类文明发展史上看，各民族之间的文化交流和融合本来是稀松平常的事情，世界上长期存在或保持了先进性的民族没有一个不与外界发生联系和交流，中华民族就是在不断融合和吸收众多民族的优秀文化的过程中发展壮大的。只不过是到了晚清及近代随着中国国力的衰微，面临诸多的危机和困难，其自信心备受打击，故而国人对外来文化持怀疑和恐惧的情绪较多，主要是害怕在与外来文明的接触和交流过程中失去中华传统文化原有的优势地位。然纵观整个人类社会历史可以发现，每个民族的文化是向前发展的，适应时代的需要也是文化向前发展的必要条件。如果说促使文化发展的内在动力是保持文化民族性的作用支柱，那么吸收外来文明和进行文化交流，就是保持文化时代性和创新性的最好源泉。文化要蓬勃发展两者缺一不可，近代湖湘文化的发展亦是如此。

近代中国半殖民地半封建的社会性质，决定了中华文化和湖湘文化都不可能在近代独立自主地完成近代转型，其发展过程必然受到西方文化和外来文化的影响。近代湘籍学者中最早认识到西方文化对中国社会发展有促进作用的是魏源，《海国图志》为国人打开了了解西方社会的一扇窗口，“他所开启的‘西学东渐’过程，从此把欧风美雨引进到中国。从中国近代一直到现在还在继续进行的中西文化大交流从此揭开了序幕”①。魏源无愧于思想先驱的称号，其“师夷长技以制夷”理念对近代中国社会产生的影响是极其深远的，对近代湖湘文化的发展也是十分重要的，曾国藩、左宗棠、郭嵩焘等无不是站在他的肩膀上放眼看世界。维新变法期间，湖南产生了一大批积极学习西学的新兴知识分子。谭嗣同的学术资源是一个十分广泛的综合体系，他吸收了来自于中学、西学和佛教等各方面的思想养料，《仁学》序中说：“凡为仁学者，于佛书当通《华严》及心宗、相宗之书、于西书当通《新约》及算学、格致、社会学之书。”② 他还用西方物理学上的“以太”概念来代替传统的概念“气”来重新表述宇宙的本原，提出了“以太”说，认为以太化生万事万物，且像气一样充斥宇宙不生不灭。随后又从传统文化和近代自然科学知识两方面出发，列举水、烛、风、雨等物质不灭的事实，详细地论证了世界是真实存在和发展变化的。谭嗣同积极将西学引入到传统文化中，对传统的一些概念和理论重新进行诠释和解说，试图使传统文化适应近代维新改良运动的发展和需求，他是那个时代湘籍知识分子从传统向近代转型的重要代表和典范。

甲午战争后湖南有志于开启民智，提倡西学的人士逐渐增多，一大批旧官僚和乡绅也从传统文化的窠臼中挣脱出来，其中以陈宝箴、江标、徐仁铸、黄遵宪、王先谦、熊希龄等最为有名，他们与谭嗣同、唐才常、梁启超等维新志士一起，在湖南发起了一场轰轰烈烈的维新变法运动，从而将湖湘文化全面推入了近代化的发展轨道。清光绪二十三年（1897），湖南设立了第一所近代化学校——时务学堂，学校不仅设置了经史等课目，还增设了格算、公法、外

① 彭大成．中西冲突交融中的湖湘文化［M］．长沙：湖南人民出版社，2010：1028.

② 谭嗣同．仁学界说［M］//蔡尚思，方行．谭嗣同全集．北京：中华书局，1998：293.

国史志等西方的政治法律和自然科学课目，开启了湖南近代教育的大门。谭嗣同还开始关注妇女的权益，拟《不缠足会嫁娶章程十条》，呼吁废除缠足，反对婚嫁论财的恶俗。这一时期湖南创办了许多近代化企业和机构，例如创办了近代最早的杂志和日报——《湘学报》与《湘报》；设立了中国最早的警察机构——保卫局；建立了湖南最早的近代企业——和丰火柴公司。甲午战争后西方文明对湖南产生的影响是全方位的，它导致湖南在物质生活、政治理念、思维方式、文化走向等多方面都发生了深刻的变化，这种变化正是湖湘文化走向近代化的重要标志之一。以至于当时有人感慨地称："使孔孟程朱生此时，不能舍西学不讲。"[①]

辛亥革命期间湖湘文化受外来文化影响更加直接，这主要是湖南外出留学人数激增的结果，留学生是湖南较早直接接触西方物质文化的人群。据记载，1904 年全国留日学生 3000 人，湖南省 800 人，占全国近四分之一。除日本外，也有去欧美留学的，如 1910 年，湖南公费留学生 211 名，赴日本者仍为大多数，但已有赴美国 5 人及赴欧洲 6 人。[②] 留学生们不仅将日本和欧美的物质文化、学术思想及其生活方式都带回了湖南，许多留学生还在湖南积极宣传和传播西方社会倡导的自由、平等、民主等近代社会价值观和共和、议会、宪政等资本主义代议制理念，这对丰富和提升湖湘文化的内涵，以及促进湖南本土社会生活和思想观念的改变都起到了十分重要的作用。

五四新文化运动期间，毛泽东、蔡和森等新民学会会员又将注意力转向了西方工人运动和社会主义思潮，在新民学会的倡议和组织下，许多湘籍学子先后参与了留法勤工俭学行动。他们到工厂学习，实地考察资本主义社会，接触工人阶级，研究工人运动和马克

① 转引自王尔敏．晚清政治思想史论［M］．桂林：广西师范大学出版社，2005：52.

② 周秋光，张少利，许德雅，等．湖南社会史［M］．长沙：湖南人民出版社，2013：752.

思主义。1919年至1920年间，先后有来自18个省共20批1600多人到达法国，其中以四川378人，湖南346人，河北147人为最多。湖南著名的教育家徐特立，蔡和森、蔡畅和他们的母亲葛健豪，向警予，李富春，李维汉，罗学瓒，张坤弟等一大批杰出人士都参加了留法勤工俭学。留法勤工俭学促使湖南一大批青年觉醒，在劳动、学习和斗争中不断成长起来，走上了反帝反封建的革命道路，其中许多人后来还成长为了共产主义者，为以后湖南在新民主主义革命异军突起创造了条件。

除了上述湖南人主动对西方文化的吸取和学习外，随着中国半殖民地半封建程度的不断加深，列强也不断扩大在湖南的侵略。外国商人、传教士和外资企业在湖南不断增加，他们在湖南居住、经商、传教，与湖南民众的接触和交流更加频繁，这对湖南民众的生活也产生了不小的影响，对普通民众来说“衣、食、住、行是社会生活中最重要的内容，也是反映社会变革最为敏感的领域”①。因为湖南民众是湖湘文化的创造力量之一，也是湖湘文化的主要接受者和传播者，他们对西学的接受，也直接推动了湖湘文化的近代转型。西方文明对近代湖湘文化的影响是多方面的，既有具体物质文化方面的影响，也有精神生活方面的影响，甚至还有宗教信仰方面的影响。正如郑大华在谈论近代中国社会发展进程时所说：“中国近代社会或思想的发展既非外因决定的，也不是内因决定的，而是内因和外因共同决定的，在外因与内因之间很难分别出谁主谁次。因为历史已经证明：没有西方的挑战，中国的社会或思想很难迈入近代的门槛；同样，如果没有中国社会内部自身所孕育的新的思想因素，对西方挑战的反应很可能就是另一种模样。就此而言，外因和内因，都是中国社会或思想实现近代转型的不可或缺的重要条件。”② 近代湖湘文化的发展也可以这样看待，决定近代湖湘文化

① 周俊旗. 民国天津社会生活史［M］. 天津：天津社会科学出版社，2004：81.
② 郑大华. 晚清思想史［M］. 长沙：湖南师范大学出版社，2005：5—6.

发展的动力既非单纯的外因决定的，也不是完全的内因决定的，而是内外因形成的合力共同作用的结果。由于近代中国遭受到列强侵略和掠夺，造成了创巨痛深的历史伤痕，而且西方文明也曾经一度在中国风行，这就导致了近代中国“表现为急剧的新陈代谢，螺旋地推进，螺旋特别多……中国近代社会新陈代谢的本质是一步步有限地推向近代化”①，既要推封建主义之陈，又要行民主主义之新。在如此错综复杂的社会历史发展进程中，就整个湖湘文化在近代的转型来看，很难说到底是外因起的作用大还是内因起的作用大，这很难分辨出谁主谁次，当然就具体的某一个历史事件而言还是可以清晰探究主次原因的，这也就要求我们在研究近代史时要注重具体问题，具体分析。

三、传统湖湘文化与西方文化对近代湖湘文化发展的负面影响

湖湘文化在长期发展过程中形成了很多优良的特质，对近代湖南的发展和湖湘文化的转型起到了很好的推动作用，但同时传统湖湘文化也呈现出复杂的二元性，除促进湖南社会发展以外，湖湘文化中的缺点对近代社会转型产生的负面影响也十分明显。蔡元培就说：“湖南人性质沉毅，守旧时固然守得很凶，趋新时也趋得很急。遇事能负责任，曾国藩说的‘扎硬寨，打死仗’，确是湖南人的美德。但也有一部分的人似带点夸大、执拗的性质，是不可不注意的。”② 总体来看传统湖湘文化对近代湖湘文化发展的负面影响主要集中在两个方面，一是因循守旧、抱残守缺之风和排外思想根深蒂固，阻碍了湖湘文化的近代转型；一是传统文化发展不平衡，主要侧重政治、军事等方面，忽略了经济建设，使湖南在近代发展中明显落后于沿海和周围各省。

先来看第一个方面，湖南守旧之风盛行源于多方面的原因，首

① 陈旭麓. 关于中国近代史线索的思考［J］. 历史研究，1988（3）：68.

② 蔡元培. 蔡元培美学文选［M］. 北京：北京大学出版社，1983：113.

先与封闭的环境有很大关系，“湖南之为省，北阻大江，南薄五岭，西接黔蜀，群苗所萃，盖四塞之国。其地水少而山多，重山叠岭，滩河峻激，而舟车不易为交通。顽石赭土，地质刚坚，而民性多流于倔强，以故风气锢塞，常不为中原人文所沾被”①。地理环境，对湖南文化、经济乃至政治的影响是十分的明显，绝大多数的湖南人终身都生活在这个三面环山一面阻水的内陆省份，对外界的发展变化无法充分了解，固守传统也是常理之事，这是湘人守旧之风兴起的原因之一。其二湖南号称“理学之邦”，经周敦颐、胡安国、胡寅、胡宏、张栻等学者和无数湖湘学子的诠释和传播，理学已经深深地扎根在了湖湘大地上，并且演变成为了湖湘文化的重要特质之一。不仅受到湖南学子的推崇，而且还获得了广大民众的认可和支持，坚持理学传统，摒弃其他学说的干扰成为了近代湘人抵制一切外来文化和新鲜事物的有力借口。其三晚清湘军集团的崛起也一定程度上强化了湖南的保守意识。曾国藩在《讨粤匪檄》中，明确将湘军与太平天国之间的战争，上升成为了一场维护民族文化和儒学道统的保卫战，由此湘军将士也被赋予了浓郁的“卫道”色彩，剿灭太平天国以后，建立了功勋的湘军自然成为了湖南人心目中的道德典范和榜样，湘军的卫道也得到了湖湘人士的广泛认可，于是在湖南境内回归传统的心理和呼声自然就高涨了起来。湘军将士回归故里以后成为了地方士绅，他们将维护清王朝的统治和传统秩序视为自己应尽的职责，这批军功绅士受封建卫道思想的浸染较深，他们的价值观念普遍趋向于保守，由此导致了湖南民众守旧心理愈加浓厚。湖南巡抚陈宝箴曾经犀利地指出：“自咸丰以来，削平寇乱，名臣儒将，多出于湘。其民气之勇、士节之盛，实甲于天下，而恃其忠肝义胆，敌王所忾，不愿师他人之所长、与异族为伍，其义愤激烈之气、鄙夷不屑之心，亦以湘人为最。”② 军功士绅与以

① 钱基博. 近百年湖南学风［M］. 北京：中国人民大学出版社，2010：3.

② 陈宝箴. 奏设时务学堂折［M］//陈宝箴集. 北京：中华书局，2003：593.

往的乡绅不同，他们通过战争起家，文化素养不高，退伍返乡后基本上是不思进取且封建卫道思想十分浓厚。但是作为地方秩序的实际维护者和执行者，他们对当地的风俗习气的发展趋势起着重要的导向作用。在他们的引导之下，湘人由劲悍血性而渐趋于顽固保守。

正如费正清所说："至迟到19世纪末，在许多情况下还要晚得多，大多数中国社会中的上流社会是绅士集团。绅士比中国任何其他社会阶级都更加深刻地与中国的文化水乳交融，更全面地坚持中国是一切文明的中心的主张。他们从孩提时就接受儒家传统和价值的教育，他们的社会地位和声望在很大程度上建立在积极同这种传统和价值打成一片的行动上。"① 西方工业文明和基督教等异质文化是国人数千年来在心理上和情感上遭遇的前所未有的挑战，湖南民众和乡绅们远离权力中心，其文化、思想保守而充满惰性，又缺乏反击异质文化的经验，借助传统文化为依托，不断强化"夷夏大防"的民族主义情绪和"卫道黜邪"的社会心理，固执地排斥异质文化是他们维护传统生活方式的唯一方法。因此湖南的保守和排外情绪不是来自于一两个阶层或一些团体，它充斥在社会的各个角落和各个领域，讫至晚清随着西方列强大肆加深对中国的侵略，西方商人和传教士也大量地深入到中国内地，但他们说起湖南还是噤若寒蝉，"湖南之对于中国，正如拉萨之对于西藏一样。多年以来，它是大陆腹地中一座紧闭的城堡，因而也是一个无与匹敌的、特别引人注意的省份。中国的保守主义，以及对于所有外国事务的反应，都在这儿集中起来了。因此，这里不仅产生了中国最好的官吏和军队，也出现了对基督教的最激烈的攻击。不管别的省份采取什么态度，湖南仍然毫不留情。所以，在中国其他各省向传教士和商

① 费正清. 剑桥中国晚清史：上卷［M］. 张理京，译. 北京：中国社会科学出版社，2007：548.

人开放很久以后，湖南人继续吹嘘没有一个外国人胆敢进入他们的省境”[①]。保守排外对湖南在近代的发展造成了很大障碍，在近代社会转型和近代化发展道路上，湖南都越来越落后于其他省份。直到甲午战争以前，“湖南没有产生一位早期维新思想家，没有创办一所新式学堂、一份新式报纸、一个真正的近代企业，而且还在保守的传统文化意识驱动下，掀起一次又一次的反洋教运动”[②]。守旧在很长一段时间里成为了湖南人的标签，成为世人诟病湖南的凭证。谭嗣同在与友人的书信中就说：“三十年来，湘人以守旧闭化名天下。”[③] 梁启超也称湖南“守旧之坚亦过于他省”，这话一点不假。固执地囿于传统，排斥外来的新生事物，从而导致传统湖湘文化中守成有余而进取不足的特征也很明显。

传统湖湘文化对近代湖湘文化发展的第二个负面影响是湘籍人才主要集中在军事、政治领域，经济类人才十分匮乏。许多资料都显示出近代湖南缺乏经济、科技类人才和实业家，《湖南省志·人物志》记载了自鸦片战争以来直至中华人民共和国成立之前，1336名湘籍杰出人士的事迹，主要都集中在政治和军事领域，工商业人才稀少。又据《中国近代史词典》收录的110位湘籍名人，其中实业家仅聂缉椝一人。另据资料显示，1904年，湖南留日学生401人，占中国留日学生总数的14%强，但其中学习实业技术的不足20人。这不足20人中唯一有成就的是范旭东，然而他所创办的企业——永利制碱厂，厂址也是在天津。1902年，湖南的近代厂矿只有78家，“总投资不超过274.9万元，只稍高于江苏南通实业家张謇一人1903年的资本拥有量”[④]。1949年，湖南全省工农业总产

① 马歇尔·布朗荷. 中国内地传道团亚当·多尔瓦和其他传教士在湖南的开拓工作，转引自周锡瑞. 改良与革命：辛亥革命在湖南［M］. 杨慎之，译. 南京：江苏人民出版社，2007：40.

② 郑焱. 近代湖湘文化概论［M］. 长沙：湖南师范大学出版社，2008：55.

③ 谭嗣同. 谭嗣同集［M］. 长沙：岳麓书社，2012：290.

④ 汪敬虞. 中国近代工业史：第2辑［M］. 北京：科学出版社，1975：1069.

值只有19亿元，其中农业就高居83%，而工业仅占17%。[①] 与工业发展萧条，技术类人才匮乏局面相比，近代湖南在军政方面的发展和人才集中，可以说是灿若星辰。学术界时常提到的多个近代湖湘文化知识群体，基本上都以军政人才为代表，例如以陶澍、贺长龄、魏源为代表的嘉道之际的经世群体；以曾国藩、左宗棠、郭嵩焘为代表的湘军集团；以谭嗣同、唐才常为代表的维新派；以黄兴、宋教仁为代表的资产阶级革命派和以毛泽东、蔡和森、刘少奇为代表的马克思主义团体等等，他们的贡献主要都集中在军政领域。近代湖南人才群体类型发展不平衡是多方面原因造成的，这首先是近代纷纭复杂的社会局势。近代中国处在内忧外患频发之中，列强从未停止过对中国的侵略和掠夺，中国内部各个派系之间、各个地区之间为了利益而产生的战争和争斗也从未停歇，混乱而骤变的社会时局孕育了大量政治和军事人才，此可谓“时势造英雄”。湖南习武之风长盛，近代军政人才崛起的另外一个重要原因是传统习俗所然，“近代的湖南人，是经历元末明初、明末清初两次大移民，在族源和血缘方面同清代以前湖南居民基本上没有联系的新居民。全省人口素质实现了更新，带来了移民所具有的开拓精神和进取心；又因与苗、瑶、侗、土家族等族联姻，吸收了这些少数民族强韧、犷悍和刻苦的习性，从而在湖南渐次形成了一种有别于他省的朴实勤奋、劲直勇悍、好胜尚气、不信邪，甚至流于偏狭任性的乡俗民气”[②]。湘军集团的出现就是最佳的佐证。据朱孔彰《中兴将帅别传》所载：“除洋将外，凡一百二十一人。而湖南占八十七人，约十分之七强。”[③] 这种习武从军之风在新民主主义革命期间更加强烈，湖南成为了红色革命大省，一批批湘人为了中华民族的

① 沈其新. 文化大轮回——湖南文化大发展的序幕［J］. 湖南社会科学，1989（1）.

② 林增平. 近代湖湘文化试探［M］//湖南师范大学文史研究所. 麓山论史萃编. 长沙：湖南人民出版社，1988：15.

③ 萧一山. 清代通史：第3册［M］. 上海：华东师范大学出版社，2006：572.

复兴抛头颅洒热血在所不惜。1955 年中国人民解放军第一批授衔的十大元帅中，湖南有 3 位，10 名大将中，湖南有 6 位，57 名上将中，湖南有 19 位，其他各级职位中的湖南人更是数不胜数。第三个促使人才发展不均匀的因素是传统经济基础和社会风气，传统湖湘文化是以小农经济为基础的典型农耕文化，其商业贸易和工业经济一直欠发达，再加之传统湖湘文化中“重农抑商”“重利轻义”的儒学观念和风气根深蒂固，致使湖南缺乏发展经济和培育技术人才所需的环境及氛围，导致湖南的人才发展类型极不平衡。

除了上述所提及的传统湖湘文化中的两个主要缺点对湖湘文化近代转型产生不良的后果外，实际上湖湘文化在长期的发展过程中还有很多的缺陷和不足对近代社会发展也产生了或大或小的阻碍作用，诸如湘人一直自诩的经世致用理念，过于强调实践经验的作用，缺少理性思辨色彩，也忽略了理论建构能力的培养，导致湖湘文化在近代转型过程中缺乏系统的理论指导和方向指引，呈现出了松散、无序的状态。有些湘人甚至还将经世致用理念演变成为了一种急功近利、急于求成的观念，迫切期望在短时间里完成社会转型，实现政治目的和诉求，王闿运及其弟子杨度所推崇的所谓“帝王之学”就是经世思想极端发展的表现。还有湖南是一个少数民族杂居的地区，各民族人民共同努力创造了悠久灿烂的湖湘文化，但很多少数民族居住在偏远的山区，交通闭塞、经济落后、文明开发程度也较低，甚至有些风俗习惯、迷信思想还阻塞了先进文化和先进技术的传入，让湖南拘囿于传统而无法自拔，丧失了许多与世界接触的机会。再有湖湘文化里倡导的勇于任事，不肯服输的霸蛮精神和拼搏精神，在湖南人的性格中占有极其重要的比例。这种精神培养了近代湘人济世匡民的强烈使命感和勇往直前的激烈气概，使湖南在近代涌现的革命志士、杰出才俊都居各省之首。但这种精神也造成了湖南人冲动、急躁的个性和虚骄之气，由此交往能力和协作能力明显就会大打折扣。

湖湘文化在近代转型的过程中受到的不良影响除了传统湖湘文化的缺陷导致之外，西方文化的冲击和排挤也对湖湘文化的近代转型产生了诸多的不良后果。

总体上看西方文明对湖湘文化的不良影响主要体现在暴力掠夺和文化霸权主义上，列强利用与清政府签订的各种不平等条约，逼迫湖南走上开放之路，成为其经济掠夺的对象。为了达到长期占领和掠夺湖南的目的，列强认为有必要进行文化渗透和扩张，只有改变了湖南人的思想信念、意识形态以及生活方式，让湖南在文化上与西方产生认同意识，确立了西方文明在湖南的“文化领导权”地位，才可以让湖南彻底地成为西方资本主义控制的附庸。在促使西方文明在湖南实现道德和文化的领导权方面，基督教传教士充当了先锋作用，走在了最前列。实事求是地说，传教士在中西文化交流过程中一定程度上起到了桥梁沟通作用，他们把西方的自然科学、社会科学等先进的知识传入中国，而且在中国创办教会学校、医院等机构，积极参与改革社会陋俗的活动，这些都有力地促进了国人社会思想观念的转变，也对中国社会变革和政治运动的发展起到了一定的推动作用。传教士们看起来对近代中国社会的发展充满了关心和帮助，不过这些所谓的“善良传教士”并非是什么救世主，他们真正的面目乃是殖民者的同伙。在八国联军侵华战争中传教士配合士兵们对中国进行了无耻的烧杀抢掠，严重损害了中国人民的利益。1900 年 12 月 14 日，法国的《北方醒报》登载了一个参与了八国联军侵华战争的回国士兵的陈述说：“从北堂我们开向皇宫，修士们跟着我们去……他们怂恿我们屠杀、抢劫……我们奉命在城中为所欲为三天，爱杀就杀，爱拿就拿，实际上抢了八天。教士们做我们的向导。”另有传教士李佳白还对这种强盗行径进行辩解，称“抢劫是战争的战利品”“抢劫是一种高级伦理学”。即便是对中国有特殊感情的传教士丁韪良在义和团兴起以后也曾提议说：“让基督教列强把这个异教帝国瓜分了吧！这可供中国有一个新秩序的世界。”① 无论是积极的还是负面的作用，总之基督教文明对近代中国的影响是不可低估的，对近代湖湘文化的发展影响也不小。

基督教带给湖湘文化的影响明显的是负面效果要大一些。基督教是一种不同于中国传统文化的异质文化，在其传播过程中不可避免地要同湖湘文化发生猛烈的碰撞和冲击。它在近代传播的过程中往往借助近代工业文明的成果和科学技术知识为手段，诱导湘人信教。随着基督教在湖南的广泛传播，湖湘文化的地域特色和主体性地位也就遭遇了巨大的冲击和挑战。长期以来湖南民众的信仰和价值体系都是建立在以宋明理学为核心的湖湘文化基础之上的，湖湘文化对湖南民众承担了社会教化和社会整合的功能。基督教进入湖南以后，对湖南的社会关系和民众的生活产生了很大的冲击，除了改变湖南民众的宗教信仰、价值观念外，最直接的影响是传教士以及教民与当地民众和地方政府之间的摩擦和冲突越来越多、越演越烈，湖南成为了全国教案事件频发的省份之一。湖南地区频繁出现的反洋教运动不能简单地看作是湖南人排外情绪的发泄，传教士们在教案发生地区胡作非为，欺凌百姓甚至挑战地方政府的权威，当地政府和民众碍于传教士的身份，惧怕引起外交冲突，引起事态严重化，故而常常对传教士的行为采取隐忍和妥协的态度，退让做法让传教士得寸进尺，愈加猖獗，不断挑战湖南民众的承受底线。例如教会强制性要求教徒按照西式仪式举行婚礼，不准祭拜祖先，只能信仰耶稣不能供奉和信仰其他的神灵。教会为了修建教堂随意抢占当地民众的房产、土地，恶劣的甚至捣毁当地民众的祠堂、祖坟。这些做法与湖南人的传统生活和湖湘文化意识形态完全迥异，势必对湖湘文化在近代的发展造成冲突和不良后果。以周汉反洋教为例，作为具有文化知识的湖南士绅，周汉肯定比普通湖南民众更

① 基督教爱国主义教程（试用本）[M]. 北京：宗教文化出版社，2006：94.

敏锐地察觉到基督文化对中国传统文化的冲击和破坏，因此对于基督教在湖南的传播他极度地厌恶和仇恨，想尽一切办法抵制和排斥基督教在湖南的传播，在一定层面上说，这也是一种消极的文化自卫方式。

另外近代呈现在湖南人面前的西方文明主要是工业文明为主，在工业革命创造的巨大财富面前，湘人普遍感受到了科技的实惠和力量，人们开始对西方科技推崇备至。这种趋势导致了湖湘文化在近代转型的过程中科学知识和人文知识的分离趋势不断加强，自然科学逐渐占据人们思维的中心，人文科学领域则逐渐被冷落，许多的传统手工行业、传统习俗和传统文化逐渐淡出人们的视线，大有濒临消失的危机。单方面地追求科学技术，导致了科学精神和人文精神的分离，也导致了人的内在精神世界的单向度发展。这与湖湘文化乃至中华文化强调修齐治平和仁是终极追求是截然不同的，百余年来，在西方文明咄咄逼人的态势之下，西方文明对湖湘文化的影响是巨大的，有些方面甚至是颠覆性的。大量的西方学说、社会思潮和科学技术成果不断涌入湖南，令人眼花缭乱、应接不暇，许多东西根本来不及进行深入的探讨和研究就囫囵吞枣地咽下去了，这样产生的直接后果就是消化不良，湖湘文化的近代转型过程必然要经历混乱、迷惘和挣扎。

总而言之，湖湘文化是扎根于湖南大地上的区域性文化体系，它“生于斯，长于斯”，在近代湖湘文化发展、转型的过程里，它不断适应社会发展变化的步伐，朝着近代文化的发展方向前进，但同时在发展的过程中它又要不断克服传统习俗、固有陋习和外来文化尤其是西方文化造成的阻碍和不良影响。

第七章

近代湖湘文化研究中的若干理论问题（下）

近代湖湘文化研究不仅要从理论上弄清其内在关系问题，找出其发展变化的内在规律性，还要从理论上弄清与外在文化的关系，尤其要把湖湘文化放置于近代中国文化和世界文化的大背景下去考察，研究二者之间的互动关系，找出其文化的个性与共性问题，探讨湖湘文化与其他地域文化的异同和相互关系，从多维视角去正确评价湖湘文化的历史地位。

第四节　近代湖湘文化与近代中国文化

近代湖湘文化是多样性中国文化的一朵奇葩，但是万流归宗，它与中国文化总是随着时代发展的脉搏而跳动，同呼吸，共命运。并在争奇斗艳的中国文化百花园中，竞显风流，释放光彩。他们相互影响，相互促进，构建成一种互生共存的交融关系，推动着中国传统文化向近代的转型。

近代湖湘文化与近代中国文化血脉相同，相依相存，在艰难困苦和外在压力下蜕变与新生，他们之间是一种个体与群体的文化互动。湖湘文化更多的是体现出近代中国文化的特殊性，展现出的是与地域、民性特征相结合的独特文化魅力。近代中国文化更多的是体现出中国文化的普遍性，但又包容中国文化的多样性，是共性和个性的有机统一。他们之间没有天然的文化区别。如果把近代中国文化比为一棵大树，那么湖湘文化就是长在其上的树枝，而且是其中最有活力，最光彩夺目，最富有魅力的那一枝。他们之间的文化影响和互动关系主要可以从以下几个方面得到体现：

一、程朱理学的伦理文化交相共鸣

程朱理学是指中国宋朝以后由程颢、程颐、朱熹等人发展出来的儒家流派，是中国古代最为精致、最为完备的理论体系。其根本特点就是将儒家的社会、民族及伦理道德和个人生命信仰理念，构成更加完整的概念化及系统化的哲学及信仰体系，并使其逻辑化、心性化、抽象化和真理化。这使得理学具有极强的自主意识，形成了理高于势、道统高于治统的政治理念，它的主要目的就是强调维护封建伦理道德的“三纲五常”，因此，为历代统治者所重视。清朝统治者虽然靠武力取得政权，但也深知文治功夫的重要。康熙皇帝不仅继续承认儒家文化的正统独尊地位，还亲自主持编写了《朱子大全》和《性理精义》，将程朱理学定为官学。科举必考，谁想做官就得学它，也是各级学校必教内容，谁想读书，就得学习儒家的君臣之义、人伦之道。康熙不仅是整个清代，而且是中国历史上唯一一个对儒学怀着真诚敬意的帝王。[①] 程朱理学既然被清朝定为国学，是科举必考内容，自然所有的读书人都必然以此为业，自小就需要在八股中讨生活，以求获取功名，光宗耀祖，理学在传统文化中的地位就可想而知了。湖湘文化作为中国文化的其中一员，不能不深深打上程朱理学的文化烙印。以陶澍、贺长龄、贺熙龄、魏源为代表的嘉道理学经世主变派群体，都具有深厚的理学功底。陶澍不仅继承了湖湘文化理学经世的传统，而且与湖湘先贤相比，其理学经世思想更为丰富。他以程朱为宗，但不排斥其他学问合理的一面，他肯定汉学求实求真的精神，承认辞章之学在传播义理上的价值，对各门各派的有益成分也予以吸收。另外，他抛弃理学空谈心性、天理的一面，充分阐扬理学的经世精神，主张学习一切有利于治学的学问。贺长龄则是带着务实姿态接受理学的，所以他谈理学往往很技术化。如人称其“平生笃宗理学，以导养身性为主”，就是把理学落实在身性的养成之上。用今天的话说，就是把理学融会在血液中，形成意识本能和思维模式。魏源在 1814—1816 年滞留京师三年期间，就曾拜理学大师姚学塽学习宋儒之学，并将自己

① 沈戎. 儒生另类史［M］. 天津：天津人民出版社，2005：175.

所著《大学》一书请姚加以指正，姚认为治《大学》古本，“惟在致力于知本，勿事空言而已”。所谓“知本”，就是以“心性”为本；“勿事空言”就是将“心性”修养与经世致用结合起来，建立起经世事功。魏源于此深受启发[①]，从而致力于经世致用的学问。

以曾国藩为首的湘军集团更是程朱理学的倾心崇拜者，曾国藩自称“一宗宋儒”，视“义理”之学为文化之本。罗泽南更是一个“所著皆言性理书，忧道不忧贫”[②]，热衷于程朱理学，思想保守，忠于封建礼教的卫道士。他在投笔从戎之前，一直以教书为业，“与其徒讲论宋儒濂洛关闽之绪，瘏口焦思，畅衍厥旨”[③]。王鑫师从罗泽南，也把“克己修身”放在首位，他极力抨击读书人破坏“义理”的行为。他痛心疾首地言道：“夫士习之不端，至今日极矣。以博弈酒食相征逐，以鄙俗戏谑为契合，见有一二端方之士，避之如蛇蝎，疾之如仇敌，群相诋毁而排挤之。偶有朋辈聚首时取时艺试帖相与讲习者，已足为一乡之善士，一国之善士矣。渺不知伦常纲纪为何物，仁义忠信为何事，沉迷不返，莫知所底，嗟乎！古之时，幸有读书人，以维持世教者大可恃也，今之时，不幸而有读书人，以为败坏风俗者此其尤也。兴言及此，可胜浩叹。”[④] 湘军理学经世群体，虽然大多出身寒微，没有显赫的政治背景，但是他们都醉心于程朱理学，以正统的儒学思想培养自己“护圣卫道”的文化品格。他们强调“义理”之学，实际上就是要求人们要重道义、守伦常、维纲纪。按照三纲五常来约束自己的行为。他们之所以投笔从戎，镇压太平天国起义，主要是愤于太平天国毁孔灭圣，对封建伦理道德文化的冲击，他们所打的旗号主要是护圣卫道，把太平天国的反满反清说成是离经叛道，灭绝人伦，把太平天国所宣

---

① 陈代湘. 湖湘学案（二）［M］. 长沙：湖南人民出版社，2013：850.
② 朱孔彰. 中兴将帅别传［M］. 长沙：岳麓书社，1989：76.
③ 钱基博. 近百年湖南学风［M］. 北京：中国人民大学出版社，2004：19.
④ 江忠源，王鑫. 江忠源集 王鑫集［M］. 长沙：岳麓书社，2013：1038.

称的上帝是世间万物的独一真神说成是“无父无君”的异端文化。曾国藩集团以封建伦理道德文化的守护神自居，动员一切社会力量参与到理学对西教的战争之中，用文化的分歧掩盖公平和正义，种族和阶级，从而使一切对传统文化怀有深深敬意的知识分子聚合到他的旗帜之下，并将纲常名教、道德伦理教育贯彻到治军理政的实践之中，化为湘军的自觉行动。湘军正是凭借着这种强大的精神力量，百战不挠，打败了太平军，最终完成了尊王卫道的历史使命。正如张昭军所言：“湘军集团是在镇压太平天国起义过程中所形成的以曾国藩为首的军政集团，但这一集团又不限于军政方面，还是一个与程朱理学关系密切的文化集团。从理学史的角度看，湘军集团的兴起、成员组成、指导思想、战略战术等均离不开程朱理学，湘军集团是咸同时期最为活跃，也是最有影响力的理学经世派。从某种程度上说，程朱理学是湘军集团的思想灵魂，二者相互依存。”①

湘军集团镇压太平天国的成功，使清政府更加看到了程朱理学的价值，为了恢复旧的统治秩序，重树封建皇权的权威，重建三纲五常的等级秩序，清政府十分褒奖湘军忠孝节义的行为。曾国藩的湘军集团更是不遗余力，通过刊刻《船山遗书》，为湘军阵亡将士大修祠庙、重建书院、大修地方志等各种文化活动，宣传尊礼重道思想和忠孝节义行为，使湖南成了中国文化的理学标兵，长期在“忠义之邦”的形象中顾影自怜，也成了抵拒外来文化的“铁门之城”，因此，当洋务运动在全国蓬勃开展的时候，湖南绅士顽固地反对引进一切外来的新生事物，立志引进西方先进文化的驻外公使郭嵩焘、曾纪泽也被他们视为桑梓败类，汉奸贰臣。即使在甲午惨败的强烈刺激下，湖南一跃而为全国最富朝气的省份，成为了维新变法的时代标兵。但是，程朱理学文化仍在湖南资深望著的绅士身

① 张昭军．程朱理学与湘军集团［M］//王继平，李大剑．曾国藩与近代中国．长沙：岳麓书社，2007：177.

上一再地反映出来。王先谦、叶德辉、黄自元、张祖同等湖南绅士虽在前期积极支持过湖南的维新变法，甚至成了湖南实业建设的排头兵，然而，长期的程朱理学的文化浸洗与皇权政治相互依存的命运共同体，使他们的趋新都有一个共同的底线，底线上的东西都好商量，而触及底线，那是他们万万不能允许的，他们会不顾一切地奋起反抗。他们赞同学习西方的技艺，也允许对某些政教制度实行适度的改革，但是，如果改革牵涉到他们心目中最神圣的君主制度、中国传统的孔教和封建道统，那是他们绝对不能容忍的，这是他们的根，是不可能越雷池半步的。他们反对维新派的民权、平等学说，是因为他们超越了保守派设定的改革底线。邵阳士绅召开会议，驱逐维新党人樊锥；宾凤阳等八人上书时务学堂的创办人王先谦，要求他立即辞退梁启超等维新派人士；《湘省公呈》要求"屏退主张异学之人，俾生徒不为邪说诱惑"；《湘省学约》则约定"正心术、尊圣教、辟异端"等七条条约；等等，都是因为维新派的变法主张触及了保守派最敏感的神经，越过了他们所能容忍的心理底线而作出的极端反应。而当时，信守程朱理学在湖南仍是较为普遍现象。皮锡瑞日记中有关湘省绅民愚昧不学、智慧难开的记载也有不少。如1897年底，他由湘潭乘船回长沙，同船有30多人，"'此辈议论绝可笑，有谓电灯、电报，洋人将以此烧省城者'；他几次赴席，座中士绅多为举人、廪贡出身，或系归田官吏，然而谈及维新变法，多不赞同，因此感慨地写道：'守旧维新，议论不一，予是以知湘中风气尚未开也。'"① 由此可见，当时的湖南总体风气并未完全趋新，湖南的维新运动迅猛发展仍是少数精英人物的大力推动和湖南地方高官支持的结果。因此，湖南的维新运动起也迅速，败也迅速，也就不难理解了。

辛亥革命虽然推翻了封建帝制，建立了资产阶级民主共和国，

① 吴仰湘. 通经致用一代师——皮锡瑞生平和思想研究［M］. 长沙：岳麓书社，2002：147.

但是，传统文化的影响并不会随政权的更替而马上消失。程朱理学虽然失去了市场，民主共和成了主流文化意识，但由于袁世凯篡夺了辛亥革命的胜利果实，表面上他披着民主共和的外衣，口里喊着民主共和的口号，但骨子里却透着封建专制文化的臭气。特别是在帝制自为时，他公然宣称定孔教为国教，举行大规模的祭天祭孔活动，使程朱理学文化得以死灰复燃。为了配合袁世凯的复辟帝制活动，湖南人杨度、李燮和、胡瑛等六人在京城组织了筹安会，作为帝制复辟的文化上的吹鼓手。在地方，王先谦、叶德辉、曾廉、王闿运等守旧绅士遥相呼应，在湖南大肆鼓吹和提倡尊孔读经，进行尊孔复古的文化活动。他们上书袁世凯，反对学校取消读经课程，要求小学读《论语》《孝经》《大学》《孟子》，中学生必读《尚书》《左传》，认为倡明经学，即在此一举，请求袁世凯大力提倡，以树人伦之楷模。为了配合学校读经的需要，湖南省教育会还印行了叶德辉编写的《经学通诂》作为教科书，该书“不言微言，而言大义”，顽固维护君君臣臣父父子子等封建伦理纲常，极力推崇程朱理学，反对今文经学，认为它是导致“经学晦盲而清社亦因之而亡”的罪魁祸首。叶德辉的弟子刘肇隅等于1915年，在长沙发起成立了湖南省经学会，宣言要对“有动违礼则及臆造新说、淆乱经义者，公同纠察”，足见它的唯一宗旨就是以封建的旧文化意识来对抗新文化思潮。该会定期讲学，由叶德辉任主讲，讲论尊经复古一类内容。意识形态领域里的保守与政治态度上的反动是紧密联系在一起的，以王先谦、叶德辉为代表的湖南保守势力为实现尊孔读经、恢复封建伦理纲常和封建统治秩序，对袁世凯的称帝予以大力支持。1915年8月，湖南成立筹安会分会，由叶德辉任会长，左学谦、杨树谷等一批前立宪派绅士均为会员。10月26日，湖南“国民代表大会”在长沙进行国体投票，一致赞成君主政体。而后一个月内，湖南各界上表拥袁称帝的竟达百余起，成为全国拥袁称帝较为坚决的省份。这充分反映出辛亥革命后长沙及湖南守旧意识的浓烈。湖南的祀孔活动也十分突出。民国政府废孔废祀后，湖南各界的顽固守旧人士并没有放弃对孔子的顶礼膜拜，每年春秋二季都举行祀孔典礼。袁世凯发布尊孔令后，尊孔祀孔愈演愈烈并公开化和合法化，1919 年 10 月孔子诞辰时，从省至各县，各级行政官员均亲自去孔庙祭祀。从此以后，湖南的尊孔祀孔活动一直就没有中断过。与尊孔复古文化相唱和的还有民初湖南的一批以保存国粹，弘扬国学为己任的旧知识分子和他们创办的夫之学社。1914 年，担任过湖南都督府民政司长的刘人熙认为王夫之学说是“救世之良方”，在他的倡议下，一部分传统知识分子呈请在思贤讲舍的原址上创办了船山学社，编辑了《船山学报》，其目的是想通过这些活动来弘扬传统国学，并依凭它改良社会。在他们看来，孔子学说，是中国数千年道德精神的主体，在新的历史时代颂扬它会起到“温故而知新”的效果，从而抑制人欲横流，道德沦丧的不良社会风气。因而他们极力地赞美孔子学说，称其“集群圣之大成，为生民所未有”；“大义微言，挹之无尽”；认为要改善社会道德“不必专贩异说以求新，在温故而知新则日新之盛德在是矣”①。他们在船山学社的演讲和《船山学报》所刊登的文章中，绝大一部分都是以阐发、颂扬旧道德伦理为主旨的。如 1915 年 7 月的一次船山学社的聚讲中，一位演讲人士为“三纲”一一加以辩护。认为君权太重固为暴政，但如君上无权，那么人自为政，又怎能图治？所以君纲不能废。父虐子、夫虐妻固为野蛮，但不孝也是莫大的罪恶，所以父纲也不能废。至于阴盛阳衰，牝鸡司晨，更是衰世之象，所以夫权更不能废。演说者甚至主张当时普遍兴办的女学应对女生训以“三从四德”，培养她们为良妇贤母，与当时新文化运动倡导者彻底否定旧伦理道德，重铸新国民道德相比，一部分船山学社人士的思想观念显得保守与陈腐。保守的道德观必然引出错误的政治观，对

① 船山学社讲演集第一：开讲［M］//湖南船山学社. 船山学报：（一）. 长沙：湖南师范大学出版社，2008：55.

旧孔学的无限推崇，对旧道德的无限赞美，使他们对北洋政府尊孔复古的逆流大唱赞歌。学社社员对袁世凯的祀孔祭天之举大加赞美，再三强调“尊孔诚是也”。而对资产阶级革命派的反袁行动表示不满，指责他们发动“二次革命”是制造社会动乱，目的是争当总统。刘人熙在发挥王夫之义利之辩时曾这样说：“以义而开民国，武昌振臂一呼，天下响应，五族共和，渐积之势然也；以利而争总统，南昌首难，喋血长江，未六旬而逋逃洋外，义之必利而利非可以利者，非事理之显然乎？”[①] 称孙中山、黄兴等人为共和民主而战为争利，显然是一种错误的看法。由此可见，程朱理学在湖南影响之深厚，这也不难理解，近代湖南为什么是一个保守和激进都很典型的省份。

近代中国程朱理学文化虽经新文化运动和五四运动以及大革命运动的洗礼，受到了沉重的打击，民主和科学文化获得了大力的张扬。但是，程朱理学的文化幽灵仍旧游荡在近代中国文化的天空，时常寻找着借尸还魂的机会。20 世纪 30 年代，蒋介石为了推行专制独裁统治的需要，公开倡导尊孔读经活动，大力宣扬以“忠孝为根本”的“四维八德”，即“礼、义、廉、耻”和“忠、孝、仁、爱、信、义、和、平”，为他的“一个主义、一个政党、一个领袖”的独裁统治制造理论依据。1934 年 9 月，蒋介石还亲自在庐山军官训练团上主持讲经，要求在对士兵的日常训练教育中，“先从其内在的良知良能和固有的德性与日常生活着手，使他能发扬天性，认识真理（天理），实践四维，遵守八德”，“使其知道明德、亲民为成功立业的基础”，懂得“尊卑上下的秩序，做军人的义务，明了其对于国家和个人的责任”。[②] 很明显，他是想通过尊孔读经，

---

① 尚书引义卷二［M］// 湖南船山学社. 船山学报：（二）. 长沙：湖南师范大学出版社，2008：871.

② 总统蒋公思想言论总集：第 6 卷［M］. 台北：台湾中国国民党中央委员会党史委员会印.［时间不详］. 13.

给官兵灌输传统的忠孝节义观念，为他的集权统治服务。蒋介石的尊孔读经活动获得了广东、河北、湖南等省军阀的响应，湖南在其中表现得最为积极和突出。湖南省主席何键将湖南的尊孔读经活动推向了高潮。湖南省政府将“崇祀孔圣”列为湖南省政府二十三年度行政计划中，并且还成立了祀孔专门机构，通过采用古乐、广发宣传品、举行祀孔预演和盛大的祀孔典礼，使湖南的尊孔祀孔活动甚嚣尘上，漫延全省。与此同时，何键还在全省大力推行读经活动，利用船山学社、湖南国学馆、孔道学校等场所，大力开展尊孔读经活动。一些深受湖湘文化程朱理学思想熏陶的守旧知识分子纷纷聚集在他的旗帜之下，比较著名的代表人物有罗达存、彭清黎、任福黎、曾觉叟、赵启林、石一参、胡子清、黄巩等人，他们为何键的尊孔读经摇旗呐喊、推波助澜。虽然读经并不是湖南特有或仅有的现象，在全国其他各省市，读经都不同程度地存在着，但20世纪30年代中期出现在湖南的读经，与其他各省相比，有其独有的特点。这不仅表现在出现了一批狂热鼓吹和推动读经开展的守旧人士，创办了一些推动读经的机构，而且表现在的确开展了一些读经活动，特别是读经的倡导者和推动者何键以省政府主席的身份和面貌出现，这就使得湖南的读经一开始就呈现出全省动员、全省推广之势。何键甚至还向国民党五届三中全会提出读经提案，结果遭到胡適、傅斯年、陈公博、马真荣等人的批判和反对。毕竟尊孔读经违背历史发展的潮流，不符合民主、自由精神，因此，遭到了社会的广泛声讨，加之抗战爆发，抗战救国成了大势所趋，尊孔读经不合时宜，自然遭到了人民的抛弃。

何键与蒋介石倡导的尊孔读经都有自己的政治目的。20世纪30年代，各种思想观念盛行于中国，冲突不断。西方资产阶级价值观念、孙中山三民主义思想体系和价值观念、共产主义思想体系和价值观念、封建主义思想体系和价值观念在中国冲突剧烈，整个社会处于一种价值失范的危机之中，不利于他们的独裁统治。他们试图重构已经失范的价值体系。但在价值体系重构的内容选择上，他们既没有选择西方资产阶级的价值观念，也没有选择孙中山的三民主义，而是选择了以儒家思想为核心的封建主义思想体系，这就开了历史的倒车，逆历史潮流而动，不仅不能重构已经失范的价值体系，反而使人民的思想更加混乱，更加无所适从，因而，不得人心，只能以失败而告终。何键与蒋介石的尊孔读经活动一脉相承，既互相影响，又互相补充，何键的尊孔读经甚至特色更加鲜明，表现更为突出。“蒋介石倡导的读经和庐山讲经，无异是昭示国人尊孔读经的宣言书，它不仅为当时极力主张尊孔读经者提供了理论依据，而且为他们提倡尊孔读经提供了借口和范例。何键在湖南倡导和推行的读经，就是响应了蒋介石的号召，受蒋介石的影响，他在省内所做的讲演，无论从形式还是内容来看，也是效法了蒋介石的做法。从形式来看，何键与蒋介石一样都亲自登台讲经，如果说，蒋介石是民国历史上第一个登台讲经的政府最高领导人，那么，完全可以说，何键则是民国以来登台讲经的地方政府中的最高领导人。从内容来看，讲经的内容二者都没有超出四书五经的范围，不同的是，蒋介石特别注重《大学》《中庸》，而何键则比较重视孔子的大同学说，但在 1936 年以后，何键也开始注重讲解《大学》《中庸》，表现出与蒋介石的一致性。”① 但是，在尊孔读经的形式和内容的广泛性方面，何键又有过之而无不及，表现出更鲜明的特色和动员性。由此可见，传统文化对近代中国文化与湖湘文化的影响都是根深蒂固的，文化的影响具有内在的互动性。

二、中西文化的会通融合相辅相成

近代湖湘文化与近代中国文化都面临着西方资本主义文化的强势侵袭。这种侵袭是伴随着西方的炮舰政策而步步深入的。面对着

---

① 罗玉明. 湖湘文化与湖南的尊孔读经（1927—1937）［M］. 长沙：湖南人民出版社，2004：114—115.

外来异质文化的步步紧逼，中国传统文化表现出了顽强的抵拒，从无可奈何的被动接受，有所保留的主动吸取，到以中国本位文化为根本的会通融合的痛苦历程。正如《中华文化史》一书所言："西方文化以野蛮的方式为自己开辟出征服世界的通道。当它用最不公平的条约绳索将中华民族裹挟进资本主义的世界秩序之中时，同时也就使得中华文化全方位地置身于一个崭新的文化参照系中。中华文化遭遇到前所未有的挑战。正是在与异质文化——西方资本主义文化的灵与肉、笔与剑的全面碰撞的炼狱之中，中华文化扬弃、蜕变并赢得新生。"① 近代中国文化由此开始了由传统文化向现代文化的艰难转型。作为中国文化有机组成部分的优秀地域文化——湖湘文化，也不得不跟着时代发展的节拍而一起转动，承受着西方文化的深层影响，在文化的冲突和融合中，艰难地蜕变，并贡献自己的智慧，走向文化的辉煌。

中国文化迈出向近代化转折的第一步，是非常艰难和痛苦的。鸦片战争以前，中国人一直以文明之邦为自豪，以源远流长的中华文化为骄傲。以雄视天下的文化心态，不屑于与"蛮夷之邦"的外来文化进行任何平等的交往。"直到鸦片战争前夕，朝野上下、官场士林，都还是如魏源所说，'徒知侈张中华，未睹寰瀛之大'，根本没有觉察到有和西方国家打交道的需要，因此也根本没有觉察到有去了解他们的必要。公众舆论几乎无例外地把同外国文化的接触，看成离经叛道的左道旁门，乃至看成是里通外国的内奸行为。"② 当时中国的士大夫们根本没有意识到经过文艺复兴和工业革命洗礼的西方文化已远远领先于世界的文化潮流，其思想观念和精神实质已远远超过了中国的传统文化。正是这种文化和观念上的差异，拉大了中国与西方资本主义国家的差距，西方迅速走上了资本主义工业化的发展道路，而中国仍旧在封建社会的泥坑中挣扎，

① 冯天瑜，何晓明，周积明. 中华文化史［M］. 上海：上海人民出版社，1996：914.
② 丁伟志，陈崧. 中西体用之间［M］. 北京：中国社会科学出版社，1995：19.

从而导致了鸦片战争的严重后果。正如马克思所言："英国用大炮强迫中国输入名叫鸦片的麻醉剂。满族王朝的声威一遇到英国的枪炮就扫地以尽，天朝帝国万世长存的迷信破了产，野蛮的、闭关自守的、与文明世界隔绝的状态被打破，开始同外界发生联系。"①因此，鸦片战争"既是一场政治上的遭遇战，同时又是一场文化上的遭遇战。于是，有关如何对待新来的西方文化问题，以及由此而俱来的如何对待本国的固有文化、如何对待中西文化的关系的问题，自此成为寻求救国方案的仁人志士们所无从回避而且必须解决的重大时代课题。中国文化二百年来的封闭状态终结了，以大规模的中西文化交流、冲突与选择为重要特色的中国文化新时期开始了"②。

中西文化的会通融合是从洞悉"夷情"开始。在洞悉夷情方面，林则徐、魏源、梁廷枏、姚莹、徐继畬是中国文化的先觉者。鸦片战争使他们看到了中西之间的差距，在巨大的痛苦之中，他们不得不睁眼去看域外的世界，了解长期被中国人视为"蛮夷"之邦的西方到底有何神奇之处，能将"天朝上国"打败。"就鸦片战后的形势而言，文化观念上的冲突固然刚刚开始，开放的观念还在为合法存在而挣扎，但是大势所迫，朝野间无论主战派还是主和派，只要是在实际处理国事的，多数人都不得不承认有'洞悉夷情'的现实需要。这支认识西方资本主义世界的奏鸣曲，正是在这种迫不得已的尴尬局面中奏响序章的。"③ 不过由于眼界所限，加之长期与西方世界的隔绝，这些先觉者对西方文化的了解尚处在比较肤浅的阶段。只有湖南人魏源由于长期在江浙一带做地方督抚的幕僚，亲身经历过鸦片战争，亲自询问过被俘的英军，加之林则徐从香港、澳门等大量报刊上所搜集的资料都统统转交于他，使他对夷情

① 马克思恩格斯全集：第1卷［M］. 2版. 北京：人民出版社，2004：691.
② 丁伟志，陈崧. 中西体用之间［M］. 北京：中国社会科学出版社，1995：9.
③ 同①25.

的洞悉高于同时代的人。他看到了夷人的长技有三，即战舰，火器，养兵、练兵之法。他第一次提出了“师夷长技以制夷”的文化思想。他的这一超前文化观念，可称得上是湖湘文化对中国文化的一个重大贡献。“在当时国内舆论界还相当普遍地把外国军事技术鄙视为夷狄的‘奇技淫巧’，为‘上国’‘圣道’所不齿，而严加排拒的氛围中，‘师夷长技’之说的提出，在中国近代文化形成史上是划时代的第一枪，是具有行为标准意义的开放的文化观念的初创，是中国传统文化向近代化过渡的首次思想大解放，是中国近代文化思想的最早形态。魏源在反驳‘奇技淫巧’的攻讦，为‘师长’说进行辩护的论证中，不仅表现出理直气壮勇敢反对固陋习见的思想解放精神，而且也表达了从‘师夷长技’一事为发端而图谋致中国于富强的远见。”①

魏源“师夷”的先进文化思想，直到曾国藩、左宗棠、李鸿章等人镇压太平天国起义以后，才引起共鸣，获得重视。曾国藩、左宗棠等人为了镇压农民起义和抵御外侮的需要，第一次将这一先进文化思想引入实践之中。1861 年，曾国藩首先在安庆设立了安庆内军械所，1865 年又与李鸿章合作建立了江南机器制造局，1866 年，左宗棠又在福州建立了福州船政局。自此，“师夷长技以制夷”的先进文化观念才在中国正式落地，成为现实。在当时的文化会通融合中，采取的主要方式是“中体西用”的文化观，即早期维新思想家冯桂芬所言：“以中国伦常名教为原本，辅以诸国富强之术。”② 曾国藩将其概括为“中魂西术”，他在写给李鸿章的信中说：“以忠刚摄泰西之魄，而以精思窃制器之术，国耻足兴。”③ 这里的“忠刚”，就是曾国藩经常强调的忠义血性、刚毅勇敢等中国

① 丁伟志，陈崧．中体西用之间［M］．北京：中国社会科学出版社，1995：29-30.

② 冯桂芬．校邠庐抗议：采西学议［M］//采西学议——冯桂芬 马建忠集．郑大华，点校．沈阳：辽宁人民出版社，1994：84.

③ 曾国藩全集：书信［M］．长沙：岳麓书社，1987：3457.

传统文化中极其推崇的品格。从此“中体西用”就成了这一时期中西文化会通融合的主基调。湘人曾国藩、左宗棠在这一文化会通融合中功不可埋，他们首推的“师夷长技以制夷”的实践，拉开了中国近代化发展的序幕，这又是湖湘文化对中国文化的一大贡献。

中西文化融合的每一步在近代中国社会里都不可能是一帆风顺的，尽管洋务派谨小慎微，划定了“中体西用”的文化融合模式，但仍旧遭到了顽固守旧派的不少非议。“对于任何一个国家来说，引进任何外来文明成果，无论这种文明成果具有如何先进的性质，也只有在解决好它与本土情况的结合问题的前提下，方能显示出它所具有的先进效能。这里自然包含着文化传统和价值观念方面的种种矛盾和冲突，需要加以妥善解决。而对于中国这样一个有着长期独立发展历史的大国，尤其是有着卓越而悠久的传统文化的大国来说，这桩从西方引进文明成果的大举动，无疑更是要引起文化观念上的巨大震撼和猛烈冲突。在这里，人们面对着一个由几千年文明史结成的文化纽结，不解开它，就休想在中西文化交流的新潮中前进一步。”① 洋务派“中体西用”的文化模式，虽可以减少顽固守旧派反对改革的口实，但也自缚了他们的手脚，局限了他们改革的深度。他们没有意识到在一个腐败的专制制度下，仅靠器物文化的创新，而拒绝制度文化的变革，要达到富国强兵的目的那无异于天方夜谭，是根本不可能实现的事情。甲午一战，洋务运动破产就充分证明了这一点。最先意识到这一问题的是驻外公使的湖南人郭嵩焘和曾纪泽，他们不仅主张学习西方的器物文化，而且主张学习西方的制度文化，双管齐下，在经济和政治制度上全面向西方学习，吸其所长，补己所短，使中国走上民富国强的道路。他们的这一文化主张，后来为戊戌维新时期湖南的维新派谭嗣同、唐才常、熊希龄等人所吸收和实践。戊戌维新派在文化观念上，十分强调“中西

① 丁伟志，陈崧. 中西体用之间［M］. 北京：中国社会科学出版社，1995：139.

会通”，这不能不说是维新派“新学”的一大贡献。他们公然提出了“泯中西之界限，化新旧之门户”① 的口号，主张中西两学并重，表达了会通中西文化的设想，表明了维新派在文化问题上，不仅从观念上突破了“中体西用”的定式，而且在实践中也突破了“中体西用”的定式。康有为的《新学伪经考》《孔子改制考》就是其“会通中西”、创造“新学”的文化尝试。谭嗣同也和康、梁一样，说现今的西学正符合中国已失的“古道”，但他的议论更加尖锐，更具批判性。他公然宣称两千年来中国的政治与学术，完全是违背“圣人之道”的“大盗”与“乡愿”的弊法伪学；相反地，西法“博大精深”“周密微至”，恰恰正是中国已亡的那个“圣人之道”。于是他的结论就成了这样：学西法，不仅不是离经叛道，而是名副其实地复兴“圣人之道”。谭嗣同这种看来较为幼稚的粗糙的理论表述，却是更加痛快淋漓地直接抒发出维新派以西法西学为变法的实际指南的真情。② 湖南的激进维新派易鼐更提出了“一切制度悉从泰西”，樊锥也提出了“唯泰西是效”的文化观，这不仅远远超出了“中体西用”的文化观，甚至比“中西会通”的文化观还要激进，比较接近于“全盘西化”论。正如王尔敏所说：“全盘西化的大旨，在肯定西学绝对的优越性，认为西学无不善、无不美、无不有用、无不高明。因此主张充分效法，全盘接受。首先谭嗣同即主张变衣冠，变中国之人伦制度，变中国之学术。然至1898年，湖南维新人士，多主张全变、速变，其代表为樊锥和易鼐。他们以为中国固有制度、礼俗、法律、科举、学校应完全革除摒弃。进而改正朔，易服色，一切仿行西洋。樊锥有谓：‘一革从前，搜索无剩，唯泰西者是效。’易鼐有谓：‘一切制度，悉从泰西。’此种论调，实开1930年代‘全盘西化’论之先河。亦可见出

① 康有为. 奏请经济岁举归并正科并各省岁科试迅即改试策论折［M］//汤志钧. 康有为政论集：上册. 北京：中华书局，1981：295.
② 丁伟志，陈崧. 中西体用之间［M］. 北京：中国社会科学出版社，1995：221.

19 世纪中国受西洋文化冲击之深，与反应之剧烈。”① 湖南维新派不仅在“中西会通”的文化融合中超越了同时代人，而且在政治改革的文化实践中，也走在全国各省的前列，这是湖湘文化对中国文化的又一重大贡献。

中西文化之会通融合，这一本质上正确的理想，实现起来则是一项若干代人才有可能逐步完成的伟大工程。由于维新运动的失败，中西文化会通融合的实际效果并不十分明显。但是，中国近代文化前进的步伐并没有因此而停滞下来。进入 20 世纪初，资产阶级革命党人继续推动着中西文化的会通融合。革命党人大多留学海外，对中西文化的比较感受很深，为了挽救贫穷落后的祖国，他们“从西方文化中寻找思想武器，并对封建主义思想文化进行批判。他们也从西方文化中吸收了进化论和民权、自由、平等思想，不过在政治制度方面不同于维新人士，采取的是共和国方案，摒弃了君主立宪制。对于中国固有的文化，革命党人和维新人士都没有采取简单、盲目的否定态度，而是从文化传统中继承发扬了如自强不息、以天下为己任、爱国主义等优良遗产，批判纲常名教、迷信、恶俗陋习等封建性糟粕”②。尤其是 1915 年，陈独秀、李大钊、胡适、鲁迅等人掀起的新文化运动，举起了“民主”与“科学”的两面大旗，提倡科学、反对迷信，提倡民主、反对独裁，提倡白话文、反对文言文，极大地推动了人民的思想解放，进一步促进了中西文化的会通融合。“就五四及五四后的中国人对西学的认识而言，主要有以下几种主张：一是中体西用，华化、儒化西学，这可以文化保守主义者（如五四时期的‘东方文化派’、30 年代的‘本位文化派’以及现代新儒学）为代表；二是西化或全盘西化，胡适、陈序经等西化派或反传统主义者是这一主张的代表人物；三是拿来主

① 王尔敏. 中国近代思想史论［M］. 北京：社会科学文献出版社，2003：42—43.
② 龚书铎. 社会变革与文化趋向［M］. 北京：北京师范大学出版社，2006：90.

义，拿来之后，‘或使用，或存放，或毁灭’，主权在我，鲁迅是这一主张的提出者；四是洋为中用，区分西学中的精华与糟粕，前者引进，后者排斥，这是以毛泽东为代表的共产党人对待西方文化的态度。五四及五四后关于西学的论争，主要就是上述主张之间的论争。”“从五四之前尤其是19世纪末之前的要不要学习西学，变为五四及五四后的如何学习西学，这说明随着西学的不断传播，中国人对西学的认识也在与时俱进，有了长足的进步，西方文化开始成为中国近代文化的一部分。”① 在中西文化的会通融合之中，湘人在其中的作用不可低估，由于湖南的留学生在清末数量极多，居于全国领先地位，加之大部分人都接受过湖南维新运动的洗礼，深受民权、平等文化的影响，因此，他们成了留学生中宣传资产阶级革命文化的急先锋，他们创办的革命报刊不仅数量多，而且革命思想也最为激进。杨毓麟、陈天华成为了当时最为著名的革命宣传家，对专制主义文化的批判，对民主共和的宣传都做出了重大的贡献，还有黄兴、宋教仁、蔡锷、谭人凤、刘揆一、焦达峰等大批杰出的资产阶级革命家为建立资产阶级民主共和国冲锋陷阵，奋斗不息，为中华民国的建立付出了毕生的精力，为资产阶级民主共和文化在中国的落地立下了汗马功劳。尤其是毛泽东等湘籍无产阶级革命家为马克思主义先进文化在中国的传播做出了重大的贡献，马克思主义先进文化是通过李大钊等一批新文化运动的先驱而引入中国的，毛泽东、蔡和森等一大批湘籍无产阶级革命家很快接受了这种思想，并将它与中国革命的具体实践紧密地结合起来。毛泽东对中西文化的态度一直坚持“拾其精华，弃其糟粕”。他在《新民主主义论》一文中，论述了对待中西文化应采取的正确态度，批评了“全盘西化”和复古主义的错误主张。他认为，“中国应该大量吸收外国的先进文化，作为自己文化食粮的原料”，“但是一切外国的东

① 郑大华，彭平一. 社会结构变迁与近代文化转型［M］. 成都：四川出版集团、四川人民出版社，2008：606.

西，如同我们对于食物一样，必须经过自己的口腔咀嚼和胃肠运动，送进唾液胃液肠液，把它分解为精华和糟粕两部分，然后排泄其糟粕，吸收其精华，才能对我们的身体有益，决不能生吞活剥地毫无批判地吸收。所谓‘全盘西化’的主张，乃是一种错误的观点”。对于中国古代文化，也应当“剔除其封建性的糟粕，吸收其民主性的精华，是发展民族新文化提高民族自信心的必要条件；但是决不能无批判地兼收并蓄”①。这样，就正确解决了对待中国传统文化和西方文化的问题，对文化运动的正常发展具有重要意义。毛泽东和湘籍无产阶级革命家一再强调必须把马克思主义的先进文化与中国的民族特色紧密地结合起来，推进马克思主义的中国化，才能够使中西文化会通融合结出硕果。“外来文化不管多么好，只有和本国的民族特点相结合，才能在这块土壤上生根开花。毛泽东思想就是马克思列宁主义和中国的民族特点相结合，融会了中国文化传统的优良遗产，才指引中国革命取得了胜利。”② 这又是湖湘文化对近代中国文化做出的重大贡献。

三、救亡图存的爱国文化齐头并进

近代中国文化兴起和发展的历程与欧洲不同。欧洲是在 14 世纪后“以封建制度普遍解体和城市兴起为基础”发生了文艺复兴，它以理性、人文主义和科学击破了教会的精神独裁，掀起了“人类从来没有经历过的最伟大、进步的变革”③，为资产阶级文化的发展奠定了基础。然而中国并没有在封建社会末期产生这样一次运动，从而萌发出近代的文化，而是在中国逐步沦为半殖民地半封建社会的情况下，迫于西方炮舰政策和文化侵袭的双重压力，而开始近代文化的转型。因此，救亡图存成了中国近代文化的主旋律。两

① 毛泽东选集：第 2 卷［M］. 2 版. 北京：人民出版社，1991：707—708.
② 龚书铎. 社会变革与文化趋向［M］. 北京：北京师范大学出版社，2006：97.
③ 马克思恩格斯选集：第 3 卷［M］. 北京：人民出版社，1972：445.

次鸦片战争，打破了天朝上国尽善尽美的神话，先进的中国人开始有了“不如夷”的文化认识，在血淋淋的惨败面前，不得不低下高傲的头颅，开始了“师夷长技以制夷”的文化历程，于是有了洋务运动，有了幼童留学，有了同文馆和广方言馆的设立。但这些技术文化的引进，并没有达到求强求富的目的，甲午惨败，宣告了洋务运动的破产，中国陷入了亡国灭种的灾难深渊。为了救亡图存，资产阶级维新派掀起了轰轰烈烈的维新变法运动，资产阶级改良文化开始在中国盛行，科学救国、教育救国、实业救国的口号响彻神州大地。但是，轰轰烈烈的维新运动却以失败而告终，义和团运动的负面影响和八国联军的入侵，进一步加深了中华民族的灾难，催生了反帝反封的爱国主义政治文化。资产阶级革命派抛弃了改良主义文化的幻想，把革命当作了除旧布新的良药，革命文化弥漫全国。辛亥革命推翻了帝制，建立了资产阶级民主共和国，使民主共和观念开始在中国扎根。但是，以袁世凯为首的北洋军阀篡夺了辛亥革命的胜利果实，不仅没能使中国走上独立民主的道路，反而出现了军阀混战，天下大乱的严重局面，封建复古文化沉渣泛起，严重阻碍了社会的进步。为了救国、为了图新，陈独秀、李大钊、胡适、鲁迅等人于 1915 年，掀起了反对旧文化、旧道德、旧伦理的新文化运动，提出了民主与科学的文化口号，开启了文化启蒙的思想解放运动，直接推动了“五四”反帝爱国运动的兴起，中国工人阶级作为独立的政治力量登上了历史的舞台，反帝反封的无产阶级革命新文化随之勃兴，扫荡着帝国主义、封建军阀、贪官污吏、土豪劣绅等一切反动势力。1937 年，日本侵略者的全面入侵，使中华民族再度面临亡国灭种的危机，为了实现国家独立和民族复兴，在中国共产党的倡导下，建立了国共合作的抗日民族统一战线，开始了全面抗战，直接推动了反帝反封的新民主主义文化的形成。在民族的科学的大众的新文化指引下，一切热爱和平，反对战争，渴望民族独立，国家富强的爱国人士聚集在中国共产党的旗帜之下，经过

14年的艰苦抗战和三年的解放战争，终于打败了日本帝国主义和国民党反动派，取得了新民主主义革命的彻底胜利，实现了民族独立和人民的翻身解放，建立了中华人民共和国。

在近代中国救亡图存爱国主义文化的激荡之下，近代湖湘文化展现出了不同凡响的文化魅力，久积的爱国主义民族精神被充分地调动起来。“湖南人笃信民族主义，因欲保持自己民族，故感觉外患最敏。”[①] 较之其他省区，湖南人反帝爱国思想表现得更为突出。中国近代文化的发生发展是被动的，是在洋枪洋炮的打击下，被迫卸下天朝上国尽善尽美的外衣，被迫接受西方资本主义的文化。湖南人魏源是近代文化反思的先行者，他首先提出了“师夷长技以制夷”的文化观，将学习西方先进文化的着眼点放在抵抗西方的侵略之上，反帝爱国的意识十分明显。曾国藩、左宗棠等人发起洋务运动，把师夷制夷的主张付诸实践并向前推进。过去人们指责曾、左搞洋务只是为了“剿发捻”，即镇压人民反抗，并不确切。实际上，抵抗外国侵略是他们倡办洋务的主导思想。他们与太平天国作殊死斗争时，就已认识到外国势力是比太平天国更为可怕的敌人。胡林翼观洋人汽船西驶，而吐血坠马，曾国藩因英法横行而夜不能寐，其爱国精神毋庸置疑。发生于19世纪60年代的湖南绅士反洋教文化，时间之长，规模之大，反教之激烈，在全国都十分罕见，使湖南成为了洋人望而生畏的“铁门之城”。虽然从中可见湖南绅士的保守和对传统文化的迷恋，但卫道反教与爱国反侵略的精神却随处可见。面对甲午惨败，湖南人的伤痛尤深，自以为可以拯救天下的湖南人，产生了一种强烈的负罪意识。于是“屏弃一切，专精致思”，“不恤首发大难，画此尽变西法之策”。[②] 湖南由全国最保守的省份一跃而为全国最富朝气的省份。这看似很奇怪的现象，却在

① 杨树达. 积微翁回忆录［M］//周秋光. 湖湘文化宏观研究. 长沙：湖南师范大学出版社，2001：294.

② 蔡尚思，方行. 谭嗣同全集［M］. 北京：中华书局，1981：168.

湖南又是那样的顺理成章，一个很重要的因素，就是湖湘文化里强烈的爱国主义情怀。正如唐才常所言："湖南于十八行省中，以守旧闻天下也，今乃遽然大觉，焕然改观……何前后之歧异至于如此？曰：昔之守旧也，非有他也，愤吾国之不强，而张脉偾兴也；今之求新也，亦非有他也，求吾国之必强，而赤诚相与忠爱缠绵也。"① 虽然戊戌维新运动由广东人康有为、梁启超首开其端，但却最早在一向守旧的湖南省开花结果，一个很重要的原因就是爱国主义文化的激荡。这一点在谭嗣同身上表现得尤为深切，他对《马关条约》的"酷毒"表现出极大愤慨，提出要"以其人之道，还治其人之身"，主张"以爪还爪，以牙还牙"，坚决予以抵抗。面对列强在中国掀起的强占租借地和划分势力范围狂潮，他发出了"世间无物抵春愁，合向仓冥一哭休。四万万人齐下泪，天涯何处是神州"② 的哀叹，其爱国之情跃然纸上。他对封建主义制度和文化的批判，都是史无前例的，他舍身变法，慷慨牺牲的爱国精神是康、梁难以望其项背的。唐才常也以"七尺微躯酬故友，一腔热血溅荒丘"的大无畏精神，发动自立军起义，书写了为爱国献身的伟大壮举。20 世纪初，湖南留日学生即高扬爱国主义的伟大旗帜，勇敢地站在斗争的第一线。杨毓麟、陈天华以笔为剑，大力进行反帝反清的革命宣传。杨毓麟于 1903 年在日本出版的《新湖南》，以广阔的视野探索了 20 世纪的时代特征，饱含强烈的爱国激情，揭露了帝国主义这个时代怪物的阴险狡诈，以唤起整个民族的觉醒。陈天华的《猛回头》《警世钟》，"一字一泪，沁人心脾，谈复仇而色变，歌爱国而声觑"，极大地激发了城乡各阶层人们的反帝反封的爱国热情。在辛亥革命时期，几乎到处都可以看到湖南革命家舍生忘死、英勇奋斗的身影。如黄兴在孙中山领导的沿海十次武装起义中，无役不与，在广州孤军奋战，血染襟袍；刘道一等在萍浏醴

① 湖南哲学社会科学研究所. 唐才常集［M］. 北京：中华书局，1980：145.
② 蔡尚思，方行. 谭嗣同全集［M］. 北京：中华书局，1981：276.

起义，慷慨捐躯；蒋翊武、刘复基等在武昌运筹帷幄，首举义旗；焦达峰、陈作新等在长沙发难响应；宋教仁为维护民主宪政，喋血上海；蔡锷为反对复辟帝制，起兵云南，以数千饥饿之兵，与十万袁军相拼，屡挫敌锋，守住了共和民国。1924 年 2 月 23 日，孙中山在广州对湘军演说时曾高度评价道："革命军用一个人去打一百个人，像这样的战争，是非常的战争，不可以常理论。像这样不可以常理论的事，是你们湖南人做出来的。"① 杨度曾写过一首《湖南少年歌》，很自豪地言道："中国如今是希腊，湖南当作斯巴达。中国将为德意志，湖南当作普鲁士。诸君诸君慎如此，莫言事急空流涕。若道中华国果亡，除是湖南人尽死。"② 湖南人的如此勇敢精神，到底来自哪里，追根溯源，来自于湖湘文化浓厚的爱国主义精神。这种精神在新民主主义革命时期更是风光无限。毛泽东、蔡和森等一代湘籍志士在接受了马克思主义先进文化后，决定以俄为师，把反帝爱国与社会主义和共产主义结合起来，把爱国主义发展到一个崭新阶段。如五四运动时期，何叔衡表示"爱国不怕死，为民除害，死而何憾"，气吞山河；"砍头不要紧，只要主义真"则是夏明翰为信仰献身，为主义流血的写照。毛泽东一家满门忠烈，牺牲了六位亲人；贺龙元帅的两位姐姐、一位妹妹为革命甘洒热血；著名红军将领何长工，为了革命顾不上妻室儿女，结果其妻儿亲属 30 余人惨遭反动军阀何键的屠杀。这种为了党和人民的事业，为了国家的独立和富强，不惜牺牲身家性命的伟大壮举，正是共产党人救亡图存的爱国主义文化精神的生动体现，为近代中国的爱国主义文化增添了更加壮丽的色彩。

① 孙中山选集［M］. 北京：人民出版社，1981：882.

② 丘桑. 旷代逸才［M］. 北京：东方出版社，1998：21.

第五节　近代湖湘文化与近代外来文化

湖湘文化是集我国古代文化之大成的一种优秀文化，它兴起于湖南大地，具有独特的地域性文化传统，而影响则波及全国各地。自宋代理学根植于湖南这片土地，并被弘扬光大之后，湖南士人就很难从“正统”的理学传统文化氛围中挣脱出来，尤其是湖湘学派名盛一时后，湖南更自为风气，所谓“普天之下，唯我独尊”，“舍我之外，必无教化”。这种保守的观念一旦形成，又在湖南这个封闭的小世界里滋生蔓延，其影响自然是相当深刻的。因此，湖南社会长期处在一种以丰衣足食为满足，以奉行“三纲五常”为止境，士大夫以标榜清高为自豪，百姓以知礼义为乐的境界。由于湖南地处我国的内陆地区，加上湖湘文化自成体系，“唯我独尊”的文化特性，使得湖湘文化具有较强的排斥外来文化的传统，尤其是在与西方文化的接触中，湖湘文化经历了一个由疑惧、排斥，到被迫接受，再到主动融合这样一个漫长的过程，而且在这个漫长的过程中，时常出现不同的声音，很少形成一种共趋的意识，但总的发展趋势则是由抵拒排斥而不断走向融合，由保守封闭逐步走向激进开放，湖湘文化也在与西方文化的冲突和融合中不断走向辉煌。

一、湖湘文化与西方文化的冲突

湖湘文化与西方文化的接触相对于东南沿海各省来说，要缓慢得多。自鸦片战争开始到太平天国起义，湖湘文化与西方文化几乎没有什么直接的接触，西方文化对湖南士人来说只是遥不可及的神话，西方文化观念很少能够引起湖湘士人的共鸣。从 19 世纪 60 年代到 90 年代，这是近代湖湘文化与西方文化接触的第一阶段，这一阶段，湖湘文化与西方文化的冲突多于融合，湖南士人排斥西方文化的心理表现得极为明显，从连绵不断的反洋教运动到反对创办工厂、架设电线的反现代化行为，再到辱骂主张向西方学习的郭嵩焘、曾纪泽为“汉奸”“贰臣”等等，都是排斥西方文化的典型反映。因此，这一阶段，可以说是湖湘文化与西方文化的冲突阶段。

1840 年开始的鸦片战争，对中国人民来说，是一场挥之不去的噩梦。每一个有良知的中国人都在反思着这样一个问题：堂堂的天朝大国为何会败于“尚未开化”的英夷小邦，落得这割地丧权的下场？一些先进的知识分子在震惊、愤怒、悲痛之余，开始冷静地去反思其中的原因。多年生活在东南沿海一带，曾亲历过鸦片战争的湖南人魏源首先看到了中外之间存在的巨大差距，提出了“师夷长技以制夷”的先进思想。但是身处内陆的湖南士人并没有魏源那样的心理感受，在他们的意识中，英国只不过是“尚未开化”的蛮夷小邦，没有什么先进的文化可言。他们天真地认为，中国在战争中失败的原因无非是奸臣弄权，吏治乖舛等过去历史上屡见的弊症。因而只要遵照传统儒家的道德准则来改变政治和人心风俗，就可以使中国振兴起来。所谓“世运之盛衰在风俗”，“正风俗以厚人心，实为救时之急务，而兴教化以端士习，则又救弊之要图也”。[①] 根本没有想到中英战争已不是传统意义上的异族入侵，而是先进的资本主义制度同落后的封建主义制度的较量，因此靠传统的伦理纲常来挽救国家的危亡是无济于事的。湖南绅士昧于外而求于内的政治思维定式决定了他们不可能深入地去研究域外的世界，他们的政治思维只能在域内的现实中转圈。尽管魏源写出了探求西方政教和先进技术的《海国图志》，但并没有引起湖南绅士群体的认同，他们当时只对在传统文化范围内提倡经世致用以改善社会的《皇朝经世文编》倍加赞赏，而对初步提出学习西方的《海国图志》则毫无兴趣，在曾国藩、左宗棠、郭嵩焘等人的早期日记、书

① 郑焱. 近代湖湘文化概论［M］. 长沙：湖南师范大学出版社，1996：37.

信和著述中竟无关于《海国图志》的片言只语，直到20年后，才博得了他们的赞誉。魏源自己也不得不在忧时感世的痛苦中皈依佛门，以求取心灵的安宁和解脱。

鸦片战争除了给湖南本土士人带来心灵上的创伤外，在文化上并没有带来什么大的冲击。清政府所开放的五个通商口岸都集中于东南沿海一带，而这种开放又是在英军炮口下的被动开放，影响力受到了极大的局限。自成一体的湖湘文化依旧在自我封闭的环境中孤芳自赏，湖南绅士也以研习程、朱理学为荣，对“用夷变夏”的西方文化视如洪水猛兽。以曾国藩为首的湘军经世群体自小就沐浴在这种文化氛围之中，带有官学性质的岳麓书院更将“正统”的儒学思想印入他们的脑海之内，成为他们不可更易的政治理念。曾国藩创建湘军，湖南绅士纷起投效，虽带有以军功博官职的功利色彩，但最重要的动因却是基于对农民起义破坏旧的封建统治秩序的仇视，是对离经叛道者的义愤和不满。曾国藩清咸丰四年（1854）发表的《讨粤匪檄》实际上就是其投笔从戎，奋起卫道的宣言书。在这篇文告里，曾国藩撇开了太平天国反清的精神实质，而将其冠以破坏纲常名教的罪名，诋毁太平军，“士不能诵孔子之经，而别有所谓耶稣之说，新约之书，举中国数千年礼义人伦，诗书典则一旦扫地荡尽，此岂独我大清之变，乃开辟以来名教之奇变，我孔子、孟子之所痛哭于九原”。因此，他号召“抱道君子”要“赫然奋怒，以卫吾道”。正是在这种保卫圣道的感召之下，使“习孔孟之书，言尧舜之道”的儒生放弃举业，聚而组织湘军。据统计，湘军上层统帅、统领、分统及幕府重要人物共计74人，以书生出身者54人，占三分之二强，绝大多数是信奉理学者。[①] 这些人以能“上马杀贼，下马讲经”为自豪，不仅自己成了护卫封建三纲五常、忠孝节义等政治伦理道德的典范，而且他们还把君臣之义、尊卑之

① 郑焱. 近代湖湘文化概论［M］. 长沙：湖南师范大学出版社，1996：54.

序、重礼尊道等封建思想灌输到整个湘军的队伍之中，转化成他们为维护封建道德而死战的自觉政治行动。这样维护封建皇权，重整旧的封建统治秩序，讨伐离经叛道的太平军就成了湖南绅士的主流政治倾向。

传统的中国社会是以小农经济为基础的不需要多少科学技术和竞争创新的农业文明社会，社会价值核心是“重义理轻艺事”和“贵义贱利”，重视的是怎样治国而不是怎样富国，正如有学者所指出的，这是一种以文化取向为目标的统治策略，其政治过程，“强调在传统所与之联系着的那个特定集体的范围之内这种特定文化传统和秩序的维持，以及这一传统和集体对所有异己因素的吸收”[①]。另一方面，儒家的义理思想在确立为中国传统的治国策略时，也为文化传统和秩序的维持提供了制度和文化的框架，即儒家思想道德和规范被认定为管理社会和处理各种事务的知识，而个人具有的义理思想和道德必然能外化为所需的行政能力与行为。这就是说，传统文化所构成的对政治决策和政治运作过程价值取向的框定，必然会使饱读儒家经典的湘军理学经世群体为匡定天下“叛乱”而到传统中去寻找出路。他们将理学引入治军实践就是这种心态的典型反映。“文化的真正意义，与主要原素，是精神的，是理性的，而尤其是伦理的。没有精神，没有理性，而尤其是没有伦理，文化就失了要素。”“文化的本身的实现，是要从高超的理性中找出来，这就是说，一方面要征服自然的力量，一方面要征服人类的性格，能够征服这两种势力，文化才有意义，文化才能进步”。[②] 太平天国从文化层次上讲是一种异质文化，它采取拜上帝教的形式，借用西方基督教的教义，为众多的士人视为异类，而其公然以贬损“至圣先师”孔子来进行反朝廷活动，更为一般士人所不容。文化的隔阂比

① 艾森斯塔得. 帝国的政治体系［M］. 阎步克，译. 贵阳：贵州人民出版社，1992：230.

② 陈序经. 文化学概观［M］. 北京：中国人民大学出版社，2005：117—118.

政见的歧异更为可怕，何况高扛“斩妖诛邪”旗号的太平天国，不仅以武装起义的形式打乱了清王朝的统治秩序，更以对儒家文化的扫荡威胁到传统知识分子的精神家园，难怪有那么多的知识分子投笔从戎，聚集在湘军大营，以“打脱牙和血吞”的韧劲，镇压了崇尚异教文化、破坏传统道德伦理的太平天国起义。

曾国藩率领湘军镇压太平天国起义的成功，一方面使一部分湖南人得以走出湖南，走向世界，较早地沐浴于欧风西雨之中，成为倡风气之先的杰出代表；另一方面，又使曾国藩更加坚信湘军镇压太平天国的胜利是理学对西教的胜利，因而曾氏兄弟在攻下天京后大肆刊刻《船山遗书》，利用他的重“礼”尊“道”思想来强化保守的传统观念，经过这样大肆的渲染，恪守封建忠义，护卫传统圣道的湘军就成了湖南士人心目中的道德典范，争先效法的众趋人格，“卫道”也成了湖湘士人自觉的责任感。曾国藩自己虽然成了中国现代化最早的实践者，但是守道的传统观念使他对现代化的推动仅限于创办为清政府服务的军用企业等器物层面，不敢对封建的政治制度有任何的涉及。更为可悲的是他和湘军对湖湘文化中尊礼重道等消极思想的过分渲染，使湖南成了一个维护封建纲常名教的顽固堡垒。湖南固守传统最明显的表现就是拒绝接受西方先进文化，当洋务运动在中国其他地区展开时，湖南士人却顽固地反对设立工厂，架设电线，开通轮船等一切有悖传统的新事物。连曾国藩想在故乡创办近代企业的计划，都至死未能如愿；郭嵩焘出使英国回国，乘轮船回乡省亲，湖南绅士群起阻止；曾纪泽坐小火轮返乡奔丧，湖南士人又大为哗然，攻击他辱没先祖。1875 年，湖南巡抚王文韶奏请设立湖南机器局，但引来了长沙绅民的强烈抵制，最后不得不关门大吉。曾国藩埋下的苦果，使湖南一再错失现代化发展的良机，他搬起的这块“卫道”石头最终砸了自己的脚。

湖南绅士对西方文化的抵拒还表现在对洋教的极端仇视上。19 世纪 60 年代，随着西方列强对华侵略的不断扩大，其宗教势力也大量地涌入湖南。不少西方传教士依仗不平等条约的保护，在湖南耀武扬威，横行不法，掠买民产，包揽诉讼，欺压百姓，制造事端，干涉内政，刺探情报。用基督教的福音来贬损中国长期积淀而成的儒学文化，严重挫伤了以“卫道”自居的湖南士人的民族自尊心。因此，激起了湖南士人的强烈反对，反教会侵略的斗争从此蓬勃兴起。在湖南，凡洋教士涉足之处，都无一例外地发生了反教排外事件。据统计从清咸丰十年（1860）到甲午战争前，湖南发生的大小教案就多达数十起，居于全国领先地位。并相继涌现了崔暕、周汉、贺金声等誓死反洋教的封建绅士，正如英国人马歇尔·布朗荷所说：“多年以来，它（湖南）是大陆腹地中一座紧闭的城堡，因而也是一个无与匹敌的、特别引人注意的省份。中国的保守主义，以及对于所有外国事务的反感，都在这儿集中起来了。”从文化史的角度看，“教案”除具有人民反对外来教会侵略、压迫的性质外，还包含不同文化心理、感情、习俗的冲突。这里既有民间老百姓，也有绅士和官僚，在当时的情况下，他们都具有相同的文化心理：尽量防守自己的东西，不要受外来文化的影响。这在当时实属时势使然。然而，对湘人来说，这一心态在其高度的卫道使命感与强烈的自负感支配下，在其强悍民风的氛围中，在封闭的地域环境里，则逐步演化成一种极端的文化保守主义，使湘人由仇夷反教发展至“耻闻洋务”。正如湘抚陈宝箴后来所评价的，“自咸丰以来，削平寇乱，名臣儒将，多出于湘。其民气之勇、士节之盛，实甲于天下，而恃其忠肝义胆，敌王所忾，不愿师他人之长，与异族为伍。其义愤激烈之气、鄙夷不屑之心，亦以湘人为最”①。固守传统，排斥西学，拒绝变革，这几乎是生活在本土的湖南绅士在这一时期的共同文化心理和政治愿望。尽管郭嵩焘、曾纪泽这些最早跨出国门的湖南人，用自己的亲身体验，极力介绍西方的先进文

① 湖南巡抚陈宝箴折［M］//国家档案局明清档案馆. 戊戌变法档案史料. 北京：中华书局，1958：243.

化，提出了学习西方不要停留在声光化电和造船制器之上，还必须学习他们先进的政教制度。但是他们对西方文明的深刻见解，并不能见容于当时那个愚昧自大的中国社会，反而被视为是惊世骇俗，离经叛道的荒谬之论，湖南绅士甚至把郭氏视为桑梓败类，“汉奸”“贰臣”。因而曾、郭的思想尽管获得了某些有识之士的同情，但无法改变整个湖南绅士群体抵制西方文化的强烈情绪，使湖南成了守旧者的天下。不过，守旧有两种态度，一种麻木不仁，自保性地守旧，也就是自甘保守，但对新思潮并不积极围剿；一种是挺身而出，捍卫其认同的信念，对新思潮大加讨伐。后一种守旧，也未尝不是一种求索和担当之举，这种守旧者自以为通过他们的适当改造以及道德坚守，可能会化腐朽为神奇，使社会重新稳定并焕发活力，而新文化则充满着不可控性。如芮玛丽说：“对于中国的保守派而言，儒家的社会秩序、儒家的政治体制和儒家的伦理道德具有永恒的价值，放之四海而皆准。它们是基本原则，稍加调整便能应付新环境，但从来不会被削弱或改变。”① 从王先谦这些湖湘守旧者代表的硕儒身份看，他们在维新运动中由积极转为保守，很大程度上是出于深思熟虑，而不是自以为是的冲动，不能不说，这同样显示出了某种文化的担当，否则，他们尽可以袖手旁观，而不必出头拼死争斗。这就使我们看到，思想的伟大与否并不特别重要，信念的执着与担当才是要害所在。

二、湖湘文化与西方文化由冲突走向融合

中日甲午战争，是湖湘文化由保守走向开放的重要分水岭，也是中西文化由冲突而走向融合的重要阶段。

自湘军兴起以后，湖南人特别是士大夫、读书人等社会精英阶层就有一种莫名的自豪感，认为没有什么事情是湖南人办不成的，

① 芮玛丽. 同治中兴——中国保守主义的最后抵抗（1862—1874）［M］. 房德邻，郑师渠，郑大华，等译. 北京：中国社会科学出版社，2002：2.

但在甲午战争辽东一役，数万湘军在凶狠残暴的日军面前，不堪一击，湖南人引以自豪的资本轰然坍塌，其心理的创伤自然不可言状。原先以为可以拯救天下的湖南人，这时对战争的失败怀有一种沉重的负罪感，认为“甲午的败仗，实是我们湖南人害国家的”，从而使他们改变了昔日虚骄自大的保守作风，开始从幻觉的破灭中正视严酷的现实，陡生了一种“救中国从湖南始”的强烈责任感。因此，甲午一战与其说让湖南人耻辱，不如说它促使了湖南人清醒。正如谭嗣同所说，湖南人“经此创巨痛深，乃始屏弃一切，专精致思。……不敢专己而非人，不敢讳短而疾长，不敢徇一孔之见而封于旧说，不敢不舍己从人取于人以为善”①。这种虚怀开放的心态迥异于甲午战前的骄狂封闭。从此，一大批湖南士人以这种崭新的姿态，从传统的文化氛围和社会心理中挣脱出来，“因有见于大化之所趋，风气之所溺，非守文因旧所能挽回者。不恤首发大难，画此尽变西法之策”②，开始正视西方，并立即就近学习日本。因此，完全可以说，中日甲午战争是湖南近代历史发展的转折点。

从 1895 年到 1900 年，可以说是湖湘文化与西方文化由冲突到逐步融合的重要转折时期，这一时期，由于外力的强大冲击，湖南绅士开始正视起严酷的社会现实，对西学的抵拒心理开始松弛，学习西方以求富强的愿望变得尤为强烈。但是，在学习什么样的西方文化，学习到什么样的程度等问题上，湖南绅士的观念并不完全一样，王先谦、叶德辉、张祖同、宾凤阳等一批有声望、有地位的既得利益势力只主张学习西方的器物文化，并对某些政治制度实行适度的改革，不主张全面学习西方的政治制度，因而他们热衷于创办近代实业。1896 年王先谦、黄自元、张祖同等筹资创办了湖南宝善成机器制造公司，张祖同、杨巩等创办了“善记和丰火柴股份公司”。他们还筹资设立了轮船公司，经营内河航运事业，从而改变

① 谭嗣同. 兴算学论［M］//谭嗣同集. 何执，编. 长沙：岳麓书社，2012：187.
② 蔡尚思，方行. 谭嗣同全集［M］. 北京：中华书局，1981：168.

了湘绅见轮船则惊的保守观念。王先谦也撰文抨击旧科举制度，主动改革岳麓书院课程，增加算学、译书等新科目，积极鼓励书院学生阅读维新派的重要报刊《时务报》。就连“冀教”派中被人目为最为顽固的“劣绅”叶德辉也对朝廷变革科举之议，表现出了理解的同情，认为“废时文用策论，使士人免八股束缚之苦，匀出日力，可以多读有用之书，免致不得科第之人，终身不能摆脱制艺，更无暇日涉猎群书，此则为益甚大”①。王先谦、叶德辉也并不反对西学。王先谦在领衔签署反对新政的《湘绅公呈》后，仍认为“湘人偭分新旧两党”并非因为“趋重新学”所造成。盖“所谓西学者，今日地球大通，各国往来，朝廷不能不讲译学。西人以工商立国，用其货物，朘我脂膏。我不能禁彼物使不来，又不能禁吾民使不购，则必讲求工艺以抵制之，中国机庶可转。故声光化电及一切制造矿学，皆当开通风气，力造精能。国家以西学导中人，亦是于万难之中求自全之策，督抚承而行之，未为过也；绅士和之，未为过也。故从前火柴、机器各公司，先谦与闻其事，确系中心之诚，以为应办；至今并无他说”②。故他曾被更“僻陋”的旧派视为新政要角。③ 叶德辉也曾明确地说过：“西法非不足尚，要贵实事求是，师其所长：士当师其通农商诸学之长，工当师其制造之长，兵当师其练习测绘之长。苟悻悻焉尽弃其学而学焉，非徒无益，而又害之矣。”④ 他对西方文化也不轻视，认为天理人心，中西皆同。⑤ 但王先谦、叶德辉、黄自元、张祖同等人则对西方的“民主”“民权”思想抱着敌视的态度，认为它们败坏了封建的三

---

① 叶德辉. 非幼学通议［M］// 苏舆. 苏舆集. 长沙：湖南人民出版社，2008：155.

② 王先谦. 复吴生学兢［M］//葵园四种. 长沙：岳麓书社，1986：863—864.

③ 罗志田. 思想观念与社会角色的错位：戊戌前后湖南新旧之争再思［J］. 历史研究，1998（5）：58.

④ 同①156.

⑤ 同③61.

纲五常，破坏了君主专制的封建统治秩序，认为这是教人犯上作乱，是大逆不道的事情，是离经叛道的行为。叶德辉在《〈輶轩今语〉评》中指出：“康有为之徒，煽惑人心，欲立民主，欲改时制，乃托于无凭无据之公羊家言，以遂其附和党会之私智，此孔子所谓言伪而辨之少正卯也。”① 在《宾凤阳等上王益吾院长书》中，他们以维护纲常名教、忠孝节义为名，恣意攻击黄遵宪、徐仁铸、熊希龄，主要目标是对着时务学堂的梁启超等人，认为这些人传播康、梁异端邪说，使湖南素来淳朴的民风、原本纯正的学风大受影响。他们指出，康、梁所用以蛊惑人心的，不外乎什么民权、平等这些口号，而中国及湖南目前所需要的并不是这些东西，“试问权既下移，国谁与治？民可自主，君亦何为？是率天下而乱也。平等之说，蔑弃人伦，不能自行，而顾以立教，真悖谬之尤者。戴德诚、樊锥、唐才常、易鼐等，承其流风，肆行狂煽，直欲死中国之人心，翻亘古之学案，上自衡永，下至岳常，邪说浸淫，观听迷惑。不解熊、谭、戴、樊、唐、易诸人，是何肺腑，必欲倾覆我邦家也”②。在《湘绅公呈》里面，保守派控告梁启超借充任时务学堂中文总教习之机，“承其师康有为之学，倡为平等、平权之说”，“而谭嗣同、唐才常、樊锥、易鼐辈，为之乘风扬波，肆其簧鼓。学子胸无主宰，不知其阴行邪说，反以为时务实然，丧其本真，争相趋附，语言悖乱，有如中狂。始自会城，浸及旁郡，虽以谨厚如皮锡瑞，亦被煽惑，形之论说，重遭诟病。而住堂年幼生徒，亲承提命，朝夕濡染，受害更不待言。是聚无数聪颖子弟，迫使斫其天性，效彼狂谈，他日年长学成，不复知忠孝节义为何事，此湘人之不幸，抑非特湘省之不幸矣”。③ 在《湘省学约》中，保守派声言时务学堂总教习梁启超“大张其师康有为之邪说，蛊惑湘人，无识

① 苏舆. 苏舆集［M］. 长沙：湖南人民出版社，2008：87.

② 同①164.

③ 同①169—170.

之徒翕然从之”，“考其为说，或推尊摩西，主张民权；或效耶稣纪年，言素王改制；甚谓合种以保种，中国非中国，且有君民平等、君统太长等语……似此背叛君父，诬及经传，化日光天之下，魑魅横行，非吾学中之大患哉!”① 可见，他们对传统的君主专制制度和三纲五常的封建伦理道德是坚守不易的，谁要破坏，他们就会毫不犹豫地起来反对。因而，他们对西学的吸收是有限度的，基本没有脱离“中体西用”的洋务框架。

谭嗣同、唐才常、熊希龄、毕永年、樊锥等一批地位不高的年轻士人则主张既要学习西方的器物文化，更要学习西方的制度文化，他们不仅积极投身湖南的实业建设，主张开通轮船、兴修铁路，而且创办学堂、办报纸、办学会，宣传资产阶级“民主”“民权”思想。谭嗣同在《仁学自叙》里面明确提出了要冲决禁锢人民思想，影响人民自身发展，破坏人民自由的一切封建网罗，他把君主专制和纲常伦理作为冲决网罗的重点，尖锐指出：“君为独夫民贼”，“窃国大盗”，封建君主制度是封建社会万恶的根源，“二千年来君臣一伦，尤为黑暗否塞，无复人理，沿及今兹，方愈剧矣”。他斥责清朝皇帝为“贱类异种”，利用纲常礼教来压制和愚弄中国人民。历来的封建礼教，“俗学陋行，动言名教，敬若天命而不敢渝，畏若国宪而不敢议”，实际上是以名匡实。“君以名桎臣，官以名扼民，父以名压子，夫以名困妻，兄弟朋友各挟一名以相抗拒”，“三纲五常之惨祸烈毒，由是酷焉”。唐才常、熊希龄的反封建思想虽不如谭嗣同激进，但为了变法的需要，他们把孔子人为地打扮成“托古改制”的祖师爷，民权思想的发起者，认为“宣尼教法，治万世也”，“斥争战之贼臣，权君民之轻重”。② 他们猛烈抨击二千多年的封建专制制度，认为自秦代开始“君民上下之界，始横断绝港”。私心日重，科条益密，法律益苛，暗无天日，

① 苏舆. 苏舆集［M］. 长沙：湖南人民出版社，2008：170—171.

② 湖南哲学社会科学研究所. 唐才常集［M］. 北京：中华书局，1958：47.

到现在更加严重了。他们主张开议院，实行君主立宪，用“君民交泰”的议会民主制代替“君民截然”的专制独裁制。湘潭廪生易鼐在1898年3月29号《湘报》上发表了《中国宜以弱为强说》，论述了中国要成为富强之国就必须采取以下四种策略：其一为“改法以同法”，亦即“西法与中法相参”；其二为“通教以绵教”，亦即“西教与中教并行”；其三为“屈尊以保尊”，亦即“民权与君权两重”；其四为“合种以留种”，亦即“黄人与白人互婚”。在这里，易鼐的文化观念的基本倾向还是推崇“中西并重”“中西会通”的精神，但他并没有停留于此，而是走得更远，明确提出“改正朔，易服色，一切制度悉从泰西”的观点。易鼐的这种言论，显然要比康、梁诸人的公开言论激进得多，可以说已接近于新文化运动时期的“全盘西化论”。其中特别是“屈尊以保尊”的观点，实为当时震撼人心之议。他认为“上权过重，民气不伸；民气不伸，国势亦因之而弱”，而应效之英德，“君民共主之法，利之所在，听民自兴之，害之所在，听民自去之”，而朝廷只须坐享而已。[①] 而黄白互婚之说，也无异于一颗重磅炸弹，开亘古未有之论，成为守旧派攻击维新派的一根重要导火线。樊锥也提出了对社会彻底改革，“唯泰西是效”的观点：“洗旧习，从公道。则一切繁礼细故，猥尊鄙贵，文武名扬，恶例劣范，铨选档册，谬条乱章，大政鸿法，普宪均律，四民学校，风情土俗，一革从前，搜索无剩，唯泰西者是效，用孔子纪年，除拜跪繁节，以与彼见而道群”，“求智识于寰宇”。[②] 在他看来，不仅要对中国的根本制度进行彻底的改革，而且要从一切细枝末节上效法西方，这就超越了康有为等维新派领袖所提出的变法主张，也远远超出了“中体西用”论的文化观念，甚至比“中西会通”的文化观还要激进，比较接近于“全盘西化”论。使得“民权”“平等”学说通过南学会、《湘报》流传于三湘

---

① 易鼐. 中国宜以弱为强说［N］. 湘报，1898-03-29.

② 樊锥. 开诚篇（三）［M］//方行. 樊锥集. 北京：中华书局，1984：11—12.

大地，不断改变着湖南青年学子的文化观念。

正是在中西文化的融合上存在分歧，使得湖南的维新阵营出现了严重的分裂，王先谦、叶德辉、张祖同等保守维新派走上了与谭嗣同、唐才常、熊希龄等激进维新派对立的道路。他们打着“保卫圣道”的旗帜，称“纲常实千古不易”，攻击西学是教人“不复知忠孝节义为何事”、是“背叛君父，诬及经传”的“大患”。戊戌维新运动失败后，王先谦、叶德辉等人还编纂了所谓的《翼教丛编》和《觉迷要录》，攻击康有为、梁启超等维新派，反对维新事业，从而局限了湖湘文化与西方文化融合的范围，使西方先进的制度文化难以融入湖湘文化的肌体之中。

湖南维新变法的悲壮落幕？给我们带来了深深的文化沉思，曾经盛极一时的湖南维新运动为何如此不堪一击，草草落幕，落后文化对先进文化为何会有如此强大的冲击力？中国的改良之路为什么会如此艰难？

带着这一连串的疑问，我们有必要去追溯湖南维新群体的文化轨迹，梳理其文化歧异的因果关系。

湖南维新群体的文化特质里既流淌着湖湘文化求新求变的主体元素，又吸纳着西方文化的先进理念。湖南的维新群体也和湘军集团一样，大量地接受了湖湘文化的熏陶，在书院教育中吸纳着湖湘文化的乳汁。唐才常、沈荩都是岳麓书院、湘水校经书院的学生；熊希龄早年肄业于沅州府沅水校经堂，后又肄业于长沙湘水校经书院，深受湖湘文化的影响；谭嗣同本人虽没有像唐、沈、熊那样，直接在书院接受湖湘学统的影响，但他从小师从崇拜王夫之思想的浏阳学者欧阳中鹄，与唐才常一起在欧阳中鹄的门下感受湖湘文化的魅力。

这些人思想的形成过程基本上是在清光绪年间，湖湘士人在“同治中兴”的余晖中感受着皇恩雨露，曾国藩湘军的皇皇功业通过地方志的记载、阵亡将领祠庙的祭祀和先辈的传述，深深地刻入湘人的记忆深处，成为湘人引以为自豪的文化资本。而王夫之的学术思想在曾氏兄弟的大力推导下，得以重见天日，成为乡贤崇祀的政治符号。“晚清湘人不断强化对王船山的崇祀仪轨，即是以‘时贤’之思叠现‘古乡贤’之魂的尝试。”“船山之学因船山本人的反清倾向而一直为清廷视为异端，而晚清时期船山作为乡贤偶像被重新推出以接续湘地传统区域祀典，并不是因为船山之学在精神层面上的叛逆成分重获湘地大多数士人青睐，而是其经世思想经过乡贤传统祀典的过滤之后能够有裨于事功治道。”① 这一时期湖南岳麓书院、城南书院、湘水校经书院等著名的学府、学术基地，仍保持着自己的学术传统、教育传统，注重将义理之学、经济之学及躬行实践结合起来。湘军建功立业的样本更成为湖湘经世致用的典范，正如杨念群所言：“咸同以后创造出了‘中兴将相，什九湖湘’之局面的湘籍儒生，很多人却是逾越了其他区域儒生必须经过的入仕程序而直接位极人臣的。这可以从湘人的诸多事功表现中得到印证。如左宗棠、胡林翼、罗泽南等湘军中坚人物虽均有较低功名，但经正常渠道却很难步入仕途。”② 在这里，杨先生把胡林翼作为例证，有欠妥当，因为胡林翼为进士出身，并不属于较低功名之类，但在湘军集团里以较低功名立下殊勋而获重用的比比皆是，除上述提到的左宗棠、罗泽南外，刘长佑、刘坤一、杨昌濬、李续宜、李续宾、刘蓉、刘典、刘锦棠、唐训方等一大批书生都是因军功而获得督、抚等高位的，不过这些都是乱世方有的超常规现象，但也给理学经世，事功意识强烈的湘人提供了另一条显身扬名、建功立业的途径。湘军名将左宗棠就很轻视科举之学，认为科举之士不究实用，在教育子女时也常直言科举之弊。他在给儿子左孝威的信中就曾经说过：人的精力是有限的，尽用以科名之学，一旦大事当前，心神耗尽，胆气薄弱，反而比不上乡里粗才尚能集事，尚有

① 杨念群. 儒学地域化的近代形态——三大知识群体互动的比较研究［M］. 北京：生活·读书·新知三联书店，1997：364—365.

② 同①378.

担当。“晚清湘人对科举功能作用的普遍拒斥，亦可以视为‘朱张会讲’内在张力的曲折反映。因为朱学是科举课士的主干依据，讽议科举虽然是对官学取士程序的总体拒斥，却也间接映现出‘朱学’与湘学在化民成俗程度方面的差异。”① 宋明以后的科举是地域化儒学官学化、制度化的产物，其内容长期恪守刻板的机械化式规条，基本上是整体主义式的运作结构，它与地方书院个性化的教学，富有乡土气息的道德传承，区域英杰伟大功业的颂扬存在着一定的距离，不能有机地对接。“所以，‘科举’与‘乡学’的对峙，其本质应是地域化儒学与官学之间内在冲突的反映。故晚清尤重日常政治践履又深受湘学思维熏陶的湘籍学人，往往不可能从跻身于科举仕途入手去凝聚其权力，而只能在乡学的构成形式之一——书院中磨砺自己行将出鞘的治世之剑。”② 谭嗣同、唐才常、熊希龄等一代维新英杰正是在书院的教化中，打下其变革思想的根基，他们不愿在科举的道路上消磨更多的光阴，而是把精力专注于改造社会的有用之学的研习之上。

另一方面，光绪年间的湖南教育又在时势变异中吹进了一股西学之风。19 世纪 60 年代的洋务运动，七八十年代的边疆危机，虽因湖南绅士的顽强抵制，对湖南没有产生重大的影响，但湖南反洋教、反洋务的结果不仅没能阻止外国侵略者的脚步，反而使湖南变得更加保守和落后。一些先进的湖南人在总结历史的教训中，开始了深刻的文化反思，郭嵩焘、曾纪泽这些最先走向世界的先进知识分子，用自己的亲身经历，在海外的所见所闻和所学，在湖南广泛地展开了西学文化的宣传，他们排除各种阻力，在谩骂和斥责中，勇敢地传播西方的先进文化，利用思贤讲舍和禁烟公社的舞台，通过自由讲学、自由讨论的形式，传达西方文化的声音，逐渐改变着

① 杨念群. 儒学地域化的近代形态——三大知识群体互动的比较研究［M］. 北京：生活·读书·新知三联书店，1997：382.

② 同①.

湘人保守的文化观念，吹进了一股清新的洋务之风。一批退职家居的精英绅士逐渐被他吸引。张自牧、李概、黄彭年、瞿鸿禨、邓辅纶、郭崑焘、周幼庵、龙汝霖、朱昌琳、李元度、王闿运、龙璋、周发藻、郭庆藩、杨恩寿、陶恍、王先谦、张祖同等数十人都参加了思贤讲舍和禁烟公社，后来的许多人都参加了湖南的维新运动。没有思贤讲舍、禁烟公社的宣传、发动工作，就没有戊戌维新变法初期湖南维新运动的迅速高涨的热闹场面。从王先谦在戊戌初期办工厂、兴实业的劲头也可看出，“这样的人际关系网形成了湖南维新运动初期迅速推广的社会背景之一部分”①。

1895年中日甲午战争的惨败，使湖南人创痛巨深，认识到闭目塞听害国害民，虚衷受益，变法图强才是救亡的唯一出路。因此，强调经世致用以挽救中华民族危亡的呼声更加高涨。光绪年间的学术思想、文化教育皆更加侧重于湖湘文化中的经世致用传统，而维新派群体即深受这种思想文化特点的影响。唐才常在校经书院、岳麓书院肄业时，即“不为章句所束缚，究心实学，尤娴于中西史乘”②。沈荩读书岳麓书院时，也是“不屑于科举”，崇尚“实学”。熊希龄在沅水校经堂、湘水校经书院读书时，“于史学、舆地、兵谋、掌故诸科，皆所擅长”③。不过，他们对湖湘文化的吸收已超越了湘军集团强调的以义理之学为本、经济之学为用的范畴，淡化了传统理学，强化了经世致用，崇尚治国安邦的实学。在实学中增加了西方自然科学和社会科学的新元素，使传统的“实学”发展为近代的“新学”。他们不仅接受了西方声、光、化、电等自然科学知识，也接受了西方进化论、民权平等等社会科学，并

① 金培喆. 郭嵩焘的对外意识和地域活动［M］//周维宏，砂山幸雄. 世纪之交的抉择. 北京：世界知识出版社，2000：211.

② 胡石庵. 烈士唐才常事略［M］//杜迈之，刘泱泱，李如龙. 自立会史料集. 长沙：岳麓书社，1983：203.

③ 林志钧. 纪念熊君秉三［M］//北云集：下册.［地址不详］，1922（民国十一年）297.

由文化思想上的“新学”而走向政治实践的“新政”。他们鼓励发展资本主义的工商业，筹办时务学堂，组织南学会，直接参加维新变法、组织武装起义等政治活动，成为戊戌维新运动中的政治领袖和中坚力量。由此可见，谭嗣同、唐才常等维新人物的政治立场、主导思想已经在逐渐脱离以理学思想为主导的湖湘文化。

经过郭嵩焘、曾纪泽、谭嗣同、唐才常、熊希龄等先进知识分子长期的吐故纳新，湖湘文化才真正实现了近代转型。

湖湘维新人士在一定程度上接受了西方的民权、平等、自由思想，这种思想促使他们对“人”的自身存在意义进行思考。谭嗣同以赞美人的身躯为起点而肯定人的尊严和价值，唤起人格的觉醒。他激昂陈词：宇宙造成人体，“原是要使人顶天立地，做出一番事业来……堂堂七尺之躯，不是与人当奴仆、当牛马的”①。谭嗣同对人的尊重，表现在他对封建伦理纲常的猛烈抨击。他们看到了封建制度扼杀人权，颠倒是非，践踏民权，破坏自由的种种不合理的弊端，寄希望于用西方的民主自由、民权平等思想，来唤起国民的觉醒，早日脱离封建专制的牢笼。但是他们又找不到有效的实现途径，不得不时常穿上孔子“托古改制”的儒学外衣，来为自己找到维新变法的依据。他们批判专制皇权，又割舍不了与皇权的联系，他们依靠一个没有实权的光绪皇帝，想借重皇权的力量来实施变法，其结局只能以失败而告终。因此，他们拿起的思想武器品类驳杂，既有“民主立宪”“公理公法”等舶来品，又有“素王改制”、“小康大同”等国粹。紧迫的政治危机不允许他们对复杂的思想材料进行从容的批判整理以建立起严密的思想体系，而只能是“每思一义，理奥例赜，坌涌奔腾，际笔来会，急不暇择”②。谭嗣同、唐才常、熊希龄、樊锥、易鼐等莫不如此。中国第一批资产阶级知识分子的阶级素质、性格特点和知识结构，决定了他们在追求真理

---

① 谭嗣同：论全体学［M］//谭嗣同集. 何执，编. 长沙：岳麓书社，2012：443.
② 蔡尚思，方行. 谭嗣同全集［M］. 北京：中华书局，1981：290.

的道路上始终伴随着一系列的尖锐矛盾。艰巨而宏大的奋斗目标，却只能用软弱的斗争手段去争取；对西方民主政治学术的追求如饥似渴，对以孔学为代表的中国传统文化又无法割舍；憧憬国家和民族的光明前途，却因为找不到成功之路而成为蹈火烈士；基于唯物主义基础而形成强烈的现实责任感，却只能在唯心主义和宗教超度的心境下徒留回天之叹。① 这就是中国维新派的宿命。

但是，谭嗣同以慷慨捐躯的悲壮，书写了"流血革命"的路标，告诫人民在半殖民地半封建的中国走改良的道路行不通，唐才常更以"七尺微躯酬故友，一腔热血溅荒丘"的大无畏精神，发动了自立军起义，走上了流血革命的道路。在这种精神的感召之下，许多激进的维新派人士纷纷走上了反清革命的道路，终结了对清王朝的幻想，高高举起了民主共和的大旗，湖湘文化由此焕发了新的光彩。

三、湖湘文化与西方文化的深度融合

戊戌变法失败后，谭嗣同等人以生命的代价书写了融合西方政治文化的悲壮，使湖湘文化与西方文化的融合停滞在器物层面之上。但是，谭嗣同等人所点燃的学习西方先进政治制度之火并没有随着他们的逝去而寂灭，反而为湖湘文化与西方文化的再度融合埋下了希望的火种。这种潜藏的火种一遇清末新政这一较为宽松的社会环境，加之留学教育的勃兴，使那些受过湖南时务学堂新式教育思想启迪的有志青年纷纷走出国门，去直接接受西方资产阶级民主思想的洗礼，从而实现了湖湘文化与西方文化更深层次的融合。从1901年到1949年，湖湘文化与西方文化的融合已经转向于追求先进政治制度和精神文化的层面，湖湘文化从而融入了更多的民主思想和马克思主义的先进文化。

湖湘文化与西方资产阶级民主思想的融合，主要是通过湖南的

① 陈宇翔. 谭嗣同唐才常与维新运动［M］. 长沙：湖南大学出版社，2012：364.

留学生来实现的。湖南士人的留学意识萌发于中日甲午战争之后，留学教育正式开始于清末新政时期。据 1904 年《清国留学生会馆第五次报告》统计：当年留日的中国学生 2405 人，分别来自 18 个省，其中湖南的留学生就有 368 人，占总人数的 15.3%，居全国之前。湖南赴日留学生逐渐摆脱了康有为、梁启超等保皇思想的影响，而转向民主革命思想的宣传。在湖南留日学生中最早参与创办革命报刊的是秦力山。1901 年 5 月，他在日本东京创办了留日学界宣传革命杂志《国民报》月刊。“以唤起国民精神为宗旨”，“大倡革命仇满”，“排斥保皇邪说”，措辞激昂，言论激烈，是当时最早提倡倾覆清朝的刊物。1902 年 11 月，湖南留日学生杨毓麟、黄兴、杨度等，又在日本东京组织“湖南编译社”，创办月刊《游学译编》杂志。该杂志“专以输入文明、培养民智为本”。在介绍西方近代科学知识和宣传民族民主革命思潮方面，堪与主要是由江浙留日学生创办的《译书汇编》并驾齐驱。发表于该刊第十期的《民族主义之教育》一文，明确指出中国唯一的出路是革命：“权衡今日支那民族时势之轻重，事业之缓急，莫如革命。革命者，今日支那民族最大之幸福也，民族主义则求此最大幸福之线引也。”① 这种激越的战斗呼号，与《苏报》《湖北学生界》《浙江潮》《江苏》等报刊的革命言论互相应和，吹响了 1903 年中国知识界新觉醒的时代号角。杨毓麟在《新湖南》中以较长的文字阐述自己对国家、人民及民主共和政治的见解，认为：（1）国家由人民契约而成，主权完全归于人民；（2）政府秉承人民意志而行使权力；（3）共和立宪是维护人民、国家权利的最好政治制度。他还对西方的三权分立学说加以解释和赞扬，认为“国家有三权，三权不分立者，其秩序必不安宁，幸福必不增进，是故立法、司法、行政三者，不得不分别部居，使各在于独立之地”②。指出它的根本宗旨是体现全体国民的意志。“欧美大陆莫不

① 游学译编社. 游学译编：（一）［M］. 长沙：湖南师范大学出版社，2008：6—7.
② 饶怀民. 杨毓麟集［M］. 长沙：岳麓书社，2001：53—54.

公认政府与国家之分别，莫不公认人民之自由权，以为政府与国民共守之界线，于是而共和焉。”① 所以，杨毓麟的《新湖南》称得上是20世纪初革命人士中将西方近代民主政治思想论述得最全面、最深刻的文章之一。陈天华在《狮子吼》中，追述了中华民族源远流长的历史，借用达尔文的进化论阐述了“物竞天择，适者生存”的道理，讴歌了反抗外来侵略的民族英雄，他虚构了一个脱离满洲统治的民权村，是世外的桃源，文明的雏本。这个村“有议事厅，有医院，有警察局，有邮政局，公园，图书馆，体育会，无不具备。蒙养学堂，中学堂，女学堂，工艺学堂，共十余所。此外有两三个工厂，一个轮船公司”②。文明种在这里从事着民族爱国主义的启蒙教育，他将学堂取名为聚英馆，又作了一首爱祖国歌，每日使学生同声唱和。聚英馆的学生听了此歌，爱祖国的心，不知不觉遂生出来了。文明种认为，照卢梭的《民约论》讲起来，原是先有了人民，渐渐合并起来遂有了国家。如果政府不能为人民做事，人民可以另换一个。陈天华借文明种之口来宣传民主、平等思想，启发人民追求民主、平等的意识，使民主革命的思想迅速弥漫于国内外。湖南的新式学堂也出现了“邪说朋兴，排满革命之谈充塞庠序”③ 的大好势头。西方社会主义学说也引起了湖南留学生的关注，1906年，宋教仁在《民报》上发表的《万国社会党大会略史》的译文，概述了世界社会主义运动的发展，朦胧感觉到“自社会革命之说出现于世界，而后人道胚胎，天理萌芽。将来全世界之问题，其于是焉解决乎”？宋教仁隐约把握了阶级与阶级斗争的观念，认识到阶级斗争，只要平民“幸而蚁集，幸而得多数，是即至优强之势力也。其结阵而进战也可决其必得战利品耳”④。1911年，宋

① 饶怀民．杨毓麟集［M］．长沙：岳麓书社，2001：52．
② 刘晴波，彭国兴．陈天华集［M］．2版．长沙：湖南人民出版社，1982：122．
③ 王先谦．葵园自订年谱［M］．台北：文海出版社，1970：359．
④ 宋教仁．万国社会党大会略史［M］//宋教仁集．北京：中华书局，1981：40．

教仁又发表《社会主义商榷》一文，在资产阶级民主革命进行到高潮之际，他已然注意到了社会主义这一话外音。

辛亥革命以后，以易白沙、杨昌济、毛泽东、蔡和森、李达等人为代表的先进知识分子，积极参与新文化运动，为在中国建立以科学、民主为精髓的近代新型文化而努力。1916 年 10 月，易白沙在《新青年》上发表了《孔子平议》，对孔学给中国社会带来的惰性作了系统的分析批判，成为湖南近代文化史上明言非孔的第一人。毛泽东在新文化运动的熏陶下，开始认识到如果单纯强调学习西方，不注意对中国旧文化的批判和改造，新文化的基础是不牢固的，所以他在 1917 年 8 月 23 日致黎锦熙的信中说，中国旧的文化思想“种根基深，结蒂甚固，非有大力不易摧陷廓清”，主张从根本上进行“再造”。① 在法国勤工俭学的蔡和森，深受俄国十月革命的影响，1918 年 7 月 24 日，他致信毛泽东，主张“仿效列宁”，“加倍放大列宁……之所为”。1920 年他又说，“社会主义真为改造世界对症之方，中国也不能外此”。这说明，他们已经开始从心理上认同了社会主义是改造中国的良方，从而推动了湖湘文化向着更新的、更高层次的方向发展。

中国共产党成立后，就把马克思主义作为自己的指导思想，但如何把马克思主义的基本原理运用于中国革命的具体实践，找到一条救国救民的正确道路，却经过了一个漫长而艰辛的探索过程。党的早期领导人陈独秀、瞿秋白、向忠发、王明、博古等莫不“以俄为师”，企望通过工人起义、“城市暴动”，夺取全国政权，实现马克思主义在中国的胜利，结果都因不符合中国国情，使革命遭受了惨重的损失，他们自己也在历史的选择中被一一淘汰。只有毛泽东把握住了中国时代发展的脉搏，找到了马克思主义与中国革命具体实践的结合点，那就是中国是一个半殖民地半封建的社会，也是一

---

① 中共中央文献研究室，中共湖南省委《毛泽东早期文稿》编辑组. 毛泽东早期文稿［M］. 2 版. 长沙：湖南出版社，1995：86.

个农业大国，中国革命既要先进分子工人阶级的领导，又必须建立广泛的工农联盟，城市是国民党反动派统治的重心，而农村则是他们统治最薄弱的环节，共产党可以在夹缝中求生，走出一条从农村包围城市，武装夺取政权的道路来。正是这一符合中国国情和现实需要的正确判断，使中国革命转危为安，不断地从胜利走向胜利，从而奠定了第一代中央领导集体的坚实基础。正如邓小平所言："从毛刘周朱开始，中国共产党才真正形成了一个稳定的成熟的领导集体。以前的领导都是很不稳定的，也很不成熟的。从陈独秀起，一直到遵义会议，没有一届是真正成熟的。"① 毛泽东思想的形成更是马克思主义中国化的第一次理论飞跃，党的"七大"对毛泽东思想给予了如下的科学定义："毛泽东思想，就是马克思列宁主义的理论与中国革命的实践之统一的思想，就是中国的共产主义、中国的马克思主义。"② 他是全党智慧的结晶，也包括了大批湘籍无产阶级革命家的智慧和心血。"延安时期的理论繁荣，不只是树立起毛泽东思想一杆耀眼的红旗，而且形成一座光辉的金字塔。主要领袖毛泽东的思想体系走向成熟；一批领袖人物思想理论上十分活跃；理论工作者充分发挥了'智囊'作用；全党的理论意识大提高。四者之间切磋交映，融为一体，形成一座万紫千红的理论繁荣的百花园。"③ 毛泽东是马克思主义中国化的杰出代表，而刘少奇、任弼时、周恩来、朱德、张闻天、王稼祥等是其中的活跃分子。毛泽东创造性地把马克思主义的先进文化同中国优秀传统文化相结合，提出了民族的科学的大众的新民主主义文化，从而指导了中国革命取得了完全的胜利。湖湘文化正是在与先进西方文化的融合中，不断地走向了辉煌，湖南由此涌现出了黄兴、宋教仁、陈

① 邓小平文选：第 3 卷［M］. 北京：人民出版社，1993：298.
② 刘少奇. 论党［M］//刘少奇选集：上卷. 北京：人民出版社，1985：333.
③ 冯建辉. 从陈独秀到毛泽东——中共六任领袖新视角［M］. 北京：中央文献出版社，1998：260.

天华、蔡锷等大批资产阶级民主革命家；毛泽东、刘少奇、任弼时、彭德怀、贺龙、罗荣桓等大批无产阶级革命家。湖南人才以其史无前例的群体优势，把“惟楚有才，于斯为盛”铭刻在了中国近代历史的丰碑上。

第六节　近代湖湘文化与近代地域文化

近代湖湘文化在与中国文化的共鸣中，也与其他的地域文化发生着或多或少的联系。湖湘文化以其近代杰出的人才群体而令世人注目，因而对其他的地域文化都产生过不少的影响，其他的地域文化也以自己的独特魅力，影响着湖湘文化的进步，各种文化之间取长补短，互动共进，共同推动着中国近代文化的嬗变与新生。在各种优秀的地域文化之中，湖湘文化与岭南文化、江浙文化、中原文化、巴蜀文化在近代联系最深，互动影响最大。

一、湖湘文化与岭南文化

远儒性的岭南文化在近代出现了划时代的嬗变。开始了问鼎中原，改变中国的进程。举行了三次文化北伐，即太平天国文化北伐、康梁文化北伐和孙中山文化北伐。湖湘文化成功地阻截了太平天国的文化北伐。但是在第二次北伐和第三次北伐中，受到了强大冲击，出现了与新岭南文化的合流与同盟。

近代岭南文化的精神渊源，起自于明朝中叶陈献章（1428—1500）创立的“江门学派”，陈献章是“心学”大家，提倡独立思考，“凡事理求之吾心”，即用心去感悟万事万物，寻求其事物发展的规律，这是对正统程朱理学的修正和偏离，是一种思想上的大胆变革和创新。同时，“江门学派”也倡导一种比较自由开放的学风，与当时内地禁锢教条的学风和思维方式迥然不同，对近代岭南思想家康有为、梁启超等人影响极深。可以说，陈献章的“江门学派”开启了近代岭南自由开放学风和创新求变精神之先河。①

从历史上看，岭南文化一直是与中原正统的主流文化相对应的“边缘文化”，具有“非正统”“非中心性”的异端化倾向，对中原专制王朝具有反叛精神。岭南一直是反抗封建王朝的义士、隐士、被贬官吏和中原逃难者的“庇护所”，使得历史上的岭南文化无形中具有一种反专制、反正统的民主精神、叛逆精神和革命精神。对外开放，使广东人最先走出了封建愚昧状态，最先接触近代西方的新事物、新观念，最先走向文明开化。当传统的叛逆精神、革命精神与近代西方传入的民主思想融合之后，立即凝成了近代岭南文化的民主之魂和追求进步、追求民主的政治文化传统。近代中西文化最先在开放的广东沿海发生碰撞和交流，这种新旧冲突既铸造了中西合璧的近代岭南文化内核，又孕育出一批最先觉醒的中国近代思想家、政治活动家。这就可以解释，为什么容闳、洪秀全、洪仁玕、康有为、梁启超、孙中山、朱执信等人都产生在广东，而不是其他地方了。②

岭南文化的飘逸、浪漫，空幻理想，自由开放、民主反叛精神，使得岭南人常常有一种一显身手的冲动，不愿意僻处一地，孤芳自赏，因而岭南人像“接力赛跑”一样，层层推进，步步紧逼，一波又一波地向内地发起“政治北伐”和“文化北伐”。

近代首先登场的岭南人是洪秀全，他曾是中国传统文化的醉心者，曾经四次参加科举考试，结果都名落孙山。于是受基督教传道书《劝世良言》的影响，改信基督教，创立了具有宗教色彩的反清组织“拜上帝会”，揭开了一场长达 14 年之久的太平天国农民大起义。

洪秀全的革命造反精神，除了受基督教启发以外，从历史文化渊源上来讲，正是岭南文化中“非正统意识”和“反叛精神”在

---

① 陈金川．地缘中国：下［M］．北京：中国档案出版社，1998：724.

② 同①726.

近代的延续。[①]

太平天国的文化北伐是以基督教的民主自由文化为号召，反对传统的儒家封建文化，他们一路上砸孔碑、毁神庙、焚儒书，对传统的封建文化进行毁灭性的打击，是“拜上帝教”（实质是西方基督教）对“孔孟之道”的一次全面否定和讨伐，是“上帝”对“圣人”的讨伐。“上帝面前人人平等”的观点是对“三纲五常”封建等级观念的否定，从此播下了“反清”、“反孔”的思想火种。圣人和帝王都不再尊贵、不再可怕，他们是人而不是神，甚至是恶人（阎罗妖）而不是好人，所以没有理由任其摆布，只有团结起来反抗圣人、帝王的压迫，才能解放自己，建立人人平等、和谐友爱的地上天国——太平天国。这就是上帝教的教义和思想逻辑，也是一种解放思想、发动革命的政治逻辑，它对于唤起民众、破除封建权威有着巨大而深远的思想启蒙意义。[②] 但是，这一次文化北伐活动遭到了湖湘文化的顽强抵制，以曾国藩为首的湖湘儒生群体，起而组织湘军，打着卫道护圣的旗帜，与太平军进行了拼死血战。他们以《讨粤匪檄》为政治号召，指斥太平军破坏纲常礼教和儒家文化，号召抱道君子奋起卫道。他们将程朱理学融入湘军的思想教育之中，将湖湘文化经世务实、勇于担当的精神融入湘军的灵魂之内，化为屡败屡战的强大动力，最终平定了太平天国起义，成功阻止了岭南文化的北伐，使湖湘文化获得了大力的弘扬。

岭南文化的第二次北伐，是广东人康有为、梁启超在甲午战争的强大刺激下，从岭南进军京城，表演惊世骇俗的“政治活剧”。

康有为、梁启超这两位来自岭南的已经一定程度上被“西化”的举人，与那些只读四书五经、只会写八股文的旧式书生迥然不同。他们身处开放的岭南沿海地区，见多识广，较多、较早地接受

① 陈金川. 地缘中国：下［M］. 北京：中国档案出版社，1998：730.

② 同①731.

了西方科学、文学和新思潮、新观念的熏陶，比别人更清醒地意识到亡国灭种的危机和改革开放、富国强兵的迫切性。1895 年 4 月，他们在北京发起“公车上书”，呼吁政府拒签和约，迁都再战，变法图强。①

康有为的变法主张虽然在北京引起过一定的震动，但实效并不明显，而在湖湘文化蕴藏深厚的湖南，却出现了别开生面的局面。官绅一体的维新变法运动如火如荼。因而康有为决定转移阵地，将湖南作为维新变法的试验田。他特地派大弟子梁启超亲往湖南，主持时务学堂，与湖南的维新派谭嗣同、唐才常、熊希龄等筹划湖南的各项变法活动，开始了湖湘文化与岭南文化的同盟。杨念群曾经对岭南文化人康有为和湖湘文化代表作过比较，他认为“作为近代岭南政治人物的典型，与曾国藩的巍巍事功相比，康有为几乎只能算是一个难以望其项背的‘政治侏儒’。与此同时，其构想《大同书》的浪漫奇情与自封教主的狂放气魄，也几乎无法用芸芸群生的类同性加以比附和印证”。他认为岭南文化与湖湘文化之间有相当大的取向差异。“就政治事功的践履幅度来说，湘人作为群体的支配力是显而易见的，夸张一点说，几乎一度执社会变迁结构之牛耳。岭南学人则在大多数情况下显得人微言轻，如梁启超所言常常只是‘张空拳而呐喊’耳。”他进而分析说：“康有为与湘人的最大区别表现在其着意构建庞大的理想主义话语方面，与之相较，湘人曾国藩虽被尊为儒宗，却从不在构想理论体系之时铸上刻意营造的想象痕迹。如是而言，岭南学人如康有为者，在近代话语的形构中难免会处于一种深刻的悖论境况：一方面他似乎在变革中会采取相当现实主义的态度，如有目的的重构‘政治神话’以为变法图谋之需；另一方面，他的思想又总是溢出或突破现实划定的可能性极限，飘游于玄思冥想的乌托邦之域，这两方面的特点又均可视为某

① 陈金川. 地缘中国：下［M］. 北京：中国档案出版社，1998：731.

种地域传承的近代表征。”①

这次岭南文化的入湘对湖湘文化的冲击是巨大的。对湖湘士人而言，接受岭南文化的态度并不完全相同，就谭嗣同、唐才常、熊希龄、樊锥、毕永年、易鼐等激进维新派而言，他们是主动接受康、梁的维新变法主张的，谭嗣同还多次前往北京向康有为讨教，几乎全盘接受了他的改革思想，思想日益激进。他们还主动邀请梁启超来湘主持时务学堂。梁启超在来湘之前，曾向他的老师康有为讨教过采取什么样的教育方针。当时商议有四种宗旨：“一渐进法；二急进法；三以立宪为本位；四以彻底改革，洞开民主，以种族革命为本位”。梁启超主张第二、第四两种宗旨。康有为“沉吟数日，对于宗旨亦无异词。”② 因此，梁启超主讲时务学堂后，就按照他原定的办学宗旨，对时务学堂的教学进行了彻底的改革。时务学堂的教学活动主要采取三种形式：“一是教师讲授，二是学生作札记、教师批答，三是师生讨论（问答）。全部教学活动的核心在于，从政学至上的观点出发，借助《春秋》《孟子》等儒家经典，发挥西方的民权、平等等政治思想，向学生灌输政治激进主义，为变法维新、改良政治创造条件。”③ 梁启超之所以在时务学堂的教育中，煞费苦心地披上儒学的外衣，从中国传统的思想资源中找寻改革的依据，把西方的先进制度附会于中国的传统文化之中，既与中国冷酷的现实政治有关，又与岭南文人飘逸浪漫的个性和富于想象的乌托邦理想密不可分。梁启超等人知道，在儒家文化被强烈意识形态化的情况下，不可能离开孔孟之道奢谈任何改革，而只有将儒家文化中的某些思想因子和现实的变革措施联系起来，才能为变法维新争取合法地位，不至于有“离经叛道”之讥乃至革职杀身之祸。岭

---

① 杨念群. 儒学地域化的近代形态——三大知识群体互动的比较研究［M］. 北京：生活·读书·新知三联书店，1997：216—217.

② 丁文江，赵丰田. 梁启超年谱长编［M］. 上海：上海人民出版社，1983：88.

③ 曹运耕. 维新运动与两湖教育［M］. 武汉：湖北教育出版社，2003：103.

南知识分子的“思想又总是溢出或突破现实划定的可能性极限，飘游于玄思冥想的乌托邦之域”①，作为岭南知识分子的梁启超也不例外。因此，在不断加剧的“西方冲击”面前，梁启超不仅仅承受着亡国亡种的痛苦，有一种书生救国的现实责任感、使命感，更有一种深刻的精神压力。他敏锐地觉察到儒教价值观念所受到的根本冲击，从而产生一种“文化认同危机”。这一品性，使得他既不沉溺于儒家文化昔日的辉煌，也不胶着于国家、百姓的眼前得失，而更执着于中西文化的综合、大同理想的追求。“从梁启超许多言论的字面上看，他是要唤醒整个国民的纯粹良知与道德心，实则其目的在于培养出一个道德高尚的知识阶层作为改革的生力军。”② 梁启超的政治意图十分明显，就是将变法维新的思想植入湖湘学子的头脑之中，使他们成为社会改革的推动者。这与湖南激进维新派的思想相合拍，得到了他们的大力支持，形成了湖南政治改革的共识，湖南由此出现了办学堂、办报纸、办学会的热潮，湖南的维新变法开始向纵深发展，“民主”“平权”学说广泛播扬于社会。

王先谦、叶德辉、张祖同等洋务派绅士，对于岭南文化的入湘基本上采取排斥抵拒的态度。他们在开始虽然与激进维新派一起，欢迎梁启超的到来，那只是因为当时梁启超名气较大，出于礼貌上的往来，并不是认同康、梁的岭南文化。特别是当梁启超利用乃师康有为的变法理论，将湖南维新运动由经济领域不断地推向政治领域，高唱“民主”“平等”学说，他们对岭南文化的反感就日见加增，他们指斥梁启超在时务学堂所宣传的西学不是真西学，而是歪曲圣贤之道的“康学”。在他们看来，康有为的《新学伪经考》《孔子改制考》并不是严谨的学术著作，康、梁坚持伪经说，坚持素王改制，是“想当然”，毫无根据，其用心是“以便于其推行新

① 杨念群. 儒学地域化的近代形态——三大知识群体互动的比较研究［M］. 北京：生活·读书·新知三联书店，1997：217.

② 同①260.

法之实"[①]。他们认为，这种不严谨的治学态度和为达目的，不择手段的行为必然会带来严重的后果："康门之士，每欲举一切旧学之书，大声疾呼而废之，于是人不知有古书，惟知有康学。将来外人用事，尊南海如巨子，奉时务为前驱，此其处心积虑，视始皇坑儒愚黔首之智，尤为过之。无怪其徒日日欲为始皇呼冤，人人欲学李斯焚书也。学术之坏如此，时事尚可言乎!"[②] 由此可见，洋务派绅士是反对康有为托古改制的变法理论，认为他是为变法的需要而人为制造出来的。正如杨念群所言：康有为"通过构造近代意义的'孔子改制'神话，在中国确立西方意义上的'宗教独立精神系统'，以成为世俗皇权的制约力量，同时为中国的政治变革构成一个意义深远的宗教文化背景，这不能不说是近代历史上的一个壮举。关键在于，这种精神模式的确立根本违背了中国传统的发展走向。"[③] "康有为急于立素王，谈改制，力图成为晚清王权政治变革中的准宗教监护者，使神权与政治相结合，起码在形式上违背了中国政教合一的统治模式。"[④] 这就难免给传统文化的守护者找到攻击的口实。洋务派绅士认为梁启超等人在时务学堂中宣传康有为的托古改制思想，主张民权、平等学说，败坏了封建的三纲五常，破坏了君主专制的封建统治秩序，这是教人犯上作乱，是大逆不道的事情，是离经叛道的行为，完全背离了创办时务学堂的初衷。

尽管岭南文化在湖南遭到了保守派绅士的顽强抵制，但在激进维新派的极力推动下，实现了湖湘文化与岭南文化某种程度的合作，即使在变法失败之后，民主、平权文化也在湖湘文化之中扎下了根，为辛亥革命湖南反清的激进运动埋下了伏笔。后来孙中山的

---

① 苏舆. 苏舆集［M］. 长沙：湖南人民出版社，2008：15.

② 同①91.

③ 杨念群. 儒学地域化的近代形态——三大知识群体互动的比较研究［M］. 北京：生活·读书·新知三联书店，1997：241.

④ 同③242.

"民主革命"文化北伐，获得最大支持的仍然是湘人，从而不断上演着"广东人革命，湖南人流血"的历史局面。

二、湖湘文化与江浙文化

古语有曰"上有天堂，下有苏杭"。苏州、杭州为江浙最有代表性的城市，他们与"十里秦淮"的南京，构成了江浙最有魅力的自然和人文景观。江浙文化呈现出重文轻武，重商重娱的特色，享有"东南才赋足，江浙人文盛"的美誉。北宋多情浪荡才子柳永曾在《望海潮》一词中，以神来之笔描绘了江浙的富足与美丽："东南形胜，三吴都会，钱塘自古繁华。烟柳画桥，风帘翠幕，参差十万人家。云村绕堤沙，怒涛卷霜雪，天堑无涯。市列珠玑，户盈罗绮，竞豪奢。重湖叠巘清嘉，有三秋桂子，十里荷花。羌管弄晴，菱歌泛夜，嬉嬉钓叟莲娃。千骑拥高牙，趁醉听箫鼓，吟赏烟霞。异日图将好景，归去凤池夸。"[①] 令人神往不已。自南宋经济重心南移，江浙就成了政治和文化轴心，江浙一带的大学问家、大文豪层出不穷。

"从'政治轴心'的主观取向而言，清廷掌握政权前后，曾经屡遭江浙士人的激烈反抗，为了真正控驭作为'文化轴心'的江浙一隅，清廷也通过屡兴文字狱、调控学额数目等手段，有意压抑江浙作为人才密集区域的传统地位。"[②] 文字狱的频繁发生与学额被控，造成了一个重大的历史性后果，大批江浙儒士，无法完全通过科举的渠道进入"政治轴心"周围。这种局面在清初曾经延续了相当长的时间。为了免遭清廷的文化迫害，一部分江浙文人只好埋首于故纸堆中，开始做训诂、考据的文化研究，不敢再触及现实政治，使训诂考据之风盛行于吴皖，流衍于全国，独湖南受其影响最

① 秦榆. 中国文化性格［M］. 北京 ：中国长安出版社，2006：139.

② 杨念群. 儒学地域化的近代形态——三大知识群体互动的比较研究［M］. 北京：生活. 读书. 新知三联书店，1997：273.

小，仍旧保持着经世致用的学风。另一部分江浙文人在无法通过科举正途进入官僚集团之后，只好退而求其次，开始学习实用性和专门化学问，使学术本身变成为一种谋生的手段和工具。“‘由官而幕’似乎是为江浙过剩人才提供地方性流通渠道的最佳变通途径。由于幕府人员由府主自己选聘，与正规官吏由考试铨选登进者有所不同，在选择幕僚时，府主也往往不限资格，不分亲友，不问相识与否。这样就为饱读诗书，却窘迫于科举名额之限的江浙士子，提供了一种新的谋生归宿。”①

绍兴师爷就是江浙智业文化的显著代表。从文化形态上看，江浙文化是一种智业文化，它不同于北方的传统文化。北方人学而优则仕，而江浙人则学而优则商。他们从教育入手，或成为名满天下的大学者、大科学家、大教育家，或成为富甲一方的大实业家、大资本家。在这种环境和氛围中，江浙人个个头脑灵活，长于思考，精明强干。他们崇拜的是智慧，崇拜的是灵气。他们不相信蛮力，而是凭脑子吃饭，依靠智慧，出谋划策去谋生、去发展。师爷是明清时代地方官署中的主管官吏聘请的帮助自己处理刑名、钱谷、文案等事务的无官职的佐理人员。师爷凭借自己具有的刑名律例（法律）和钱粮会计（财会）、文书案牍等方面的专业知识和才能辅佐主官。由于绍兴人当师爷的极多，且遍布全国，名声极大，久而久之形成了一个专门的称谓——“绍兴师爷”。清代有句俗谚说：“无绍不成衙。”绍，就是绍兴籍的师爷和书吏。②

在近代流行着这样一句市井民谣：“绍兴师爷湖南将。”这是湖湘文化与江浙文化互相影响的典型象征，也是他们共同对抗岭南文化和西方文化的一种表现。以洪秀全为首的太平天国起义曾经纵横江浙10余年，对江浙文化的打击最深。以曾国藩为首的湘军担负

① 杨念群．儒学地域化的近代形态——三大知识群体互动的比较研究［M］．北京：生活．读书．新知三联书店，1997：277.

② 陈金川．地缘中国：下［M］．北京：中国档案出版社，1998：611.

着镇压太平天国的历史重任，他们在江浙与太平军厮杀了10余年，既炫耀了武力，又播散了文化，将湖湘文化渗透入江浙文化之中。而在镇压太平军的过程中，湘军又大量地吸收熟悉当地情况，并有一技之长的江浙士人为幕僚，帮助他们出谋划策，参赞军务，管理钱粮、刑名，从而造就了“绍兴师爷湖南将”的独特局面。根据李鼎芳编纂的曾国藩《幕府人物总表》统计，曾幕中共有江浙籍幕僚42人，占全部幕僚总数89人的47%左右。从这42人的出身分析，没有功名记载者达11人，其余拥有各种功名之人的分配比例是：监生2人，贡生9人，诸生4人，举人7人，进士9人，没有功名或有低级功名者总共26人，大大高于拥有高级功名者16人的比例数字。而后来这些人中受到曾国藩荐举的就有12人（安徽4人，江苏6人，浙江2人），占荐举人数24人的一半。① 在曾国荃、左宗棠、李鸿章的身边，都有不少的绍兴师爷。这些师爷为其主人排忧解难，出谋划策，作用非常重要。江苏无锡人薛福成于宝应舟中上万言书，曾国藩大奇之，遂延入幕府，“军谋机要，多所赞画”。章太炎的父亲章濬在左宗棠督师至闲林镇时，曾献地图，并陈述善后之策，颇能为左氏见用。冯桂芬著成《校邠庐抗议》之前，曾撰有《驭夹须知夷情议》寄给曾国藩兄弟阅看，冯著完成后，曾请曾国藩为其作序。后入李鸿章幕，帮其办理洋务多年。华蘅芳和徐寿也曾以“研精器数，博涉多通”为由被曾国藩奏召至安庆创办内军械所。他们后来在江南机器制造局合作制造了中国第一艘木质轮船——黄鹄号。江浙学人特别是精于实用技术之人相互谐应的结果，为自强运动的崛起提供了区域性的人才渊薮。他们使幕府成为注重“格致”实学的江浙学人与推崇经世致用的湘淮军事首领融合协作的重要场所。② 湖湘文化与江浙文化通过主客互动，完美融合，

---

① 杨念群. 儒学地域化的近代形态——三大知识群体互动的比较研究［M］. 北京：生活. 读书. 新知三联书店，1997：280—281.

② 同①287—288.

充分发挥了其在镇压太平天国起义中的作用。湖湘文化吸收了江浙文化的开放意识和机智敏捷、富于冒险的精神，重商求富的实用技术，因而，使曾国藩、左宗棠等人成了洋务运动的先驱，成了“师夷长技以制夷”的最早实践者。而曾国藩通过在金陵刊刻《船山遗书》，在江浙大力宣传王夫之的“尊礼重道”思想，通过恢复和重建书院，大力宣传湘军的“忠孝节义”行为，将湖湘文化的道德教化和骨气、血性融入于江浙文化之中，使江浙人增强了“敢为人先”的底气，有了争雄天下的政治热情，从而造就了清末“广东人革命，湖南人流血，江浙人出钱”的热闹场景，成就了辛亥革命推翻帝制，建立中华民国的伟大功勋。

在近代历史上，湖南人与江浙人都曾铸造过历史辉煌，湖南以盛产政治家与军事家而闻名于世，而江浙以盛产实业家和大商人而闻名天下。不同的文化铸就不同的人才，成就不同的功业。在近代政治舞台上，毛泽东与蒋介石是湖湘文化与江浙文化的典型代表。出身于浙江奉化一个商人家庭的蒋介石，从小生活于重商重娱的江浙文化氛围之中，学会了商人的机敏、工于心计、讨价还价、投机取巧，敢于冒险的本领，也学会了善于享受，追求个人淫乐之习，加之早年鬼混于上海十里洋场，做证券生意，无形之中具有了商人的气质和手段。“在此后的政治生涯中，他把在商场上学到的‘道’娴熟地运用到了政治竞争中，并达到了炉火纯青的地步。一方面，他擅长玩弄权术，懂得讨价还价，以退为进，以捞取政治资本；另一方面，他用金钱开路，分化瓦解并打倒自己的政敌。”① 在早期跟随孙中山革命时，一方面他表示对孙中山的忠心，甚至临难救主；另一方面，他又以不断辞职来抬高身价。辞职后，他又不甘寂寞，反而更加积极地向孙中山献计献策，以显示其才能和“价值”的存在。在孙中山身边将才奇缺的情况下，他的这些“雕虫小

① 陈金川．地缘中国：下［M］．北京：中国档案出版社，1998：645．

技”，使一些人对他的军事才能刮目相看。他的“声誉”与“才华”在广东政府内蒸蒸日上，一个个光环被戴到了他的头上。这样，每辞职一次，他的身价就抬高一次，形成一种叠加效应，到1923年8月，他就被孙中山任命为大元帅行营参谋长，终于介入了国民党的权力中心。①

在他登上国民党最高统治地位后，他又把商人的气质与手段带入民国政坛，他玩弄政治交易术，拿权力做买卖，以金钱为筹码，采取以退为进，各个击破的手段，使江浙人出尽风头，一度获得短暂的“辉煌”和成功。他在主政南京国民政府期间，先后于1927年8月、1931年12月、1949年1月三次下野和三次上台，把“以退为进”的手腕表现得淋漓尽致。在这三次下野之前，他像一个高明的猎手，为他的政治对手设下了一个个政治陷阱，然后从容离开，待对手落入圈套后，他再装出一副不得已的样子，伸出手去解救，② 以显示他“不同凡响”的能力，使对手无话可说，乖乖让权，他又成了力挽狂澜的“大英雄”。在蒋介石身上，绍兴师爷那种擅于权谋、精明计算似乎表现得太充分，但师爷毕竟不是政治家。

蒋介石深通金钱的分量，把权力和金钱高度融合，构成荣辱与共的利益共同体。江浙财团是他征服政敌的“钱袋子”，瓦解反抗联盟的秘密武器。他能用钱把政治玩弄于股掌之中。钱对于蒋介石来说，是政治手段的继续，他用钱达到了军事上达不到的目的。钱是外交，钱是谋略，钱是智慧，蒋介石像一名商人一样，把钱用到了出神入化的程度。③ 在中原大战中，他用钱瓦解了冯阎桂系反蒋同盟，达到了各个击破的目的；1936年，他又用重金收买了广东军阀陈济棠的得力大将余汉谋，使广东空军的48架飞机全部飞到

---

① 陈金川．地缘中国：下［M］．北京：中国档案出版社，1998：646.

② 同①.

③ 同①647.

了蒋介石在江西的飞机场上，从而顺利打败了两广军阀的反蒋同盟。蒋介石以权柄为诱饵，以金钱为铺路石，使他在国民党内战胜了一个又一个的对手。与他的对手相比，他善权谋，有金钱，他的政权就是建立在这种基础之上的。蒋介石的权钱文化，使他迷失了政治方向，更多地关注于国民党内的权力争斗，把主要精力用在谋人而不是谋事之上，他不关心百姓的疾苦，忽视民心的向背，勉强维持了在大陆 22 年的统治，最后败走台湾，从而再次验证了吴越之地能出大商人、大文豪，却出不了大政治家和大将军这样一种不无调侃的说法。蒋介石虽曾崇拜湖湘文化的杰出代表曾国藩和胡林翼，并且把蔡锷辑录的《曾胡治兵语录》，作为黄埔军校的教材，军人带兵的宝典，他还在军队中大倡尊孔读经，强调礼义廉耻，忠孝仁爱，但因其私心自用，寡廉鲜耻，并没有取得如曾、胡那样的军事效果，仍旧免不了失败的命运。反观出身于湖南韶山一个农民家庭的毛泽东，自小在湖湘文化的熏陶之下，就有立志干大事的雄心壮志，湖湘文化的英雄豪杰观、动变斗争观、“民为邦本”思想和务实践履精神都在毛泽东身上有着显著的体现。毛泽东扎根于本土，没有留洋经历，而蒋介石却留学过日本，接受过比较系统的近代军事教育和训练。毛泽东学的是《孙子兵法》《三国演义》《水浒传》等传统著作，从中国传统文化中吸取精神营养，长大后他又如饥似渴地阅读了不少政治理论和历史书籍。他自小生活于农村，与农民有一种天然的感情，他还经常利用暑假深入农村调查，与农民谈心，了解民间疾苦，同他们探讨官场与世道问题，因而，他比蒋介石更接地气；湖南商业氛围不浓，毛泽东对经商也无兴趣，对金钱并不敏感，因而比蒋介石缺少铜臭味。在他的身上表现出的是那种农民式的质朴，自强不息的韧劲。他追求新事物，立志改造不平等的社会。他是新文化运动的宣传员，是批判旧制度、旧文化、旧礼教的闯将，他用文化书社吹响马克思主义的号角，促进马克思主义与中国革命的结合，他发起的驱张运动、湖南自治运动，都给了中国社会以巨大的震动。有学者认为，毛泽东与蒋介石虽然都对政治表现了高度的积极性，并在各自的范围内表现出了相当的领导才能，但他们在本质上是不同的。

第一，两人所求目标与手段不同。蒋介石的追求充满了私欲。他在个人的权力上斤斤计较，稍不如个人的意志，就置军命与党性于不顾，玩起商战中的把戏，一切以个人的利益为转移。毛泽东的早期追求却带有纯洁高尚的道德色彩。在学生时代即以天下安危为己任，团结了一批好友，探求救国救民的道路。当时毛泽东的交友原则是那些不谈金钱、不谈女人、不谈身边琐事之人，并十分注重自身的道德完善，“欲从哲学伦理学入手改造哲学，改造伦理学，从根本上变换全国之思想”。其目光之远大、精神境界之高尚、救国救民之真诚是蒋介石不可比拟的。

第二，早期的蒋介石较多地从事军事活动的策划。他以退为进，不断地把自己在军事战略上的一些构想抛出，以引起孙中山和其他人的注意。这个时期的经验为他后来在与各派军阀较量中取胜打下了基础。毛泽东则注重于政治运动，通过领导一些政治运动，进一步认识了中国社会的实际。农民的质朴使他对中国的普通百姓有了更为深刻的理解，看到了民众的联合在革命斗争中的巨大能量，并且将民众的联合与中国的改造初步联系起来，为他后来的人民战争理论提供了早期的思想基础。蒋介石把立足点放在军事的权力上，将其一生的政治生命维系在军权的得失之间。毛泽东则将眼光放在了广大民众身上，尤其是中国的农民身上，他找到了最广阔的立足点。毛泽东不会做生意，也没有做过生意，他一生最讨厌的是钱。虽然出生于闭塞的韶山，但湖湘文化那种经世致用、崇尚政治、讲求国家观点和民族气节的精神，使毛泽东胸襟开阔，追求的目标远大。毛泽东虽然没有出过洋，留过学，但他是反传统的。他继承了湖湘文化中那种重政治、重军事的文化精神。他不仅成为一个卓越的政治家，而且还成为一个卓越的思想家和军事家。[①] 正是这种本质上的区别，也推动形成了毛泽东领导的中国共产党取代蒋介石领导的中国国民党的最终结局。

湖湘文化虽与江浙文化在近代有取长补短的交融趋势，但更多的仍是保留着区域文化的独特特色，使得近代湖湘政治家、军事家人才辈出。而江浙虽出过蒋介石等一批政治和军事人物，但相比而言，星光暗淡，称不上是高明的政治家和军事家，只能算是玩弄权势的军事政客。但实业家和文学家却光彩照人，著名的大实业家就有江苏南通的张謇、无锡的荣氏家族、宁波的两位世界级船王包玉刚和董浩云、江浙财团的虞洽卿等；著名大文学家鲁迅、王国维、徐志摩、戴望舒、丰子恺、茅盾等；著名大教育家蔡元培、叶圣陶等；著名大科学家竺可桢、钱学森、钱伟长、钱三强、严济慈等；可谓异彩纷呈，印证了江浙之地人文鼎盛的文化轴心地位。

三、湖湘文化与中原文化

中原乃中国之战略枢纽，为历代兵家、政客、商贾必争之地，群雄逐鹿，得中原者得天下。中原是中华民族的摇篮，中华文明的源头，是一片孕育河图、洛书、周易、八卦、太极、少林的神秘文化沃土。道家鼻祖老子、庄子生于河南，儒家鼻祖孔子、孟子虽生于齐鲁，但其主要活动和思想传播却在中原大地。儒学、道学是孕育中原文化精魂的两大“文化基因”，使中原文化、中原民风呈现出“忠义为本，厚道古朴”的“儒骨道风”。[②]

由于中原地区曾长期占据中国政治、文化的中心地位，中国七大古都中，河南就占有三个：安阳、洛阳、开封。从公元前 21 世纪的夏朝到公元 12 世纪初北宋灭亡，这三千多年，共有 14 个朝代，其中 11 个朝代曾在河南建都。这就使得“政治—伦理型”的

① 陈金川. 地缘中国：下［M］. 北京：中国档案出版社，1998：649—650.
② 陈金川. 地缘中国：上［M］. 北京：中国档案出版社，1998：64.

中原文化，曾长期居于中国正统文化和主流文化的地位，成了中国传统文化的总代表。李民昌在《中原文化研究随想》一文中说："中原文化的显著特点是它的许多内容在中国文化中占有'最早'的地位，或享有'第一'的声誉，这恰与黄河流域向来被世人视为华夏文明发祥地、中华民族之摇篮的地位相称。"① 中原文化是农耕文化的典型代表，提倡节俭，反对奢侈浪费；推行重农抑商的经济政策；强调家国同构的政治制度，以"君为臣纲，父为子纲，夫为妻纲"为思想基础，以家庭、宗族、户籍、郡县为统治网络，以男性家长和各级官员为管理人员，把父权、族权、皇权联结起来，构成了庞大的国家机器。思想上重伦理，讲仁、礼，以义为上的儒家人格。铸就了中原文化忠义为本，伦理至上；尽忠报国，舍生取义；贵义贱利，重农抑商；与人为善，和谐友爱；包容开放，兼取众长的文化特色。"正如一名著名考古学家所说：中原以外的文化区都紧邻或围绕着中原文化，很像一个巨大的花朵。这些外围的文化区是花瓣，而中原文化是花心。正是花心的不断绽放，才形成了中华文化这朵绚烂的文明之花。"② 中原文化由于长期居于中国文化的正统和主流地位，因而对中国的其他地域文化具有很强的辐射和引领作用，湖湘文化也不例外。

湖湘文化在南宋的正式兴起，就是中原文化直接影响的结果。湖湘文化的直接创立者胡安国、胡宏等人就是在北宋末年金兵入侵，京城开封陷落之后，南迁湖南的。他们带来了先进的中原文化并将其与湖湘本土的苗蛮文化深度融合，创立了湖湘学派，开始了宋代理学的湖湘因子植入。因此，湖湘文化具有很浓重的中原文化的思想烙印，尤其是"洛学"的开创者程颢、程颐的理学文化特色。胡安国师承"二程"，二程开创的"洛学"，注重道德气节、人格尊严、社

---

① 转引王思博. 中原文化［M］. 长春：吉林文史出版社，2010：114.

② 中原文化的显著特点［R/OL］（2009-06-08）［2017-05-14］http：// www.henan.gov.cn.

会责任感和历史使命感，这些都成为整个宋明理学一以贯之的精神线索和灵魂，由此而放大演变为一种代表中华民族气质和中华文化精神的“忠义人格”和忧国忧民传统。它不仅影响中原地区，并孕育出具有忠义刚烈人格的中原精英人物，如抗金英雄岳飞、史可法等，而且还塑造了整个中华民族的道德观、人生观和价值观。①

从地缘政治和文化地理学角度来看，北宋以前，中国政治、文化中心基本上是在黄河流域沿东西方向的轴线移动，即在西安、洛阳、开封之间转移；而北宋之后，则沿南北方向的轴线，在华北和长江流域之间移动，即在北京、杭州、南京之间转移。而此时，中原地区政治、文化的传统优势不复存在，除了充当军阀混战，改朝换代的战场，平时则默默无闻，仿佛成了被人遗忘的角落！在中国历史重心大转移和南北命运的大转折中，文化积淀深厚的中原地区却成了任人蹂躏、埋葬文明的战场，由文明的“摇篮”变为文明的“坟墓”（河南“地下文物”数量居全国各省之首，即是明证）!②但中原文化的薪火却在全国各地播散，形成了儒学地域化的新格局，赋予了中华文化异彩纷呈的新特色。湖湘文化正是在这种文化中心南移的潮流之中，焕发出了无限的生机，在中原文化的基石上，与湖湘的本根文化有效融合，并吸纳各地的优秀文化，使湖湘文化大放光彩。“宋代，尤其是南宋，理学湖湘学派在湖湘大地形成一道靓丽的文化风景线。不仅胡安国、胡宏、张栻这样一批湖湘学者高擎湖湘学大旗，以岳麓书院为基地，讲学授道，还有朱熹、真德秀、魏了翁、陈傅良等外籍理学大家走进湖湘，以学会文，交流切磋，推波助澜，成就了湖湘学的宋代繁荣。”③尤其是明末清初的大思想家王夫之，对湖湘文化的发幽阐微，构建了博大精深的思想体系，使湖湘文化走向了最辉煌的金顶，孕育了近代湖湘英杰

① 陈金川. 地缘中国：上［M］. 北京：中国档案出版社，1998：68.
② 同①62.
③ 罗宏，许顺富. 湖南人底精神［M］. 北京：新星出版社，2017：74-75.

井喷式的出现，光耀了海内外。“近代湖湘士子深受朱熹、张栻等地域化儒学大师‘居敬穷理’话语规则的控驭，常常把外界的变动作为内心探寻的外在对象和前提。明末清初思想家王夫之更是打通传统概念中的‘理’‘势’关系，从而把形而上学的‘理’诠释为可以把握的客体认知目标。湖湘儒生总是对外界社会政治的变动十分敏感，并有一种把内在感知对象化于政治客体的强烈欲望。”① 因此，湖湘士人具有极强的政治敏感性，关心国家兴亡，勇于社会担当，求变求新，自强不息，经世务实、踔厉敢死。他们在近代内忧外患的乱世场景下，挺立潮头，为卫道血战，为变法喋血，为共和献身，为独立苦战，改写了近代中国任人宰割、任人欺凌的历史，书写了湖湘文化的辉煌。

近代由于中原文化的衰落，在文化的交流中，更多的是湖湘文化反哺中原文化。湖湘文化因湘军镇压太平天国起义的赫赫功业，而得到了清王朝的重视，尤其是曾国藩等人大刻《船山遗书》，宣传“尊礼重道”，强调纲常伦理，符合清朝封建统治的文化需要，因此，得到了清廷的大力肯定。曾国藩在率军镇压捻军起义的过程中，也自然将湖湘文化的尊礼重道思想传入到了中原文化之中，更加强化了中原文化的保守意识。“翻开中国近代史，从鸦片战争到五四运动，将近八十年间，中原文化和河南人在大部分时间都毫不显眼，几乎是默默无闻，与‘新潮’无缘，但却能找到一个反面的典型——袁世凯。他作为从中原文化正统保守传统中走来的一位保守派人物，羽毛日渐丰满，集一个时代保守势力之大成，横亘在中国近代改革的道路上，呼风唤雨，逆流而行，企图在民主之风日盛的大气候下重温‘帝王梦’，开历史倒车，最后落得个‘千夫所指、无疾而死’的可悲下场！”②

---

① 杨念群. 儒学地域化的近代形态——三大知识群体互动的比较研究［M］. 北京：生活. 读书. 新知三联书店，1997：85.

② 陈金川. 地缘中国：上［M］. 北京：中国档案出版社，1998：78—79.

袁世凯的保守主义文化虽与湖湘文化有着一定的关系，但湖湘文化“心忧天下”的强烈爱国主义情怀，又使它具有保守与开新的双重特性，尤其是湖湘文化的求变求新，使湖湘人在民族危亡的关键时刻，往往走上文化激进主义的行列。因此，近代湖南的保守和激进都很典型。袁世凯的保守主义文化既在湖湘文化熏陶下的激进文化派那里遭到反抗和批判，又在保守文化派那里找到了知音。戊戌维新时期，湖南的激进维新派谭嗣同曾夜探法华寺，恳求袁世凯支持变法，袁世凯却两面三刀，出卖维新派，使谭嗣同为变法喋血，袁世凯以维新派的鲜血染红了顶戴，成了慈禧太后眼中的红人。辛亥革命，袁世凯窃取了革命的果实，表面上宣誓拥护共和，但骨子里却透着封建专制文化的气息，这就与醉心民主共和，主张政党内阁的湖南人宋教仁产生了严重的冲突，袁却用卑鄙的暗杀手段来解决问题，从而引发了孙中山、黄兴领导的“二次革命”，袁世凯凭借着北洋军阀势力镇压了革命。并冒天下之大不韪开始了大张旗鼓的文化复古运动，为恢复帝制做舆论准备。他亲自主持了祭孔、祭天之大典，掀起了尊孔读经活动，并获得了湘人文化保守派的极大支持。在京城，湖南人杨度、李燮和、胡瑛和孙毓筠、刘师培、严复等人组成筹安会，为袁世凯大造帝制舆论，进行复辟帝制的文化铺垫；在地方，以王先谦、叶德辉、王闿运、曾廉为代表的湖湘文化保守派继起响应，大肆鼓吹和提倡尊孔读经，形成了中原文化与湖湘文化的合鸣。但是复辟帝制的保守文化不管装扮得如何漂亮，吹捧得如何完美，都早已失去了市场，民主共和观念已经深入人心，开历史的倒车只能自取灭亡。因此，当袁世凯帝制自为后，民主共和的捍卫者湖南人蔡锷在云南首揭义旗，发起了反袁独立的“护国运动”，破灭了袁世凯的皇帝梦，洗刷了湘人与袁世凯同流合污的文化耻辱，重塑了湘人“再造共和”的光辉形象。

在五四运动的洪流中，湖湘文化再领风骚，以毛泽东、蔡和森、刘少奇等为代表的湘籍无产阶级革命群体走上了历史的舞台，他们把马克思主义与中国革命的具体实际相结合，走出了一条从农村包围城市、武装夺取政权的革命道路，把湖湘文化忧国忧民，敢为天下先，求真务实，自强不息的文化精神发挥到了极致，成为了中国共产党先进文化的有机组成部分，影响着中国文化的进步，同样也影响着中原文化的发展。在毛泽东抗日民族统一战线的思想指引下，不愿做亡国奴的中原儿女，与全国人民一道，本能地继承了岳飞尽忠报国、收复河山的爱国精神和忠贞气节，涌现出一大批像吉鸿昌、杨靖宇、彭雪枫这样为国捐躯、舍生取义的烈士。出身少林武功高强、威名远扬的传奇将军许世友，一直跟随毛泽东为中国革命立下了汗马功劳，在他们身上都留存着湖湘文化与中原文化交融的印迹。

四、湖湘文化与巴蜀文化

巴蜀文化是指以重庆为中心的巴文化和以成都为中心的蜀文化，是由“巴文化”与“蜀文化”两个源头融汇而成的一种极具特色的地域文化。[①] 巴蜀文化由于特殊的地理环境和人文因素的影响，形成了自己独特的文化特色：一是自然环境的封闭性和文化的开放性之间矛盾的统一。四川古称“四塞之国”，历史上“蜀道难，难于上青天”，使它的文化面貌具有显著的地方性，即古人所谓“人情物态，别是一方”。而由于盆地的地理位置正处于我国西部高原和东部平原的过渡地带，处于北方的黄河流域和南方的长江流域的交汇地带，这种东与西、南与北的交汇位置，又促进了巴蜀先民很早以来就致力于突破群山封锁、开拓对外交流的奋斗，使得巴蜀文化虽不可避免地具有农业文明的封闭性和静态性，但又明显地具有对外努力开拓的开放性[②]，形成了环境的封闭性和文化的开放性的矛盾统一。巴蜀先民在开拓水陆通道，沟通与外界联系的同

① 陈金川. 地缘中国：上［M］. 北京：中国档案出版社，1998：358.
② 秦榆. 中国文化性格［M］. 北京：中国长安出版社，2006：185—186.

时，对外来文化采取欢迎的态度，汇纳百川。不管是儒家文化，还是佛教文化和道教文化，都在这里生根发芽。峨眉山、乐山体现的是佛教文化，鹤鸣山体现的是道教文化。巴蜀文化开放性的另一个有力证明，就是它对移居、流寓此地的外来人口始终持欢迎态度，从来没有发生过排挤外来人口的事件。“自古文人多入蜀”，汉景帝末年的蜀郡守文翁，对蜀中文化建功甚伟，蜀中百姓“为立祠堂，而民从化”。出生于山东的蜀汉丞相诸葛亮，鞠躬尽瘁于蜀中百姓，蜀人为其在成都建立了颇负盛名的武侯祠，以示纪念。出生于河南巩县的杜甫，一生东西漂泊，足迹几乎遍及半个中国，但瞻仰、纪念杜甫的主要场所却是成都杜甫草堂。清代前期的“湖广填四川”，也没有引起四川人民的任何抵制，从而加速了巴蜀文化与荆楚文化和湖湘文化的交流。二是巴蜀文化与中原文化有极密切的内在联系。尽管巴蜀文化有鲜明的地方特色和一定的独立性，但它与中原文化之间是荣枯相伴的关系。中原兴，则巴蜀昌；中原衰，则巴蜀衰。自秦灭巴蜀后，巴蜀就一直在中原文化的熏陶控制下，被认为四塞之地的巴蜀之所以能够在西汉时代成为全国文化的先进地区，中原文化的影响是至关重要的。蜀中学子司马相如、扬雄、王褒等正因为汲取了中原文化的养分，学识日进。他们在京都长安读书学习，与云集京城的中原文士交往，因而写成了《子虚赋》《上林赋》《河东赋》《甘泉赋》《洞箫赋》等名篇。巴蜀文化还与中原文化荣枯与共，对中原文化亦步亦趋。当西汉和唐代前期中原经济、文化发达时，巴蜀在经济上居全国前列，杰出人才不断涌现。而当魏晋南北朝时期的数百年间中原大部分时间罹受战乱时，巴蜀经济、文化也陷入了长时间的沉寂时期。而巴蜀历史上出现的割据政权，都是中原王朝的残余，它们的出现和消亡取决于中原政局的变化。当中国政治中心北移，经济中心移往江南时，中原地区风光不再，巴蜀经济在全国位置后移，天府之国已成昔日荣耀，文化上沦为不发达地区。

成都一马平川，无灾无险；重庆出门是山，举目是树。“巴山与蜀水不同的文脉所孕育出来的两座城和两种人竟有几乎全然不同的文化品格，甚至有科学家研究发现成渝两地人群的血质特点也迥然有异。华蓥山和长江养大的重庆人有如高山大川，壮心浩荡；川西坝子和都江堰娇惯的成都人恰似小桥流水，风情万种。重庆似一曲跌宕趵突的山河赋，成都像一首温婉秀丽的抒情诗。成都人太满足成都，哪里都不愿去，走遍天下还是觉得这个‘舍南舍北皆春水’、‘锦城丝管日纷纷’的成都好。重庆人太不满意重庆，所以总要外出闯天下，天南海北到处都留下了天命艰辛的重庆人奋发的足迹。”①

巴蜀文化与湖湘文化都承受着中原文化的影响，具有相同的文化主流思想，即儒家伦理型文化的影响。两地的独特性文化也相互影响，三国时期，两地都曾隶属于刘备的蜀汉政权，具有一定的文化相通性，并互相取长补短，不过两地的文化交流和影响到宋代以后则变得更加频繁。出生于巴蜀的宋代词人苏洵、苏轼、苏辙父子三人的词都对湖湘文化产生过一定的影响。不过宋代对湖湘文化贡献最大的当数蜀人张栻和魏了翁。张栻、魏了翁都是南宋著名理学家，其中，张栻与朱熹齐名，并列“东南三贤”之中，魏了翁继承并超越朱熹，为确立理学在社会意识形态领域的正统地位发挥了重要作用，两人在宋代理学史上都占有重要地位。魏了翁是张栻的私淑弟子，两人思想比较接近，都有较为突出的实学思想，主要表现在求实求理，重躬行践履，对欲、利的肯定，把义理与训诂相结合等方面，并且两人都是蜀籍学者，又都长期在湖湘地区活动，张栻主教岳麓书院，魏了翁谪居于湖南靖州，建鹤山书院，把比较先进的内地文化带到了苗乡侗寨，促进了靖州文化教育事业的发展。他们两人的学术活动对沟通湘蜀两地文化产生了重要影响，为宋代地

---

① 秦榆. 中国文化性格［M］. 北京：中国长安出版社，2006：200.

域文化的发展做出了突出贡献，同时也促进了湖湘文化宋代的大繁荣与大发展。

张栻之学除盛行于湖南一带外，还回流四川，在蜀地产生了重要影响。张栻讲学于湖湘，蜀人多从之。不少蜀中学者从学张栻后，又回到四川讲学，传播了张栻的理学思想。另一些四川学者则私淑张栻，以求南轩之学为己任，在这个过程中，也传播和发展了张栻的思想，这就促进了宋代蜀地理学的进一步发展。魏了翁在靖州鹤山书院，除教授当地的学者蒋山等人外，湖湘、江浙、四川之士也不远千里，负书从学。其中，包括陆九渊之子陆持之的门人叶元老，绥宁的戴立本，全州的藤处厚、蒋公顺，以及四川的学者高斯得、程掌、虞栻等人，通过向他们讲学和学术交流，沟通了湘蜀两地的文化联系，使湖湘文化与巴蜀文化取长补短，共同发展。①

近代以后，随着帝国主义侵略的深入，重庆、岳州等长江沿岸城市相继开埠，对外交流日益扩大，湘蜀两地的文化联系也日益增强。光绪四年（1878），湖南的儒学大师王闿运受聘主讲四川的尊经书院，直到光绪十二年（1886）春还湘，在成都的尊经书院讲学达八九年之久。首倡治学先明读书之法，提倡治学需从研习十三经注疏、二十四史、《文选》入手。他借用《公羊传》中“张三世”“存三统”“异内外”的说法，说明社会是不断向前发展的，由“据乱世”到“升平世”再到“太平世”，这为后来的变法派提供了重要的理论依据。20世纪50年代，湖南大学的马宗霍教授曾回忆说：“湘绮师提及‘上不正则不足以治人’，往往放言时政之乱莫不自上始，并谓清末为‘据乱世’有待于拨乱反正。凡此，皆见之于言说，而不见之于文字。”② 他的这些思想，对他的学生廖平影响很大。出生四川井研的廖平，勤学善思，颇得王闿运赏识，故

① 蔡方鹿．张栻、魏了翁的实学思想及对湘蜀文化的沟通［J］．湖南大学学报（社会科学版），2005（1）：16—20．

② 萧艾．王湘绮评传［M］．长沙：岳麓书社，1997：125．

最得王氏公羊学精髓，深谙今文经学治学的理路要领。他从今文经学的中心“公羊三世说”出发，认为社会是在不断变化的，他坚决反对很多经学家“贵古贱今”的观点，他不仅主张社会历史在“先野蛮而后文明、进步、改良”，而且更坚决地主张学术思想也必须不断地变化。他很鲜明地主张：“为学须善变，十年一大变，三年一小变，每变愈上，不可限量，所谓士别三日当刮目相待者也。变不贵在枝叶，而贵在主宰，但修饰整齐无益也。若三年不变，已属庸才；至十年不变，则更为弃才矣。然非苦心经营，力求上进者，固不能一变也。”一生六变，概括了廖平治学50年，解说《六经》50年的基本脉络。廖平第一次提出今古文经学之别的核心在于礼制，抓住了问题的核心，对学术界有很大影响。廖平的《今古学考》问世后，影响康有为从尊信古文经学转为今文经学的忠实信徒。他的《新学伪经考》和《孔子改制考》的主要内容，皆取自廖平的《辟刘篇》和《知圣篇》。但廖平的学术观点是愈变愈奇，愈变愈玄、愈变愈令人不敢苟同。他对“变”的强调太甚，变得太快，变得太凶，就背离了自己提出的变是为了“从道”的初衷，变得无根无据、离奇古怪了。① 但在他的身上，我们明显可以看到湘蜀文化交融的痕迹。叶德辉曾说：“尝考康有为之学出于蜀人廖平，而廖平为湘绮楼下楼弟子（湘绮尝言，廖平深思而不好学）。渊源所自，咸有闻知。”② 王闿运的另两位蜀籍学生杨锐、刘光第也都深受他的变革思想的影响，在戊戌维新时期，与湖南人谭嗣同等人积极参与变法活动，最后都血染菜市口，为变法献出了宝贵的生命。

在资产阶级民主革命中，随着出国留学生的日益增多，湘、蜀留学生的文化交往也十分频繁，他们大倡革命排满思想，在文化上相互呼应，唤起国人的觉醒。川人邹容被称为“革命军中马前卒”，

① 陈金川. 地缘中国：上［M］. 北京：中国档案出版社，1998：381.
② 叶启倬. 郎园先生全书：第59册［M］. 长沙：长沙中国古书刊印社，1935.

他的《革命军》一书，脍炙人口，深受社会欢迎，与湘人陈天华的《警世钟》《猛回头》堪称反帝反满的宣言书，在舆论上给了清政府以致命的打击。如果说邹容在理论上武装了反清革命，那么川人张澜、喻培伦、彭家珍等留日学生则为推翻集专制、卖国与种族压迫为一体的清政府，建立一个民主的独立共和国，不惜牺牲，以唤起、激励人们继续奋斗。[①] 而湘人黄兴、宋教仁、蔡锷等人更为民主共和的建立和巩固立下了汗马功劳，体现了湘、蜀互动，为推进资产阶级民主新文化的发展，都付出了自己不同的心血。

在无产阶级新民主主义革命时期，湘、蜀共产党人将自己各自的文化优势密切结合，创造新民主主义的新文化。从井冈山革命时期开始，湘籍革命党人毛泽东、刘少奇、彭德怀、贺龙、罗荣桓等人就同川籍革命党人朱德、刘伯承、陈毅、邓小平等人密切合作，为中国革命的事业做出了重大的贡献，也使两地的文化风光无限，更加星光灿烂，焕发出各具地域特色的迷人风采。

第七节　近代湖湘文化的定位与评价

近代湖湘文化的定位是一个十分复杂的问题，牵涉到一个以什么为坐标系统进行评价的问题。作为一种区域性文化要做一个科学的定位，就不能离开中国文化这样一个大的文化环境，也不能离开近代历史的发展环境，更不能离开区域人才群体在历史中的作用去空谈文化，文化的影响力往往是通过人才的表现和功业而获得认同。根据以上的认知，我们可以做出这样的判断，近代湖湘文化是中国文化的杰出代表，它创造了湖湘文化的历史辉煌，使湖南人才群体光耀环宇，在很大程度上引领着中国文化的发展方向。

---

① 陈金川．地缘中国：上［M］．北京：中国档案出版社，1998：375.

一、近代湖湘文化是中国文化的杰出代表

近代中国传统文化在长期的封建专制文化政策的控制下，如死水一潭，缺乏生命的活力。清朝政府大兴“文字狱”，严重摧残了文化的创造力。士人则在科名的诱惑与制度的阉割下，完全丧失了自我，沦为科举的奴隶，人格卑下，精神颓废。他们围绕科举考试上演了一幕幕人生闹剧。蒲松龄曾描绘士人在考场上的丑态：“初入时，白足提篮似丐。唱名时，官呵隶骂似囚。其归号舍也，孔孔伸头，房房露脚，似秋末之冷蜂。其出闱场也，神情惝恍，天地异色，似出笼之病鸟。迨望报也，草木皆惊，梦想亦幻。时作一得志想，则顷刻而楼阁俱成；作一失志想，则瞬息而骸骨已朽。此际行坐难安，则似被絷之猱。忽然而飞骑传人，报条无我，此时神色猝变，嗒然若死，则似饵毒之蝇，弄之亦不觉也。初失志心灰意败，大骂司衡无目，笔墨无灵，势必举案头物而尽炬之；炬之不已，而碎踏之；踏之不已，而投之浊流。”[①] 虽然他笔下的人物距近代有一段时间，但这种丑态在清末士人中有过之而无不及。有的人为了避祸，更是一门心思地远离政治，一头钻入故纸堆中，开始做起训诂、考据的学问，这股风气首先盛行于遭“文字狱”迫害最深的吴皖地区，然后蔓延于全国。这种文化风气严重扼杀了文化的创造活力。而湖南则独树一帜，受其影响最小，岳麓书院等文化学术基地倡导经世致用的学风，培养对社会有用的人才，因而在内忧外患的近代社会，湖南的人才就显得鹤立鸡群，与众不同。刘云波曾对江浙文化与湖湘文化做过比较，认为江浙文化发展较早，湖湘文化兴盛较迟；江浙文化相对开放，湖湘文化相对保守；江浙文化相对温婉而细腻，湖湘文化则相对豪放而粗犷；江浙文化更多的名于经济与学术，而湖湘文化则更多的闻于政治和军事。[②] 施康强在对湖湘文化与江浙文化的比较中也说[③]：“华夏文化乃

① 蒲松龄. 聊斋志异［M］. 长沙：岳麓书社，2015：584.

② 刘云波. 江浙文化与湖湘文化比较论［J］. 求索，2006（8）：215—218.

③ 施康强. 湖湘文化和江浙文化［N］. 文汇读书周报，1993-06-05.

一庞大的母系统，地域文化为其子系统。各个地域文化既有相通之处，又各有其特色。开展地域文化研究标志着华夏文化研究向纵深方向发展。”他在概括了湖湘文化思想发展线索后说：“岳麓书院的门联‘惟楚有材，于斯为盛’，可谓名副其实。纵观中国近代和现代史，湖南人才特盛，而且从曾、左、彭经谭嗣同、唐才常、黄兴、蔡锷到毛泽东，虽然立场不同，却都是经天纬地之才。这与湖南地域文化传统和氛围不能没有关系，拿另一个地域文化做参照系可能更说明问题。”“山软水温的江浙素称人文渊薮，但是江浙的文化传统与湖南不同，培养的人才就与湖南有殊。笼统说，江浙推重的是文才。士子热衷于科举与辞章之学。”他还进一步对中共早期领导人瞿秋白与毛泽东作比较，指出：“中国共产党早期领导人中，瞿秋白精通俄文，马列主义理论水平高于侪辈。不过他对中国社会现实缺乏了解，兼之性格软弱，疾病缠身，自然无力担当马克思主义与中国革命实践相结合，艰苦卓绝地领导中国革命走向胜利的历史重任。如果说湖湘文化造就了农家出生的毛泽东，江浙文化柔弱的一面制约了破落户的飘零子弟瞿秋白，使他只能成为一个失败的落伍者。”不仅地理位置与湖南相距较远的江浙文化与湖湘文化存在着明显的差异，就是与湖南山水相连，同为“荆楚文化”滋润的湖北，其文化特质尽管与湖南文化（即湖湘文化）存在很多共同性，但大同中仍存在着小异。正如罗福惠在《两湖文化的粗浅比较》一文中所说[①]：“湖北文化虽然发皇较早，但却缺乏一种连续的积累，一以贯之的地域特征和自己的独特风格不明显。人们认为自清代以来‘鄂学稍微’，其影响和作用不及湖南文化，这一结论并无不当，前面笔者虽然谈到自明末清初以来两湖文化变迁基本同步，甚至能就两湖的文化名人一一找出对应关系，但以胡承诺、熊伯龙对比王夫之，以陈沆、陈銮、刘淳对比陶澍、魏源、贺氏兄

① 罗福惠. 两湖文化的粗浅比较［M］//周秋光. 湖湘文化宏观研究. 长沙：湖南师范大学出版社，2001：254—256.

弟，以王柏心、彭崧毓、张裕钊对比湘军集团和湘乡派，以甘鹏云对比谭嗣同、唐才常，显然是湖北之士成就小，作用和影响微弱；湖南之士成就大，作用和影响大而久远。”罗先生认为，造成两湖文化这种差异的，是湖南所特有的“湘中朴气”。他对此做解释道：“‘朴’的第一层含义是文风朴实，克服理学的虚骄、八股制艺的徒具形式、汉学考据的琐碎和文章词藻的浮华。第二层含义是学风注重实际和实行。如陶澍所说的‘有实学斯有实行，斯有实用’，学者关注的重点是‘天地自然之理’和国计民生。第三层含义是诚朴热烈，勇于任事，坚持理念。湘军将领罗泽南、李续宾（均以儒者带兵）以卫道而死，或不足道；而其后的谭嗣同、唐才常、禹之谟、刘道一、刘复基、宋教仁等等，无论生死，都不改信念和目标，体现出顽强的意志、韧性和‘定力’。此外，‘朴’可以说还包括社会上普遍的热心向学、民风的强悍，能坚守目标，作长久不懈的努力等等。”“湖北与湖南相比，多了一些‘灵活’，少了一些‘朴实’；多了一些‘变易’，少了一些‘坚守’。”“近现代以来，湖南的士人和知识分子为学‘讲大体’，致用‘求大效’，以其识见、勇气和毅力，在从19世纪中期到20世纪中期的百年左右时间内，造成了性质不同、褒贬不一，但毕竟是轰轰烈烈、令人瞩目的‘事功’。从成就这些事功的湖南人士身上，人们不难发现湖南文化的影响；而这些人的事功又提高了湖南文化的地位，增加了湖南文化的研究价值。”与湖南地域接壤，在近代对中国有过巨大影响，出现过太平天国起义领袖的洪秀全，维新运动的领袖康有为、梁启超，以及资产阶级民主革命家领袖的孙中山的岭南文化，也与湖湘文化存在着一定的差异。“受岭学长期影响的岭南儒生之思维与湖湘人士相比有更加浓郁的浪漫飘逸色彩。中国近世所谓三大空想话语形态全部诞生于岭南一隅并非偶然。从洪秀全的‘神权政治’构想到孙中山的民生主义理想，无不透露着岭南地域文化传统中隐约可见的浪漫精神。”① 岭南与湖湘的互动在近代最为典型，洪秀全的太平军被曾国藩的湘军镇压下去，阻止了其文化的北伐；康、梁的变法思想最先在湖南落地，融入到湖湘文化之中；而谭嗣同、唐才常的变法思想相对于康、梁而言有过之而无不及，为变法献身的精神更是康、梁难以望其项背；孙中山的民主革命思想十分突出，但其革命行动的骨干却是黄兴、宋教仁等大批湖湘志士，他们是革命的实干家。正如清末才子杨度所言：“中国如今是希腊，湖南当作斯巴达，中国将为德意志，湖南当作普鲁士。诸君诸君慎如此，莫言事急空流涕。若道中华国果亡，除非湖南人尽死。”② 有比较才有鉴别，从与其他几个有代表性的地域文化相比较而言，湖湘文化都有其与众不同的优势，湖湘文化优秀的爱国主义传统，经世致用的实学精神，敢为人先的创新精神，兼收并蓄、博采众长的开放精神，自强不息、不畏强暴的奋斗牺牲精神，以及吃苦耐劳的“霸蛮”精神与卓励敢死的民风士气等等，在中国文化中都有典型的代表意义。

朱汉民曾在《湖湘文化与中国文化》一文中概括说：“中国近代文化是在与西方工业文明的冲突、融合中形成的。地处内陆的湖湘文化再次崛起于中国近代史，并且成为全国最具活力、最有影响的地域文化之一。近代湖湘文化之所以能够取得这么辉煌的历史成就，源于它在中国文化大变革时期的与时俱进。近代湖湘文化站在中国文化变革发展的最前沿，力图解决一个涉及中国历史命运的重大课题：即在西方强势文化的挑战下，努力重建一个适应时代发展的近代型文化。从‘师夷长技’的呼吁到洋务运动的倡导，从维新变法到辛亥风云，从五四新文化运动到马克思主义传播，近代湖湘文化总是挺立在中华文化转型发展的时代前沿。近代湖湘文化试图解决的是时代课题，却又继承了古代文化的优秀传统，包括忧国忧

① 杨念群. 儒学地域化的近代形态——三大知识群体互动的比较研究［M］. 北京：生活. 读书. 新知三联书店，1997：85.

② 丘桑. 旷代逸才［M］. 北京：东方出版社，1998：21.

民的经世情怀、探求宇宙的原道精神、道德修养的人格魅力、不屈不挠的性格特质，等等。”①

正是湖湘文化的优秀文化特质和与时俱进的精神，造就了近代湖湘文化的辉煌，使它成为了近代中国文化最为典型的代表，在一定程度上引领着中国文化的发展方向。

二、近代湖湘文化是爱国图强的时代强音

近代中国是一个多灾多难的时代，外有列强的入侵，内有战乱的频生，中国时时刻刻面临着亡国灭种的威胁。身处内陆的湖南，虽然遭受外敌入侵较晚，但深受湖湘文化影响的湖南人却对外部的变动十分敏感，表现出极强的爱国热情。在民族危难时期，他们往往挺立潮头，以血搏命，舍身护国，发出救亡图存的时代强音。第一次鸦片战争，震惊了国人，“天朝上国”在英吉利的坚船利炮下，被迫订立了城下之盟，失地失权，沦为了半殖民地半封建的国家。但是，在一阵剧痛之后，清政府却把失败的责任推卸到坚决主张抵抗英军侵略的林则徐等人身上，并将他流放新疆，以严惩爱国者的手段来博取洋人的欢心，整个社会仍旧弥漫着“雨过忘雷”的气氛。最先意识到这一严重问题的是湖南邵阳人魏源。魏源的过人之处，就在于他以湖南人所特有的历史责任感与政治敏锐性，在中英鸦片战争刚刚爆发不久，就以布衣之身亲赴抗英前线，考察战局发展，寻求制胜之方。尤其是在 1840 年 9 月，他在浙江宁波军营亲自审讯被俘的英军军官安突德后，他获得了了解西方的第一手资料，使他第一次认识到，在“天朝上国”、神州华夏之外，还有这样一个文明发达、不可小视的西方世界。魏源在同外国人的第一次短短交谈中，就能敏锐地捕捉到这些有关中英两国之差异的重要信息，并把它介绍给国人，从而向国人敲响了警钟：来自大洋彼岸的

① 朱汉民. 湖湘文化与中国文化［J］. 湖南社会科学，2010（1）：3.

西方强国，绝不是中国过去所遇到的“化外夷狄”、野蛮小国，而是有其先进的物质文明与精神文明的海外劲敌。[①] 他在《海国图志》一书中，明确提出了“师夷长技以制夷”的战略思想，第一次提出了发展中国的近代机器工业与军事制造业，建立近代化的强大海军与陆军的宏伟战略任务。曾国藩、左宗棠、胡林翼在镇压太平天国农民起义军的过程中，看到了洋枪洋炮远胜中国的大刀长矛。西洋轮船在长江流域往来如飞，横冲直闯，急得湖北巡抚胡林翼大口吐血，发出“终为中国患者西人焉”之叹。因此，曾国藩、左宗棠继承了魏源“师夷长技以制夷”的思想，第一次将其引入伟大的洋务实践之中，曾国藩创办了安庆内军械所、江南制造总局；左宗棠创办了福州船政局、兰州机器制呢局等，开启了中国军用、民用企业的建设，推进了中国的工业现代化运动。难能可贵的是，左宗棠在古稀之年，远赴边关，率军击退阿古柏叛军，收复新疆失地，维护了国家领土的完整。他还抬棺抗俄，配合曾纪泽与俄的谈判活动，迫使沙俄做出让步，交还了侵占中国十多年之久的伊犁大片土地。在中法战争中，左宗棠不顾年老多病，亲赴福建前线，指挥沿海军民的抗法斗争，他亲派部将王诗正冒险带兵援台，支援了台湾军民的浴血抗法，保卫了祖国的宝岛台湾。震惊中外的镇南关—谅山大捷，也是左宗棠在战争的关键时刻派其得力部将王德榜，积极支援、配合老将冯子材而取得的。最后，左宗棠怀着“迄未大张挞伐，张我国威，遗恨平生，不能瞑目”的悲愤心情，溘然长逝在福建前线，表现了为捍卫中华民族“鞠躬尽瘁，死而后已”的伟大爱国主义精神。

近代时期，西方列强除了赤裸裸的武装侵略以外，也加快了文化侵略的脚步，他们以“坚船利炮”开道，以不平等条约为护身符，强行地将西方人的精神寄托和文化价值观推向中国，以摧毁中

① 彭大成．中西冲突交融中的湖湘文化：下卷［M］．长沙：湖南人民出版社，2010：1025.

国传统儒教布下的道德壁垒和人伦屏障。19 世纪 60 年代，随着西方列强对华侵略的不断扩大，西方宗教势力也大量涌入湖南。他们以基督教的福音来贬损中国长期积淀而成的儒学文化。一个传教士写道："在中国文人主要从儒家学到温文尔雅的外表下面，几乎只有狡诈、愚昧、野蛮、傲慢和对任何外国事物的根深蒂固的仇恨"，[①] 从而严重挫伤了以"卫道"自居的湖南士人的民族自尊性。湖南绅士以传统文化的代言人自居，对西方的异质文化进行了连绵不断的反击，不仅出现了崔暕、周汉、贺金声等誓死反教的勇士，而且湖南发生的教案也在全国十分典型，不仅时间长、范围广，而且规模大、影响深远。从 1861 年至 1910 年 50 年间，湖南共发生各类教案 50 余起，其中有全国影响的重大教案多达 7 起。正如徐珂在《清稗类钞》所言："基督教遍国中，而湖南独后。盖湘人以勇敢排外称，宁乡周翰著书绘图，诋斥耶稣，各国牧师愈惧。盖光绪庚子以前，湖南教会仅常德有加特力、波罗特士敦两堂，长沙、湘潭、岳州、衡州有波罗特士敦教堂，辰州、茶陵有加特力教堂。西人尚不敢直接传教，岁仅两至，昼匿夜行，稍留即去。至光绪庚子辰州教案起，英、法、德三国炮舰上溯常德，英更命其淀泊上海之舰队续赴长江，以威力相迫胁。政府惧，既惩凶赔款并杀都司以谢之，基督教大胜。会长沙开港，各教派遂乘机而入矣。"[②] 湖南绅士的反洋教斗争，虽然是一种文化保守主义的体现，但又具有强烈的反帝爱国性质。因为，西方传教士的文化渗透是为他们的侵略利益服务的。在中国担任广学会督办长达 25 年（1891—1916）的英国传教士李提摩太曾在中国调查了中央和地方的文武官员、举人以上的在职和在野的士大夫、全国秀才和应试的书生共 44000 人，他曾赤裸裸地声称，他这样做的目的就是："'要把这批人作为我们

① 费正清. 剑桥中国晚清史：上册［M］. 中国社会科学院历史研究所编译室，译. 北京：中国社会科学出版社，1985：608.

② 徐珂. 清稗类钞［M］. 北京：中华书局，1984：1959.

的学生……教他们懂得有必要为他们苦难的国家采用更好的方法……'什么方法？本文下面要谈到的，就是：把中国交给英国，像印度和埃及一样，成为英国的殖民地。"① 有这种想法的传教士在中国不是个别现象。因此，湖南绅士的反洋教运动主要是为了抵抗外来的侵略，以保持自己的主权和文化独立，防止外国侵略者对湖南的蹂躏，这种爱国之情是不容置疑的。然而他们的仇夷反教后来发展成"耻闻洋务"，反对引进外国任何先进的新生事物，反对在湖南开展现代化运动，甚至谩骂主张引进西技西政的郭嵩焘、曾纪泽等洋务官员，就显得狭隘和保守了，使得湖南白白地错失了现代化发展的良机。因而，湖南的反洋教活动，不仅未能阻止洋人的入侵，反而使民族危机更加深重，湖南的社会经济得不到有效的发展，直到中日甲午战争，湘军在辽东战场的惨败，使他们如梦初醒，有了向西方学习，主动变革的冲动，开始走上了维新变法，救亡图存的新路。

甲午战争的惨败，对湖南人刺激极深，原来认为可以拯救天下的湖南人，对战争的失败怀有一种强烈的负罪意识，认为是我们湖南人造成的，于是陡生了一种"救中国从湖南始"的强烈责任感。他们一方面响应康有为、梁启超登高一呼、响彻云霄的变法呼声，一方面以湖南人特有的敏锐性，高扬爱国主义的大旗，勇敢地冲在变法图强的时代大潮的最前列，提出"吾湘变，则中国变；吾湘存，则中国存"，使"四塞之国"的湖南，变成开风气之先的最先进的省份。正如梁启超所言："湖南天下之中，而人才之渊薮也。其学者有畏斋、船山之遗风。其任侠尚气，与日本萨摩长门藩士相仿佛，其乡先辈若魏默深、郭筠仙、曾劼刚诸先生为中土言西学者所自出焉，两岁以来，官与绅一气，士与民一心，百废俱举，异于他日，其可以强天下而保中国者莫湘人若也。"② 湖南官绅这种上

① 罗冠宗. 前事不忘 后事之师［M］. 北京：宗教文化出版社，2004：84.
② 梁启超全集：第1册［M］. 北京：北京出版社，1999：250.

下一心的变法热情，归根到底是由于爱国图强的强烈情感所激发，王夫子的豪杰人格观对湖南士人的影响极大，湖南人天生就有一种拯救天下的雄心壮志，曾国藩的湘军为此做了最好的注解，赢得了“天下不可一日无湖南”的美誉。谭嗣同、唐才常等维新变法派继承了这种爱国图强的传统，他们不仅积极地呼应康、梁的变法主张，使湖南成了地方变法的试验场，成了改革的先锋，而且还大力地将变革由经济领域推向政治领域，创《湘报》《湘学新报》，办南学会、保卫局、课吏馆，发出“冲破君主之罗网”“冲破伦常之罗网”，提出“民权”“平等”思想，实际上就是要在中国建立资产阶级君主立宪制度，否定君主专制和封建等级制度的合理性，企望通过制度性变革，使中国由弱变强，与西方列强并雄于世界。但是，他们的良好愿望，因为慈禧太后的政变终成泡影，谭嗣同也以血洒菜市口的悲壮，书写了“壮志未酬身先死”的爱国篇章。他们都在用血淋淋的事实证明在中国走改良的道路行不通。唐才常、黄兴、宋教仁、蔡锷等人正是从烈士的血泊中，抛弃了改良的幻想而走上反帝反清的革命道路的。他们的爱国热情充斥于革命书刊的字里行间，杨毓麟的《新湖南》，陈天华的《猛回头》《警世钟》，“一字一泪，沁人心脾，谈复仇而色变，歌爱国而声歔”。他们以反满为号召，以“非我族类，其心必异”的种族文化，作为调动人们起来革命的文化工具，唤起人们对腐败无能的清政府的仇恨；他们以推翻专制，建立民国的政治文化，鼓舞人民挣脱封建专制奴役的枷锁，争取自由、民主、平等的权利，为建立资产阶级民主共和国而流血牺牲，奋斗不息；他们以“平均地权”的社会文化，向人们描绘了未来社会民富国强的美好蓝图。这些美好的革命蓝图，对于久受民族压迫、帝国主义欺凌，渴望国家独立、民主自由、富强幸福的中国人民来说，无疑具有强大的社会号召力。他们的爱国热情更表现在不屈不挠的革命行动之中，湖南的革命家是行动的巨人，是革命的实干家，孙中山发动的历次武装起义，黄兴无役不与，身先士卒。广州黄花岗起义，黄兴断指犹战，武昌革命，他带一旅湖南兵，在汉阳抵挡强敌。伟大的资产阶级民主革命家宋教仁，不惧袁世凯的强权和利诱，成为“为民主宪政流血的第一人”。蔡锷带二万羸弱之兵，抵挡十万袁军，终结帝制复辟，其爱国图强之心，何其壮烈。湖湘资产阶级民主革命家群体以毕生的精力去推翻帝制，建立和再造共和，书写了爱国图强的伟大篇章。

以毛泽东为首的湘籍无产阶级革命家群体，更是爱国图强的时代典范。为了国家和民族的独立，为了人民的解放和幸福，他们舍小家顾大家，抛头颅，洒热血，前赴后继，奋斗不息。自五四运动以后，毛泽东、蔡和森等一批湖南志士乘时而起，他们创立新民学会，继承湖湘文化“以天下为己任”的爱国主义传统，以“革新学术，砥砺品行，改良人心风俗”为宗旨，如饥似渴地寻找、学习、实践救国救民的马克思主义，把反帝爱国与社会主义和共产主义结合起来，将挽救国家民族的危亡当作自己的神圣职责与使命，体现了鲜明的时代特征，他们忧国忧民，把爱国主义发展到了崭新阶段。共产党早期著名领导人蔡和森，工人运动领袖郭亮，毛泽东的战友和夫人杨开慧，还有向警予、夏明翰、何宝珍、陈觉、赵云霄夫妇……无一不是在生死考验面前为爱国图强而写下感天动地、荡气回肠的人生篇章！湘籍共产党人正是以对共产主义和革命事业矢志不渝的追求，用热血和生命铸成了中华民族的脊梁。

三、近代湖湘文化是求真务实的文化典范

近代湖湘文化继承了湖湘文化崇实学、重践履的文化传统，并结合时代发展的需要，将崇学践履文化发展到了新的高度，创造了求真务实的文化辉煌。

湖南自宋代湖湘文化大开化，书院教育遍布州县以后，湖南人崇学之风就开始盛行民间，爱读书、善读书就成了湖湘传统。“黄金满籯，不如教子一经”“三代不读书，关倒一屋猪”“秀才不要

种，只把书来统”“读了《增广》会说话，读了《幼学》知天下”，这类劝学民谚在乡间陇亩广为传播。受世风环境所染，无论荒僻村落、寒素家庭都以耕读为尚，苦修为乐，培养了许多才俊豪杰。尤其是在王夫之的文化思想影响之下，湖南人的重学思想更加盛行，力行致用意识十分突出。湖南学人高举经世致用的大旗，对事关国计民生的学问莫不涉及，在考据、训诂之风盛行的清代，湖南人关注天下大事，注重对现实问题的研究，强调学的目的就在于突出用的需要，反对空谈心性、空谈玄理，主张面向实践、面向社会，达到体用合一，尽其所学所能用于治理国家、治理社会。这种经世致用的文化氛围和务实求真的文化态度使得近代的湖南人显得与众不同和鹤立鸡群。

陶澍、贺长龄、魏源等嘉道理学经世群体，在文化性格上的一个最为突出的表现就是求真务实，不喜空谈，是一群典型的力行致用的行动主义者。他们都喜欢游历，注重社会调查研究，关注社会现实问题，从解决社会积弊的突出问题入手，周密规划，反复调查，从实践中吸取经验，找到解决问题的方法。为解决漕粮、盐政、河工、吏治等事关国计民生的突出问题，贺长龄、魏源等主持编撰了《皇朝经世文编》，以寻求社会改革的理论依据，回击朝中反对改革的质疑之声。他们认为，要做到经世致用，就不仅要通当代之典章，还必须考察历朝之方策。不同的社会生活领域，有不同的典章制度，只有熟悉历朝的这些典章制度，才能针对当时的社会现实，制定出相应的方策。[1] 为解决漕粮海运问题，陶澍、贺长龄还多次前往上海实地考察，除陋规、删浮费、禁勒索、严制度，节约了成本，减轻了百姓负担，达到了“利国、利民、利官、利商”的良好效果。为解决私盐泛滥、官盐滞销的严重问题，陶澍在调查研究的基础上，根据淮南、淮北的不同情况采取不同的改革办法：

① 陈书良. 湘学史略［M］. 北京：中华书局，2015：169.

对淮南采取完善制度，兴利除害，凭盐引交税；对淮北则实行票盐法，改革原来窝商垄断食盐收购运销并世袭经营的“纲盐”制度，采取凭票贩盐。通过这种实事求是的改革，两淮盐场由“商疲、丁困、引积、课悬”的危困局面，转变为“盐销、课裕、商利、民便”的兴盛形势。陶澍等人在两江各项改革的成功，是其求真务实文化品格在治国理政方面的突出表现。魏源能够提出“师夷长技以制夷”的先进思想，也是其亲身观察、了解、好学、深思的结果，是其求真务实文化观的杰作。

以曾国藩、左宗棠、胡林翼为代表的湘军理学经世群体，是求真务实的文化样板。曾国藩最初不过是咸丰皇帝在全国任命的43个团练大臣之一，与其他团练大臣本无什么不同，但最终只有曾国藩的湘军成了气候，其他团练大臣大都无声无息。究其原因，除了个人才能、胆气、影响以外，一个很重要的因素，就是湖湘文化求真务实的品格在曾国藩等人身上体现得十分明显。曾国藩从创办湘军开始，就跨越了皇权所构建的世袭兵制的传统藩篱，打破了招兵、练兵、调兵的互相制衡机制，实行了兵由将招的新的募兵体系，形成了上下相依、指臂相连、利益相关的军事共同体。这是曾国藩从八旗、绿营军事无力而总结出来的经验，这证明曾国藩并不拘泥于教条，善于观察问题，不务虚名，只讲实效。他创立了“以书生训山农”的建军模式，重视对将领和士兵的选拔。他选拔将领要求有忠义血性，有理想有信仰；有才能能吃苦；无功名心有事业心。选择士兵要求是老实巴交的山农，不要油头滑面之人。他这种选官选兵的标准异于常人，但都基于他对人才的充分了解。他深懂将领有信仰，部队就有统一的方向，将领有能力耐艰苦，就能愈挫愈奋，百战不挠；将领不急功近利，有强烈的事业心，就能带好兵，打好仗。而老实巴交的士兵则易于塑造，可以按照他的意图来加以训导，形成统一的思想意识和敢打敢拼的勇气。因而，曾国藩的湘军有别于八旗、绿营，他利用书生的能言会道，来强化对军队的思想教育。他认为太平天国以异国邪说迷乱士民，只有对官兵强化教育，使他们对朝廷忠心，对敌军憎恨，对民众爱护，并服从严明的军纪，才能使招募来的“朴实山农”都成为“尊上而知礼”的敢死之士，才能对抗具有牢固宗教信仰的太平军。曾国藩经常以“不怕死、不爱钱”来与湘军将领共勉，因此，在他的周围积聚了一批为“卫道护圣”而死战的“忠勇之士”，如左宗棠、胡林翼、罗泽南、王鑫、李续宾、李续宜、彭玉麟、杨岳斌等人，他们“殉国赴义，视死如归。虽至灼体裂肤，陷胸决脰，而处之泰然，不以死生为纤毫顾虑”。他们扎硬寨，打死仗，屡败屡战，以“打脱门牙和血吞”的务实精神，通过镇压太平天国好狠斗勇的“上乘”功夫，展现了“治国平天下”的经世功用，从而营造了“天下不可一日无湘军”的神话，求真务实的湖湘文化由此展现出迷人的光彩，引起了世人的重视。

郭嵩焘、曾纪泽以及戊戌维新时期的谭嗣同、唐才常、熊希龄等人，他们的所作所为，莫不折射出湖湘文化求真务实的光辉。郭嵩焘对中国封建官场只说空话、假话、套话，而不务实用，不重实际“以议论取胜”的清谈行为深为反感。为了改变这种不良风习，郭嵩焘特别强调尊实有，务实行，讲实效。他认为对于客观世界要务实，对于主观世界则要诚实。所以他说：“人须是有实际，至诚所动，金石为之开。权术牢笼，终不济事。”① 他既反对违背诚实原则的权术，又反对不讲实效的空谈。所以他力主“求实效而不为虚语，务力行而不责近功”②。郭嵩焘将是否重视实行，上升到了与国家兴亡相联系的高度，可见其重视程度。谭嗣同、唐才常、熊希龄甘冒杀头危险，呼吁变法维新，注重新政的切实推行。从开矿、争路、建立轮船公司、制造公司到创办《湘学新报》《湘报》和时务学堂，设保卫局，开课吏馆，建南学会，桩桩件件，都落地

① 郭嵩焘. 郭嵩焘日记：第一册［M］. 长沙：湖南人民出版社，1981：526.
② 杨坚. 郭嵩焘奏稿［M］. 长沙：岳麓书社，1983：368.

有声，体现了务实精神。资产阶级民主革命时期，黄兴、宋教仁等革命派人才群体以求真务实的精神照亮了中华民国的天空。黄兴是孙中山历次武装起义的亲身参与者和领导者，是地地道道的革命实干家；宋教仁为打破日本谋夺中国领土间岛的阴谋，在日本友人的帮助下，化装成日本人，混入了日本的长白山会，拍下了该会制造的大量假证据，又在日本帝国大学图书馆查阅了大量资料，找到了间岛乃中国领土的证据，用充分的事实，撰写了《间岛问题》一书，有力地证明了间岛自古以来就是中国的领土。为中国的谈判代表在会上争取了主动权，从而打破了日本侵占我国领土间岛的阴谋。宋教仁还以求真务实的态度，成为了民主共和制度的奠基人，编订《中华民国鄂州约法》《中华民国临时约法》，宋教仁在其中的作用甚大。

以毛泽东为首的湘籍无产阶级革命家群体更将“求真务实”的精神推向了极致，从而使湖湘文化灼照中华。毛泽东一生追求真理，善于把马克思主义的伟大理论同中国革命的具体实际相结合，是践行“求真务实”精神的楷模。在芸芸众生中，毛泽东之所以能够脱颖而出，成为推进马克思主义中国化的杰出代表，是因为毛泽东具有当时其他领导人所欠缺的品质和优点。毛泽东自小就身受湖湘文化的熏陶，对湖湘文化求真务实的学风有深切的感受和研究。他追求真理，崇尚实践，好学深思，重视对国情的研究，眼睛向下，乐于拜人民为师，善于向社会和群众学习，接地气，知实情。自小在农村长大，了解农民所思、所想、所需、所恨，对农民的疾苦感同身受，为他日后从事农村调查和农民运动准备了良好条件。大革命时期，他为了把握时代脉搏，探求中国革命的真理，更好地把马克思主义的理论与中国革命的实践相结合，不辞辛劳，步行 700 多千米，在湖南五县对农民运动情况做了为期 32 天的实地考察，于 1927 年 3 月写成了《湖南农民运动考察报告》，用大量的事实说明“农民问题乃国民革命的中心问题”，湖南农民运动是“好得很”，而不是“糟得很”。正是基于这一认识，他看到了在中国农民中蕴藏着不可忽视的巨大力量，中国革命的希望在农村。大革命失败后，他看到了“城市暴动”不适合中国的国情，因为中国的资本主义并不发达，工人阶级虽然先进，但人数少，力量不大，中国不能照搬俄国革命的模式。因此，在秋收起义失败后，毛泽东果断地作出了向农村进军的决定，将队伍拉向了敌人统治力量薄弱的罗霄山脉，开始了建立井冈山革命根据地的伟大实践。当时在中国共产党内以毛泽东为代表的马克思主义者，既有善于把马克思主义同中国革命具体实践相结合的智慧和能力，也有突破马克思主义发展史上不适合中国国情的“城市中心论”的胆略和勇气，创造性地提出了“工农武装割据”的思想，打破了“山沟里没有马克思主义”的神话，硬是在井冈山的山沟里开始了生动活泼的马克思主义的伟大实践。用土地和平等紧紧抓住了农民，使他更坚定地确信，在中国，没有农民的自主和热情，任何一场革命终将化为瞬间一现的昙花。这说明毛泽东在历史转折关头运用马克思主义基本原理解决中国革命的实际问题上，已经成功地突破了当时党内盛行的把马克思主义教条化和把共产国际决议、苏联经验神圣化的错误倾向，走出了一条从农村包围城市，武装夺取政权的革命道路，开创了中国革命的新局面，也开创了马克思主义发展的新境界，毛泽东思想的形成就是马克思主义中国化的具体体现，也是求真务实精神的重要成果。

毛泽东以前的领导人，有的虽然也在努力解决马克思主义与中国革命实际相结合的问题，但往往只从“理论”角度考虑，纸上谈兵，使问题得不到正确的解决。有的虽然重视“实际”，但缺乏辩证法，认为马克思主义在中国的胜利，一个早晨就能实现，“结合”一次可以大功告成。教条主义者更为甚之，他们把马克思主义当成万能仙丹，只要念念有词，吃了立地成佛。他们不了解马克思主义与中国的实际相结合，不只是个理论问题，而且是个实践问题。再好的药也不能药到病除，病只能一点一点地治愈，革命力量只能一步一步成长壮大，反革命力量也要一个一个消灭才行。只有毛泽东出神入化地运用求真务实的思想，活学活用马克思主义，将其与中国革命的实际紧密地联系在一起，依靠不断的调查和实践，不断丰富马克思主义的科学内涵，用辩证思维解决中国革命面临的各种错综复杂的问题，顺应时代的要求，带领第一代领导集体不断推进马克思主义的中国化，从而赢得了中国革命和建设的伟大胜利。

与毛泽东一样，大批湘籍无产阶级革命家都受湖湘文化“实事求是”思想的影响，都是真理的追求者和实践者。徐特立经常教育学生“实事求是，不尚空谈”。何叔衡则要求学生“深入社会生活底层，了解工农疾苦”。向警予认为“盲谈瞽说，无当实际”“有名无实，害人害己”。1939 年 7 月，刘少奇在《论共产党员的修养》一文中强调：“我们共产党员，要有最伟大的理想，最伟大的奋斗目标，同时，又要有实事求是的精神和最切实的实际工作。”① 新中国成立后，他经常深入工厂、农村调查，实地了解情况，他一再要求干部“不要向上面作假报告，宁愿说我不了解情况，受不了解情况的责备，也不要受作假报告的责备”。正是湘籍无产阶级革命家群体忠实地践行了“求真务实”的精神，使他们能够冷静地分析面临的各种复杂局势，做出有利于革命、有利于人民的正确决策，引导着中国革命从失败走向胜利。毛泽东思想就是在实事求是的氛围中走向成熟的，实事求是就是其活的灵魂。

四、近代湖湘文化是功业卓著的文化标杆

近代湖湘文化的辉煌，主要是近代湖南人才群体功业的辉煌，如果没有近代湖南人才群体井喷式的涌现，没有他们引领时代风潮的卓著功业，就没有湖湘文化的近代辉煌。

---

① 刘少奇选集：上卷［M］. 北京：人民出版社，1981：128.

湖湘文化昌明发达，具有许多“颇能自振于他省之外”的“岸异之处”，在中国社会历史进程中产生了深远的影响。特别是在近代，许多惊天动地的壮举勋业发轫于湖南，许多震古烁今的创新变革由湖南人引领统率。近代史上首创“师夷长技以制夷”的是湖南人魏源，将此思想最早引入洋务实践的也是湖南人曾国藩、左宗棠等人。最早提出既要学西方的先进科技，又要学西方先进政治制度的也是湖南人郭嵩焘、曾纪泽等人，而最先将学习西方政治制度引入实践的又是湖南人谭嗣同、唐才常等人，使湖南成了地方政治改革的实验场。在民族危机的紧要关头和社会变革的重要时刻，我们总能看到湖南人傲立潮头的“伟岸”身影。在太平天国农民起义的洪峰巨浪中，八旗、绿营一败涂地，大清王朝岌岌可危，是曾国藩的湘军挽救了大清王朝的命运，赢得了“天下不可一日无湖南”的美誉；在新疆遭阿古柏入侵，国土惨遭蹂躏的危急关头，左宗棠挺身而出，坚持“我之疆索，尺寸不可与人”，率领湖湘子弟，毅然入疆平叛，打败了阿古柏，收复了新疆，捍卫了国家领土的完整；面对伊犁交涉，沙俄恃强耍横，曾纪泽不卑不亢，据理力争，左宗棠抬棺赴疆，以为武力声援，迫使沙俄做出让步，吐出了强占的一些领土；在甲午惨败的危急关头，又是谭嗣同、唐才常、熊希龄等人在湖南开始了最早的变法实验，推动了全国变法运动的高涨；在辛亥革命，推翻大清，建立民国的伟大斗争中，又是黄兴、宋教仁、陈天华、谭人凤、刘揆一、蒋翊武、焦达峰、陈作新等一大批湖南人站在斗争的前列；在袁世凯帝制自为，开历史倒车的危急关头，又是湖南人蔡锷在云南振臂一呼，发起了护国运动，打破了袁世凯的帝制美梦，再造了民主共和。在帝国主义横行，军阀混战的严酷环境中，以毛泽东为首的湘籍无产阶级革命家群体，“以俄为师”，把马克思主义的普遍真理与中国革命的具体实践相结合，走出了一条从农村包围城市，武装夺取政权的革命道路，推翻了帝国主义、封建主义和官僚资本主义三座大山，实现了国家的独立，人民的解放，书写了湖湘英杰功业卓著的责任担当。谭嗣同诗云“万物昭苏天地曙，要凭南岳一声雷”，这并非虚夸。有人说一部中国近代史，半部由湖南人写就。也有人说：“中兴将相，什九湖湘”，侍读学士潘祖荫在推荐左宗棠的奏折中称“国家不可一日无湖南”。杨度持论更坚定直接：“若道中华国果亡，除非湖南人尽死。”湖南人卓绝不凡的精神品格和责任担当世所公认，人所共仰。

著名历史学家谭其骧指出：“清季以来，湖南人才辈出，功业之盛，举世无出其右。”[①] 从鸦片战争到中华人民共和国成立，湖南的人才数量，据统计：《辞海》（中国近代史分册），共收录近代（1840—1919）名人 324 人，其中湖南 44 人，占总数 13. 58%，居全国第一位；《中外历史人物词典》收录近代中国历史人物 378 人，其中湖南 56 人，占总数 14. 82%，与广东并列全国第一；《中国现代史词典》收录现代（1919—1949）历史人物 1277 人，其中湖南 183 人，占总人数 14. 33%，远远超过其他省区。

有学者综合《辞海》《中外历史人物词典》《清代七百名人传》《中国历史人物辞典》《中国历代名人辞典》《简明中外历史辞典》所列的杰出人物中，选出 2047 位有省籍记载的近代人物进行统计，湘籍为 290 人，占总数的 14. 17%，高居榜首。[②] 湖湘学者周秋光也在《近代湖南的人才群体现象及其原因》中写道：据统计，从 1840 年至 1919 年，活跃在中国历史舞台的各类知名人物 1238 人中，湖南籍就有 116 人，占总数的 9. 4%。而在著名的 761 位历史名人中，湖南籍的竟有 83 人，占总数的 10. 9%。另据《中共党史人物简介》列举的 515 位党史人物中，湖南籍的有 89 人，占总数的 17. 3%，其中党的杰出领导人和创建时期的主要领导人有 13 人，占总数的 48%，在 1955 年授勋的中国人民解放军 245 位中将以上的将帅中，湖南籍的有 73 人，占总数的 29. 8%，这种现象常令世

① 谭其骧. 中国内地移民史——湖南篇［J］. 史学年报，1932：1（4）.

② 张楚廷，张传燧. 湖南教育史：第一卷［M］. 长沙：岳麓书社，2002：绪论 3.

人惊叹不已。一篇刊登在纽约《北美日报》上的“社论”这样称道：“湘籍历史名人、学者、政治家人数之多，近百年来一直居各省之冠。”① 在近代中国的政治生活中，湖南人以数量大、层次高、影响力强而独领风骚。“无湘不成军”，就是这一情况的典型反映。洋务运动、戊戌变法、辛亥革命、抗日御侮、共和国创建，湖南人都奋然领先，砥柱中流，做出了卓越贡献。这种卓绝事功，既使湖南人名扬天下，也使湖湘文化魅力无穷，成为引领中国近代文化前行的亮丽标杆。

① 周秋光．近代湖南的人才群体现象及其原因［J］．湖南师范大学社会科学学报，2003（1）：59.

余　论

尽管本书写到这里，似乎已经告一段落，接近尾声了，但是，湖湘文化作为一种地域文化，自有体系，时间跨度长，内容丰富，即使从理论的角度论述，仅仅 40 多万字的一本书，也是无法道尽其全部的。事实上，就目前湖湘文化研究的情形而言，学术界已经从历史学、考古学、文化人类学、历史地理学、民俗文化学等学科视域，涉及了湖湘文化所包含的历史、政治、经济、哲学、宗教、教育、军事、人才、文学艺术、思想学术、民情风俗、心理特征、科学技术以及文化分期、文化形态、文化结构、文化功能、文化类型、文化模式、文化特质等方面，并且在有的方面已有很深入的研究。由此看来，湖湘文化的研究还远远没有完成，还有很多值得加以进一步拓宽和深入的话题，无论是理论的，还是事实的。例如，湖湘文化研究的资料和题材方面还有很多值得挖掘的地方。在资料的选用上，一般的研究者差不多不约而同地使用屈原的《楚辞》和《史记》《汉书》《宋书》《宋元学案》等这些雅文化文本。所以，在论述“湖湘学派”时一般都是选用朱熹、胡安国、胡宏、张栻等人的文集；在论述近代湖湘精神时，总是选用杨毓麟的《新湖南》、杨度的《湖南少年歌》；在讨论湖南人才群体现象时，总是提到李肖聃的《湘学略》、钱基博的《近百年湖南学风》、皮锡瑞的《师伏堂日记》、陈独秀的《欢迎湖南人底精神》等。正如有学者指出的，“从资料到题材都已经成了一种固定的套路，甚至从资料、题材到‘标题’都有雷同现象”①。显然，很多研究对地方志和民俗材料运用不够，甚或阙如。这是以后湖湘文化研究必须加强的地方。又如，湖湘文化与其他地域文化的比较研究，还有关于湖湘文化的现代转换的研究，都是需要研究者进一步拓宽和深入的领域。不过，需要说明的是近年出版的《中国地域文化通览·湖南卷》（2014 年版）和五卷本《湖湘文化通史》（2015 年版）对上述湖湘文化研究存在的不足有所改变，为后续研究起到

① 皮学军. 论文化自觉与近 20 年来的“湖湘文化”研究［J］. 湖南文理学院学报（社会科学版），2009（4）：55.

了很好的启示作用。笔者在此重点讨论的是湖湘文化的缺陷或负面影响，原因之一是对这个问题的讨论，上述两部皇皇之著均未涉及；原因之二尽管学术界有少量文章讨论过湖湘文化的缺陷、负面影响，但是还是遮遮掩掩，生怕“一丑遮百俊”；原因之三是湖湘文化作为一个整体的客观存在，具有正与负两面的因素，既具有精华的方面，又具有糟粕的方面，既有积极的因素，也有消极的因素，必须予以全面、完整的认识与反思，才能在新的时期扬长避短，实现湖湘文化的历史性超越。

学术界关于湖湘文化局限性或者缺陷的研究，学者们大体做了如下一些爬梳整理工作，使人们基本上获得了对湖湘文化并不完整的一种文化现象的认识。最早开始研究或者说体认湖湘文化缺陷的是茅海建教授，因为1988年著名历史学家林增平教授在《历史研究》刊载了一篇《近代湖湘文化试探》的文章，其中谈到湖南在进入近代中国后的几次重大性历史事件中，表现非凡，“引人瞩目；且人才辈出，为人们所称道，延续至现代，更呈现出鼎盛的局势”①。对此，茅海建教授“对林先生的湖湘文化的实体、湖湘文化在维新至革命即戊戌至辛亥时期的作用诸论点”提出异议，于1989年《湖南师范大学社会科学学报》发表了《也谈近代湖湘文化》的文章，作者通过分析，“形成了一个大胆而又不成熟的设想：中国文化在近代，大体可以形成三个区域，一是‘受少数民族文化影响’而产生变异的北方地区，其中心在北京。二是‘受西方资本主义文化影响’而产生变异的南方沿海地区，有广州和上海两个中心。三是继承了中国‘正统的’文化传统的南方内陆地区，湖南是其不太明显的中心。……笔者正是在这么一个大的区域范围划分中，将湖湘文化当作中国传统文化的‘正统’，来认识、思考、评价的”。所以，茅海建教授认为，“与北方的落后相比，湖湘文化是

① 林增平. 近代湖湘文化试探［J］. 历史研究，1988（4）：3.

先进的；与沿海的开放相比，湖湘文化又是保守的。这种又先进又保守的特征，正是近代湖湘文化的基本特点”。这种文化特点对中国近代社会有重大影响，特别是对曾国藩和毛泽东的影响尤为深刻，他说：“曾国藩遇到的麻烦是，他为洋务而无意开启了对外的大门，结果卫道者带来了对性理名教的最大冲击。毛泽东的悲剧就在于，他用改造了的传统方式打碎了旧世界后，却没有找到一条建设新世界的道路。”①很显然，茅海建教授不太同意林增平教授关于湖湘文化对中国近代所产生影响的过高评价而持较为审慎的态度，认为湖湘文化在近代中国既有开放的一面，又有保守的一面，特别是曾国藩与毛泽东的影响也不见得都是积极的。可惜的是不知何故，茅教授的这一商榷性文章没有引起学界反响而继续商榷下去。其间，只有马积高先生在论述湖湘文化的时候，指出了湖湘文化的关键性代表人物王夫之的性理学说的两面性，认为“船山也像前世的理学家一样，持论有极苛乃至极迂之处。这主要体现在：他虽承认人们合‘理’的情欲，却对情欲的合‘理’与否剖析极严，不容许有任何个人的私欲；而其所谓‘理’，从人伦方面说，除了强调民族、国家的利益至上，对君权有所淡化外，也是极严的”；“其讨伐之严，诛心之刻，可谓把理学家‘灭人欲’（即禁绝私欲）的观点发挥到了极致”；马先生再三强调：“我这样说，并不是贬抑整个船山学说的价值，他的学说仍然是伟大的，就是他继承理学家的传统强调要治心，也不是没有合理的因素。只讲行为规范而不注意心性的修养，行为的规范是不可能真正履行的。问题是不能过苛，过苛了反而会适得其反，不仅多数人做不到，提倡者也未必能彻底实行。船山本人的大节是凛然可敬的，但如果我们拿他的苛论去对他的行为一一考核，恐怕还是可以找出毛病来的，不过，我不愿作这种苛论，就不说了”②。可见，讨论湖湘文化的负面因素还是有

① 茅海建．也谈近代湖湘文化［J］．湖南师范大学社会科学学报，1989（1）：123.
② 马积高．漫论湖湘文化［J］．湖湘论坛，1996（6）：27—28.

些欲言又止，犹抱琵琶的感觉。

直到21世纪初期，随着地域文化研究热的兴起，才有学者开始反思、检讨湖湘文化。周秋光教授在湖湘文化的研究中，指出其既有优良的现实价值，又有历史的缺陷。其主要缺陷：一是存在着经济上极冷、政治上极热的两极化倾向；二是经世致用的学风在某种程度上造成了湖南人急功近利，缺乏对人的终极关怀，以及过于强调经验的作用，忽视了理论的建构；三是湖南人易走极端，保守与激进并存；四是湖湘文化中存在明显的“楚材晋用”现象。① 许顺富、廖素英探讨了湖湘文化对湖南早期现代化的负面影响，他们认为，湖湘文化兼多元于一体，纳百川于一身，既集古代优秀文化之大成，又浓缩着封建时代遗落的历史尘迹，而这一切又直接影响着中国，尤其是湖南早期现代化发展的迟速。湖湘文化自强不息的变革意识和兼容众长的学风，使湖南涌现出了一大批倡风气之先的杰出人才，直接推动了国家现代化的发展，但是，它尊崇程朱理学，强调“夷夏之辨”的观念，又使湖南早期现代化起步迟缓，导致了湖南现代化发展速度严重滞后于其他各省的结局。②显然，湖湘文化的缺陷影响了近代湖南的历史进程，而不只是一味地促进了湖南历史的进步与近代化。谭长富、康化夷认为，湖湘文化中的固守传统、缺乏创新精神；过于浓烈的民族情节、拒斥外来事物而缺乏开放精神；重农轻商、重义轻利而局限了科技工商的发展；自负骄矜而易于脱离现实等四个方面 ，值得我们深深反思。③ 康咏秋重点从封闭保守、热衷仕途这个方面论述了湖湘文化的不足之处。④ 田

① 周秋光. 湖湘文化的个性特征及其缺陷［J］. 船山学刊，2001（4）：27—31；湖湘文化的个性特征与历史缺陷及现实价值［J］. 湖南社会主义学院学报，2009（3）：50—59.

② 许顺富，廖素英. 论湖湘文化对湖南早期现代化的负面影响［J］. 湖南大学学报（社会科学版），2002（5）：18—21.

③ 谭长富，康化夷. 湖湘文化的反思［J］. 求索，2004（6）：150—152.

④ 康咏秋. 封闭保守 热衷仕途——湖湘文化的反思［J］. 湖南科技大学学报（社会科学版），2006（1）：88—91.

中阳教授专门讨论了湖湘文化精神的负面效应，他说，“湖湘文化把政治作为人生第一要义，人生价值取向单元，使它很少对‘人’作深层次的观照，又因为它把政治作为社会运作的终极目标，故它对现代人格的建构比较漠视”①；“经世致用”精神也带来“急功近利”的负面，对后世产生了一定影响。特别是郭凤莲不仅指出了湖湘文化的缺陷，还重点分析了这些缺陷对毛泽东晚年的负面影响，她认为，同任何其他文化一样，湖湘文化也有负面性，这种负面性根源于其历史、自然的环境和自身的特质。湖湘文化对毛泽东有着深刻的影响，积极正面的影响是主要的，但负面影响也同样存在。新中国成立后尤其在晚年，毛泽东出现的失误都可以从文化因子上找到原因。分析这些并非否定湖湘文化或毛泽东的功绩，而是坚持一种辩证的、客观科学的态度。②宋光清撰文分析了湖湘文化对社会经济发展的正面和负面影响。③另外，唐浩明、郑佳明两位学者在很多场合的演讲中多次提到湖湘文化的负面因素及其负面影响，呼吁学界正确而全面地认识、研究湖湘文化，以便力戒湖湘文化中负面因素的蔓延与复生。唐浩明告诫人们要小心“湖南型”④ 的缺陷，

① 田中阳. 论近世湖湘文化精神的负面效应［J］. 求索，2000（6）：113—115；湖湘文化精神与二十世纪湖南文学［M］. 长沙：岳麓书社，2000：70—71.

② 郭凤莲. 湖湘文化的负面性及对毛泽东的影响［J］. 湖南工业大学学报（社会科学版），2008（2）：68—72.

③ 宋光清. 论湖湘文化对经济社会发展的影响［J］. 湖南社会主义学院学报，2006（5）：31—33.

④ 美国人类学者奥天柏（Ottemberg）氏从血型上将世界人类分为六大型：①欧洲型；②中间型；③湖南型；④印度满洲型；⑤非洲南亚型；⑥太平洋美洲型。奥氏所谓的湖南型，包括日本人、华南人、匈牙利人和罗马尼亚系犹太人，其人数当在3亿以上。在1921年（民国十年）左右，日本人类学者不愿将日本人列入湖南型之内，正式请求奥氏将湖南型这一名称改为日本型，可是奥氏始终不愿意更改。可见，在奥氏的心目中，湖南人性格在世界上都是可以作为一种类型而独立存有的。美国哈佛大学教授 Stephen R. Platt 曾著书《湖南省的爱国者》，文中表示湖南人不等于中国人，湖南人是中国领土上一支特殊的民族，有着独特的文化精神以及民族气节，表示：“湖南不是中国的缩影，就像中国不是亚洲的缩影一样。”

他说，百年来我们称道的湖湘文化存在着严重缺陷，如果不理性认识，就会造成负面影响，如心忧天下，有可能变成多管闲事；敢为人先也许就是好出风头；过分强调身心修炼，就容易走向唯意志论；眼界过高，则易流于空虚，不屑于干小事实事；热衷斗争，往往喜欢窝里斗；过于执着，就是霸蛮，有伤协调退让、求共赢的商业谈判之道；血性旺烈，脾气多半暴躁；重情重义，一不小心就会形成帮派圈子。他希望有人写一部《丑陋的湖南人》，来解剖湖南人的缺点。他认为这不是污蔑湖南人。[①]郑佳明认为，湖湘文化有三个基本属性。一是农耕文化的属性，有“鱼米之乡”“湖广熟天下足”美誉的农业文明。农耕文化包括上层的封建专制文化和下层的小农意识，其价值观的核心是“权力”。但是农耕文化中的专制思想和小农观念，给湖湘文化以深刻负面影响。权力崇拜和小农意识是建立市场经济体制和向现代社会转型的根本障碍。二是斗争文化的属性。近代湘人敢为人先，勇于变革和革命，成为半殖民地半封建社会的革命先锋。阶级斗争就是这种斗争文化衍生的，阶级斗争理论缺乏以人为本、社会和谐经济发展的观念；关心整体利益较多，关心个人利益不够，个人积极性发挥不够；关心的重点是人与人的关系，对人与自然的关系关注不够，对生产力发展和对科学技术关注不够；强调行政领导，喜欢计划经济，不了解、不重视市场作用；斗争讲得多，合作、妥协、共赢讲得少；强调策略、经验、方法和手段，缺少程序、制度、体制和法治思维。“文革”的理论与实践又把很多好的思想和观念推向极端，变成极左的东西。这些局限性为市场经济的建立和完善设立了第二道严重障碍。三是内陆文化的属性，封闭是湖南发展的第三道障碍。他断言，湖湘文化只有继承其“古今之通义”，发展其“一时之大义”，与时俱进，实现转型，才能继承其辉煌。[②]

① 唐浩明．湖湘文化与曾国藩［N］．三湘都市报，2009-2-18.
② 郑佳明．湖湘文化与新的改革［N］．湖南日报，2013-11-24.

综上所述，湖湘文化无论作为湖湘地域范围之内的历史积淀，还是作为延续至今的客观现实，无疑存在其本身所固有的局限性或负面因素，并且这些局限性或负面因素或多或少给湖南社会发展乃至中国社会发展带来负面影响，成为一种历史包袱，这已经得到了学术界的基本认同。正如有的学者指出的那样："湖湘文化中缺乏发展现代工商业和市场经济所需要的文化基因，缺乏江浙文化中那样一种深厚的工商业传统和商品经济意识等发展市场经济所需要的文化资源。湖湘文化中蕴涵的重名轻利、崇尚政治、崇尚权力、争强好斗、自我意识强合作精神差等文化精神元素，都是不利于市场经济发展的。"① 王东京在《湖南日报》发表的文章中分析说："时至今日，湖南人的思维方式，行事风格，还常常凸现出等级观念的烙印。如重官轻商，千军万马挤官道，就是如此。多年以来，湖南当官的多，读书人多，经商的少，经济不够活跃，不能说与湖湘文化没有关系。"陈代湘、黎跃进在他们合著的《胆识+霸蛮=湖南人》一书中，分析了湖南人的弱点，其中有一段话这样写道："湖湘学派千年的理学传统中人的道德规范千规万律，标准的经济规范却是一片空白，当现代经济摧毁了其中的道德规范时，湖湘文化便感到了困惑，然而传统的烙印仍留在骨子里，这种蜕变的痛苦也就显现出来。……湖湘文化中固执的政治本位意识仍在顽强抵抗。"② 至于湖湘文化具体有哪些局限性或负面因素，学者们存在不同的看法，还需要进一步深入探究。尤其是造成这些局限性存在的原因以及对此采取什么样的态度，更是我们思考的重中之重和主要话题。在此特别指出的是，认识和反思湖湘文化的缺陷或者消极方面的现象，并不是要否认湖湘文化的优点和积极方面。前述几章都是从不

---

① 李跃. 湖湘文化创新与优化湖南经济发展环境［C］//刘宏. 三湘青年社会科学优秀论文集：2004 年卷. 2005：84.

② 陈代湘，黎跃进. 胆识+霸蛮=湖南人［M］. 长沙：湖南人民出版社，2003：269.

同的角度、不同的层面阐述了湖湘文化的优良品性和积极影响，在此没有必要重复了。讨论湖湘文化的缺点，只是为了更加正确、全面地认识湖湘文化。

笔者以为，一种文化的缺点均是由这种文化本身的优点过分张扬与放大而导致的，也就是说文化优点的反面就是文化的缺点，文化正如一枚硬币一样，具有正反两面，是互为一体的。人们常说物极必反，世界上任何事物的发展必须遵循适可而止的法则，不能肆意妄为，《易》曰："日中则昃，月盈则食，天地盈虚，与时消息，而况乎人乎！"这里的"人"实际上就是指人创造的文化。所以，湖湘文化的缺点就是湖湘文化优点的过分延伸与放大。回顾湖湘文化的特点或者特质，其主要缺点体现在两个方面，一是由湖湘文化中的尚武精神、敢为人先而片面放大的好斗、不讲理、非理性、狭隘偏激、保守；二是湖湘文化中的经世致用，注重践履而片面放大的急功近利、热衷政治、崇拜权力、轻视经济、缺失人文关怀。

就以湖湘文化的经世致用，注重践履这一显著特质为例，就能很好地说明问题。"经世致用"的本义是"经世"指治理世事，经国济民；"致用"指尽其所用。自宋至明末清初，经世致用成为一种时尚的学术思潮，受到王夫之、顾炎武、黄宗羲等思想家的提倡与演绎，内容不断丰富。概而言之，这个时期的"经世致用"就是为了应对社会上的政治、经济等问题而倡导的治世之学；就是把学术理论同社会实践结合起来，面对社会矛盾，运用自身所学的理论知识积极解决社会问题，使国家长治久安。所以，作为一种学风，与我们讲的"理论联系实际"有相通的一面，但是它更多地是强调理论要为现实的政治服务。强调理论的功利性的好处是，使理论能与现实的政治紧密结合，更好地发挥其现实作用。但其缺点也有不少：首先，它往往容易使人只注意理论的针对性，而忽视理论的系统性。就是说，注重经世致用的人，他们在讲理论时往往是就事论事，而不注重自身理论的系统建构。这一点，不仅表现在近代湖湘文化中，而且也表现在中国传统哲学之中，我们很少能在中国找到像西方的黑格尔、康德那样的体系完整的哲学著作。其次，由于是要为现实的政治需要服务，所以，随着政治现实重点的转移，理论也就必然随之相应地改变。这样，我们往往可以在同一个作者的不同时期的著作中发现，对同一个问题的论述可能是前后矛盾的。这就说明，坚持经世致用的传统，不能仅仅停留在解决当前现实问题的层面上，而必须深入揭示事物发展的内在规律，从而在更高的层次上为人们提供方法论的指导。第三，近代湖南是一个政治风云激烈的战场，所以许多近代湖南的志士，更多注意的是政治和军事方面的这些突出问题，“三湘学人诵习成风，士皆有用世之志”[①]；而对于经济和科技等方面相对次要的问题则注意不够。尽管这些方面的问题也是经世致用的题中应有之义，但是由于时代迫切要求，人们不得不把它们暂时放在一边了。

所以，我们看到，近世以来，湖南人虽然积极面世，但多表现为一种急功近利，急于求成的心态。尤其是只想一展自己的政治抱负，把从政视为人生价值的最高体现，于是造成一种浮躁的学风与行色匆匆的人生经历。近代学者王闿运的所谓“帝王之学”与杨度所扮演的多重的历史角色，就是这种学风与人生经历的充分体现。同时近世以来，湖南还是儒家文化在南方的大本营。儒家文化强调以仁政为内核的人治，过于关注现实生活，而缺少理性的思辨，缺少对于宇宙终极、人生终极做出理论的探讨。受中国传统学术影响的思想家们，大多是凭经验、直觉和感性的认识去从事学术研究与理论思维的构造，少有运用形式逻辑的思维去把握客体的属性和规律，去推导、构建规模恢宏的理论体系，故许多思想观念就难免显得杂乱无序，彼此孤立。同时过分地讲究实用，也就难以摆脱政治功利的影响，也容易使士人失去独立的学术品格。近代湖南人才辈

① 黄濬. 花随人圣庵摭忆［M］. 上海：上海古籍书店，1983：200.

出，但绝大多数都是政治、军事类型的人才，在思想学术领域能引领风骚的人就逊色许多。① 这种局面的成因，应与经世致用学风的影响不无关系。

我们以湖南维新运动时期时务学堂的内部纷争为例，特别能说明湖湘文化经世致用学风影响而导致的热衷政治、崇拜权力的文化意识。予以说明的是这部分内容是笔者撰写《湖南时务学堂研究》第四章——时务学堂引起的纷争中的一小节——学堂人事权力之争②，在此重录见谅。

光绪二十三年（1897），湖南时务学堂的创办，离不开湖南官、商和开明士绅的努力。又因时务学堂前后存在将近两年时间（光绪二十二年十二月—光绪二十四年九月），其间牵涉的人和事相当繁杂，尤其是不同身份背景的人，往往从各自不同立场、利益、关系等出发，必然会产生人事安排、权力分配、资源调配等冲突，由此而引起的纷争可以说贯穿时务学堂始终。

光绪二十二年（1896）秋冬之交，湘籍士绅蒋德钧、熊希龄、王先谦、黄自元、张祖同、陈程初等一起创办宝善成制造公司，遂有创设时务学堂之议，并向巡抚陈宝箴递交了请求设立学堂的禀书。因陈宝箴早有提倡新学、培植人才的打算，故接到禀请之后，“惊喜叫绝”，于当年十二月批准立案，亲自“命名时务学堂”③，学堂经费由朝廷与地方政府出资，时务学堂成了地方政府的一个机构，这样一来，时务学堂虽由王先谦等人动议创办于宝善成机器制造公司之下，实际上成为了一个官办机构，不过，在名分上仍是机器制造公司的下属机构，“开局之初，刊发关防，本以机器制造公司时务学堂为名，欲令教授学徒，俾通制造”。当时除王先谦外，

---

① 参见田中阳．湖湘文化精神与二十世纪湖南文学［M］．长沙：岳麓书社，2000：73—77．

② 郑大华．湖南时务学堂研究［M］．北京：民主与建设出版社，2015：245—249．

③ 蒋德钧．请设时务学堂公呈［M］//求实斋类稿：卷五．清光绪刻本．

还有熊希龄、蒋德钧、张祖同、陈程初一同受命负责，熊希龄因有他事，在最初阶段并没有到任，蒋德钧、陈程初参与过两、三次会议，唯王先谦、张祖同主持其事约一年。光绪二十三年（1897）五月刘坤一批准学堂经费7000两后，王先谦、张祖同等人则以擅改禀书对熊希龄产生意见，学堂人事旋即发生变革，蒋德钧离湘入京。在此情况之下，熊希龄则以避免责成不专、相互推诿之弊为由，建议将制造公司中的轮船、制造、学堂三事分开，“于是立议各认一事专办，以轮船推归汤（聘珍）、朱（昌琳），继复推归雨珊（祖同），以制造推归王益吾师，而龄独办学堂”。此举虽合“少穆（蒋德钧）避谋利之名之意”，后则“函告王益吾师，已蒙允准”[①]，而熊希龄独自主持时务学堂，王、张等绅董被排除在时务学堂之外已成事实。

熊希龄掌管时务学堂以后，遂邀请谭嗣同、黄遵宪等人参与其事。黄遵宪一到长沙就向陈宝箴力荐梁启超任时务学堂中文总教习、李维格任西文总教习。同年（1897）十月廿日，梁启超、李维格与分教习韩文举、叶觉迈从上海抵达长沙。光绪二十四年（1898）二月梁启超离湘后，三月又添欧榘甲、周大烈、唐才常为中文分教习[②]。据唐才质所说，还有西文分教习王史。另据《汪康年师友书札》所附《汪康年师友各家小传》和皮锡瑞《师伏堂日记》所记，杨守仁和杨自超也曾担任过时务学堂分教习。需要说明的是，谭嗣同一直没有在时务学堂任职，只是给时务学堂以极大支持。[③]

据贾小叶考证，由于时务学堂的激进教学和学生札记批语风波，陈宝箴渐渐产生了调换学堂人事的想法，并通过各种途径寻找

---

① 林增平，周秋光. 熊希龄集：上册［M］. 长沙：湖南人民出版社，1985：55.
② 学堂添聘教习［N］. 湘报（41）.
③ 蔡乐苏，张勇，王宪明. 戊戌变法史述论稿［M］. 北京：清华大学出版社，2001：456.

证据，以邹代钧代替熊希龄，辞退韩、叶、欧三教习。由此而卷入此事的还有陈三立、熊希龄、谭嗣同、唐才常、欧阳中鹄、汪颂年、邹代钧等，从而导致了原本就有维新变法倾向的陈宝箴、陈三立、欧阳中鹄、汪颂年、邹代钧逐渐中立，甚至与熊、谭、唐关系的紧张与疏离。[①] 可见，时务学堂人事关系的微妙变化，随时都能引起新旧双方势力的消长走向。

光绪二十四年（1898）二月十日前后，学堂中文总教习梁启超因病暂时离湘返沪。同年五月中旬，陈宝箴委黄遵宪为时务学堂总理官，委汪颂年为时务学堂总理绅，以接替熊希龄之职，同时批准时务学堂韩、叶、欧三教习之辞呈。随后，谭嗣同、熊希龄、黄遵宪等被保荐纷纷离开时务学堂入京。值得注意的是，其间还有陈宝箴、徐仁铸、陈三立、欧阳中鹄、邹代钧等中间势力未任职时务学堂，但是时务学堂的许多事务都曾参与决策谋划，与时务学堂的总理、教习等关系十分密切，有着千丝万缕的联系。

不过，王先谦、张祖同等地方绅士，一直游离于时务学堂之外，成为边缘式人物，难免油然而生失落之感。特别是在经费问题产生不满情绪后，熊希龄似乎与他们分道扬镳，渐渐疏远了他们。熊希龄专办时务学堂，不愿意其他绅董插手。开始之时诸绅也同意熊的提议，但是熊希龄在学堂凡用人、招生、考试等事一律秉公办理，丝毫不理熟人请托。如张祖同提出具禀请办学堂的绅士6人，“应每人占额4名各有情面之子弟”不通过考试就进入时务学堂，熊断然拒绝。故王、张在学堂开办之初就有不满。又如，当初办轮船公司、宝善成制造公司和学堂是王先谦、张祖同、蒋德钧、朱昌琳、熊希龄等共同商议禀呈的，后各人分工，张祖同曾数次递条子要求熊希龄照顾徐嵩立等人，而“龄皆不取，故亦衔之甚深也”[②]。

① 贾小叶．陈宝箴与戊戌年湖南时务学堂人事变动［J］．人文杂志，2011（6）：96—101.

② 林增平，周秋光．熊希龄集：上［M］．长沙：湖南人民出版社，1985：55.

另外，张祖同本不满学堂为巡抚主持、熊独办之独立学堂，曾要求另再设立宝善成公司工艺学堂，分享学堂经费及利益，并且划归公司掌握，熊希龄等对此敷衍而已，不屑一谈。凡此种种情形使得张祖同等怀恨在心，由欲掌握学堂而导致不得不产生对抗学堂及学堂总理熊希龄之心。基于上述原因，在针对时务学堂接下来的纷争之中，王先谦、张祖同等不断有辞退、排挤梁启超、熊希龄、韩文举、欧榘甲、叶觉迈等人的呼声，直至时务学堂的终结。

如果时务学堂的人事权力之争，仅仅使得王先谦、张祖同等产生了不满和意见，那么，与时务学堂紧密联系在一起的、成立于光绪二十四年（1898）春的南学会，则是这场纷争的转折点，其中的人事权力之争更为突出。

光绪二十四年二月初一（1898 年 2 月 21 日），南学会举行首次聚会，“观者二百余人”①，皮锡瑞、黄遵宪、乔树枬、谭嗣同、陈宝箴先后发表讲话。此后，学会每七日开讲一次。南学会的筹组和成立后的历次讲演，都没有邀请知名绅士如王先谦、张祖同、叶德辉参加。即或被邀，叶德辉不一定会接受。王、张却不同，他们分别是湖南新办实业的负责人，对成立时务学堂和聘用梁启超为总教习均表示赞同，俨然是新政的领袖人物，他们参与南学会，原是顺理成章的事。现在却被排挤在外，顿失他们原在新政阵营中的领导地位，怨望之情，是不难想见的。王先谦碍于陈宝箴的情面，出席了南学会第一次聚会，以后便裹足不前。两个月后，熊希龄、谭嗣同等才试图拉拢他，邀他到学会讲学，但他没有答应，“辞以难”②。显然，双方对峙的形势已发展到不可调解的地步。

熊、谭等筹备南学会，没有将王、张视作同道，是有一定理由的。他们打算将南学会发展为“议院”“国会”的规模，以达到兴民权、湖南自立的目的。这里所说“自立”，似非指反清革命。当

---

① 皮锡瑞. 师伏堂未刊日记［J］. 湖南历史资料，1958（4）：97.
② 皮锡瑞. 师伏堂未刊日记［J］. 湖南历史资料，1958（4）：99.

时正值德国借曹州教案染指山东、列强纷纷效尤争夺在华权益的时期，瓜分危机，一触即发。从这个历史背景去看，自立之说，不必另含深意，而是指湖南面对这个瓜分危机所能作出有利将来自存的准备工夫，也就是谭嗣同所谓“亡后之图”的意思①。熊、谭诸人结为同志的，都是彼此相熟而对中国政局、对湖南前景抱有相同看法的维新分子。跟王、张、叶等“久住省垣，广通声气”② 的大绅士相比，他们一般年纪较轻，思想较开放，社会地位较低，影响力较微。如谭嗣同虽然是湖南人，还是湖北巡抚谭继洵的儿子，但平日居住省外的时间较多，在长沙官绅社会中谈不上有深厚的根底。其他如梁启超等非湖南籍康门弟子，更不消说了。他们的活动主要靠巡抚陈宝箴、学政徐仁铸、按察使黄遵宪的支持，但当这些来自外省的官员也受到总督张之洞和省垣绅士诘责，不能坚持时久，维新派的阵脚便马上动摇。

王先谦、张祖同在南学会的事上受挫，他们的不满情绪也随着他们在官绅中的活动和影响力迅速传开。以他们的社会地位，不难将原来对新政态度模棱或根本反对的人士联系起来，形成一股敌对势力。正是这样，叶德辉遂摇身一变成为他们最得力、最勇于任事的伙伴。南学会的筹备工作还在密锣紧鼓之际，他们已开始给皮锡瑞施加压力。皮氏是湖南人，著名经学家。他秉性敦厚，为人随和，和新、旧两派都有一定的联系，是一位理想的缓冲人物。这是熊希龄、谭嗣同、梁启超等决定聘他为南学会主讲的原因，也是王先谦、叶德辉、张祖同等向他入手，游说他抵制南学会的理由。学会成立前两星期，皮锡瑞在日记中写道“赴唐鲁英饮席，叶焕彬（德辉）、汪镜青在座，皆守旧党，劝我勿入学会，恐不能久”③。

① 欧阳中鹄 1898 年 6 月 28 日致谭嗣同信称：“昨弟言‘亡后之图’四字，使人凄然欲绝。”（欧阳予倩. 谭嗣同书简［M］. 上海：民国文化供应社，1948：138.）
② 熊希龄. 上陈中丞书［N］. 湘报（112）.
③ 皮锡瑞. 师伏堂未刊日记［J］. 湖南历史资料，1958（4）：87.

南学会首次开讲后几天，皮氏又写道：“诸公多不以讲学为然，保卫局尤不肯筹款；王（先谦）、张（祖同）、叶（德辉）均以余主讲为可惜。”① 从皮锡瑞1898年初几个月的日记看，可知叶德辉的态度也在南学会成立前后起了变化，从对新政人物客气周旋和容忍，转对他们作出尖刻的批评，从对皮锡瑞表现友好，转对他不停地挖苦。

可见，湖南维新运动期间，在湖湘文化经世致用学术氛围熏陶之下的官员、学者、地方绅士，大多都卷入了这场复杂而激烈的纠纷之中，其中重要原因之一就是他们过于涉足政治、偏爱权力。

又以湖南近代企业最发达的矿业为例。甲午战争后的十余年间，湖南创办近代矿厂72家，其间有39家不几年就倒闭。大官僚袁树勋（湘潭人）手中积累了大量的货币，然而他不去发展近代实业，而是以少量的资金在家乡开设粮行与典当，以大量的资金投入到江西的萍乡煤矿去牟利。一部《中国近代史词典》共收录近代湖南名人110名，其中资本家仅聂缉槼（衡东人）一人。聂长期在上海经营华新纺织局，手中也积累了不少货币。本来他也想在家乡开办实业，但当他1904年携巨款回湘时，面对湖南动乱的局势，立即打消了办实业的念头，而是将巨款用来在洞庭湖区领垦湖田，建立起总面积达5万余亩的种福垸，进行传统的封建地租剥削。辛亥革命后到1916年止，全省新增矿厂至少在8000家以上，但这些矿厂98.9%均为土法开采。1919年8月20日，一位作者在湖南《大公报》上撰文指出：湖南近代工矿业之所以不能发达的原因，一则受了金融枯竭的影响，一则政府没有提倡实业的诚心，所以成了今日这种状况。所谓政府无提倡实业的诚心，即是轻视发展经济的文化心态在官员意识中的反映；而金融枯竭，当然是热衷政治的文化心理造成了社会动荡，致使拥有资金者观望不前所致。在这种轻视

---

① 同①200.

发展经济的文化心态影响下，湖南近代实业科技人才寥寥无几。1904 年，湖南留日学生 401 人，占中国留日学生总数的 14%强，但其中学习实业技术的不足 20 人。这不足 20 人中唯一一位有成就的是范旭东。然而即使是这仅有的一位科学家也未能回到湖南，而是在天津创办永利制碱公司出名。1949 年，湖南全省工农业总产值只有 19 亿元，其中农业占 83%，工业只占 17%。新中国成立后的第一届中央人民政府的 63 名领导人中，湖南籍有 11 人，约占 1/6；然而在 1950 年成立的中国科学工作者协会第一届的 15 名理事长和理事中，却无一个是湖南人。①

以上这些事实，雄辩地证明了湖湘文化的缺陷或者负面因素的客观存在及其所产生的不利影响。认识、解读湖湘文化不仅仅是为了揭示其本质特性及其规律，更在于如何在新的历史时代实现湖湘文化的现代转型，从而超越其历史局限性，以获得新的生命活力。这又是一个需要学者们倍加思考的课题。

① 参见沈其新. 文化大轮回——湖南文化大发展的序幕［J］. 湖南社会科学，1989（1），48—49.

主要参考文献

一、资料

钱玄，钱兴奇，等. 周礼［M］. 长沙：岳麓书社，2001.
朱震. 汉上易传［M］. 北京：九州出版社，2012.
刘安，等. 淮南子［M］. 上海：上海古籍出版社，1989.
王逸. 楚辞章句［M］. 北京：商务印书馆，2006.
司马迁. 史记［M］. 北京：中华书局，1999.
班固. 汉书［M］. 北京：中华书局，2002.
范晔. 后汉书［M］. 北京：中华书局，1999.
脱脱，阿鲁图，等. 宋史［M］. 北京：中华书局，1999.
董仲舒. 春秋繁露［M］. 北京：学苑出版社，2003.
刘劭. 人物志［M］. 上海：上海古籍出版社，2006.
李邕. 全唐文［M］. 北京：中华书局，1983.
王象之. 舆地纪胜［M］. 南京：江苏广陵古籍刻印社，1991.
祝穆. 方舆胜览［M］. 北京：中华书局，2003.
欧阳忞. 舆地广记［M］. 上海：商务印书馆，1937.
朱熹. 朱子语类［M］. 北京：中华书局，1986.
朱熹. 河南程氏遗书［M］. 北京：中华书局，1981.
张载. 张子语录［M］. 四部丛刊本.
周敦颐. 通书［M］. 上海：上海古籍出版社，2000.
王士性. 王士性地理书三种［M］. 上海：上海古籍出版社，1993.
顾栋高. 春秋大事表［M］. 北京：中华书局，1993.
王夫之. 读通鉴论［M］. 北京：中华书局，2013.
黄宗羲. 宋元学案［M］. 北京：中华书局，1996.
王夫之. 船山全书［M］. 长沙：岳麓书社，2011.
贾谊. 贾谊集［M］. 长沙：岳麓书社，2010.
柳宗元. 柳宗元集［M］. 北京：中华书局，2008.
刘禹锡. 刘梦得文集［M］. 四部丛刊本.
王禹偁：小畜集：卷十三［M］. 文渊阁四库全书本.

朱熹. 朱熹集［M］. 成都：四川教育出版社，1996.
胡宏. 胡宏集［M］. 吴仁华，校，北京：中华书局，1987.
张栻. 张栻全集［M］. 杨世文，王蓉贵，点校. 长春：长春出版社，1999.
真德秀. 西山文集［M］. 北京：商务印书馆，2006.
王子羲，陶用舒. 陶澍集［M］. 长沙：岳麓书社，1998.
曾国藩. 曾国藩全集［M］. 长沙：岳麓书社，1995.
王闿运. 湘绮楼诗文集［M］. 长沙：岳麓书社，1996.
刘煸. 云庄集［M］. 四库全书本.
中华书局编辑部. 魏源集［M］. 北京：中华书局，1976.
左宗棠. 左宗棠全集［M］. 长沙：岳麓书社，1996.
罗正钧. 左宗棠年谱［M］. 长沙：岳麓书社，1983.
蔡锷. 蔡松坡先生遗集（之八）［M］. 刘达武，辑. 湖南邵阳蔡公遗集编印委员会，1943.
郭嵩焘. 郭嵩焘诗文集［M］. 杨坚，点校. 长沙：岳麓书社，1984.
郭嵩焘. 郭嵩焘日记：第 1 册［M］. 长沙：湖南人民出版社，1981.
魏源. 海国图志［M］. 郑州：中州古籍出版社，1999.
蔡尚思，方行. 谭嗣同全集［M］. 北京：中华书局，1981.
刘晴波. 杨度集［M］. 长沙：湖南人民出版社，1986.
梁启超. 梁启超全集［M］. 北京：北京出版社，1999.
皮锡瑞. 师伏堂未刊日记［J］. 湖南历史资料，1958（4），1959（1），1959（2）.
梅英杰，等. 湘军人物年谱［M］. 长沙：岳麓书社，1987.
王兴国. 杨昌济文集［M］. 长沙：湖南教育出版社，1983.
汪叔子，张求会. 陈宝箴集［M］. 北京：中华书局，2003，2005.
湖南省哲学社会科学研究所. 唐才常集［M］. 北京：中华书局，1980.

王佩良，张茜. 夏思痛集［M］. 长沙：岳麓书社，2009.
江忠源，王鑫. 江忠源集 王鑫集［M］. 长沙：岳麓书社，2013.
方行. 樊锥集［M］. 北京：中华书局，1984.
苏舆. 苏舆集［M］. 长沙：湖南人民出版社，2008.
王先谦. 葵园四种［M］. 长沙：岳麓书社，1986.
王先谦. 葵园自订年谱［M］. 台北：文海出版社，1970.
杜迈之，刘泱泱，李如龙. 自立会史料集［M］. 长沙：岳麓书社，1983.
孙中山. 孙中山选集［M］. 北京：人民出版社，1981.
陈旭麓. 宋教仁集［M］. 北京：中华书局，1981.
刘晴波，彭国兴. 陈天华集［M］. 长沙：湖南人民出版社，1958.
刘少奇选集：下［M］. 北京：人民出版社，1985.
郭嵩焘. 郭嵩焘奏稿［M］. 杨坚，点校. 长沙：岳麓书社，1983.
游学译编社. 游学译编［M］. 长沙：湖南师范大学出版社，2008.
湖南船山学社. 船山学报［M］. 长沙：湖南师范大学出版社，2009.
皮锡瑞. 经学历史［M］. 北京：中华书局，1950.
叶德辉. 郎园书札［M］. 刻本. 1898（光绪二十四年）.
饶怀民. 杨毓麟集［M］. 长沙：岳麓书社，2001.
陈宏谋，范咸. 湖南通志［M］. 刻本. 1757（乾隆二十二年）.
李瀚章，裕禄，卞宝第，等. 湖南通志［M］. 刊本. 1885（光绪十一年）.
王云五. 司马文正公传家集［M］. 北京：商务印书馆，1937.
邓显鹤. 沅湘耆旧集［M］. 长沙：岳麓书社，2007.
黄纲正. 历代名人咏长沙诗词选［M］. 长沙：湖南文艺出版社，1996.
扬雄语，李兆洛. 骈体文钞［M］. 谭献，评点. 四部备要.
朱寿朋. 光绪朝东华录［M］. 北京：中华书局，1958.

丘权正，杜春和. 辛亥革命史料选辑：上册 [M]. 长沙：湖南人民出版社，1981.
政协全国文史委员会. 辛亥革命回忆录 [M]. 北京：文史资料出版社，1961—1963.
姚贤镐. 中国近代对外贸易史资料 [M]. 北京：中华书局，1962.
湖南省地方志编纂委员会. 湖南省：贸易志 [M]. 长沙：湖南人民出版社，1990.
汪敬虞. 中国近代工业史资料 [M]. 北京：科学出版社，1957.
湖南省文献委员会. 湖南文献汇编：第2辑 [G]. 湖南省文献委员会，1949.
国家档案局明清档案馆. 戊戌变法档案史料 [M]. 北京：中华书局，1958.
陈克鑫，陈清林，王文珍. 中国共产党湖南历史（1920—1949）[M]. 长沙：湖南人民出版社，2008.
中国社会科学院经济研究所. 第一、二次国内革命战争时期土地斗争史料选编 [M]. 北京：人民出版社，1981.
中国革命博物馆，湖南省博物馆. 新民学会资料 [M]. 北京：人民出版社，1980.
朱有瓛. 中国近代学制史料：第二辑 下册 [M]. 上海：华东师范大学出版社，1989.
周正云. 晚清湖南新政奏折章程选编 [M]. 长沙：岳麓书社，2010.
沈云龙. 近代中国史料丛刊 [M]. 台北：文海出版社，1972.
湖南省地方志编纂委员会. 湖南省志：人物志上册 [M]. 长沙：湖南出版社，1992.
中共中央文献研究室. 毛泽东年谱（1893—1949）[M]. 北京：中央文献出版社，1993.
桂东县志 [M]. 刻本. 1759（乾隆二十四年）.

湘潭县志［M］. 刻本. 1818（嘉庆二十三年）.
常德府志［M］. 刻本. 1813（嘉庆十八年）.
巴陵县志［M］. 刻本. 1891（光绪十七年）.
湖南历史资料编辑室. 湖南历史资料［M］. 长沙：湖南人民出版社，1981（1）.
湘报［M］. 北京：中华书局，2006.
长沙第一个积极奋斗的——李欣淑女士［N］. 大公报，1920-2-27.
湖南女子之五权运动［J］. 解放画报，1921（8）.
百杭. 我对于忠孝节烈的一个小批评［N］. 大公报，1919-12-13.
钝根. 自由谈·游戏文章·新祝词［N］. 申报，1912-1-1.
李文海. 辛亥革命与中国共产党［N］. 光明日报，2011-9-19-01.
湖南巡抚陆奏筹办湘省学堂情形折［J］. 东方杂志，1905（1）.
南学会大概章程十二条［J］. 湘报，1965（34）.
江标. 湖南学政奏报全省岁科两试完竣情形折［J］. 湘学报，1897（4）.
中国大百科全书编委会. 中国大百科全书：考古学［M］. 北京：中国大百科全书出版社，1986.
姜椿芳. 简明不列颠百科全书：第8卷［M］. 北京：中国大百科全书出版社，1986.
夏征农. 辞海［M］. 上海：上海辞书出版社，2002.
方东美. 方东美先生演讲集［M］. 台北：黎明文化事业公司，1978.
胡思敬. 清代碑传全集［M］. 上海：上海古籍出版社，1987.
罗福惠. 近代湖湘文化鸟瞰［M］//湖南大学岳麓书院文化研究所. 岳麓书院一千零一十周年纪念文集：第一辑. 长沙：湖南人民出版社，1986.
姚淦铭，王燕. 王国维文集［M］. 北京：北京燕山出版社，1997.
冯友兰. 三松堂全集［M］. 郑州：河南人民出版社，2001.
陈旭麓. 宋教仁集：上册［M］. 北京：中华书局，1981.

二、学术论著

程美宝. 地域文化与国家认同：晚清以来广东文化观的形成[M].北京：生活·读书·新知三联书店，2006.

袁行霈，陈进玉. 中国地域文化通览：湖南卷［M］. 北京：中华书局，2014.

朱汉民. 湖湘文化通史［M］. 长沙：岳麓书社，2015.

朱汉民. 湖湘学派与湖湘文化［M］. 长沙：湖南大学出版社，2010.

王恩涌. 文化地理学［M］. 南京：江苏教育出版社，1995.

周振鹤，游汝杰. 方言与中国文化［M］. 上海：上海人民出版社，1986.

卢云. 汉晋文化地理［M］. 西安：陕西人民教育出版社，1991.

张伟然. 湖南历史文化地理研究［M］. 上海：复旦大学出版社，1995.

张伟然. 湖北历史文化地理研究［M］. 武汉：湖北教育出版社，2000.

杨念群. 儒学地域化的近代形态——三大知识群体互动的比较研究［M］. 北京：生活·读书·新知三联书店，1997.

赵玉燕，吴曙光. 湖南民俗文化［M］. 长沙：湖南师范大学出版社，2010.

朱谦之. 文化哲学［M］. 北京：商务印书馆，1990.

朱谦之. 朱谦之文集［M］. 福州：福建教育出版社，2002.

张军涛，刘锋. 区域地理学［M］. 青岛：青岛出版社，2000.

蒋善国. 尚书综述［M］. 上海：上海古籍出版社，1988.

刘建国. 中国哲学史史料学概要［M］. 长春：吉林人民出版社，1983.

冯天瑜，何晓明，周积明. 中华文化史［M］. 上海：上海人民出版社，1990.

李亦园. 人类的视野［M］. 上海：上海文艺出版社，1996.
胡潇. 文化的形上之思［M］. 长沙：湖南美术出版社，2002.
方汉文. 比较文化学［M］. 桂林：广西师范大学出版社，2003.
彭宏杰. 先进文化与党的建设研究［M］. 长沙：湖南大学出版社，2008.
李秀林，王宇，李淮春. 辩证唯物主义和历史唯物主义原理［M］.北京：中国人民大学出版社，2004.
张岱年. 文化与哲学［M］. 北京：中国人民大学出版社，2006.
黄枬森. 黄枬森自选集［M］. 北京：学习出版社，2005.
梁漱溟. 梁漱溟自选集［M］. 北京：首都师范大学出版社，2008.
梁漱溟. 中国文化要义［M］. 上海：学林出版社，1987.
贺麟. 文化与人生［M］. 北京：商务印书馆，1988.
冯友兰. 三松堂学术文集［M］. 北京：北京大学出版社，1984.
余英时. 从价值系统看中国文化的现代意义［M］. 台北：时报文化出版公司，1984.
司马云杰. 文化社会学［M］. 太原：山西教育出版社，2007.
殷海光. 中国文化的展望［M］. 上海：上海三联书店，2002.
罗钢，刘象愚. 文化研究读本［M］. 北京：中国社会科学出版社，2000.
侯甬坚. 区域历史地理的空间发展过程［M］. 西安：陕西人民教育出版社，1995.
程民生. 宋代地域文化［M］. 开封：河南大学出版社，1997.
陈建远. 社会科学方法辞典［M］. 沈阳：辽宁人民出版社，1990.
蒋宝德，李鑫生. 中国地域文化［M］. 济南：山东美术出版社，1997.
中国地域文化丛书编委会. 中国地域文化丛书［M］. 沈阳：辽宁教育出版社，1998.
李勤德. 中国区域文化［M］. 太原：山西高校联合出版社，1995.

张晓虹. 文化区域的分异与整合——陕西历史地理文化研究[M].上海：上海书店出版社，2004.
王兴国，聂荣华. 湖湘文化纵横谈［M］. 长沙：湖南大学出版社，1996.
丁平一. 湖湘文化传统与湖南维新运动［M］. 长沙：湖南人民出版社，1998.
蔡栋. 湖湘文化访谈［M］. 长沙：湖南人民出版社，2006.
田中阳. 湖湘文化精神与二十世纪湖南文学［M］. 长沙：岳麓书社，2000.
韩民清. 文化论［M］. 南宁：广西人民出版社，1989.
郑金洲. 教育文化学［M］. 北京：人民教育出版社，2000.
费宗惠，张荣华. 费孝通论文化自觉［M］. 呼和浩特：内蒙古人民出版社，2009.
张广智. 西方史学史［M］. 上海：复旦大学出版社，2010.
夏建中. 文化人类学理论学派：文化研究的历史［M］. 北京：中国人民大学出版社，1997.
庄锡昌. 多维视野中的文化理论［M］. 杭州：浙江人民出版社，1987.
胡义成. 生产力哲学——邓小平经济哲学思想探稿［M］. 宁波：宁波出版社，1998.
陈来. 古代宗教与伦理 儒家思想的根源［M］. 北京：生活·读书·新知三联书店，1996.
曾昭璇. 人类地理学概论［M］. 北京：科学出版社，1999.
钱穆. 中国文化史导论［M］. 上海：上海三联书店，1988.
刘师培. 刘申叔遗书［M］. 南京：江苏古籍出版社，1997.
朱红文. 人文社会科学导论［M］. 北京：教育科学出版社，2011.
辛华，任菁. 内在超越之路 余英时新儒学论著辑要［M］. 北京：中国广播电视出版社，1992.

余英时. 儒家伦理与商人精神［M］. 桂林：广西师范大学出版社，2004.
钟敬文. 话说民间文化［M］. 北京：人民日报出版社，1990.
费孝通. 乡土中国 生育制度［M］. 北京：北京大学出版社，1998.
潘世东，林玲. 诗性的智慧——中国文化的自然观及其艺术表现［M］. 广州：华南理工大学出版社，2000.
谢路军. 中国道教文化［M］. 北京：九州出版社，2008.
方东美. 中国人的人生观［M］. 台北：幼狮文化事业公司，1980.
方同义. 中国智慧的精神——从天人之际到道术之间［M］. 北京：人民出版社，2003.
蒋国保，周亚洲. 生命理想与文化类型——方东美新儒学论著辑要［M］. 北京：中国广播电视出版社，1992.
高长江. 东方乡村文明之路——中国社会主义乡村文化研究［M］.沈阳：辽宁大学出版社，1994.
刘建军. 演进的诗化人学——文化视界中的西方文学的人文精神传统［M］. 长春：东北师范大学出版社，1998.
任继愈. 中国哲学思想发展史：先秦［M］. 北京：人民出版社，1983.
张朋园. 湖南现代化的早期进展（1860—1916）［M］. 长沙：岳麓书社，2002.
湖南省地质矿产局. 湖南省区域地质志［M］. 北京：地质出版社，1988.
葛剑雄. 中国人口发展史［M］. 福州：福建人民出版社，1991.
毛况生. 中国人口：湖南分册［M］. 北京：中国财政经济出版社，1987.
漆侠. 求实集［M］. 天津：天津人民出版社，1982.
吴松弟. 北方移民与南宋社会变迁［M］. 台北：文津出版社，1993.

谭其骧. 长水集［M］. 北京：人民出版社，1987.
张步天. 山海经解：中山经：卷五［M］. 香港：天马图书公司，2004.
周宏伟. 湖南政区沿革［M］. 长沙：湖南师范大学出版社，2009.
周谷城. 世界通史［M］. 石家庄：河北教育出版社，2000.
吴于廑. 吴于廑学术论集自选集［M］. 北京：首都师范大学出版社，1995.
史学理论丛书编辑部. 当代西方史学思想的困惑［M］. 北京：中国社会科学出版社，1991.
游俊，李汉林. 湖南少数民族史［M］. 北京：民族出版社，2001.
聂荣华，万里. 湖湘文化通论［M］. 长沙：湖南大学出版社，2005.
湖北省社会科学院历史研究所. 楚文化新探［M］. 武汉：湖北人民出版社，1981.
杜纯梓. 湖湘文化要略［M］. 北京：北京大学出版社，2011.
段启明，戴晨京，何虎生. 中国佛寺道观［M］. 北京：北京燕山出版社，1997.
张枬，王忍之. 辛亥革命前十年间时论选集：第一卷 下册［C］. 北京：生活·读书·新知三联书店，1960.
冯象钦，刘欣森. 湖南教育史［M］. 长沙：岳麓书社，2002.
李大钊. 李大钊史学论集［M］. 石家庄：河北人民出版社，1984.
赵世瑜. 眼光向下的革命：中国现代民俗学思想史论（1918–1937）［M］. 北京：北京师范大学出版社，1999.
赵玉燕，吴曙光. 湖南民俗文化［M］. 长沙：湖南师范大学出版社，2010.
顾颉刚. 史林杂识［M］. 北京：中华书局，1963.
顾铁符. 楚国民族述略［M］. 武汉：湖北人民出版社，1984.
张光直. 青铜挥麈［M］. 上海：上海文艺出版社，2000.
梁漱溟. 东西文化及其哲学［M］. 北京：商务印书馆，1922.
冯友兰. 新事论 中国到自由之路［M］. 北京：生活·读书·新知

三联书店，2007.
钱穆. 文化学大义［M］. 台北：正中书局，1983.
李宗桂. 中国文化概论［M］. 广州：中山大学出版社，1988.
钱基博. 近百年湖南学风［M］. 北京：中国人民大学出版社，2004.
廖元度. 楚风补校注：上册［M］. 湖北省社会科学院文学研究所，校注. 武汉：湖北人民出版社，1998.
顾乃忠. 历史决定论与中国现代化［M］. 南京：江苏人民出版社，1997.
陈弱水. 唐代文士与中国思想的转型［M］. 桂林：广西师范大学出版社，2009.
刘少虎. 经学以自治：王闿运春秋学思想研究［M］. 北京：华夏出版社，2007.
陈谷嘉，邓洪波. 中国书院制度研究［M］. 杭州：浙江教育出版社，1997.
何梓林，夏远生. 二十世纪湖南人物［M］. 长沙：湖南人民出版社，2001.
张晶萍. 守望斯文：叶德辉的生命历程和思想世界［M］. 北京：中国社会科学出版社，2011.
张晶萍. 近代“湘学观”的形成与嬗变研究［M］. 北京：知识产权出版社，2015.
周秋光. 湖湘文化宏观研究［M］. 长沙：湖南师范大学出版社，2001.
刘旭. 湖湘文化概论［M］. 长沙：湖南人民出版社，2000.
陈来. 古代宗教与伦理——儒家思想的根源［M］. 北京：生活·读书·新知三联书店，1996.
冯友兰. 中国哲学史：上册［M］. 北京：中华书局，1984.
钱基博，李肖聃. 近百年湖南学风·湘学略［M］. 长沙：岳麓书社，1985.
林语堂. 中国人［M］. 郝志东，沈益洪，译. 杭州：浙江人民出版社，1988.
沙莲香. 中国民族性［M］. 北京：中国人民大学出版社，1989.
杨东梁. 左宗棠评传［M］. 长沙：湖南人民出版社，1985.
费孝通. 费孝通论文化与文化自觉［M］. 北京：群言出版社，2007.
李学勤. 东周与秦代文明［M］. 北京：文物出版社，1984.
张正明. 楚文化史［M］. 上海：上海人民出版社，1987.
范文澜. 中国近代史：第1分册［M］. 北京：人民出版社，1953.
范文澜. 中国通史简编［M］. 北京：人民出版社，1965.
朱东安. 曾国藩传［M］. 南昌：百花洲文艺出版社，2001.
郑大华. 湖南时务学堂研究［M］. 北京：民主与建设出版社，2015.
郑大华，彭平一. 社会结构变迁与近代文化转型［M］. 成都：四川人民出版社，2008.
郑大华. 晚清思想史［M］. 长沙：湖南师范大学出版社，2005.
伍新福. 湖南通史：古代卷［M］. 长沙：湖南人民出版社，2008.
张光直. 中国青铜时代［M］. 北京：生活·读书·新知三联书店，1982.
周秋光. 熊希龄传［M］. 北京：华文出版社，2006.
周秋光，张少利，许德雅，等. 湖南社会史［M］. 长沙：湖南人民出版社，2012.
刘泱泱. 近代湖南社会变迁［M］. 长沙：湖南人民出版社，1998.
刘泱泱. 湖南通史：近代卷［M］. 长沙：湖南人民出版社，2008.
吴仰湘. 通经致用一代师——皮锡瑞生平和思想研究［M］. 长沙：岳麓书社，2002.
孙玉敏. 王先谦学术思想研究［M］. 哈尔滨：黑龙江人民出版社，2008.

王驰，刘鸣泰，刘克利. 湖湘文化大观［M］. 长沙：岳麓书社，2003.
何汉文，杜迈之. 杨度传［M］. 长沙：湖南人民出版社，1979.
郑佳明. 历代名人记长沙文选［M］. 长沙：湖南文艺出版社，1998.
朱英. 辛亥革命与近代中国社会变迁［M］. 武汉：华中师范大学出版社，2001.
金耀基. 从传统到现代［M］. 北京：中国人民大学出版社，1999.
谷中原. 社会学理论基础［M］. 长沙：中南大学出版社，2004.
吴雁南. 中国近代社会思潮［M］. 长沙：湖南教育出版社，1998.
李泽厚. 中国近代思想史论［M］. 北京：生活·读书·新知三联书店，2008.
方克立，陈代湘. 湘学史［M］. 长沙：湖南人民出版社，2008.
王安定，朱纯. 湘军记［M］. 长沙：岳麓书社，1983.
冯契. 中国近代哲学史［M］. 上海：上海人民出版社，1989.
孟森. 明清史讲义［M］. 北京：中华书局，1981.
曹聚仁. 中国学术思想史随笔［M］. 北京：生活·读书·新知三联书店，1986.
丁伟志，陈崧. 中西体用之间［M］. 北京：中国社会科学出版社，1995.
王国维. 观堂集林［M］. 上海：上海古籍出版社，1983.
林增平，范忠程. 湖南近现代史（1840—1949）［M］. 长沙：湖南师范大学出版社，1999.
刘云波，李斌. 湖南经济通史［M］. 长沙：湖南人民出版社，2013.
梅莉，张国维，晏昌贵. 两湖平原开发探源［M］. 南昌：江西教育出版社，1995.
罗尔纲. 湘军兵志［M］. 北京：中华书局，1984.

郑焱．近代湖湘文化概论［M］．长沙：湖南师范大学出版社，2008.
萧萐父，李锦全．中国哲学史［M］．北京：人民出版社，1983.
杨世骥．辛亥革命前后湖南史事［M］．长沙：湖南人民出版社，1958.
陈谷嘉，邓洪波．中国书院史资料［M］．杭州：浙江教育出版社，1998.
陈蒲清．陶澍传［M］．长沙：岳麓书社，2011.
周谷城．中国学术名著提要［M］．上海：复旦大学出版社，1996.
彭大成．中西冲突交融中的湖湘文化［M］．长沙：湖南人民出版社，2010.
费孝通．乡土中国 生育制度 乡土重建［M］．北京：商务印书馆，2015.
费孝通．皇权与绅权［M］．上海：上海书店，1991.
陶用舒．近代湖南人才群体研究［M］．长沙：岳麓书社，2000.
葛兆光．中国思想史导论：思想史的写法［M］．上海：复旦大学出版社，2007.
赵树好．教案与晚清社会［M］．北京：中国文联出版社，2001.
严昌洪．中国近代社会风俗史［M］．杭州：浙江人民出版社，1992.
余英时．钱穆与现代中国学术［M］．桂林：广西师范大学出版社，2006.
季羡林．学海泛槎——季羡林自述［M］．太原：山西人民出版社，2000.
萧一山．清代通史［M］．上海：华东师范大学出版社，2006.
钱穆．中国学术思想史论丛［M］．桂林：广西师范大学出版社，2005.
王尔敏．晚清政治思想史论［M］．桂林：广西师范大学出版社，2005.
周俊旗. 民国天津社会生活史［M］. 天津：天津社会科学出版社，2004.
陈序经. 文化学概观［M］. 北京：中国人民大学出版社，2005.
龚书铎. 社会变革与文化趋向：中国近代文化研究［M］. 北京：北京师范大学出版社，2005.
秦榆. 中国文化性格［M］. 北京：中国长安出版社，2006.
王思博. 中原文化［M］. 长春：吉林文史出版社，2010.
陈金川. 地缘中国［M］. 北京：中国档案出版社，1998.
王尔敏. 中国近代思想史论［M］. 北京：社会科学文献出版社，2003.
沈戎. 儒生另类史［M］. 天津：天津人民出版社，2005.
罗宏，许顺富. 湖南人底精神［M］. 北京：新星出版社，2017.
陈代湘. 湖湘学案［M］. 长沙：湖南人民出版社，2013.
罗玉明. 湖湘文化与湖南的尊孔读经（1927—1937）［M］. 长沙：湖南人民出版社，2004.
陈书良. 湘学史略［M］. 北京：中华书局，2015.
朱孔彰. 中兴将帅别传［M］. 长沙：岳麓书社，1989.
罗冠宗. 前事不忘后事之师［M］. 北京：宗教文化出版社，2003.
丁文江，赵丰田. 梁启超年谱长编［M］. 上海：上海人民出版社，1983.
曹运耕. 维新运动与两湖教育［M］. 武汉：湖北教育出版社，2003.
周维宏，砂山幸雄. 世纪之交的抉择：近代中日韩三国历史发展比较. 北京：世界知识出版社，2000.
陈宇翔. 谭嗣同唐才常与维新运动［M］. 长沙：湖南大学出版社，2012.
萧艾. 王湘绮评传［M］. 长沙：岳麓书社，1997.
丘桑. 旷代逸才［M］. 北京：东方出版社，1998.

周锡瑞. 改良与革命：辛亥革命在两湖［M］. 杨慎之，译. 南京：江苏人民出版社，2007.

冯建辉. 从陈独秀到毛泽东——中共六任领袖新视角［M］. 北京：中央文献出版社，1998.

李承贵. 20世纪中国人文社会科学方法问题［M］. 长沙：湖南教育出版社，2001.

方克立. 湘学研究的对象、范围和意义. 湘学（第二辑）［M］.长沙：湖南人民出版社，2002.

怀特. 文化科学：人和文明的研究［M］. 曹锦清，等译. 杭州：浙江人民出版社，1988.

菲利普·史密斯. 文化理论：导论［M］. 张鲲，译. 北京：商务印书馆，2008.

富永健一. 社会学原理［M］. 严立贤，等译. 北京：社会科学文献出版社，1992.

本尼迪克特·安德森. 想象的共同体：民族主义的起源与散布［M］. 吴叡人，译. 上海：上海人民出版社，2011.

马林诺夫斯基. 文化论［M］. 费孝通，译. 北京：华夏出版社，2002.

罗杰·M. 基辛：当代文化人类学概要［M］. 北晨，译. 杭州：浙江人民出版社，1986.

泰勒·考恩. 创造性破坏：全球化与文化多样性［M］. 王志毅，译. 上海：上海人民出版社，2007.

E·拉兹洛. 决定命运的选择［M］. 李吟波，等译. 北京：生活·读书·新知三联书店，1997.

弗朗兹·博厄斯. 人类学与现代生活［M］. 刘莎，谭晓勤，张卓宏，译. 北京：华夏出版社，1999.

汤因比. 历史研究：上［M］. 曹未风，译. 上海：上海人民出版社，1997.

马克思，恩格斯. 马克思恩格斯全集：第 46 卷上 [M]. 北京：人民出版社，1979.
马克思，恩格斯. 马克思恩格斯选集：第 1 卷 [M]. 北京：人民出版社，1995.
E·哈奇. 人与文化的理论 [M]. 黄应贵，郑美能，译. 哈尔滨：黑龙江教育出版社，1988.
拉德克利夫-布朗. 社会人类学方法 [M]. 夏建中，译. 济南：山东人民出版社，1988.
卡尔迪纳，普里勃. 他们研究了人 [M]. 孙恺祥，译. 北京：生活·读书·新知三联书店，1991.
克莱德·克鲁克洪. 文化与个人 [M]. 高佳，何红，何维凌，译.杭州：浙江人民出版社，1986.
孟德斯鸠. 论法的精神 [M]. 许明龙，译. 北京：商务印书馆，2009.
黑格尔. 历史哲学 [M]. 王造时，译. 北京：商务印书馆. 1963.
库恩. 必要的张力：科学的传统和变革论文选 [C]. 纪树立，等译. 福州：福建人民出版社，1981.
伽达默尔. 哲学解释学 [M]. 夏镇平，宋建平，译. 上海：上海译文出版社，1994.
保罗·利科尔. 解释学与人文科学 [M]. 陶远华，等译. 石家庄：河北人民出版社，1987.
马克斯·韦伯. 社会科学方法论概论 [M]. 韩水法，莫茜，译. 北京：中央编译出版社，1999.
马克思. 1844 年经济学哲学手稿 [M]. 北京：人民出版社，2000.
荣格. 分析心理学与梦的诠释 [M]. 杨梦茹，译. 上海：上海三联书店，2009.
斯皮罗. 文化与人性 [M]. 徐俊，等译. 北京：社会科学文献出版社，1999.

乔治·桑塔亚纳. 宗教中的理性［M］. 犹家仲，译. 北京：北京大学出版社，2008.
阿伦·布洛克. 西方人文主义传统［M］. 董乐山，译. 北京：生活·读书·新知三联书店，1997.
斯塔夫里阿诺斯. 全球通史：1500 年以前的世界［M］. 吴象婴，梁赤民，译. 上海：上海社会科学院出版社，1988.
杰弗里·巴勒克拉夫. 当代史学主要趋势［M］. 杨豫，译. 上海：上海译文出版社，1987.
杰弗里·巴勒克拉夫. 当代史导论［M］. 张广勇，等译. 上海：上海社会科学院出版社，1996.
詹姆斯·哈威·鲁宾孙. 新史学［M］. 齐思和，译. 北京：商务印书馆，1964.
柯林伍德. 历史的观念［M］. 何兆武，张文杰，译. 北京：中国社会科学出版社，1986.
奥斯瓦尔德·斯宾格勒. 西方的没落［M］. 吴琼，译. 上海：上海三联书店，2006.
露丝·本尼迪克特. 文化模式［M］. 王炜，等译. 北京：社会科学文献出版社，2009.
塞缪尔·亨廷顿. 文明的冲突与国际秩序的重建［M］. 周琪，刘绯，等译. 北京：新华出版社，2002.
摩尔根. 古代社会［M］. 杨东莼，马雍，马巨，译. 北京：商务印书馆，1977.
恩斯特·卡西尔. 人论［M］. 甘阳，译. 上海：上海译文出版社，2003.
埃德加·斯诺. 西行漫记［M］. 董东山，译. 北京：生活·读书·新知三联书店，1979.
托马斯·R·戴伊. 理解公共政策［M］. 谢明，译. 北京：中国人民大学出版社，2011.

托马斯·F·奥戴. 宗教社会学［M］. 刘润忠，译. 北京：中国社会科学出版社，1990.

孔飞力. 中华帝国晚期的叛乱及其敌人：1796—1864 年的军事化与社会结构［M］. 谢亮生，杨品泉，谢思炜，译. 北京：中国社会科学出版社，1990.

费正清. 美国与中国［M］. 张理京，译. 北京：世界知识出版社，1999.

S. N. 艾森斯塔得. 帝国的政治体系［M］. 阎步克，译. 贵阳：贵州人民出版社，1992.

芮玛丽. 同治中兴：中国保守主义的最后抵抗（1862—1874）［M］. 房德邻，郑师渠，郑大华，译. 北京：中国社会科学出版社，2001.

联合国教科文组织. 世界文化报告（2000）：文化的多样性、冲突与多元共存［M］. 关世杰，等译. 北京：北京大学出版社，2002.

联合国教科文组织. 文化多样性与人类全面发展——世界文化与发展委员会报告［R］. 张玉国，译. 广州：广东人民出版社，2006.

UNESCO. Cultural Diversify：CommonHeritage，PluralIdentities. Paris，2000：16.

BhikhuParekh. Rethinking multiculturalism culturaldiversityand political-theory，Harvard UniversityPress，2002.

Cultural Anthropology. Encyclopedia Britanca. 13th ed. Supple. p. 133，737.

Robert Redfield，Peasant Society and Culture，Chicago：University of Chicago Press，1956.

三、报纸、期刊论文

谭其骧. 中国文化的时代差异和地区差异［J］. 复旦学报，1986（2）.

卢云. 文化区：中国历史发展的空间透视［J］. 历史地理，1990（9）.

邱紫华. 论东方审美同情观［J］. 文艺研究，1993（5）.

胡阿祥. 以魏晋本土文学为例谈地理分区［J］. 史学月刊，2004（4）.

胡阿祥. 中国历史研究的地域视野［J］. 学海，2009（1）.

张晓虹，郑端. 21 世纪的中国文化地理学研究［J］. 音乐研究，2011（3）.

朱汉民. 中国文化地理格局中的湖湘文化近代化［J］. 船山学刊，2014（2）.

朱汉民. 狂狷：湖湘士人的精神气质——以王夫之、曾国藩、左宗棠为重点［J］. 求索，2015（4）.

朱汉民. 特殊性与普遍性的融合：湖湘文化精神特质的历史建构［J］. 原道，2014（1）.

朱汉民：地域文化研究中的两个问题［J］. 求索，2006（9）.

朱汉民. 湖湘文化：精英文化？通俗文化？［N］. 湖南日报，2005-8-26.

朱汉民. 论湖湘实学传统的近代转型［J］. 船山学刊，2006（3）.

周跃云. 湖南地理与湖湘文化［J］. 求索，1993（3）.

张伟然. 湖南文化的发展过程［J］. 中国史研究，1996（2）.

张凤琦. "地域文化"概念及其研究路径探析［J］. 浙江社会科学，2008（4）.

胡义成. 把精神分析引入中国地域文化研究——论精神分析学派的"隐型文化"理论在中国地域文化研究中的改造性应用［J］. 南昌航空工业学院学报（社会科学版），2003（2）.

邱文山，地域文化研究的独特价值与方法论探析［J］. 山东理工大学学报（社会科学版），2014（5）.

邱文山. 试论中国古代早期文化的汇融与整合［J］. 管子学刊，

1998（3）.
刘新有，史正涛，唐永红. 地域文化演进机制与发展趋势研究[J]. 广西社会科学，2007（11）.
林亦修. 地域文化研究的人神互动范式［J］. 社会科学战线，2010（9）.
李跃龙. 湖南民俗的特征、分区及其对社会进程的影响［J］. 求索，2005（5）.
徐进昌，谷海峰，李建文. 浅谈地方学、地域文化研究的现状与展望［J］. 锡林郭勒职业学院学报，2016（2）.
李醒民. 论文化的固有特征和研究进路［J］. 社会科学论坛，2005（7）.
王祥. 试论地域、地域文化与文学［J］. 社会科学辑刊，2004（4）.
许嘉璐. 中华文化的过去、现在和未来［J］. 文史哲，2004（2）.
吕兴光. 文化、先进文化与代表先进文化的前进方向［J］. 大同医学专科学校学报，2003（3）.
袁贵仁. 关于价值与文化问题［J］. 河北学刊，2005，25（1）.
雍际春. 地域文化研究及其时代价值［J］. 宁夏大学学报（人文社会科学版），2008（3）.
雍际春. 论历史文化地理学的研究对象、科学内容及其任务［J］. 中国历史地理论丛，1994（3）.
李伯齐. 地域文化与文学小议［J］. 聊城大学学报，2002（6）.
李敬敏. 全球一体化中的地域文化与地域文学［J］. 西南民族大学学报（人文社科版），2002（5）.
路柳. 关于地域文化研究的几个问题——第一次十四省市区地域文化与经济社会发展研讨会综述［J］. 山东社会科学，2004（12）.
向常水，靳环宇. “湖湘文化研究与发展”学术研讨会综述［J］. 湖湘论坛. 1999（6）.

曾长秋. 承往古衰朽之续 开近代风气之先——论曾国藩对湖湘文化的传承 [J]. 船山学刊. 2005 (4).
巫瑞书. 湖湘文化与楚文化关系管窥 [J]. 湖南师范大学社会科学学报，1990 (1).
周秋光. 湖湘文化的近代转型及其人才群体现象与原因 [J]. 湖南社会主义学院学报，2009 (2).
周秋光. 湖湘文化的个性特征及其缺陷 [J]. 船山学刊，2001 (4).
周秋光：古代湖湘文化的形成与历史演变 [J]. 湖南社会主义学院学报. 2009 (1).
江凌. 试论近代湖湘文化的基本特质及其文化精神 [J]. 湖南社会科学，2011 (6).
邓洪波. 宋代湖南书院与湖湘文化的形成 [J]. 船山学刊.2005 (2).
于璞. 文化多样性研究述评 [J]. 广西民族研究，2007 (1).
单波. 跨文化传播国际学术会议综述 [J]. 武汉大学学报，2004 (5).
杨倩，赵平俊. 当前我国文化建设中的几对重要关系 [J]. 山西农业大学学报（社会科学版），2004 (3).
何星亮. 文化多样性与全球化 [J]. 湖北民族学院学报，2004 (3).
张文华. 二十余年来区域历史地理理论研究概述 [J]. 中国史研究动态，2013 (2).
李军林，杨文军. 近十年湖湘文化研究述评 [J]. 船山学刊，2010 (2).
刘玲，米华. 湖湘文化研究综述 [J]. 湖南科技大学学报（社会科学版），2009 (4).
王祖望. 马林诺夫斯基的生平和学说 [J]. 国外社会科学，1985 (6).
陈曼娜. 钟敬文对文化分层理论的研究 [N]. 光明日报，2002-4-9.
萧子扬. 从田野到文本：浅析田野调查与民族志的关系：基于《西太平洋的航海者》的阅读 [J]. 西江月，2013 (10).
容观夐. 关于田野调查工作——文化人类学方法论研究之七 [J].

广西民族学院学报，1999（4）.
谭其骧. 中国内地移民篇——湖南篇［J］. 史学年报，1932（4）.
何光岳. 湖南叫“湘”的来历［J］. 档案时空，1985（1）.
杨义. 屈原诗学与湖湘文化［J］. 湖南理工学院学报（社会科学版），2006（4）.
万里. “湖湘”词语及其地域考源［J］. 湖南城市学院学报，2009（5）.
万里. 略论湖湘文化的定义、内涵精神特质及其现代转换［C］. 湖南省湖湘文化研究会2007年年会论文集. 2007.
刘新成. 一个学者对世界历史的思考——刘新成教授访谈录［J］. 历史教学，2005（10）.
陈先初. 湖湘文化的现代转型及基本面相［J］. 湖南社会科学，2014（3）.
李尚武. 文化类型新论［J］. 齐鲁艺苑，2003（1）.
张海钟，冯媛媛. 文化类型论与中国区域文化心理类型解析［J］. 阴山学刊，2010（1）.
叶志坚. 文化类型探析［J］. 中共福建省委党校学报，2001（3）.
孟修祥. 荆楚文化特质平议［J］. 武汉科技大学学报（社会科学版），2011（2）.
顾乃忠. 文化与文化形态学——东西方文化比较研究之一［J］. 江苏行政学院学报，2001（1）.
陈谷嘉. 论湖湘文化是具湖南地方特色的文化形态［J］. 湖湘论坛，2008（6）.
田中阳. 论近世湖湘文化精神的负面效应［J］. 求索，2000（6）.
陈增敏. 湘粤旅行见闻录［J］. 地学杂志，1933（2）.
刘云波. 论湖湘性格的二重性［J］. 船山学刊，2007（3）.
郭辉东. 大融合中崛起的湖湘文化——湖湘文化的源流和特征［J］. 湖湘论坛，1996（2）.

柯闻秀. 湖湘文化的三次大融合及其包容性特征的形成［J］. 株洲师范高等专科学校学报，2006（1）.
林增平. 近代湖湘文化初探［J］. 历史研究，1988（4）.
陶用舒. 论湖南近代人才群产生和形成的原因［J］. 益阳师专学报，1995（1）.
郑大华. 湖湘文化的精神特质［J］. 新湘评论，2015（6）.
丁平一. 试论湖湘文化的根本特性［J］. 求索，1998（5）.
文选德. 麓山文化与湖湘文化［J］. 新湘评论，2007（6）.
刘云波. 论近代湖湘文化的三大核心精神［J］. 湘潮，2007（2）.
唐浩明. 湖湘文化的精神特质［J］. 新湘评论，2014（5）.
郭辉东. 湖湘文化与湖南人才对近现代中国的影响［Z］. 湖南名人网.
王兴国. 略论近代湖湘文化的经世致用特点［J］. 湖南大学学报（社会科学版），2004（6）.
刘文锁. 论史前、原史及历史时期的概念［J］. 华夏考古，1998（3）.
吴晓筠. 中国的“原史时代”［J］. 华夏考古，2005（1）.
贺刚. 高庙遗址的发掘与相关问题的初步研究［J］. 湖南省博物馆馆刊，2005（2）.
马积高. 漫论湖湘文化［J］. 湖湘论坛，1996（6）.
蔡方鹿. 张栻与湖湘文化［J］. 湖南社会科学，1989（5）.
彭大成. 清朝两湖“南北分闱”与湖南人才之兴起［J］. 船山学刊，1996（2）.
罗玉达. 现代化大潮与社会变迁［J］. 贵州大学学报，2004（2）.
马敏. 有关中国社会变迁的几点思考［J］. 天津社会科学，1997（4）.
郭汉民. 同盟会“非团体联合”史实考［J］. 湖北社会科学，1987（6）.
王尔敏. 拳变时期的南省自保（下）［J］. 台北：大陆杂志，1962，25（6）.
范忠程. 大革命时期湖南农民运动再思考［J］. 湖南师范大学社会科学学报，2002（9）.

麦克奈尔. 神话—历史：真理、神话、历史和历史学家［J］. 史学理论，1987（1）.
严飞生. 地域文化学的若干问题研究［D］. 南昌：南昌大学.2006年硕士论文.
瞿润程. 湖湘文化模式——基于历史与民俗文化的思考［D］.哈尔滨：黑龙江省社会科学院，2016.
易白沙. 孔子平议：上［J］. 新青年，1916（1）6.
陈独秀. 新文化运动是什么？［J］. 新青年，1920（5）.
傅志明. 清末湖南资本主义的发展和辛亥革命［J］. 求索，1983（3）.
池田大作. 东西文化交流的新道路［R］. 1975年在莫斯科国立大学的演说.

后 记

这本带着浓浓“湘味”与“乡味”的书稿即将付梓，与读者见面了。此时此刻，按照惯例作者还需言说一番著作中未能言说，但又必须言说的感慨或者与著作相关的事宜，此之谓“后记”。这或许给作者留下了一个得以释怀的情感空间，理应珍视之。

炎炎夏日，星城长沙格外热烈，这倒给那些不善户外应酬交际之事的读书人，提供了难得的惬意与舒坦，可以坐在现代科技所营造的书房中，享受那“唯有书香能致远”的心灵之旅，加之不时之需的“尼古丁”刺激，让人总有畅游万方之感。

记得《左传·襄公二十四年》有这样一则故事：春秋时期公元前 549 年的春天，鲁国副卿叔孙豹出使晋国，晋国的范宣子到京城近郊迎接，欢迎仪式结束后，范宣子以请教的口气问叔孙豹：古话说的“死而不朽”，究竟指的什么？叔孙豹还没来得及回答，范宣子就颇为得意地自己解释道：我们范氏一族的祖先从虞、夏、商、周以来世代为贵族，家世显赫，香火不绝，这就是“不朽”。叔孙豹则不以为然，认为这只能叫作“世禄”而非“不朽”。在他看来，真正的不朽乃是：“太上有立德，其次有立功，其次有立言，虽久不废，此之谓三不朽。”何谓三不朽？指的是“立德”，即树立高尚的道德；“立功”，即为国为民建立功绩；“立言”，即提出具有真知灼见的言论。自此之后，儒家，特别是一些读书人，将此“三不朽”当成毕生奋斗之目标。

鄙人一介书生，自然无法达此“三不朽”境界，因为于我而言，既无那样的机缘巧合去树立高尚品德与建功立业，也无那样的先验智慧去放言真理。然而，超越“三不朽”的功利色彩而品味其中的人文意蕴，古圣先贤超越个体生命而追求永生不朽、超越物质欲求而追求精神满足的独特形式，还是大体领略其意的。现代社会，最适合读书人追求的就是尽量做到“立言”吧，尽管不那么真知灼见。故从 2007 年我的第一本著作《经学以自治：王闿运春秋学思想研究》（华夏出版社出版）面世，我努力尝试着去追求自己的学术理想与现实关怀，而其中一些不可为外人道也的原因，使我徘徊于“体制”之外的学术活动，先后完成了湖南省文史馆邀约的《湘学史略》（中华书局出版）和《湖南时务学堂研究》（民主与建设出版社出版）的合著书稿。如此一来，就很难获得“体制”之内的官方认可，从而“顺理成章”地招来一些并非“实事”的“事实”非议，其有点哑巴吃黄连的味道。

在既没有“千年”之谓，又无“百年”之称的中山大学完成博士学业之后，我自作多情般地请缨来到被时人誉为“千年学府，百年师范”的湖南省第一师范学校（当时尚属专科而无湖南第一师范学院之称）任教，正巧碰上学校“升本升格”和不久后的“本科教学评估”等许多重大的事情，加之人生地不熟，尤其是专业对口的缺失，只能以史学之身侧身于或者边缘于文学院（其实，广义的文学应该包括史学的）。应该说，如此“轻松”而“自由”的环境与氛围，是大多数学者翘首企盼的，而对于我来说却成了“挥霍”学术青春的“天堂”。好在“湖南第一师范是一所好学校”（毛泽东语），能够以“海纳百川，有容乃大”的气量和风范一视同仁地对待每位“先生”。所以，无论如何，我要非常感谢湖南第一师范学院给了一个“精神流浪者”以栖息和“谋稻粱”的机会。

或许是时来运转，早在四年前的一次体制之外的学术活动中，认识了中国社会科学院资深教授、湖南师范大学特聘教授郑大华先生。郑先生学识宏富，造诣精湛，思想深刻，没有架子，没有官腔，为人正直，和蔼可亲。论年龄，他是我的兄长，论资历是我的前辈，论学识是我的良师，论感情是我的朋友。后来，我欣然接受了他学术团队的邀约之情，参与其主持的《湖南时务学堂研究》一书的撰写。紧接着他又继续邀约我参与其主持的湖湘文化研究重大出版项目的子课题——地域文化理论视域下的湖湘文化研究，我自然欣然接受。古人云：“士为知己者死”；“以众人遇臣，臣故众人报之”，“以国士遇臣，臣故国士报之”。显然，这是古人张显人间正道、社会正义的一种气节。在此，本人无意去做为死之士，亦更无国士之才，只是鞭策自己应该对知遇之恩尽我本能的回报，并以此说明：这正是我写作本书的缘起与动力之一。

当然，接受本书撰写的邀约是一种感情驱动，而要完成本书的撰写则需要相当的实力。众所周知，湖湘文化的研究，在学术界已不是风生水起的刚刚起步，而是经历了很多名家学者的努力耕耘正在进入一个厚积薄发的沉淀时期。无论是从资料发掘，还是观点创新，乃至理论方法的运用方面，都向纵深方向推进。尤其是五卷本《湖湘文化通史》的出版，基本上是对前此湖湘文化研究的一次全面总结和进一步提升，给人耳目一新的启发。因此之故，要在这个基础之上再去突破与创新，必须另辟蹊径，必须“众里寻他千百度，蓦然回首，那人却在，灯火阑珊处”。基于这样的学术考量，本书尝试从地域文化理论的视野解读湖湘文化的相关问题，期望获得对湖湘文化的深度认知与较为准确的把握，从而为地域文化的学科建设构建一些基本理论元素。期望是美好的，至于能否达到这样一个初衷，只有等待读者的评判了。

本书分为三大部分，主体七章加绪论和余论。第一部分是地域文化的概念与范畴界定，主要是第一章的第一节；第二部分主要是阐释和评述哲学、历史学、历史地理学、文化人类学、考古学、民俗学借鉴于地域文化研究相关的理论与方法论，主要体现在第一章的第二节、第三节与第二章；第三部分主要从上述理论与方法的维度探讨湖湘文化的一些深层次问题，主要由第三、四、五、六、七章构成。作者深知，无论怎样的努力与安排，总有疏漏、失之偏颇之处，期望读者及专家的指正，以利湖湘文化后续研究的不断跟进。需要说明的是，因为时间与学力的原因，本书之第六章是由刘觅知女士撰写完成，第七章是由许顺富先生撰写完成的，在此深表感谢。

谈到感谢，我最要感谢的就是本书中所借鉴、所征引的前此研究论著与论文的作者，因为涉及的作者实在较多，在此不再一一列举。我或者在书中已有征引，或者在页末注释中加以了说明，或者在参考文献中已提及。因为这些研究成果，不仅为本书的主题研究提供了基础，而且使本书对许多问题的探讨深受启发。

还要特别感谢的是郑大华教授和饶毅女士。因为郑教授作为本书的主编和主要审稿人，为本书的框架定夺、布局谋篇以及修改，提出了很多富有创见性的宝贵意见，为本书增色颇多。饶毅作为本书的责任编辑，编校工作仔细，付出了令人钦佩的辛劳。

另外，我的几位学生如邓灿伟、李寒梅、雷婷婷、欧阳梅根，能在充满喜悦的毕业季，帮我查找、复印资料，输入文字等，做了很多力所能及的事情，真可谓“人生交契无老少，论交何必先同调”，感谢这份最真挚的师生友谊，并祝福他们放飞梦想，愿景美丽成真。

最后，我还要感谢我们所处的时代，不论是时代快乐的活力，还是时代焦虑的节奏，都给予我心智的启迪与思想的成熟，由此构成了我人生的美好记忆，使我对这些记忆里那些白纸黑字的符号进行深情的回望和打量，从而见诸于语言文字，使那些灵魂深处的感受，能够鲜活而长久地保存下来，留在岁月之中，暗示了未来的一个方向。

感谢生活，生活永远超出了我的预计与想象。

感谢所有阅读本书的读者，祝你们的生活幸福满满、诗意盈盈。

刘少虎

2017 年 7 月 21 日于长沙悦峰园

图书在版编目(CIP)数据

地域文化理论视域下的湖湘文化研究/刘少虎,刘觅知,许顺富著;郑大华主编.—长沙:岳麓书社,2017.10

(近代湖湘文化研究丛书)

ISBN 978-7-5538-0819-2

Ⅰ.①近... Ⅱ.①刘...②刘...③许...④郑... Ⅲ.①地方文化—研究—湖南—近代 Ⅳ.①G127.64

中国版本图书馆 CIP 数据核字(2017)第 256460 号

DIYU WENHUA LILUN SHIYU XIA DE HUXIANG WENHUA YANJIU

地域文化理论视域下的湖湘文化研究

主　　编:郑大华

作　　者:刘少虎　刘觅知　许顺富

责任编辑:饶　毅

责任校对:舒　舍

封面制作:胡　斌

岳麓书社出版发行

地址:湖南省长沙市爱民路 47 号

直销电话:0731-88804152　0731-88885616

邮编:410006

岳麓书社网址:www.yueluhistory.com

2017 年 10 月第 1 版第 1 次印刷

开本:710×1000　1/16

印张:40

字数:560 千字

ISBN 978-7-5538-0819-2

定价:126.00 元

承印:长沙鸿发印务实业有限公司

如有印装质量问题,请与本社印务部联系

电话:0731-88884129